D1489859

RELIKWIARZ

ELŻBIETA BIELAWSKA

RELIKWIARZ

LiRA
WYDAWNICTWO

Lira Publishing Sp. z o.o.
Wydanie pierwsze
Warszawa 2019
ISBN: 978-83-66229-83-9

POCZĄTEK

PIRACI

Kraków, 2.06.2017 — piątek

Głośny stukot obcasów rozstrajał wycieńczone policyjne umysły. Siedzieli obok siebie na starych, niewygodnych krzesełkach. Na korytarzu panował półmrok, przerywany przez brzęczącą i migającą niczym stroboskop jarzeniówkę. Wtem ciężkie dwupłatowe drzwi gabinetu zgrzytnęły i komendant miejski zaprosił czekających policjantów do środka. Wymienili uściski dłoni i zasiedli po przeciwnych stronach topornego biurka. Naczelnik Wydziału do walki z Przestępczością Przeciwko Mieniu Komendy Miejskiej Policji w Krakowie — komisarz Andrzej Sawicki, zwany Jędrkiem — i jego prawa ręka — aspirant Paweł Pakuł, zwany Pablem — wlepili wzrok w twarz swojego szefa. Ten wydobył z szuflady „Dziennik Krakowski", cisnął nim z impetem o biurko i podsunął im, wskazując na pierwszej stronie nagłówek „Popyt na zabytki sakralne".

— Cholerne pismaki rozgrzebują temat — zaczął gniewnie — a ja nie mam nic konkretnego. Rzuciłem im przed chwilą niusa o wznowieniu śledztwa w sprawie ekshibicjonisty spod domu studenckiego i pojechali pogadać z dziewczynami. Sęk w tym, że już namierzyliśmy gnojka i te hieny zaraz do mnie wrócą. Arcybiskup jest przerażony, że będzie musiał pozamykać kościoły, a ja nie wiem, co mu powiedzieć. Minął prawie tydzień, a my nadal nic nie mamy! — wrzasnął. — Wytłumaczcie mi, jakim cudem?

Jędrek i Pablo wyrwali się wspólnie do udzielenia odpowiedzi i obaj zamilkli, ustępując sobie nawzajem. Komendant machnął ręką.

— Mniejsza o to. Wszytko wiem. Trzy różne kościoły, trzy różne relikwiarze o różnej wartości, trzy różne metody kradzieży. Wiemy, że nie gwizdnęły ich dzieciaki ani że nikt nie opchnie ich na tutejszym rynku. Szukamy wspólnego mianownika i nie zamierzam za kilka dni wkurwiać się, że go nie znaleźliśmy.

Komendant zamilkł na chwilę, wysunął się zza biurka i zaczął przechadzać się po gabinecie.

Jędrek i Pablo milczeli, próbując rozgryźć intencje szefa.

— Idioci, którzy dokonują tych włamań, całkowicie rozwalili naszą ciężko wypracowaną statystykę. Nie po to w pocie czoła równaliśmy słupki na początku kwartału, żeby ta banda debili zniszczyła naszą pracę. Śmigajcie na miasto i wtajemniczajcie w tę sprawę swoje zaufane wtyczki. Niech powęszą, gdzie trzeba. Daję wam na jakiś czas wolną rękę.

Komendant pokręcił głową ze zniechęceniem, wyrównał leżący na biurku stosik papierów i przewertował kalendarz. Jędrek i Pablo wymienili się porozumiewawczym spojrzeniem i natychmiast się odmeldowali.

Jeszcze tego samego dnia wieczorem aspirant Pakuł ruszył na miasto, aby uruchomić swoje „wtyczki". Pioruńsko bawiło go to określenie, niejedyne zresztą, które padając z ust komendanta Hardego, brzmiało iście hollywoodzko. Pokonywał właśnie planty, pogwizdywał i uśmiechał się pod nosem. Wieczór był przyjemny, ciepły, a ławeczki wokół rynku zapełnione syrenkami chętnymi do wyłowienia. Pablo cmoknął z żalu nad swoim losem. „Nie tym razem", powiedział do siebie. Dziś nie miał czasu na zabawy w rybaka. Dziś musiał wcielić się w rolę kapitana poskramiającego piratów. Wysoka temperatura i odpowiednia suchość powietrza podpowiadały mu, że będzie miał szczęście. Krakowscy włóczędzy obdarzeni ciepłym, rozgrzanym od alkoholu serduchem nigdy nie odmawiali mu pomocy. Komu jak komu, ale żeby „panu władzy"? Po kilku latach współpracy znał ich na tyle dobrze, aby mieć pewność, że tak piękna pogoda nie umknie ich uwadze. Dowiedział się o nich też wiele więcej i to wcale nie z policyjnych kartotek. Dzięki rozwiązanym językom poznał ich historie, nawyki, orientował się, kto z kim się przyjaźni, czy ma tak zwaną kosę. Co istotne, poznał ich ulubione trunki, a to znacznie ułatwiało mu zdobycie zaufania. Liczył dzisiaj na Mariana i Staszka, emerytowanych górników. Starzy przyjaciele chętnie przebywali w okolicach Wisły, gdzie rozkoszowali się swoim ulubionym winem wiśniowym z nagą blondynką na etykiecie. Pablo miał nadzieję trafić też na Antona, jak śmiał go nazywać, a właściwie Antoniego Kowniaka, doktora historii sztuki, któremu zdarza się popadać w cugi alkoholowe. Pablo zdążył rozszyfrować jego system pracy i wiedział, że doktor w zimowe miesiące przesiaduje w swojej domowej bibliotece, a gdy pierwsze promienie słońca rozświetlą krakowskie zabytki, wynurza się na ukochane przez niego ulice.

Aspirant nie spieszył się, wiedział, że starzy kumple nigdzie mu nie uciekną. Powoli minął klasztor Franciszkanów i był mniej więcej na wysokości ulicy Wiślnej, gdy w okolicy budynków uniwersytetu wypatrzył Antona.

Wyglądał wyjątkowo świeżo i elegancko. Pakuł uznał, że musiał przed chwilą wyjść z mieszkania.

— Dzień dobry, doktorze — przywitał się z uśmiechem na ustach.

Antoni wstał i uścisnął mu dłoń.

— Witam serdecznie pana aspiranta — zaczął wesoło.

— Dawno się nie widzieliśmy. Cóż ciekawego słychać w naszym przestępczym światku?

Pablo serdecznie objął Antoniego za barki i skierował w głąb plantów, licząc, że znajdzie tam ustronne miejsce.

— Otóż o tym właśnie chciałbym porozmawiać. Zapraszam na krótki spacer — zaproponował. — Widzę, doktorze, że nastrój dopisuje, wygląd dzisiaj niczego sobie. Czyżby szykowało się jakieś *rendez-vous*?

Staruszek roześmiał się, poprawił poluzowany krawat i lekko nachylił się w stronę policjanta.

— Wyszykowałem się na spotkanie z przyjaciółmi. Spodziewam się miłego wieczoru w eleganckim towarzystwie. A ty jeszcze na służbie, czy już po pracy? — zgrabnie zmienił temat.

— Już po służbie, aczkolwiek jestem tutaj służbowo.

Doktor pokręcił głową w geście dezaprobaty.

— Nie potrafisz żyć bez tej roboty, czyli nie znalazłeś jeszcze odpowiedniej panny, inaczej nie miałbyś czasu na wieczorne spacery ze starym dziadem.

Pablo zaśmiał się w głos.

— Jeszcze nie, doktorze, ale do rzeczy.

Antoni przycupnął na ławce, a Pablo tuż obok.

— Zdarza ci się jeszcze przenocować na mieście? — zagaił policjant.

— Aspirancie drogi, taka piękna pogoda, szkoda by było zmarnować ją na siedzenie w murach. Choć przyznaję, nie miałbym krawata, gdyby nie wizyta przyjaciół. Zapewne tak jak i wczoraj pomagałbym przy zmianie ekspozycji w Pałacu Biskupa Ciołka.

Pablo łypnął na niego podejrzliwie.

— Przecież ekspozycję wymieniono dwa tygodnie temu. Tak się składa, że zabrałem tam pewną niewiastę.

Antoni wyprostował się i opuścił wzrok.

— No dobra — przyznał — włóczyłbym się z flaszką i książką. Ale wystawa jest po części moim dziełem.

— Bardzo dobre, winszuję. Niemniej jednak, mam nadzieję skorzystać, że tak to nazwę, z twoich miejskich pasji.

Antoni wyraźnie się zdziwił.

— A to jakaś nowość.

— Oj, doktorze, przecież zawsze rozumiałem twoje pobudki.

— Powiedz lepiej, z czym przychodzisz tym razem.

Pablo zawahał się przez chwilę, potęgując zainteresowanie Antona.

— Zapewne słyszałeś o kradzieżach relikwiarzy?

Antoni przytaknął.

— Proszę cię o pomoc w tej sprawie. Po pierwsze, jeżeli w najbliższych dniach będziesz się kręcił wokół rynku, zwróć uwagę na podejrzanych ludzi i miejsca. Po drugie, jestem ciekaw, co ty sądzisz na ten temat? Jaką wartość według ciebie stanowią skradzione przedmioty? A może byłbyś w stanie określić jakiś klucz, na podstawie którego przewidzimy kolejne miejsce kradzieży?

Antoni wyłupił oczy ze zdumienia.

— Nie spodziewałem się, że poprosisz mnie o tak szerokie działania. Pomyślałem, że zechcesz raczej zaczerpnąć opinii.

— Doktorze, traktuję cię jak eksperta w temacie — odpowiedział jakby to była oczywistość. — Wiesz, że uważam cię za niezastąpionego. Mamy opinie specjalistów, lecz ty masz na tyle niekonwencjonalne spojrzenie, że nie śmiałbym nie stawiać twojej opinii na pierwszym miejscu. Pomożesz mi?

— Oczywiście! — ucieszył się. — Czuję się wyróżniony! A jakie są aktualne opinie i prognozy?

— Już wszystko tłumaczę, doktorze. Specjaliści oszacowali, że jeden ze skradzionych przedmiotów jest niesłychanie cenny, a dwa pozostałe mają wartość przede wszystkim historyczną. Obstawiamy kradzieże na zlecenie kolekcjonera. Ponadto mamy do czynienia z trzema różnymi sposobami kradzieży, co według moich kolegów, tym bardziej potwierdza tę hipotezę. — Pablo przerwał w pół zdania i rozejrzał się ukradkiem, jakby obawiał się, że ktoś mógłby ich usłyszeć. — Ile masz jeszcze czasu, doktorze?

— Całą wieczność — odparł Anton i zaśmiał się.

— Wspominałeś, że umówiłeś się z przyjaciółmi. Nie chciałbym przeszkadzać, ale gdybyś miał jeszcze kilka minut, zapraszam na piwko.

Antoni wstał i splótł ręce za plecami.

— Mam jeszcze godzinkę, a w pobliżu otwarli niedawno przytulną knajpkę.

Pablo zaakceptował propozycję i poszli w kierunku wyznaczonym przez doktora.

HEJNAŁ
Kraków, 3.06.2017 — sobota

Melodia hejnału płynęła między strapionymi doświadczeniami murami krakowskiego rynku. Leniwie i błogo wybudzała ze snu starszego mężczyznę. Rozkojarzony podnosił się na ławce i, płosząc zgromadzone wokół gołębie, próbował złapać orientację w terenie. Usiadł, rozprostował nogi, potem rozmasował łydki i przetarł zaspane powieki. Ziewnął i rozejrzał się dookoła. Blade słońce przedzierało się między koronami drzew, spadając powłóczystymi promieniami na soczystą trawkę, na której pyszniły się pęki kwiatów. Przyroda szykowała się do pełnego rozkwitu, ciesząc oczy żywymi kolorami. Ach, jak on to kochał. Liście muskane delikatnym wiaterkiem szumiały cichutko, tak że przesiąknięte smogiem powietrze zdawało się być rześkie. Powracający do rzeczywistości umysł mężczyzny powoli przyswajał dobiegające go zewsząd dźwięki miasta. Uśmiechnął się w duchu, uradowany pięknie zapowiadającym się dniem i pomału stanął na nogi. Przytrzymał się ławki, wysłuchał ostatnich dźwięków hejnału i na jego twarzy wystąpił grymas przerażenia. Zawahał się i usiadł ponownie. Skrzyżował ręce na kolanach i zastygł w zadumie nad wydarzeniami poprzedniego dnia. Rozkojarzony wczorajszym alkoholem powolutku rozwijał kliszę z obrazami z minionego wieczoru. Kiedy odtworzył ją w całości, zerwał się z ławeczki i szybkim, nierównym krokiem ruszył przez Planty.

Serwantki i żardiniery
Gdańsk, 4.06.2017 — niedziela

„Dzwonić!", Maks Wojnicki przeczytał napis na tabliczce zawieszonej na zabytkowych drzwiach ostatniego piętra przedwojennej kamienicy.

„Oj, wujo, wujo. Pewnie przysnąłeś nad grecką poezją albo za bardzo wciągnęła cię historyczna proza", komentował, uparcie przytrzymując przycisk dzwonka. „Dziadku, dziadku, mój drogi", burknął w końcu, po czym zagłębił dłoń w wytartej, skórzanej nerce.

Zapasowy klucz miał zawsze przy sobie. Powoli wsunął go w zamek, przekręcił i uchylił drzwi. Podrażnił go ciężki, duszący zapach. Ostrożnie wślizgnął się do mieszkania, rzucił torby i omiótł wnętrze spojrzeniem. Uśmiechnął się na myśl, że nic się nie zmieniło.

Z roku na rok jest tylko więcej książek, staroci, kurzu i woni kubańskich cygar. Kiedyś, gdy żyła ciocia Lilianna, było jaśniej, cieplej i zdecydowanie czyściej. W pamięci zachował obraz świeżych ciętych kwiatów, biel koronkowych serwet i obrusów, i dźwięki pianina, które ciocia ubóstwiała. Po jej śmierci wuj wsiąkł w świat literatury i nie przejmował się ani kurzem, ani niedopalonymi cygarami. Stan jego duszy odzwierciedlało każde pomieszczenie tego mieszkania. Tęsknota za żoną była tak wszechobecna, że jeśli można cierpienie i miłość zamknąć w przestrzeni, w której się żyje, to tutaj je uwięziono.

Od czasu odejścia ciotki niczego nie zmieniono i wnętrze pozostało tak nieszablonowe, jak jego właściciele. Próbowano urządzić je w stylu biedermeier, lecz mocno zaburzał go romantyzm Lilianny, szczególnie w salonie pełniącym również funkcję jadalni. Beżowe wnętrze urozmaicono pasiastą ścianą, o którą opierała się tapicerowana zielonym pluszem kanapa o rzeźbionych nogach, obok której ustawiono krzesła od kompletu. Tuż przed nimi stał okrągły mahoniowy stolik na jednej nodze, a w pobliżu serwantka, na której teraz leżą książki. Przy drzwiach były dwie etażerki z jasnego drewna ozdobione chińskimi, ręcznie malowanymi wazonami. Same zaś drzwi i dwa duże okna przysłaniały złote zasłony i lambrekin z ciężkiego flauszowego materiału. Przy środkowym oknie stało pianino, a tuż obok niego patefon i świecące pustkami żardiniery. Ściany zdobiły wizerunki przodków i wiejskie krajobrazy.

Maks westchnął i przeszedł do gabinetu. Ciężkie, ciemne wnętrze otuliło go męskim zapachem. Rozejrzał się i z zadowoleniem stwierdził, że i tutaj nic się nie zmieniło. Wszystkie ściany tego niewielkiego pokoju zastawione były regałami, które wypełniały książki: poezja polska, rosyjska i francuska, tomy historyczne, religijne i powieści. Prywatności broniły tu długie, zakurzone, aksamitne kotary i gęsta firana.

Maks rozsunął kotary, zajął fotel wzorowany na królewskim tronie i dosunął się do dębowego biurka opartego na nogach wzorowanych na tygrysich łapach.

Błądził wzrokiem po regałach z książkami i zastanawiał się, gdzie jest jego wuj. Mając na uwadze, iż ostatnio często go zaskakiwał, pomyślał, że może szykuje dla niego jakąś niespodziankę. Wielką sprawił mu już w zeszłym tygodniu, kiedy to Maks odebrał przesyłkę z dokumentami przekazania mu prawa własności do lokalu położonego na gdańskim rynku. Wujek zaskoczył go tym podarunkiem, bo choć od zawsze był mu jak ojciec, Maks nigdy niczego od niego nie oczekiwał. Dociekał, skąd taki nagły prezent, ale wuj w rozmowie telefonicznej był bardzo tajemniczy. Zaproponował mu jednak jak najszybsze spotkanie i obiecał wyjaśnić sprawę na miejscu. Maks akurat kończył kontrakt i umówili się na niedzielę. „Dlaczego więc nie ma go w domu? Wyszedł do sklepu? Akurat o tej godzinie, na którą się zapowiedział? To do niego niepodobne". Maks zadzwonił, ale przywitała go automatyczna sekretarka. „Pewnie padła mu bateria w tym przedpotopowym telefonie", domyślał się, wodząc wzrokiem po okładkach książek. Zdumiewające, przecież ten człowiek nigdy nie zawala terminów, zawsze jest na czas! Przez głowę przemknęła mu myśl, że powinien zajrzeć do starego sejfu. Wziął do ręki książkę o historii Polski, wyciągnął z niej klucz i bez większego wysiłku odsunął jeden z regałów. Trochę dręczyło go sumienie, że grzebie w cudzych rzeczach, rozsądek lekko go jednak usprawiedliwiał. Zajrzał więc do środka i ku swojemu zdziwieniu nie znalazł tam niczego potencjalnie istotnego. Kilka wypracowań studentów i niewielki terminarz. Przewertował go naprędce, lecz nic nie przykuło jego uwagi. Pomyślał, że skoro jest w Gdańsku, szkoda marnować czas na siedzenie w domu. Odłożył notatnik i ruszył na miasto.

CZĘŚĆ I — PACIFICUS

Falująca rzeczywistość, parabole zdarzeń.
Uśpione w zegarze sekundy.
Nie wiem już, czy jestem, czy marzę.
Wyobraźnia zerwała kajdany i biega po cichym
pokoju.
Chciałabym ją ujarzmić, obudzić uśpiony czas.

INSTYNKT
Kraków, 2/3.06.2017 — piątek/sobota

„W dniu 1.06.2017 roku, w godzinach 14.00—22.00 pełniłem służbę w patrolu pieszym wraz ze st. post. Arkadiuszem Patiniukiem.

Około godziny 20.15 z polecenia dyżurnego Pogotowia
Policji w Krakowie udaliśmy się na dworzec centralny
PKP w Krakowie, gdzie ochrona dworca zgłosiła odnalezienie ciała mężczyzny. Na miejscu zastaliśmy załogę
pogotowia ratunkowego pod dowództwem lek. med.
Arlety Zawilskiej, która poinformowała nas o zgonie
z powodu zawału mięśnia sercowego, oraz prokurator
Agatę Kosman, która wykluczyła udział osób trzecich
i odstąpiła od czynności.

Denat nie posiadał przy sobie dokumentów potwierdzających tożsamość, niemniej jednak został przez nas
rozpoznany. Denatem okazał się być Franciszek Aleksandryjski, dane w załączniku. Na miejscu znajduje się

monitoring, w związku z czym rozpytaliśmy ochronę dworca w składzie Mateusz Grabik i Piotr Karczewski (dokładne dane w załączniku). Panowie poinformowali, że nie widzieli momentu zgonu. Mateusz Grabik stwierdził, że dokonywał wówczas obchodu, a Piotr Karczewski przyznał, że przysnął i nie spoglądał w monitor. W związku z tym odtworzono materiał filmowy, z którego jasno wynika, że Franciszek Aleksandryjski wbiegł na teren dworca, przewrócił się i najprawdopodobniej w ciągu kilku sekund ustała akcja serca.

Miał przy sobie dwie walizki, które zabezpieczono. Spis zawartości dołączono do niniejszej notatki. Walizki przewieziono na Komisariat Policji I w Krakowie, gdzie pozostawiono je do dalszej dyspozycji w pomieszczeniu oficera dyżurnego.

Notatkę sporządzono celem dalszego wykorzystania".

„Zofia Sokolnicka" nabazgrałam naprędce na liście obecności, szarpnęłam notatkę z biurka i długim, ciemnym korytarzem pospieszyłam do naczelnika.

— Ta cholerna dziunia znowu nie podjęła tropu! Powinnam się tym zająć! — wrzasnęłam w drzwiach gabinetu przełożonego.

Piotr powściągliwie wynurzył wzrok zza laptopa i rzucił mi jeden ze swoich standardowych tekstów:

— Spokojnie, Zosiu, spokojnie, złość piękności szkodzi.

Zalała mnie fala gorąca i poczułam dojrzewające na policzkach rumieńce. Seksistowskie uwagi współpracowników to jeden z najgorszych skutków ubocznych mojej pracy. Przysięgam, że są dla mnie gorsze niż śmierdzące trupy i awanturnicza patola. No dobra, trochę przesadziłam. Po kilku latach pracy zdążyłam oswoić i poskromić wroga, teraz po prostu tego nie lubię, ale kiedyś bardzo bolało. Szczególnie w sytuacjach takich ja ta, gdy ktoś gasi mój ponadprzeciętny entuzjazm. Ale o tym później. Najpierw pasowałoby przybliżyć źródło problemu. A żeby zrozumieć jego złożoność, trzeba o lata świetlne cofnąć się w czasie i skupić się na pierwotnych instynktach, tych samych, które leżą u źródła problemu równouprawnienia. Otóż nie u wszystkich te instynkty ewoluowały i nie wszystkim udaje się je poskromić, co znacznie utrudnia takim osobnikom odnalezienie się w rzeczywistości. Zważywszy, że mamy XXI wiek i mocno rozwiniętą cywilizację, która do dalszego rozkwitu wymaga zaangażowania również płci pięknej. Niestety osobnikom zakorzenionym mentalnie gdzieś między epoką kamienia łupanego a neolitem trudno jest pojąć, że nie warunkuje tego wyłącznie siła mięśni. Oczywiście jestem przekonana, że mężczyźni są z natury fizycznie silniejsi, mocniejsi i wytrzymalsi. Przy czym wiem też, że istnieją wybitne jednostki płci pięknej obdarzone równie wysokim poziomem siły i wytrzymałości, co w połączeniu z równie silnym intelektem pozwala im górować nad mężczyznami i wzbudzać w nich z rzadka podziw, a częściej odrazę.

Ja nie należę do takich kobiet, choć bardzo bym chciała. Myślę, że w ogólnym rankingu sprawności psychofizycznej plasuję się trochę powyżej średniej. Ale nie o tym teraz, a o wspomnianej wyżej sile kobiecego intelektu. Otóż to jest właśnie ta siła, o której zapominają, nie wiedzą albo nie chcą wiedzieć mężczyźni tkwiący mentalnie głęboko w prehistorii. Owszem, to mężczyźni polowali i dostarczali mięso i skóry zwierząt, ale to kobiety potrafiły zrobić z nich użytek, gotując posiłek i szyjąc odzież, a to zadania wymagające umiejętności bardziej złożonych niż siła fizyczna. Na tym polega siła kobiet, która moim zdaniem kompensuje mniejszą tężyznę fizyczną. Dlatego też jesteśmy sobie nawzajem tak bardzo potrzebni. Kobiety i mężczyźni są równocześnie przeciwni i współzależni jak siły yin i yang. Uzupełniamy się, tworzymy równowagę niezbędną do dalszego funkcjonowania i rozwoju cywilizacji. I dokładnie tak samo jest w mojej pracy. Tym bardziej, że służymy społeczeństwu, które nie składa się jedynie z płci męskiej.

I to chyba najlepiej tłumaczy zachowanie moich kolegów. Kierują nimi nie tylko samcze popędy, ale też ignorancja wobec potrzeby równowagi. Niekiedy myślę nawet, że matka natura, dając im większą siłę, zrobiła nam wszystkim krzywdę. Im dlatego, że zaślepieni swoją fizyczną przewagą, są przekonani o swojej wyższości. Nam — kobietom, że musimy ponosić wszelkie tego konsekwencje. Musimy choćby dźwigać ciężar niezrozumienia problemu, którego mężczyźni nie dostrzegają. Pewnie niepotrzebnie ich tłumaczę, ale naprawdę myślę, że to właśnie to stanowi powód ich przekonania, że są stworzeni do zawodów, w których na co dzień liczy się siła.

Jak widzicie jest to naprawdę niełatwa sprawa. No bo jak przekonać do swoich racji umysł, który nie potrafi pojąć nawet najprostszych różnic damsko-męskich?

Niestety, nie jest to jedyny powód moich zmagań z męską złośliwością. Bo nie dość, że jestem kobietą, jestem też córką byłego komendanta. I myślę, że to drugie jest nawet dużo gorsze niż to pierwsze. Fakt, że jestem kobietą, rodzi bowiem jedynie poczucie wyższości, ten drugi pobudza natomiast skrajnie przeciwstawne uczucia. Gra na emocjach takich jak zazdrość wywołuje poczucie niesprawiedliwości i stanowi schronienie dla kompleksów. W ogniu zazdrości grzeją się bowiem ci wszyscy, którzy czują się pokrzywdzeni przez los. Koligacje rodzinne w takich przypadkach pomagają nie tylko tłumaczyć innym ich niepowodzenia, ale też podbudowywać się myślą, że muszą poświęcić niewspółmierną ilość pracy dla osiągnięcia tych samych rezultatów.

Oczywiście rzeczywistość nie jest tak kolorowa jak w oczach moich kolegów z pracy. Nigdy nie próbowałam im tego tłumaczyć, bo doskonale wiem, że bez względu na to, co bym powiedziała, fama córeczki tatusia będzie się za mną ciągnąć jeszcze przez wiele lat. Możliwe, że nawet zawsze. Notabene należę do osób, które wolą robić niż mówić, co jest zresztą najlepszym świadectwem moich przekonań. Dlatego od lat nie korzystam z protekcji ojca i tak jak każdy przeciętny młody policjant powoli wspinam się po szczeblach kariery — od krawężnika do, póki co, referenta wydziału kryminalnego. Poza tym mój przypadek jest o tyle skomplikowany, że wydaje mi się, iż nawet gdybym chciała skorzystać z pomocy ojca, to i tak nic by z tego nie wyszło. Mój najwspanialszy na świecie tata, pomimo sporego mundurowego dorobku, wcale nie należy bowiem do grona policyjnych entuzjastów. Jak dziś pamiętam dzień, w którym oświadczyłam mu, że postanowiłam zostać gliną. Biedny tak się przejął, że o mało nie dostał zawału. Gdy doszedł do siebie — choć czasem wydaje mi się, że on z tym faktem do dzisiaj nie doszedł do siebie — po wielogodzinnych pertraktacjach nie tyle nie zgodził się, co kategorycznie zabronił mi służby. Uprzedził przy tym, że jeśli nie posłucham jego ostrzeżeń, owocnie utrudni mi ukończenie szkoły policyjnej. Mój młody umysł kierowany w owym czasie ponadprzeciętną z dzisiejszej perspektywy rozwagą i stawiający rodziców za wzór wszelkich cnót i mądrości faktycznie mocno się przejął i przyjął ostrzeżenia taty całkiem poważnie. Ostatecznie trochę ochłonęłam z mundurowych zapędów, zapisałam się na uniwerek i uśpiłam czujność ojca. Jak się prędko przekonałam, moja potrzeba ratowania świata wcale nie zelżała. Przez trzy lata nieustannie przeżuwałam wszystkie za i przeciw, aby ostatecznie, gdy dobrnęłam do licencjatu, dumnie ogłosić, że teraz już nic nie zatrzyma mnie w drodze do realizacji życiowej misji. Ojciec o mało się nie załamał. Chyba naprawdę obawiał się, że straci córkę, bo godzinami wbijał mi do głowy zgubne konsekwencje zawodu. Ostrzegał, nagabywał, prosił. Odpuścił, kiedy zasugerowałam, że skoro policja jest taka zła, mogłabym mundur policyjny zamienić na wojskowy.

Niedługo później bez najmniejszych problemów dostałam się do szkoły policyjnej, skończyłam ją z wyróżnieniem, a tato oficjalnie odciął się od tematu. Jestem przekonana, że w najmniejszym nawet stopniu nie przyczynił się do rozwoju mojej kariery. Co więcej, śmiem podejrzewać, że mógł nawet próbować ją zahamować. Z mojego punktu widzenia, niczego to nie zmieniło. Jako świeża funkcjonariuszka świadomie i z premedytacją odmówiłam piastowania stanowiska biurowego i jak każdy młody policjant odbębniłam prawie cztery lata w patrolu. Aktualnie pracuję na stanowisku referenta wydziału kryminalnego, czyli za biurkiem. Niedawno doszły mnie słuchy, że czeka na mnie posada detektywa, ale nie chwalmy dnia przed zachodem słońca. Moje zaangażowanie, zacięcie i specyficzna tajna broń na męski seksizm, którą jeszcze wyjaśnię, pozwoliły mi zyskać szacunek i sympatię ze strony współpracowników. Oswoiłam się z ich wadami, a oni poznali się na mnie. Chyba wszyscy koledzy z komisariatu, z którymi na co dzień pracuję, darzą mnie sympatią. Taką mam przynajmniej nadzieję, bo ja bardzo ich lubię. Spędzam z nimi całe dnie, więc stali się dla mnie rodziną, której nie mam. Problem, o którym wspomniałam na początku, dotyczy już tylko ludzi z komendy, którzy nie pracują ze mną na co dzień, w związku z czym, raczej mnie nie znają.

Tak więc jestem prawie detektywem, a od samego początku plany mam dalekosiężne. Bardzo bym chciała w końcu wyrwać się zza biurka albo przenieść się do CBŚP. Kiedy dowiedział się o tym mój ojciec, nagle przypomniał sobie, jak dobre zawodowe relacje łączyły go niegdyś z Witoldem Piotrowiczem — moim obecnym komendantem. I tak całkiem przypadkiem pewnego dnia „zrobili razem flaszeczkę". Obawiam się, że komendant obiecał staremu kumplowi, że nigdy, przenigdy nie dopuści do tego, aby ktoś pomógł mi zrealizować te marzenia, bo ojciec po tym spotkaniu zachowywał się tak, jakby spadł mu z serca ciężki kamień. Od tamtej flaszeczki nie podejmuje ze mną tego tematu, za to od czasu do czasu wpada jeszcze na komisariat, całkiem od czapy, żeby powspominać stare czasy. Usprawiedliwiam go w ten sposób, że chce uchronić jedyną córkę od konsekwencji jej marzeń, na które przez lata wystarczająco się napatrzył. Nieraz mówił mi, że młoda dziewczyna z moją ambicją, zacięciem i entuzjazmem może skończyć co najmniej jako stara panna z pracoholizmem. A tego bardzo by dla mnie nie chciał. Liczy, że na stare lata zasiądzie w wypielęgnowanym ogródku z gromadą wnucząt na kolanach. Profilaktycznie więc broni mnie przed wszelkimi trudnymi wyborami zawodowymi, znosząc już i tak ogromne wyrzuty sumienia. Niejednokrotnie wypominał sobie, że w ogóle dopuścił do tego, że ubrałam się mundur. Jest to dość nieprzeciętny przejaw troskliwości, do którego z biegiem lat przywykłam. Szanuję zdanie taty i nie przeszkadza mi ono w parciu do celu, bez względu na to, jak owocnie by mi to blokował. Osiągam swoje założenia dzięki zdyscyplinowaniu, skrupulatności i konsekwencji. Do pracy przykładałam się najlepiej, jak potrafię, nierzadko odwalałam robotę swoją, kolegów i taką, która zawsze się znajdzie, choć bez niej wszyscy mogliby przeżyć. Węszę nawet tam, gdzie innym się nie chce. Grzebię w szczegółach, sprawdzam poszlaki, których innym nie chce się sprawdzać. Lubię się wykazywać i udowadniać, że jestem twarda i niezależna od wpływów ojca. A gdy się na coś uprę, nigdy, przenigdy nie odpuszczam.

— Piotrze, trzeba to sprawdzić, przeszukać te walizki. Po co komu zimowe ubrania w czerwcu? I dlaczego denat nie miał przy sobie dokumentów?

— Zostaw tę sprawę, Zosiu, zostaw — powiedział szef spokojnie i ziewnął. — Chłopcy z patrolu zrobili robotę. Prokurator nie chce się w to bawić, a ty chcesz? Masz co robić. — Piotr wymownie wskazał na stertę dokumentów zalegających na biurku obok. — A w ogóle, skąd tyś wzięła tę notatkę?

— Od patrolówki.

Piotr przetarł twarz i, rozpierając się na krześle, wypuścił głośno powietrze.

— Przecież to był wariat, który miał milion pomysłów na minutę. Skoro Arleta stwierdziła zawał, a Agata odstąpiła od czynności, to już nie jest nasz problem.

Nie podjęłam się komentarza, a jedynie wymownie pokręciłam głową. Za dobrze znam Piotra, aby liczyć na to, że mogłabym coś jeszcze wskórać. Jest uparty jak osioł i zacięty jak włosy w zamku błyskawicznym.

Zabrałam przeznaczoną dla mnie stertę akt i, wzdychając przy tym z pogardą, oddaliłam się w stronę swojego pokoju. Przekręciłam klucz, trzasnęłam drzwiami, rzuciłam dokumenty na biuro i zawiesiłam wzrok na wskazówkach zegara, które wskazywały dokładnie północ. Za oknem szalała burza, krople deszczu z impetem waliły o parapet, a ciemny, zimy pokój rozgrzewało jedynie ciepłe światło biurowej lampki. Sterta akt rozsypała się po biurku i jeden z opasłych tomów zsunął mi się wprost na stopę. Otrząsnęłam się i gruchnęłam tyłeczkiem na wyścielany obrotowy fotel. Pstryknęłam odtwarzanie w moim malutkim boomboxie na szafce z dokumentami. Automatycznie wyświetlił się kawałek najlepiej odzwierciedlający moje poczucie policyjnej misji. Płyta zamieliła i po chwili dźwięki deszczu zagłuszyła przyjemna, energetyczna muzyczka z intro do *Słonecznego patrolu*. Gitara brzdęknęła elektryzująco i Jimi Jamison zaczął śpiewać: *Some people stand in the darkness, afraid to step into the light*[1].

---

1   Niektórzy ludzie stoją w ciemności, bojąc się zrobić krok do światła.

Przekręciłam klosz lampki w stronę papierów i ponownie przejrzałam niepozorną notatkę, skupiając się na wyłapaniu z treści najistotniejszych faktów. *Cause I'm always ready. I won't let you out of my sight*[2].

Denat — doktor nauk przyrodniczych, były wykładowca akademicki, dość dobrze sytuowany, trochę szajbnięty, znany policji z włóczęgostwa i ze spożywania imponujących ilości alkoholu — wbiega na dworzec, jak przekazali chłopcy z OPI, ewidentnie rozemocjonowany, jakby przed kimś uciekał. Z przejęcia i wysiłku ma zawał, umiera na miejscu. Walizki sugerują chęć wyjazdu, brak dokumentów skutecznie jednak zaburza to przypuszczenie.

Doprawdy typowy, przeciętny zgon…

In us we all have the power, but sometimes it's so hard to see, when instinct is stronger than reason, it's just human nature to me. Don't you worry, it's gonna be alright, cause I'm always ready, I won't let you out of my sight[3].

Zaintrygowała mnie ta sprawa. Powinnam chociaż zerknąć na te rzeczy, zamienić kilka słów z ochroną dworca. Przecież to może być zarodek grubszej sprawy. Co jest z tym Piotrkiem? Coraz gorszy z niego służbista. Znowu próbuje zdusić mój entuzjazm w zarodku. Znowu, bo ostatnio stale ogranicza mi możliwości działania. Kiedyś było inaczej. Gdy poznałam go kilka lat temu, wydawał mi się nieprzeciętny, błyskotliwy. Prędko obdarzyłam go szacunkiem i podziwem. Traktowałam go

---

2 Ponieważ zawsze jestem gotowy, nie pozwolę ci zniknąć mi z oczu.

3 Każdy z nas ma w sobie siłę, niekiedy tak trudno jest ją jednak dostrzec, gdy instynkt jest silniejszy niż zdrowy rozsądek, to jest dla mnie po prostu ludzka natura. Nie bój się, wszystko będzie w porządku, ponieważ zawsze jestem gotowy i nie pozwolę ci zniknąć mi z oczu.

jako wzór do naśladowania, po kilku latach wspólnej służby sporo jednak stracił w moich oczach. Nie mam pojęcia, czy to kwestia wypalenia zawodowego, strachu przed utratą stołka, chęć awansu, czy problemy osobiste, ale nie da się ukryć, że jego pęd za statystykami odbija się na rozwoju całego wydziału. Na pierwszy rzut oka wcale tego nie widać, bo wyniki mamy idealne. Niestety, jak wiadomo, ryba psuje się od głowy i od środka czuć, że policjanci stracili tak ważne w tym zawodzie poczucie misji.

Niewyobrażalnie mnie to wkurza, bo w końcu dotyczy również mnie. A ja miałam być detektywem, a nie urzędasem przewracającym papiery. Miałam być blisko ludzi, rozwiązywać ich problemy, a nie udawać, że ich nie widzę. W chwilach takich jak ta nęka mnie myśl, że nie zrobiono wszystkiego. Zadręczam się, bo jako jedna z nielicznych nie straciłam zapału. I choć wszyscy dookoła wmawiają mi, że potrzebuję jeszcze kilku lat pracy, żeby zachorować na znieczulicę, odpycham tę myśl jak najdalej. Mam przeczucie, że los nie bez powodu uczynił mnie policjantką, a moje zawodowe powołanie ma sens. Przede wszystkim zaś, że czeka mnie jeszcze coś niezwykłego, coś co da mi poczucie spełnienia.

Odnalezione przy denacie walizki pobudziły moją nieograniczoną wyobraźnię. Szósty zmysł podpowiadał mi, że warto zaangażować się w tę sprawę. Przekonana o sile swojej intuicji, z trwogą ponownie zerknęłam na zegarek. Do końca służby pozostało sześć godzin. Niewiele w porównaniu z obowiązkami, które na mnie czekały, czego nie robi się jednak dla czystego sumienia.

I'll be ready, I'll be ready, never you fear, no don't you fear, I'll be ready. Forever and always, I'm always here[4].

„Zdążę, zdążę do cholery", wyburczałam pod nosem, choć dobrze wiedziałam, że nie mam szans zdążyć. Zazwyczaj nie zdążam. Nawet nie pamiętam, kiedy wyrobiłam się w ośmiu godzinach pracy. Zwykle zostaję jeszcze dwie, trzy godziny, a zdarza się, że i pięć. Mogę sobie na to pozwolić, ponieważ moim życiem żądzą banalne sprawy, a raczej ich brak. Takie, które dla innych są czymś oczywistym i powszednim, a dla mnie tajemniczym i nieosiągalnym. Mam na myśli chociażby miłość. Nie doświadczam takowej, moją miłością stała się zatem praca, na której skupiłam całą swoją życiową ambicję. Piotr wie o tym doskonale, dlatego, choć nie skąpi mi seksistowskich uwag, od początku współpracy docenia mój wysiłek. Nie żeby był aż tak empatyczny, po prostu jest świadom, że tak skrupulatną i dociekliwą policjantkę ciężko byłoby zastąpić. Jedynym, co może go niepokoić, są moje nadgodziny, z których w tym roku uzbierałam już kilka tygodni. To naprawdę imponujący wynik, zważywszy, że nikt mi za ten czas nie zapłaci. Powinnam jak najszybciej odbierać je w formie wolnych dni, tyle że zazwyczaj nie mam kiedy i przepadają gdzieś natłoku pracy, pozostając wspomnieniem, szlachetnym czynem społecznym. Jakiś czas temu komendant zwrócił mi uwagę, że mam zbyt mocno podkrążone oczy i nakazał mi skrupulatne notowanie każdej minuty. Od tego czasu zapisałam kilka kartek, więc kiedy w końcu szef każe mi je odebrać, w międzyczasie zapomni, jak

---

4 Będę gotowy, będę gotowy, nigdy się nie bój, nie, nie bój się, będę gotowy. Na zawsze i zawsze, zawsze jestem tutaj.

wyglądam. Do tego muszę jeszcze wykorzystać zaległy i obecny urlop wypoczynkowy, z którego nie korzystam, dopóki ktoś mnie do tego nie zmusi. Wiem, że to dziwne, ale cóż ja mogłabym zrobić z taką ilością czasu. Nie znoszę się lenić, a poświęcanie doby na cokolwiek poza pracą i sprawami, które mogłyby tej pracy służyć, wydaje mi się bezsensowne. Tylko literatura i sport nie dają mi poczucia straconego czasu. Ale ileż można czytać, pisać i ćwiczyć? Te sprawy wystarczająco wypełniają mi tych kilka godzin doby, które mam dla siebie po pracy. Reasumując, od kiedy zasiedliłam pokój w wydziale kryminalnym, w zasadzie nie odpoczywam.

Kiedy zegar wybił pierwszą, a moje poczucie misji urosło mniej więcej go rangi misji ratowania prezydenta, przez myśl przemknęła mi wizja kolejnych nadgodzin, z których musiałabym się tłumaczyć. Nie miałam czasu na biurową kontemplację, musiałam zacząć działać. „Zdążę!", krzyknęłam do siebie i zaśmiałam się ze swojej głupoty. Wrzuciłam dokumenty do torby i wybiegłam do dyżurnego. Był zajęty wydawaniem poleceń przez radio, niezauważalnie podkradłam mu więc klucze i popędziłam do służbówki.

Niedomknięte walizki leżały na dolnym regale.

Założyłam rękawiczki, powoli otworzyłam zatrzaski i zaczęłam oglądać rzeczy. Ze sterty grubych, męskich swetrów wypadła na podłogę zmiętolona kartka. Podniosłam ją i obejrzałam. Była zapisana z dwóch stron, odręcznym pismem. Dojrzałym, eleganckim i nietuzinkowym. Jego właściciel na pewno sporo czasu poświęcił na lekcje kaligrafii, które zaowocowały niepowtarzalnym stylem. Równiusieńko zaokrąglone brzuszki i ozdobnie przeciągnięte ogonki wprawiły mnie w zachwyt. Z treści wynikało co najmniej tyle, że właściciel walizek lub ktoś, kto zapisał tę kartkę, interesuje się literaturą i religią. Na prawej stronie kartki widniała bowiem recenzja jakiegoś wiersza, a na jej odwrocie umieszczono opis sakralnego przedmiotu. Zaraz pod nim zanotowano też jutrzejszą datę, godzinę, miejsce, imię Apoloniusz i wyraz „mucha". Bez względu na to, kto i po co spisał te informacje, bardziej nie mógł mnie zaintrygować. Delikatnie odłożyłam karteczkę na pusty regał i przejrzałam resztę ubrań. Nie znalazłam już nic ciekawego, podobnie w drugiej walizce, która z pozoru niczym mnie nie zaskoczyła, przynajmniej dopóki nie zdałam sobie sprawy, że ubrania są eleganckie, zimowe i zdecydowanie nie w rozmiarze denata. Co więc robiły przy naszym szanownym krakowskim włóczykiju? Na co mu tak ciepłe rzeczy na początku czerwca? Czyżby to nie były jego walizki? Znaleziono go na dworcu, co sugeruje, że wybierał się w podróż, ale dlaczego z cudzymi ubraniami i bez dokumentów? Za co chciał kupić bilet? A kartka?

Wzięłam głęboki oddech i z kucek klapnęłam na podłogę, uderzając plecami o ścianę. Skrzyżowałam po turecku kolana i przyglądałam się tajemniczym zapiskom. Przeanalizowałam fakty i w końcu zajarzyłam, że opisany przedmiot to relikwiarz podobny do tych skradzionych, o których głośno było w mediach. Uznałam, że muszę jak najszybciej porozmawiać z ochroną dworca.

Poderwałam się gwałtownie, zwinęłam kartkę w rulonik i wróciłam do dyżurnego. Nadal wisiał na telefonie i nie zauważył nawet, że oddałam mu klucze. Poświęcił mi sekundę uwagi, gdy krzyknęłam, że wypisuję radiowóz. Skwasił się, to obiecałam wrócić najpóźniej za godzinę.

Podekscytowana wpakowałam się do naszej najnowszej nieoznakowanej hybrydy. Moje odkrycie, noc i szalejąca burza wprawiły mnie w przyjemny nastrój. Poczułam się jak Sherlock Holmes albo Sherlockini, czy jakoś tak... Obym spotkała na swej drodze jakiegoś Johna Watsona... Westchnęłam i docisnęłam gaz. Przed dworcem wygramoliłam się z samochodu i, jak przystało na detektywa z prawdziwego zdarzenia, widowiskowo rozłożyłam czarny parasol. W strugach deszczu przemknęłam do budynku. Wydawało mi się, że mam szczęście, ponieważ ochroniarz, który uczestniczył w zdarzeniu nadal był w pracy. Chętnie zgodził się na rozmowę, ale po krótkim przesłuchaniu miałam jasność, że nie wyciągnę z niego nic nowego. Nie żeby mężczyzna nie chciał współpracować. Po prostu upierał się zacięcie, że nie mógł niczego widzieć, bo jak na złość zasnął. Monitoring zarejestrował zdarzenie i faktycznie, jak wspomnieli koledzy, nic z niego nie wynikało. Wiem, bo sprawdziłam je klatka po klatce. Było tak jak w notatce — Aleksandryjski w pośpiechu wpadł na dworzec i przewrócił się. Walizki wypadły mu z rąk i zostały tak, jak je znaleziono. Westchnęłam, że nie mam możliwości przejrzenia miejskiego monitoringu, który pomógłby mi odtworzyć, jak Aleksandryjski tam dotarł. Sprawa ani trochę się nie rozjaśniła, ale wyszłam z założenia, że przezorny zawsze ubezpieczony i na wszelki wypadek wręczyłam ochroniarzowi wizytówkę.

Zawiedziona opuściłam dworzec. Wsiadając do pachnącego nowością radiowozu, usłyszałam ustawioną na numer Piotra piosenkę Queen *Dont't stop me now*, która dobitnie mi się z nim kojarzy.

— Zosiu, wracaj — zaczął cicho i spokojnie. — Musisz dziś przygotować odpowiedź do prokuratury i pismo do wojewódzkiej. Ostateczny termin! — poszybował głosem do góry, co miało mnie chyba zmotywować. — Zostaw te walizki, niczego nie wskórasz, masz masę innej roboty. Chcę mieć pisma o szóstej na biurku!

Wie, że babram się w sprawie Aleksandryjskiego... Kolejne potwierdzenie, że poznał mnie aż za dobrze.

Przytaknęłam, rozłączyłam rozmowę i to by było z mojego sherlockowania. „Cholerna biurokracja, cholerni prokuratorzy", zamruczałam pod nosem.

APOLLO
Kraków, 3.06.2017 — sobota po południu

Początek czerwca zapowiadał gorące lato, komisariat płonął od nadmiaru spraw. Policjanci z kryminalnego mijali się w biegu, gnając do drukarki na korytarzu jak poparzeni, aby stracić jak najmniej cennego czasu. Gdyby tak stanąć w kącie i mierzyć czas, można by zauważyć, jak z dnia na dzień biją kolejne rekordy. Podobnie minął nam też maj, od przesłuchania do przesłuchania, od sprawy do sprawy. Ledwo co rozliczyłam się z papierów za pierwszy kwartał, a już przymierzałam się do rozliczenia półrocza.

Mnie jako jedynej nie zależało na czasie. Miałam go pod dostatkiem. Rano, w południe, po południu, wieczorem i w nocy. Cała doba tylko czekała na zapełnienie. Nikt więc nie zdziwił się, gdy przyszłam do pracy o pół zmiany wcześniej. Dopiero widząc, jak w pośpiechu przekładałam papier pomiędzy szufladami drukarki, mijający mnie na korytarzu koledzy przystawali zszokowani, żeby zapytać co się stało.

— Nie gadaj, że w końcu masz jakąś randkę — zagaił Maciek.

— Skąd ten pomysł — skrzywiłam się, wyrywając z podajnika zaciętą kartkę.

— Jak to skąd — zaśmiał się głośno. — Z tego papieru prawie nic nie zostało. Gołym okiem widać, że jesteś mocno podekscytowana. Ach, chciałbym być tą kartką. Aż zazdroszczę temu facetowi.

Spojrzałam na niego wymownie i ruszyłam w stronę swojego pokoju.

— Wiem, wiem — dodał. — Ten twój wzrok pełen politowania. Ech, no nic, udanego wieczoru — westchnął i ruszył za mną.

Miałam świadomość, że patrzy na mój tyłeczek. Wierzcie mi, nie miałam ani siły, ani chęci, aby go upominać. Setki, o ile nie miliony razy zwracałam kolegom uwagę. Najpierw ganiłam, później prosiłam, aż w końcu wrzeszczałam, kłóciłam się i ziałam ogniem. Nie pomogło. Prawda jest brutalna. Jedna samica w stadzie samców zamkniętych w swoim kręgu na kilka godzin dziennie nie uchroni się przed tym, choćby była najbrzydszą i najbardziej opryskliwą samicą na świecie. Zatem przez pewien czas broniłam się jak mogłam, a później przemyślałam sprawę i z dnia na dzień zmieniłam taktykę. Uznałam, że skoro nie udaje mi się pokonać ich sprzeciwem, spróbuję ich własną bronią. I tak mniej więcej dokonał się przełom w mojej mentalności, który doprowadził do tego, że zaczęłam wykorzystywać swoją seksualność do osiągania wymiernych i niewymiernych korzyści. No przynajmniej w swoich oczach, bo w praktyce zaczęłam po prostu równoważyć męskie popędy. Nie powiem, na początku było ciężko, ale po pewnym czasie przywykłam i opanowałam tę sztukę do perfekcji. Dzięki mojemu zdrowemu, jak sądzę, podejściu wszyscy w końcu są zadowoleni, bo odrobinę luźniejsza relacja pomogła mocniej zacieśnić więzy. Koledzy zaczęli czerpać przyjemność z nieustannych podtekścików, a ja z przyjemnej współpracy. Od tej pory żaden z chłopaków nie odmówił mi pomocy, żaden, o ile mi wiadomo mnie nie obsmarował, a wszyscy jak jeden mąż stają za mną murem. Przekonuję ich pracowitością i koleżeństwem, a przekupuję zgrabnym tyłeczkiem, nic nie znaczącymi ruchami bioder i kilkoma od tak rzuconymi półsłówkami. Z naciskiem na to ostatnie, bo rzecz jasna nigdy nie dopuszczam do hardcorowych rozmów na dwuznaczne tematy. Byłoby to sprzeczne z moim poczuciem godności. Takie stanowcze podejście zapewnia mi szacunek i odpowiednią pozycję w oczach kolegów. Myślę, że taką pozycję, jakiej w męskim stadzie nie zapewniłoby mi nic innego.

Dlaczego? Dlatego, że mężczyźni w zawodowych kontaktach z kobietami lubią luz, zamknięty oczywiście w granicach zdrowego rozsądku. Dobrze wiedzą, że jest jakaś strefa komfortu, granica, której nie wypada przekraczać. A jeśli wyznaczają ją zbyt daleko, naruszając cudzą, to zwyczajnie są głupi i nie zasługują na koleżeństwo. Na szczęście większość facetów wie, że granie w otwarte karty na polu zawodowym jest niesmaczne, nietaktowne i nawet z najładniejszej i najbardziej wstrzemięźliwej kobiety zrobi ladacznicę. Mężczyźni wcale nie lubią u kobiet nachalnej seksualności. Brzmi śmiesznie? Pamiętajmy, że mówimy o relacjach zawodownych, którym chcąc nie chcąc, poświęcamy prawie połowę swojego życia. I wierzcie mi, żaden facet nie chciałby przebywać przez osiem godzin w towarzystwie kobiety z manierami prostytutki. Mylne wrażenie mogą sprawiać rozmowy w męskim gronie, gdzie faceci uwielbiają przeganiać się sprośnymi żartami. Ale to tylko gra pozorów. Poza tym warto pamiętać, że żaden porządny mężczyzna nie pozwoli sobie na to wspomniane przekroczenie granicy. Z naciskiem na słowo porządny, czyli jedyny typ zasługujący na uwagę.

Dlatego właśnie faceci lubują się w grze za pomocą podtekstów, półsłówek, gestów. Liczy się rozwaga, umiejętność balansowania pomiędzy tym co oczywiste, a tym co niedopowiedziane. W końcu są zdobywcami i lubią bawić się z ofiarą. To sprawia przyjemność, buduje napięcie, pobudzające wyobraźnię. A że tymi nieszczęsnymi ofiarami jesteśmy my — kobiety, świadomość tego wszystkiego, daje nam przewagę. Dlatego postawa taka jak moja, jest moim skromnym zdaniem najlepsza. Niechże sobie myślą, że to oni zdobywają, podczas gdy to my mamimy ich instynkty. Nie jest to łatwa sztuka, ale do opanowania. Wystarczy mieć odpowiedni poziom zdrowego rozsądku, odpowiednie poczucie własnej wartości, autoironii, i poczucia humoru. To tylko tyle i aż tyle. Myślę, że mogę śmiało stwierdzić, pomijając ignorowanie irytujących mnie tekstów o nadzwyczajności moich niebieskich kształtów, że jestem w tym dobra i jestem po prostu sobą. Przywykłam do tych kilku niezobowiązujących uśmieszków rzucanych mimochodem w kierunku strapionych życiem kolegów i jest mi z tym całkiem przyjemnie.

Dzień minął mi w mgnieniu oka. Zgłosiłam się ze swoim odkryciem do naczelnika, który tak jak przypuszczałam, odprawił mnie z kwitkiem. Nie przejęłam się, miałam już swój plan. Godziny mijały, a ja co chwila z niecierpliwością spoglądałam na zegarek. Zdecydowałam się zweryfikować notatki z tajemniczej kartki. A dzięki temu, że przyszłam do pracy wcześniej, to też wcześniej udało mi się wyjść. Zyskałam czas, aby spokojnie dotrzeć pod podany adres, rozejrzeć się po Jamie Michalika i zająć odpowiednie miejsce. Znam ten lokal i podejrzewałam, że przytulne na co dzień zakamarki, stanowiące świetne schronienie przed światem, tym razem nie będą moim sprzymierzeńcem. Mogą stać się dobrą kryjówką, zarówno dla mnie, jak i dla potencjalnego bandziora.

Od progu rozpoczęłam rozeznanie terenu. Spory lokal był w połowie zapełniony gośćmi, których kryły wysokie oparcia secesyjnych kanap. Zrobiłam powolną rundkę po sali, zamówiłam kawę i przycupnęłam przy niewielkim stoliku ustawionym na otwartej przestrzeni, mniej więcej pośrodku pomieszczenia. Szybko zorientowałam się, że nie jest to idealne miejsce, bo choć mogłam doglądać większości zaciemnionych kątów, jednocześnie sama wystawiłam się na idealny widok. Nie wiem, dlaczego na początku wcale mi to nie przeszkadzało. Czułam się nadzwyczaj pewnie. Sączyłam powoli cappuccino i ukradkiem łypałam po kątach w poszukiwaniu samotnego mężczyzny z muchą na szyi. W końcu udało mi się wypatrzyć kogoś, kto odpowiadał mojemu wyobrażeniu.

Kilka stolików dalej, tuż przy dzielącym sale witrażu, siedział samotny, młody mężczyzna z kolorową muchą na szyi. Co prawda był trochę zbyt młody i ekstrawagancki jak na to, co zdawało się sugerować dość staro brzmiące imię Apoloniusz, ale przecież równie dobrze mógł to być pseudonim. Po pewnym czasie dołączyła jednak do niego kobieta, co zbiło mnie z tropu.

Pożałowałam straconego czasu i podniosłam tyłek. Przeszłam spacerkiem do drugiej sali i usadowiłam się przy kilkuosobowym stole. Zaczynałam się denerwować i coraz intensywniej skanowałam każdy punkt pomieszczenia. W pewnym momencie coś mi mignęło. W najmniejszej sali, na podeście przeznaczonym dla artystów, w kącie, za pianinem, na kanapie schowanej w gęstym cieniu poruszyła się jakaś postać. Zaintrygowała mnie, bo tak dobrze się schowała, że nie dość, że prawie nie było jej widać, to trudno też było ocenić, czy ma towarzystwo. Ktoś starał się być wręcz niezauważalny i gdyby nie zerknął nieśmiało w otwartą część pomieszczenia, nigdy bym go nie dostrzegła. Skupiłam wzrok i w cieniu ciemnych ścian dojrzałam męską twarz i wyciągniętą szyję ozdobioną muchą. Obserwowałam tę postać przez kolejnych kilka minut. Czas biegł nieubłaganie, kawa mi wystygła, a nie wypadało jej dokończyć i siedzieć przed pustą szklanką. Nie miałam możliwości zamówienia następnej, bo tajemniczy jegomość mógłby mi nawiać. Na domiar złego zrobiłam się głodna.

W końcu nie wytrzymałam. Zabrałam szklankę z resztkami napoju i spokojnie przeniosłam się do stolika ustawionego naprzeciw mężczyzny w muszce. Usiadłam jak gdyby nigdy nic i zerknęłam w stronę narożnika, który zamierzałam rozszyfrować. Mężczyzna dojrzały, zadbany, dobrze ubrany, opalony, jakby wrócił z wakacji, obracał w dłoniach kryształ z whisky. Kiedy spotkaliśmy się wzrokiem, uśmiechnęłam się jak przyjazna turystka i udałam zawstydzoną. Mężczyźnie nie było jednak do śmiechu. Miał poważną minę, marszczył czoło i, ogólnie rzecz ujmując, wyglądał na podenerwowanego. Zabrałam swoją kawę i dosiadłam się do niego.

— Dobry wieczór, mam na imię Zośka. — zagadnęłam z uśmiechem.

— Dobry wieczór, przepraszam panią, czekam na kogoś — odpowiedział, odwracając wzrok.

— Zatem porozmawiajmy, zanim ten ktoś przyjdzie — zagaiłam.

— Wybaczy pani, nie jestem w nastroju do rozmowy — bąknął i ponownie wychylił się w stronę drzwi wejściowych.

Absolutnie mnie tym nie zniechęcił.

— Ja się przedstawiłam, a jak panu na imię?

— Szanowna pani, doprawdy, nie mam czasu ani ochoty na takie rozmowy — oświadczył i zaraz po tym wstał.

Wystraszyłam się, że źle poprowadziłam tę rozmowę i że zaraz mi zwieje.

— A chciałby pan porozmawiać z panem Aleksandryjskim albo Wojnickim? Panie Apoloniuszu?

Mężczyzna zatrzymał się i obdarzył mnie dociekliwym spojrzeniem.

— Co pani powiedziała? Może pani powtórzyć? To drugie nazwisko.

— Pytałam, czy przypadkiem nie czeka pan na Wojnickiego?

Mężczyzna usiadł i nachylił się w moją stronę. W końcu mogłam lepiej mu się przyjrzeć.

— On tu panią przysłał? — wyszeptał przyglądając mi się czujnie

— Tak jakby — odpowiedziałam spokojnie. — Czy mam mu coś przekazać?

— Tak. Proszę mu przekazać, że muszę się z nim natychmiast spotkać. Będę rozmawiał wyłącznie z nim. Gdzie on jest?

Zgłupiałam. Moja strategia nie przewidywała takiego rozwoju wydarzeń.

— Gdzie on jest? — powtórzył mężczyzna. Milczałam jak kretynka. A kiedy już otworzyłam usta — Pani nic nie wie — dodał poirytowany. — On tu wcale pani nie przysłał.

Tajemniczy jegomość wstał i żwawym krokiem udał się do wyjścia. Nawaliłam, kompletnie spartaczyłam robotę. Co gorsza, złapałam się ostatniej deski ratunku, czyli poderwałam się z miejsca i popędziłam za nim.

— Proszę zaczekać, to ważne, nalegam! — Zawołałam i dogoniłam go przy wyjściu.

— Proszę się nie naprzykrzać — upominał mnie, nie odwracając się w moją stronę. — Nie będę z panią rozmawiać.

Nie miałam pomysłu, jak go zatrzymać. W mojej pustej głowie zahulał wiatr. Truchtałam za nim i powtarzałam w kółko:

— Niech pan zaczeka, to bardzo ważne.

Mężczyzna kierował się w stronę Teatru Słowackiego. Głupio mi było za nim biec, a kiedy go doganiałam, natychmiast przyspieszał. W końcu wpakował się do taksówki i odjechał.

Wściekłam się na siebie. Źle to rozegrałam i zostałam z niczym. Przepadł mój jedyny trop. Nie miałam pojęcia, gdzie mogłabym go szukać. Gorsza była jednak świadomość, że nieumiejętnie wdepnęłam w działania policji, które od pewnego czasu toczyły się w sprawie relikwiarzy i były daleko poza moim zasięgiem. Nie wybaczyłabym sobie spartaczenia komuś roboty.

Osłabłam i burczało mi w brzuchu. Skoczyłam po jedzenie i wróciłam na komisariat. Przejrzałam w policyjnej bazie danych informacje na temat Franciszka Aleksandryjskiego. Spisałam adres i pojechałam do jego mieszkania, gdzie oczywiście nikt mi nie otworzył, przecież nie miał rodziny. Nawet obowiązek pochówku spoczywał teraz na ośrodku pomocy społecznej. Byłam w kropce, sama ze swoim pracoholizmem i ambicją. Nie mogłam przebolеć swojej głupoty i postanowiłam, że moje dalsze działania będą lepiej przemyślane. Póki co nie miałam już żadnego punktu zaczepienia.

Zmęczona wróciłam do domu.

LITERATKI
Kraków, 4.06.2017 — niedziela

W moim mieszkaniu panował artystyczny nieład. Sadzę, że typowy dla młodej, samotnej i zapracowanej kobiety. Za to wystrój nie należał już do typowych. Sześćdziesiąt metrów kwadratowych marokańskiej ekstrawagancji, dopełnionej eklektyzmem. Orientalne wzory, meble z hebanowego drewna o rzeźbionych, giętych nogach. Salon z odtwarzaczem zamiast telewizora, wiekowa złoto-różowa kanapa, niewielki, okrągły stolik i niewiele kwiatów. No dobra, żadnych kwiatów oprócz małego kwitnącego kaktusa. Całość okraszona książkami i porozrzucanymi po kątach płytami kompaktowymi. Styl mojego życia bił z każdego kąta tego mieszkania. Jednakże śmiem pokusić się o twierdzenie, że klimat tworzyły nie tyle książki i meble, co kolory. Granatowy salon otwarty na złotą kuchnię, która zza ciemnych zasłon wpuszczała do niego przygaszone światło. Trochę to takie ludzkie cechy zaklęte w przedmiotach.

Sygnał telefonu postawił mnie na równe nogi.

— Halo, mała, jesteś tam? — zagadywała pogodnie przyjaciółka.

— Eee, jestem, jestem, Kaśka — wyjąkałam zaspanym, zachrypniętym głosem.

— Świetnie, w takim razie wpadnę za godzinkę, masz dziś wolne, prawda?

— Tak, mam, ale... planowałam się wyspać — odpowiedziałam i, łapiąc równowagę, usiadłam na łóżku.

— Znowu zasiedziałaś się w robocie, wykończą cię! Twój pracoholizm mnie przeraża! Musisz wyskoczyć gdzieś ze mną na weekend. A póki co zbieraj się, wpadnę za godzinę. Z ser-ni-czkiem! Se jaaa — zakończyła radośnie.

Złapałam za zegarek — niedobrze, była siedemnasta. Dzień dopiero się dla mnie zaczynał, a już poczułam się nieprzyjemnie. Zmarnowałam tyle cennego czasu i wcale nie winiłam za ten fakt pracy, a jak zwykle samą siebie. Powinnam spać pięć, a nie czternaście godzin!

W życiu jest zawsze tyle do zrobienia! Wypożyczona niedawno książka o największych architektach świata i biografia Churchilla same się nie przeczytają. Dopadły mnie gorzkie wyrzuty sumienia. Jedyny dzień wolnego, zaplanowany na rozwój intelektualny, zmarnuję na ploteczki przy kawie. Wizja utraty jedynej przyjaciółki była jednak dokuczliwsza, więc nie potrafiłam jej odmówić.

Podniosłam się z łóżka, wrzuciłam na siebie bawełniany szlafrok i godzinę później siedziałam z Kaśką przy kawie.

— Ty coś w ogóle jadasz? Wyglądasz na chorą albo chronicznie przemęczoną — zganiła mnie.

— Jadam na pewno więcej niż ty i błagam, nie moralizuj. — Kaśką aż zatrzęsło, więc prędko podjęłam dalej. — Zmieńmy temat, byle nie na twoje problemy rodzicielskie. One są jak bumerang, ja ci doradzam, proponuję, odpowiadam na pytania, a one i tak wciąż do mnie wracają. Wrócą i jutro, i za tydzień, a ja muszę ci coś pokazać.

Oderwałam się od serniczka i wyszłam do przedpokoju po torebkę.

— Na pewno więcej niż ja, tak, na pewno, na pewno — usłyszałam.

Najwyraźniej Kaśka nie dowierzała, że mogłabym jeść więcej, bo sama od zawsze je za dwoje, a mimo to jest szczupła. I nie przypominam sobie, aby kiedykolwiek bała się, że przytyje. Mało tego, uważa, że nawet gdyby jej się to przytrafiło i tak będzie jej do twarzy. Nieprzeciętne podejście jak na kobietę, ale Kaśka zawsze miała ogromne poczucie własnej wartości i zabójczą pewność siebie, co zresztą w niej uwielbiam. Fakt faktem — jest śliczna, zadbana, zawsze perfekcyjnie umalowana, elegancka. Kiedyś zastanawiałam się, jak to jest, że tak długo się przyjaźnimy. Z czasem pojęłam, że wzajemnie się uzupełniamy. Ona wnosi w naszą przyjaźń delikatność, subtelność, wrażliwość, a ja... no cóż, tę całą resztę. W każdym razie, bez niej raczej nie sięgnęłabym po tusz do rzęs, a ona beze mnie nie sięgnęłaby po pistolet. Pewnie nawet nie zatrzymałaby się w pobliżu strzelnicy. W naszym przypadku ciepło zderza się z chłodem i razem tworzą klimat umiarkowany. Yin i yang, równowaga, chyba już o tym wspominałam.

— Ta praca zabija w tobie kobiecość i empatię — bąknęła. — Jesteś dla mnie ostatnio wybitnie chamska. Masz szczęście, że kocham cię jak siostrę, inaczej mogłabym nie wybaczyć.

Wróciłam do pokoju z kartką, którą dzień wcześniej zabrałam z walizek.

— Co to jest? — zaciekawiła się. — Czyżby dowody zbrodni?

— Mam nadzieję, że jednak nie są to żadne dowody. Znalazłam tę kartkę wczoraj w rzeczach denata, znaczy Franciszka Aleksandryjskiego.

— Fuj, zabierz to ode mnie — Kaśka odsunęła się z obrzydzeniem i zabawną miną.

— No nie tak całkiem przy zwłokach — wyjaśniłam.

— Facet zmarł na zawał, w nocy, na dworcu. Miał ze sobą walizki zapełnione męskimi, zimowymi ubraniami, no i to... — Zamachałam kartką. — Ten papierek może być ciekawym tropem w sprawie kradzieży relikwiarzy. Lekarka, która badała denata stwierdziła zawał, prokuratorka odstąpiła od czynności i w ogóle nie zainteresowała się walizkami. A ja jestem przekonana, że te dwie sprawy mają związek. Muszę wyniuchać, kto w komendzie nad tym pracuje. A ponieważ oficjalnie nie mam z tym nic wspólnego, muszę działać dyskretnie i tak, żeby przy okazji komuś nie zaszkodzić.

Kaśka krzywiła się i spoglądała w swój różowy telefon. Wyraźnie nie miała ochoty słuchać o mojej kolejnej superakcji i liczyła, że utnie tę dyskusję.

— Oddaj tę kartkę do laboratorium, niech sprawdzą odciski palców.

— O mamo! To nie jest takie proste, trzeba by było dobrze to umotywować, a naczelnik zabronił mi się w to mieszać. Tylko, że ja nie mogę odpuścić, nie dałoby mi to spokoju. Spójrz… — Podsunęłam Kaśce kartkę pod nos. — Wydaje mi się, że skądś znam to pismo. Pod recenzją ktoś podpisał się jako „J. Wojnicki". Znasz kogoś takiego?

— Zośka, niejednemu psu na imię Burek. Ponadto ten podpis niekoniecznie ma jakiś związek z właścicielem walizek.

— Przecież wiem. Ale naprawdę, wydaje mi się, że znam to nazwisko.

— Hm… faktycznie brzmi znajomo. A pismo wygląda jakoś tak intelektualnie, nie wiem… profesorsko? — Zadumałyśmy się przez chwilę. — Idąc tym tropem — odezwała się. — Pamiętasz tego brodatego profesora z uniwerku gdańskiego, który kiedyś miał u nas wykłady gościnne? On przypadkiem nie nazywał się Wojnicki?

Kilka lat wcześniej studiowałyśmy razem filologię na Uniwersytecie Jagiellońskim. Pewnie na pierwszy rzut oka nie wyglądam na intelektualistkę, ale od dziecka kocham literaturę. Pomaga mi przenosić się do lepszego świata. Lecz, jak zapewne zdołałam poinformować, moja natura ma też drugą stronę. A te studia, niestety, mocno się z nią kłóciły, utrudniając mi realizację planów zawodowych. Tak więc porzuciłam literaturę i magistra zrobiłam zaocznie, z bezpieczeństwa międzynarodowego, co jak się okazało, dziś mało mi się przydaje. Fakt faktem, dowiedziałam się ciekawych rzeczy, tylko co z tego, kiedy nijak mają się do mojej pracy.

— Kaśka! Ja pierdzielę, tak, to był Jan Wojnicki! Coś mi się zdaje, że jeszcze mam jego recenzję. To było tak komiczne, że prawdopodobnie zostawiłam sobie na pamiątkę. — Zerwałam się z krzesła i podeszłam do sterty książek luźno wrzuconych do przeszklonej witrynki. Zza okładki jednej z nich wyjęłam ręcznie napisany wiersz, oprawiony czerwonym atramentem.

— Niewiarygodne! Wygląda identycznie! Kaśka, jesteś wielka! — Wróciłam do stołu i położyłam swoją kartkę obok kartki znalezionej w rzeczach Aleksandryjskiego.

— To jest to pismo i ten podpis! — trajkotałam podekscytowana. — Na pewno jego! No patrz, identiko! Ilu może być mężczyzn o tym samym nazwisku, którzy identycznie się podpisują?!

Kaśka raz jeszcze przyjrzała się zapiskom.

— No faktycznie… Mówię ci, oddaj tę kartkę do ekspertyzy.

— Ekspertyzy? — Zaśmiałam się. — A nasze czujne oczy ekspertów nie wystarczą? Nie ma czasu na zabawy w ekspertyzy, to się musi zgadzać! „Serdeczności Jan Wojnicki" — przeczytałam. — Udało się! Rozszyfrowałyśmy to! Teraz jeszcze trzeba go odnaleźć.

Kaśka zmarszczyła czoło.

— Po co? I jak chcesz tego dokonać? Napiszesz mu maila?

— Maila? Zwariowałaś? Wiesz, w jakim tempie osiemdziesięciolatek mi na niego odpowie? Tym bardziej, kiedy podejrzewam, że mogło mu się coś przytrafić! Nie ma czasu. Odnajdę go jak zawsze... metodą małych kroczków. Naprawdę kipiałam z podniecenia, w przeciwieństwie do przyjaciółki. Zdawała się być ospała i niezbyt zainteresowana sprawą. Próbowała sprowadzić mnie na ziemię i ostudzić parujące ze mnie emocje.

— A może najpierw do niego zadzwoń? Jeśli nadal pracuje, to kontakt do niego powinien być na stronie uniwersytetu.

— Bingo! — Złapałam za komputer i zaczęłam głośno komentować. — Pewnie profesor napisał tę recenzję nie bez powodu. Zaraz poszukam, jakie stowarzyszenia literackie organizowały ostatnio swoje spotkania. Dzisiaj wszystko jest w internetach, znajdę uczestników i przepytam.

Kaśka przewróciła oczyma. Wiedziała, że uwielbiam świat kultury, zatem moja ekscytacja na myśl o kontakcie z intelektualistami nie była dla niej dziwna.

— Jesteś trochę pieprznięta, cała drżysz z podniecenia! Cała ty — podsumowała mnie. — I powiedz mi, co ty z tym zrobisz? Po co chcesz go odszukać? I co będziesz z tego miała? Przecież taką kartkę mógłby mieć każdy. Sama taką masz.

— Nie każdy — zauważyłam. — Spójrz... — Wskazałam palcem na adres i datę. — To byłby dziwny zbieg okoliczności, nieprawdaż? Denat też był profesorem, może się znali, może przedwczoraj się widzieli i Wojnicki dał Aleksandryjskiemu tę kartkę. Jeśli go odszukam, przycisnę go, żeby powiedział, o czym rozmawiali. Może Aleksandryjski zdradził mu swoje plany? Swoją drogą, poszłam na to spotkanie i ten cały Apollo mi nawiał.

— Co?! Zwariowałaś? — Kaśka popukała się w czoło. — Sama mówiłaś, że Aleksandryjski to wariat. Mógł ukraść te walizki. A jeśli miał się spotkać z równym sobie świrem?

— A tę kartkę też ukradł? — Zaśmiałam się. — Mówię ci, ta sprawa na pewno ma związek z kradzieżami. Wyniuchałam coś ciekawego. A ten facet nie wglądał na wariata.

— Zośka, przypominam ci, że naczelnik zabronił ci to ruszać. A obie wiemy, jaki jest Piotr. Nawet jeżeli zmieni zdanie, to tak obciąży cię robotą, że i tak nie będziesz miała czasu!

— Masz rację. Na szczęście wypracowałam ostatnio sporo nadgodzin, które dosłownie muszę odebrać. Oprócz tego mam jeszcze zaległy urlop i tegoroczny.

— Wariatko! Nie po to związki walczą o urlopy dla policjantów, żeby napaleni funkcjonariusze prowadzili w tym czasie swoje śledztwa. Zwariujesz! Musisz zresetować umysł, bo naprawdę mi oszalejesz, tak nie można!

— Jakbyś mnie nie znała. Wiesz, że praca jest wszystkim, co mam. Czuję tę sprawę, czuję, że to będzie coś.

Kaśka pokręciła głową.

— Przynajmniej jesteś tego świadoma — bąknęła. Wydaje mi się, że rozumiała moje narwanie. Kiedyś wyznała mi, że gdyby nie miała rodziny, pewnie sama byłaby największą pracoholiczką w firmie.

— No jak uważasz, mała. — Wstała i zacisnęła pięści.

— Trzymam kciuki i spadam, bo Andrzej od rana sam ogarnia dzieciaki.

Wymieniłyśmy się uściskami i odprowadziłam ją do drzwi.

— Daj mi znać, jak coś znajdziesz. I bądź ze mną w kontakcie. Na bieżąco, pisz SMS-y, dzwoń. Wiesz, gdzie mnie szukać.

— Wiem, wiem. Dobranoc — powiedziałam i uwolniłam Kaśkę z mojego świata.

Myślę, że z radością wróciła do swojego idealnego męża Andrzeja, który pod jej nieobecność starał się zapanować nad dwojgiem małych dzieci. Zrobiło mi się nawet trochę smutno, że już poszła. Nasza przyjaźń wiele dla mnie znaczy, pomimo że żyjemy w zupełnie innych światach. Ona jest wzorowym przykładem młodej, zapracowanej matki, świetnie ogarniającej rzeczywistość. Udowadnia, że można być przy tym niesamowicie szczęśliwą. Sporo wnosi w moje nudne, szare życie i często przypomina mi, że wymaga więcej dystansu i luzu.

Zawiesiłam się przez chwilę nad swoim losem. Nie raz, ani nie dwa zastanawiałam się, dlaczego nie trafiłam jeszcze na swoją miłość. Zaznaczę, że używam tego sformułowania nieprzypadkowo, bo „znaleźć faceta" jest jedną z najgorszych gier słownych, jakich używają kobiety. Otóż ja nie szukam swojego księcia i mam nadzieję, że on też mnie nie szuka, a los po prostu kiedyś rzuci nas w swoje objęcia. Wracając do meritum, jak mówiłam, nie raz, ani nie dwa zastanawiałam się dlaczego jestem sama. Po wielu przeanalizowanych mapach myśli doszłam ostatecznie do wniosku, że nikt nie spełnia moich oczekiwań, bo zwyczajnie jeszcze nikt mi odpowiednio nie zaimponował. Wyjąwszy alpinistów, skoczków narciarskich, triatlonistów, lekarzy bez granic, kilku historycznych generałów i jeszcze kilku innych wybitnych osobistości. Problem w tym, że oni wszyscy są jakoś dziwnie poza moim zasięgiem. A zważywszy na fakt, że są to zazwyczaj ludzie ponadprzeciętni, z poczuciem misji, realizujący jakieś wyższe, dla wielu niezrozumiałe idee, nieraz zastanawiam się, czy i ja nie jestem stworzona do pielęgnowania idei innych niż te, z których składa się moja codzienność. Czy moje poczucie misji jest właściwe i czy ja naprawdę dobrze zrozumiałam przeznaczoną mi rolę? Kusi mnie czasem, żeby rzucić moje nudne życie i zająć się czymś niezwykłym. A później przychodzi nowy dzień i prędko wracam do ludzi, którzy potrzebują mnie tu i teraz.

Teraz zostałam sama. Wróciłam do laptopa, znalazłam na stronie uniwersytetu numer do profesora. Zadzwoniłam, ale nie odpowiadał. Cały wieczór spędziłam przed komputerem. Przegrzebałam Internet wzdłuż i wszerz. Dołączyłam do kilku grup tematycznych na portalu społecznościowym, zagadałam do kilkunastu nieznajomych. W końcu trafiłam w samo sedno. 1 czerwca w Piwnicy Pod Baranami w Krakowie był Wieczór Louisa Armstronga, ale przed nim odbyło się spotkanie poetyckie. Co prawda nie znalazłam żadnej wzmianki na temat Jana Wojnickiego ani zrecenzowanego przez niego wiersza, ale intuicja podpowiadała mi, że to właściwy trop.

POWOŁANIE
Kraków, 5.06.2017 — poniedziałek

Nazwiska osób uczestniczących w spotkaniu poetyckim miałam spisane. Większości nie musiałam sprawdzać, bo były mi znane z uczelni. Kolejnego dnia o poranku czatowałam już na wydziale filologii pod gabinetem profesor Zakrzewskiej zwanej Bubą.

— Dzień dobry, pani profesor, Zośka Sokolnicka, mam nadzieję, że mnie pani pamięta? — rzuciłam z entuzjazmem w stronę zaspanej starszej kobiety.

— Skoro tak twierdzisz… — zaczęła charakterystycznym dla niej aroganckim tonem. — Czy wy zawsze musicie nachodzić nas, kiedy najmniej tego oczekujemy? — ciągnęła, nie odwracając się w moją stronę.

Za bardzo przejęła się nieustępliwym zamkiem w starych drzwiach, który jak pamiętam, zawsze się zacinał. Wcale się nie dziwię, że nie chciał wpuścić jej do środka. Na jego miejscu też bym się stawiała.

— Jeszcze nawet kawy nie wypiłam, a już muszę siłować się z drzwiami, z tobą i Bóg jeden wie z czym jeszcze — fukała pod nosem, a ja stałam tuż obok i udawałam, że wcale nie drażnią mnie jej ciężkie perfumy.

W końcu pchnęła drzwi, rzuciła torbę na biurko i zawołała mnie do środka.

Przebiegłam oczyma przez jej peerelowskie piekiełko i zawahałam się. Zaatakowały mnie nieprzyjemne wspomnienia. Buba zdążyła odnaleźć swój kawowy kubek i ponownie mnie zawołała. Szczerze mówiąc, rozpatrywałam, czy się nie wycofać. Wcale nie miałam ochoty wchodzić tam i odświeżać wspomnień o upokorzeniach, których doświadczyłam z jej strony. Zmiękłam, kiedy wyjrzała na mnie spod gigantycznych, ciężkich okularów tymi swoimi maleńkimi, wrednymi oczkami. Zamknęłam drzwi i usiadłam jak na szpilkach w twardym, obskurnym fotelu.

— Była pani moją promotorką — zaczęłam szybko, aby jak najprędzej się stąd wydostać. — Co prawda tylko przez pół roku, bo później zmieniłam temat pracy licencjackiej i przepisałam się do profesora Grzonki.

Buba tak mocno ściągnęła brwi, że jej twarz kompletnie się zmarszczyła i pochłonęła te dziwne, malusieńkie oczka. Po chwili rozluźniła się, westchnęła głośno i zaczęła grzebać w torebce.

— Tak, tak, pamiętam. Niesamowity talent, inteligencja, cięty język i brak sprecyzowanego pomysłu na siebie. Pamiętam, choć dawno powinnam była zapomnieć. Wszelkie talenty, które odpuszczają, zapomina się prędko i bezpowrotnie. Taki talent zmarnowany, taka szkoda…

A jednak, dobrze przeczuwałam, że mi dowali. W zasadzie nie powinnam była spodziewać się po niej niczego innego. Mimo to nie było najgorzej, bo jakby nie patrzeć, pochwaliła mój talent. Tak czy siak, zmieszałam się. Nie wiem dlaczego zawsze tak na mnie działała. I jest to o tyle dziwne, że naprawdę niewielu osobom udaje się tak łatwo dźgnąć moje poczucie własnej wartości. Może to kwestia jej wieku, a co za tym idzie — doświadczenia i mojej świadomości, która podpowiadała, że powinnam na nim bazować? A może zwyczajnie przeraża mnie jej stara twarz i wizja, że mogę stać się kiedyś taka sama jak ona. W sensie nie to, że stara, ale że wredna i zgorzkniała z samotności. O ile mi wiadomo, Buba była stara panną i szczerze wątpię, aby przez ostatnie lata mogło się coś zmienić.

— Wybrałam inną drogę, pani profesor, jestem policjantką — palnęłam. W odpowiedzi Buba prychnęła opryskliwie. Gdy tylko zaczerpnęłam tchu, by się obronić dodała złośliwie:

— Mówiłam, zmarnowany talent, zmarnowany...

Najwyraźniej Buba nie zamierzała mi odpuścić. Ale ja nie odwiedziłam jej po to, żeby się kłócić. Puściłam więc tę uwagę mimo uszu, aby niepotrzebnie jej nie rozjuszyć i zdobyć to, po co przyszłam.

— A ja uważam, że dobrze wybrałam — odpowiedziałam krótko i zdecydowanie.

Buba sugestywnie przewróciła krwiożerczymi oczkami.

— No cóż, nie wątpię. Niełatwo jest przyznać się do błędu — podsumowała z głosem pełnym złośliwej satysfakcji.

Znowu wygrała! Znowu udało się jej wyprowadzić mnie z równowagi. Tak mnie wkurzyła, że aż podskoczyłam na tym jej śmierdzącym, starym fotelu i odruchowo zacisnęłam pięści. Złapałam się na tym, rozluźniłam więc dłonie i wsunęłam je pod kolana. Na tę uwagę nie mogłam pozostać obojętna.

— Ależ to nie żaden błąd! W końcu czuję, że robię coś wartościowego! I nie pani mnie oceniać! Jestem tutaj w konkretnej sprawie — zakomunikowałam stanowczo.

— A komu, jeśli nie mnie? Ile osób miało okazję poznać się na twoim talencie? Ale do rzeczy, cóż to za sprawa? Służbowa?

Koniec zabawy, teraz prosto do meritum.

— Nie, prywatna. Potrzebuję skontaktować się z profesorem Janem Wojnickim. Wiem, że przyjechał do Krakowa, aby wziąć udział w spotkaniu poetyckim, które odbywało się w piątek w Piwnicy Pod Baranami. Ma pani z nim kontakt?

Kłamałam jak z nut. Nie miałam żadnej informacji, która mogłaby potwierdzić udział profesora w tym spotkaniu. Na szczęście Buba jak zwykle błędnie oceniła moje intencje. I chociaż raz było mi to na rękę.

— Czyżbyś chciała podrzucić mu swoje prace do recenzji? — spuściła odrobinę z tonu.

To był strzał w dziesiątkę. Momentalnie podchwyciłam wątek.

— Dokładnie tak, chcę zasięgnąć jego opinii. Kiedyś trafnie zrecenzował mój wiersz, dał mi sporo cennych rad.

Buba elegancko oparła podbródek na dłoni.

— Przepraszam, Zosiu, nie powinnam była zakładać, że rzuciłaś pisanie. Przykro mi, nie mogę ci pomóc. Jan nie zapowiadał swojego udziału w spotkaniu. Pierwsze słyszę, że miałby w nim uczestniczyć. Skąd masz takie informacje?

— Czytałam niedawno wywiad z profesorem, w którym wspominał, że się wybiera.

— Wywiad? Śmiem wątpić. On nie udziela wywiadów, uważa takie zachowanie za przeciwne swojej naturze.

Zrobiło się niebezpiecznie. Podejrzliwa Buba nie wróży niczego dobrego.

— Najwyraźniej ktoś go przekonał. Profesor próbował w tym wywiadzie namówić młodzież do czytania, widocznie to go zmotywowało.

— Hm…

Nastąpił moment grozy. Kolejne jej westchnienie, na dodatek przydługie, było dla mnie jak grzmot po błysku pioruna. Nie mogłam czekać, aż kolejny we mnie pieprznie. Musiałam biec do celu.

— Ma pani do niego jakieś namiary?

— Namiary? Nie, nie mam. Pamiętam, że mieszkał kiedyś w przepięknym mieszkaniu na gdańskim rynku, na ostatnim piętrze żółtej kamienicy na rogu, bodajże ulicy Straganiarskiej... Oj tak, to było urokliwe mieszkanie. Byliśmy kiedyś na konferencji, po której jego żona zaprosiła nas na kawę. Była prawdziwą damą — zmieniła ton na lżejszy i zamyśliła się na chwilę. A ja w zasadzie miałam to, po co przyszłam. — Myślę — odżyła znienacka — że najlepiej będzie, jak skontaktujesz się z nim przez e-mail uczelni, każdy wykładowca ma swoją skrzynkę.

— Mail... Gdzie ja miałam głowę! Dziękuję, pani profesor. Widzi pani, jaka jestem ostatnio zakręcona.

— No właśnie, toż to takie oczywiste! — znowu podniosła ton. — Pewnie jesteś przepracowana, bo gonisz pijaczyny po ulicach! Co to w ogóle za zawód dla kobiety! — prychnęła z oburzeniem.

Nastał odpowiedni moment na ewakuację.

— Muszę uciekać, pani profesor. Spieszę się.

— A może podeślesz swoje wiersze również mnie? „Tobie? Też mi żart..."

— Oczywiście, podeślę pani na skrzynkę. Jeszcze raz bardzo dziękuję za poświęcony mi czas.

Wstałam, grzecznie ukłoniłam się w pas i uciekłam z tej diabelskiej kuźni talentów. Zbiegałam po schodach i cieszyłam się, że znajomość Buby choć raz na coś mi się przydała. I to dzięki kłamstwu na poczekaniu. Jakże pożytecznych rzeczy nauczył mnie mój zawód. Jeszcze trochę i stanę się profesjonalną kłamczuchą.

Stawiłam się na komisariacie przed czasem. Tym razem nie wpisałam się na listę obecności. Upewniłam się, że Piotr jest w pracy i udałam się prosto do niego. Ku jego zaskoczeniu nie przyszłam jak co rano z prośbą o newsy, a z wnioskiem o urlop na żądanie i odbiór nadgodzin. Nie mógł mi odmówić, bo ledwie co powitał chłopaków po długotrwałym L4 i miał komu rozdzielić sprawy. Nie miał też żadnego innego pretekstu, bo terminowo zakończyłam wszystkie postępowania, a sterty nowych, które zalegały u niego w gabinecie, jeszcze nie odebrałam. Musiał zorganizować zastępstwo i przydzielić je komuś innemu. Wypytał mnie trochę o plany i chyba zorientował się, że moja nagła potrzeba wypoczynku ma związek z mężczyzną z dworca. Nie zdecydował się jednak, żeby wprost o to zapytać. Gdy podpisał moje papierki, nabazgrałam raport i podrzuciłam go komendantowi.

Zamknęłam się w swoim pokoju, ponowiłam próbę kontaktu telefonicznego z profesorem, jak się spodziewałam bezskuteczną i wstukałam jego nazwisko w policyjną bazę danych. System zaczął mielić i wyrzucił na ekran niebieskie kółeczko. Kręciło się nachalnie długo, zdążyłam więc wyszukać w smartfonie najbliższe połączenie do Gdańska. Nim program wyświetlił wyniki, w pokoju zgasło światło.

Przez drzwi wpadł zdyszany Marcin.

— Wyłączaj komputer! Przeszliśmy na awaryjne zasilanie!

Nie odrywając oczu od zwieszonego systemu, lekceważąco machnęłam ręką. Uznawałam szalonego informatyka z komendy za panikarza, a co ważniejsze, wyłączenie komputera pokrzyżowałoby mi plany. W przeciwieństwie do zamiarów Marcina, który rozjuszony moim gestem rzucił się w kierunku komputera, odpychając przy tym moje krzesło tak, że okręciłam się wokół własnej osi i wylądowałam pośrodku pokoju. Znalazłam się zbyt daleko, aby go powstrzymać. Kliknął jakiś magiczny przycisk na klawiaturze i ostentacyjnie się do mnie uśmiechnął. Kiedy sprzęt wyzionął ducha, odetchnął jak po dobrze wykonanej robocie, oparł się o moje biurko i zawiesił wzrok na papierach.

— Jaki temat męczysz? — zapytał tak spokojnie, jak gdyby nic się nie stało.

Zaparłam nogi o podłogę i podjechałam moim rozklekotanym krzesełkiem na kółkach w jego stronę.

— Mam swoje podejrzenia dotyczące tego zgonu — powiedziałam, łypiąc na kartkę.

Marcin wziął z biurka notatkę i przyjrzał się jej, lewym kciukiem gładząc dolną wargę. Wyglądał na zainteresowanego.

— Mów, co tam masz ciekawego.

Sprawiał wrażenie, osoby godnej zaufania, bo jest trochę jak te jego komputery. Zbiera masę informacji, potrafi sporo podpowiedzieć i niewiele mówi, a świetnie łączy różne sprawy.

— Prawdopodobnie to nic wielkiego. W rzeczach denata znalazłam opis relikwiarza, co istotnie kojarzy mi się z kradzieżami z kościołów, jednak nikt nie chce mnie słuchać.

Moje zwierzenia przerwał tubalny głos komendanta, który w zderzeniu z pierdzącym pod oknem agregatem zdawał się brzmieć jak orkiestra.

— Gdzie ten informatyk?! Maaarcin! Maaarcin!

Marcin zeskoczył z biurka, wepchnął mi kartkę do rąk.

— Pablo z komendy! — rzucił podpowiedź w stylu wujka Google i wybiegł z pokoju.

Bez zastanowienia złapałam za telefon i poprosiłam o połączenie z kryminalnym. Przez chwilę posłuchałam radia wydziałowej sekretarki, a gdy zwolniła się linia, w słuchawce zabrzmiał sławetny, trącący erotyzmem głos.

— Aspirant Pakuł przy telefonie. Czym mogę służyć.

— Nie mam aż takich wymagań, aczkolwiek chętnie wysłucham propozycji — zagaiłam.

W odpowiedzi usłyszałam lekkie chrząknięcie i ciszę zawahania.

— Cześć Pablo, Sokolnicka z tej strony.

— Nooo śliczna, aleś mnie zaskoczyła. Nie spodziewałbym się tego po tobie. Wybacz kwiatuszku, mam dziś urwanie głowy, więc nie poćwierkamy tym razem. Czego potrzebujesz?

— Jakoś przeżyję. Sama nie mam zbyt wiele czasu, więc przejdę do rzeczy.

— Dajesz mała, słucham uważnie.

— Doszły mnie słuchy, że prowadzisz sprawę kradzieży relikwiarzy?

— Ano tak jakoś wyszło, że prowaaadzę — przeciągnął z zaciekawieniem.

— Mam dla ciebie coś interesującego

— Dawaj.

— Mieliśmy ostatnio zgon na dworcu, całkowicie przeciętny, bez ceregieli. Facet zwyczajnie miał zawał. Prokuratorka odstąpiła od czynności i w zasadzie nikt się tym nie zainteresował. Nikt prócz mnie. A sprawa jest naprawdę interesująca, bo przy denacie znaleziono dwie walizki, a w jednej z nich ja znalazłam kartkę z opisem relikwiarza. Był na niej zapisany również termin spotkania i nazwisko pewnego profesora. Podejrzewam, że to on, a nie denat miał w nim uczestniczyć. Nie zdołałam się z nim skontaktować, więc wybieram się do niego. Chciałabym wiedzieć, czy macie już coś w tym temacie i czy przypadkiem nie nababram wam w sprawie. Myślę, że naprawdę mogę ci pomóc. Póki co, wyłącznie tak między nami, bo nie ma żadnych podstaw, by połączyć te zdarzenia. Jeśli chcesz, podeślę ci kopię tej kartki. Przypuszczam, że będzie to kolejny przedmiot kradzieży.

— O cholibka — zaintonował głośno. — Robi się cholernie ciekawie. Dawaj mi zdjęcie. Ja póki co niczego nie mam. Uruchomiłem kilka swoich kontaktów i po cichu sprawdzam, co w trawie piszczy. Kiedy chcesz wybrać się do tego profesora?

— Za chwilę mam pociąg. Trochę to potrwa, bo on mieszka w Gdańsku.

— Wiesz, że jesteś pieprznięta? — Parsknął śmiechem.

— No z ręką na sercu mógłbym przysiąc, że absolutnie nikt oprócz ciebie nie bawiłby się w te rzeczy. Skąd ten pomysł?

— Intuicja.

Zaśmiał się jeszcze głośniej.

— Ale wiesz, że jesteś pieprznięta? — dopytał. — W końcu mam okazję przekonać się, że te ploteczki na twój temat są szczerą prawdą.

— Szefunio, ty się skup na robocie — upomniałam go.

— Zły dzień?

— A nie wspomniałam, że spieszę się na pociąg?

— No tak, wybacz *mademoiselle*. Umówmy się, że wymienimy się zdjęciami. Podeślij mi zaraz tę kartkę, a ja tobie podeślę notatki z miejsc zdarzenia. Odezwę się, jeśli będę miał coś więcej. Na to samo liczę z twojej strony.

— Ok, a ty załatw mi dokładny adres Jana Wojnickiego.

Przesłałam mu zdjęcie kartki i popędziłam do mieszkania, spakowałam plecak i ruszyłam na dworzec.

MUCHOŁÓWKA
Gdańsk, 5.06.2017 — poniedziałek

„Gdańsk Główny", rozbrzmiał głos z interkomu w przedziale. Rozprostowałam kości po długiej podróży i z podskokiem wrzuciłam na plecy plecak turystyczny. Wysiadłam z pociągu, przystanęłam na peronie i wstukałam na mapie w telefonie nazwę ulicy i wyszukiwanie trasy. Z dworca na Straganiarską było dość blisko, ruszyłam więc bez namysłu. Telefon chciał poprowadzić mnie przez Podwale Staromiejskie, ale rozeznałam się w terenie i wybrałam drogę przez sam środek Starego Miasta. Uwielbiam zwiedzać zabytkowe miejsca i zawsze zaczynam od tych najbardziej reprezentacyjnych. Jest to miłe oderwanie od szarej codzienności, na którą składają się wizyty głównie w nieciekawych dzielnicach.

Zwolniłam i dosłownie przepadłam w czasoprzestrzeni. Wciągnął mnie urok nocnego Gdańska, magicznego rynku. Przeszłość dosłownie wychodziła do mnie z każdego zakamarka, zerkała zza winkla, rozbrzmiewała dookoła. Oszołomiły mnie kolorowe, tulące się do siebie kamienice o bajkowo zdobionych fasadach. Odrestaurowane gmachy historycznych budowli chowające w swym cieniu tajemniczych przechodniów. Urocze knajpki skąpane w lekkim świetle i dobiegający zewsząd gwar uwięziony w labiryncie uliczek. Rozmarzyłam się. Kiedy minęłam część ulicy Długiej i skręciłam w kierunku Piwnej, przytłoczył mnie widok Bazyliki Mariackiej. Przystanęłam na chwilę i, wpatrując się w ciemne, ceglane mury, zamyśliłam się nad potęgą religii.

Za bazyliką poszłam ulicą Grobli, aby po chwili znaleźć się na miejscu. Pod rzeczonym numerem siedem przywitała mnie elegancko odrestaurowana, trzypiętrowa kamienica. Moje czujne oko prawie detektywa prędko wyłapało niedomknięte drzwi, wślizgnęłam się więc do wewnątrz. Pokonując po trzy stopnie naraz, wbiegłam podekscytowana na ostatnie piętro, tuż pod środkowe drzwi.

„Dzwonić? W środku nocy też? Skoro kazali". Nadusiłam przycisk i czekałam. Przeszywał mnie silny prąd ekscytacji, który chwilowo uśmierzył zmęczenie. Wydawało mi się, że tryskam energią i gdyby zaszła potrzeba mogłabym przenosić góry.

Zamek zgrzytnął i drzwi się uchyliły.

Dosłownie zaniemówiłam. Ułożyłam sobie w głowie różne scenariusze tego spotkania, ale tego doprawdy nie przewidziałam. Spodziewałam się siwych włosów i wielkich okularów. Tymczasem moim oczom ukazał się umięśniony tors ozdobiony bursztynem na rzemyku. A że był niewiele poniżej wysokości moich równie bursztynowych oczu dopiero po chwili uniosłam głowę i przyjrzałam się twarzy. Serce zabiło mi mocniej. Pomyślałam, że stoję właśnie przed najprzystojniejszym blondasem, jakiego kiedykolwiek widziałam. Mocno zarysowana linia żuchwy, wysokie kości policzkowe, wyraźny, prosty nos, pełne usta i przydługie blond włosy opadające w stronę zielonych oczu. No i ta wypakowana klata, która na pewno zawładnęła sercem niejednej kobiety.

— Kim pani jest? I dlaczego budzi mnie pani w środku nocy? — zabrzmiał niskim, głębokim głosem.

— Szukam pana Wojnickiego — odpowiedziałam obcym mi, wstydliwym tonem.

Uniósł brwi w geście zdziwienia i badawczo przebiegł po mnie wzrokiem. Odniosłam wrażenie, że wraz z tym jego spojrzeniem przebiegło po mnie całe mrowisko.

— Czyli mnie? — dopytał zalotnie.

— Wątpię — bąknęłam cicho, pozostawiając usta w lekkim rozchyleniu.

Tym razem uniósł lewy kącik ust i przesunął po mnie półprzytomnymi oczyma.

— Dlaczego? Czy piękna kobieta nie może mnie odwiedzić? A może ja śnię?

Przeczesał palcami sprężyste blond włosy i wsparł ciężar ciała o framugę. Jego boska klata nachyliła się lekko w moją stronę, przez co mój wyczulony psi węch uchwycił zapach jego ciała. Mieszanina drzewa cedrowego, skóry i cytrusów nachalnie zawróciła mi w głowie. „Opanuj się", strofowałam się i całkiem sprawnie zebrałam myśli. On nadal świdrował mnie wyczekująco.

— Nie przypomina Pan mężczyzny, którego szukam.

— wyrzuciłam z siebie jednym tchem, chcąc jak najszybciej przejść do meritum. — Miałam na myśli profesora Jana Wojnickiego, czy go zastałam?

— A widzi pani, tak się składa, że ja też go szukam, więc nie pomogę. Dobranoc. — Skinął głową i z kompletnie obojętnym wyrazem twarzy zaczął zamykać drzwi. — Pani polecam to samo.

Nie dałam się tak łatwo zbyć i nachalnie wcisnęłam rękę za futrynę.

— Chwileczkę! — krzyknęłam.

Uchylił ponownie drzwi i ofuknął mnie:

— Niech pani nie wrzeszczy! Jest środek nocy, tu mieszkają starzy ludzie!

— To niech pan nie trzaska mi drzwiami przed nosem, arogant! Proszę powiedzieć, gdzie mogę szukać pana profesora.

— A skąd ja mam wiedzieć. Jestem tu od soboty i od tego czasu jeszcze się nie zjawił. Nie mam pojęcia, gdzie jest ani kiedy wróci. Pani pozwoli, ale wracam spać jak większość normalnych ludzi o tej porze.

Większość normalnych ludzi niewiele miała ze mną wspólnego, a ja nie miałam zamiaru pozwolić mu zasnąć.

— Tak się składa, że panu nie pozwolę! — warknęłam zdecydowanie.

Zaśmiał się bezgłośnie.

— A kim pani jest, żeby mi czegokolwiek zabraniać?

„Nie ze mną takie numery, blondasie", pomyślałam. Ekscytacja powoli mnie opuszczała i do ofensywy przechodziło zmęczenie. A zmęczenie to determinacja i w moim przypadku oznacza koniec gry słownej. Pozostawił mnie bez wyboru, musiałam wyciągnąć asa z rękawa.

— Aspirant Zofia Sokolnicka, Komenda Miejska Policji w Krakowie. Pilnie poszukuję pana Jana Wojnickiego.

Blondas westchnął głośno, przetarł powieki, odgarnął jasne, opadające na czoło kosmyki włosów, otworzył szerzej drzwi i wskazał, żebym weszła.

— Zapraszam — mruknął.

Mimowolnie ziewnęłam i przekroczyłam próg mieszkania. Wojnicki narzucił na siebie koszulę, pomógł mi zdjąć plecak i zaprowadził do salonu.

— Imponujące mieszkanie — pochwaliłam, rozglądając się dookoła.

— Owszem, urządzone na podstawie dziewiętnastowiecznego pierwowzoru, wujek mieszkał tu z ciocią całe życie, więc to miejsce ma duszę.

— Faktycznie, od progu czuć, że wchodzi się w czyjś świat. Zresztą bardzo ekscytujący.

Odsunął mi krzesło przy stole.

— Więc jest pan…? — zapytałam.

Przystojniak spoczął po przeciwnej stronie. Odchylił się na oparciu, skrzyżował ręce i głębokim spojrzeniem wpatrywał się w moje migdałowe oczy.

— Maksymilian Franciszek Wojnicki. Profesor jest moim wujkiem, bratem mojego ojca, właściwie takim przyszywanym ojcem.

— Mógłby pan sprecyzować?

— Wychował mnie.

— A konkretnie?

— Ależ pani dociekliwa. Mój biologiczny ojciec porzucił moją matkę, gdy miałem niewiele ponad rok. Wyjechał za granicę i ślad po nim zaginął. Jan poczuwał się do odpowiedzialności za rodzinę i w zasadzie wychował mnie razem ciocią i moją mamą.

— Mieszkacie panowie razem?

— Nie, pani aspirant, przyjechałem tutaj w niedzielę, umówiliśmy się tak w zeszłym tygodniu. Niestety nie zastałem wujka w domu. Mam zapasowe klucze, więc wszedłem. To mieszkanie jest moim drugim domem. W gruncie rzeczy jedynym, bo na chwilę obecną szukam mieszkania.

— Rozumiem.

— Pozwoli pani, że teraz ja zapytam. Dlaczego szuka pani wujka? Dlaczego interesuje się nim policja?

Blondas spiął się i wyprostował, jakby dotarło do niego, że coś jest nie tak.

— Otóż panie Maksie — zaczęłam fachowo. — 1 czerwca na dworcu kolejowym w Krakowie pewien mężczyzna zmarł na zawał. Miał przy sobie dwie walizki pełne ubrań, a wśród nich to… — Machnęłam mu kartką przed nosem.

— Co to jest? — Skrzywił się.

— Podejrzewam, że kartka z odręcznymi zapiskami pana wujka. Chciałabym ją zwrócić i wypytać o denata. Czy wuj wspominał, że wybiera się do Krakowa?

Nie miałam zamiaru przyznawać się do spotkania z tajemniczym mężczyzną. Wolałam nie wykładać przed nim wszystkich kart.

— Czyli póki co za wiele pani nie wywęszyła — stwierdził wymijająco.

— Proszę nie być aroganckim. Robię co mogę. Musi pan powiedzieć mi wszystko, co pan wie i pomóc ustalić jakikolwiek punkt wyjścia.

— Po pierwsze, droga pani, nic nie muszę — zaczął spokojnie — po drugie, nie mam pojęcia, jak mógłbym pomóc, bo nie wiem, czy wujek był w Krakowie. Nie wiem też, gdzie jest w tej chwili. A w ogóle co to za poszlaka? Naprawdę przyjechała pani tutaj z powodu jednej kartki? To absurdalne. Wujek jest profesorem, każdy mógł mieć kartkę z jego zapiskami.

Wkurzył mnie, co najmniej trzeci raz w przeciągu paru minut. Obruszyłam się, że obcy facet śmiał podważać mój profesjonalizm.

— Ja tak nie uważam — warknęłam dumnie. — Gdybym nie widziała w tym sensu, nie byłoby mnie tutaj. Ale dziś za wiele nie wskóram, bo nie chce pan ze mną współpracować. Umówmy się na jutro, a teraz już pójdę, muszę jeszcze znaleźć nocleg.

— Będzie się pani błąkać po mieście o tej godzinie? W dodatku sama? Proponuję, żeby została pani tutaj.

„Jakie tutaj? Zwariował? Za kogo on mnie uważa?", kołatało mi po głowie.

— Gdzie tutaj? — Ściągnęłam brwi.

— No tutaj, szanowna pani. — Okręcił się, rozkładając ręce. — Za ścianą jest pokój, z którego nikt nie korzysta. — Mówiąc to miał tak figlarny wyraz twarzy, że aż odruchowo odchrząknęłam, jakbym chciała przywołać go do porządku.

— Jest pan dość bezceremonialny — oceniłam chłodno. — Dziękuję za tę odważną propozycję, jednak nie skorzystam, poradzę sobie.

Maks wstał, podszedł do mnie i podparłszy się jedną ręką o stół kontynuował:

— Proszę wyrzucić z głowy te bezpodstawne bezeceństwa, o które śmie mnie pani podejrzewać — wyrecytował rozbawionym głosem. — Nie wątpię, że sobie pani poradzi, tylko po co tułać się w nocy po obcym mieście i płacić za hotel, kiedy tutaj marnuje się przestrzeń?

Przeczucie podpowiadało mi, że nie powinnam mu ulegać. Podziękowałam więc i zbierałam się do wyjścia.

— Jak pani uważa, chciałem tylko być szarmancki — zabłysnął elokwencją.

A to ciekawostka. Szarmancki arogant, niezwykłe.

— Tak? A to mnie pan zaskoczył. Podpowiem panu na przyszłość, że od tego wypadałoby zacząć — skwitowałam ostro.

Wyszło na to, że on właśnie na to czekał. Uśmiechnął się zawadiacko, skrzyżował ręce na piersi i odpowiedział:

— Oj nie, droga pani Zofio, nie wypada zaczynać znajomości z kobietą od zaproszenia jej na noc.

Doprawdy odniosłam wrażenie, że jest z siebie dumny. Jakby droczył się ze mną tylko po to, by rozkoszować się swoim wybujałym ego. Taki typ, co to go cieszy dreszczyk emocji na widok pewnej twarzy przeciwniczki i jej cięta riposta. A ja niestety lubię takich wojowników, u których oczy palą się płomieniem emocjonalnego i intelektualnego podniecenia. Nie często na takich trafiam, ale bez problemu ich wyłapuję. Są dla mnie rywalami wartymi zachodu. Wartymi zachodu walki o co? Sama nie wiem. Przypuszczalnie o podtrzymywanie przekonania o równości, dopełnieniu, równowadze. O nieustanne łapanie dowodów, że ten znak równości między płciami jest wynikiem prostego równania i że jest bardziej wartościowy niż znak większości lub mniejszości? Nie powinno tak być. Nie powinnyśmy w ogóle o to zabiegać, takie sprawy powinny być oczywiste! Skoro jednak ciągle musimy szukać dowodów naszej wartości, to oznacza, że pod względem ewolucji mamy dopiero, a nie aż XXI wiek.

— Takim tekstem to już w ogóle by mnie pan nie zainteresował — odszczeknęłam się.

On zaśmiał się i odprowadził mnie do przedpokoju.

— Czyli czymś panią zainteresowałem?

No cóż… Trudno by było nie zauważyć tej opalonej, napakowanej klaty.

— Tak, zainteresował mnie pan niebanalnym tonem rozmowy. Nieczęsto zdarza się, że ktoś rozmawia w ten sposób z policją.

Blondas najwyraźniej pomyślał, że nie złapałam aluzji.

—Niech się pani niczego nie doszukuje. Jestem najzwyczajniej w świecie wkurzony, nie wiem co się stało z Janem. Nie jest już w sile wieku, martwię się o niego.

— Rozumiem — odpowiedziałam niedbale.

— Na pewno pani nie zostanie? Nie ma się pani czego obawiać.

— Wiem, mam przy sobie broń — ucięłam zdecydowanie, wiążąc mocno biegowe najki.

Zaśmiał się kpiąco, co zapewne miało mi zasugerować, że jestem policjantką, czyli kobietą, więc co ja tam mogę umieć.

Podnosząc z podłogi ciężki plecak poczułam, że słaniam się na nogach. Perspektywa kolejnej godziny spędzonej na poszukiwaniu hotelu przyprawiała mnie o zawrót głowy. Złapałam myśl o wygodnym łóżku za ścianą i zaczęłam go usprawiedliwiać, że arogant, ale przeprosił, a poza tym ma nieziemskie ciało. Odwróciłam się do niego i oznajmiłam ku jego zdziwieniu:

— Dobra, zostaję, gdzie jest łazienka i gdzie mam spać?

Maks wskazał pokój. Znikł na chwilę, przyszedł z kluczem, podniósł mój bagaż i po chwili otworzył drzwi, przepuszczając mnie przodem.

— To pokój mojej ciotki, nieużywany od lat. Wiem, że specyficznie tu pachnie, nie mam prawa niczego odświeżyć. Ciocia spędzała tu całe dnie, a wuj dla zachowania pamięci pozostawił go takim, jaki był.

Uderzył we mnie nie tyle zapach, co styl pokoju. Powoli przekroczyłam próg i rozejrzałam się z zaciekawieniem. Wnętrze przypominało muzeum i bałam się ruszyć, aby czegoś nie strącić.

On zatrzymał się w drzwiach, skrzyżował ręce i oparł się o framugę, skąd mi się przyglądał.

— Zapewne nie powinnam tutaj niczego dotykać? Nie chciałabym niechcący czegoś zniszczyć. A gdzie jest pana ciocia?

— Zmarła ponad dziesięć lat temu.

— Aha, przepraszam, nie załapałam. Na pewno mogę tu nocować?

— Jeśli nie boi się pani duchów — zażartował, wyciągając do mnie rękę. — Proszę tutaj jest klucz od pokoju, gdyby czuła się pani zagrożona, może się pani zamknąć od środka. Łazienka jest zaraz na prawo, ja będę nocował w sypialni wuja, na końcu korytarza.

— OK, dzięki, przemyję twarz i położę się spać.

— Dobranoc. — Uśmiechnął się i zniknął w korytarzu.

— Dobranoc — odpowiedziałam i zamknęłam drzwi.

BEZSENNOŚĆ ZOFII
Gdańsk, 6.06.2017 — wtorek

Obudził mnie dźwięk skrzypiącego parkietu. Złapałam za telefon. Była jedenasta osiemnaście. Świetnie, przespałam pół dnia. Nie znoszę marnowania czasu, a ostatnio tak często mi się to zdarza. Chociaż tyle, że czułam się wyspana. Wyspana i mocno ścierpnięta, jakbym spała w jednej pozycji przez całą noc. Musiałam być naprawdę zmęczona.

Przetarłam oczy i z niedowierzaniem rozejrzałam się po saloniku. Cóż za ckliwy kobiecy pokoik. Romantyczna kwiecista tapeta na ścianach przyprawiała o zawrót głowy. Kolorowe kwiaty na beżowym tle zlewały się z zasłonami i beżową kanapą. Taka oszałamiająca kombinacja, można by nawet pokusić się o słowo przekombinacja. To raczej nie moje klimaty, szybko więc porzuciłam zachwyty i wyskoczyłam z łóżka.

Podeszłam do lustra zawieszonego nad komódką z jasnego drewna. Zanurkowałam wzrokiem w imponującej szkatule wypełnionej biżuterią, wyciągnęłam perły i gdy obejrzałam się w lustrze, dosłownie zawyłam z rozpaczy. Wyglądałam koszmarnie! Twarz miałam białą jak prześcieradło, oczy spuchnięte, włosy całkowicie splątane, a na domiar złego na policzku wyskoczył mi nieproszony gość. Trochę mnie ten fakt sfrustrował. W końcu obudziłam się w domu przystojnego surfera, którego wolałabym spotkać w przyjemniejszych okolicznościach. Notabene zdążyłam zauważyć, że nie jest to przeciętny blondas, a taki z zapędami mucholówki. Najpierw skusił mnie zapachem i nagą klatą, a teraz, kiedy złapał mnie w sidła, zapewne pożre mnie szyderą i cynizmem. Uznałam, że muszę jak najszybciej powalczyć o informacje. Zawsze w takich sytuacjach odwołuję się do pierwotnych instynktów, które jeszcze nigdy mnie nie zawiodły. Tylko coś mi się zdaje, że w tej chwili nie powalałam seksapilem. Opuchlizna i pryszcz uczyniły mnie bezbronną. W akcie rozpaczy rozejrzałam się jeszcze po pokoju, w nadziei, że znajdę coś, co pozwoli mi zamaskować wredną, czerwoną kropkę. Och, ja naiwna!

Odwróciłam się do fotelika, na którym leżały moje ubrania. Opuchnięte oczy mimowolnie zawiesiły się na stojących obok serwantkach z ręcznie malowanymi filiżankami, które aż prosiły się o gorącą kawę. Właśnie tego najbardziej potrzebowałam. Kuloodpornej kawy, która mnie ocuci, pobudzi do myślenia i pogoni krążenie pod bladymi policzkami. Wskoczyłam w ubrania i stwierdziłam, że aby ją zdobyć, muszę zapolować, a do tego powinnam trochę się przygotować. Pozostało jedynie niezauważalnie przedostać się do łazienki.

Wyściubiłam nos z pokoju i rozejrzałam się. Pusto. Ruszyłam z prędkością światła i kiedy prawie dotarłam do celu, dosłownie trzymałam już za klamkę drzwi od łazienki, zaskoczył mnie od tyłu.

— No proszę, śpiąca królewna w końcu zaszczyciła mnie swoją obecnością. A ja słyszałem, że w szkole policyjnej uczą dyscypliny i hartują was na żołnierzy — ironizował, niosąc do salonu tacę wypełnioną jedzeniem.

„Skąd on się tu wziął do cholery!", pomyślałam i nieświadomie powiodłam za nim spojrzeniem. Mój wyczulony węch wychwycił zapach świeżych bułeczek i zaburczało mi w brzuchu. Cholerna muchołówka znowu mnie kusiła. Miałam dwa wyjścia — wskoczyć do łazienki, udając, że go nie widzę, albo nadal się zastanawiać. Był szybki. Nie zdążyłam skorzystać z pierwszej opcji, kiedy stał już przy mnie.

— Właśnie chciałem panią budzić, zapraszam na kawę i śniadanie. Lubi pani jajka? Ja lubię, są zdrowie i sycące — zagadywał, krzątając się pomiędzy kuchnią, mną a salonem. — Nie kupiłem mleka, a podobno kobiety nie lubią czarnej kawy. Pozostało mi liczyć na pani męskie, policyjne nawyki — podjudzał mnie, odbierając swoim szybkim sposobem mówienia jakąkolwiek możliwość odporu ataku.

I chyba rzucił na mnie jakiś urok, bo niezaprzeczalnie nadal tkwiłam w miejscu z przekonaniem, że niegrzecznie byłoby zniknąć w połowie jego zdania. Zdążył wrócić do salonu i rozłożyć talerze. Ponaglałam go w myślach, jednocześnie słuchając tego potoku słów jak zaczarowana. W dodatku wykiełkowała we mnie nieprzeciętna uprzejmość podpowiadająca, że wypadałoby ustosunkować się do jego pytań. I że nieelegancko jest krzyczeć do kogoś z innego pomieszczenia.

Zrobiłam krok i przechylając się przez próg zajrzałam do salonu. Stół był pełen jedzenia. Trochę mnie to skrępowało, ponieważ nigdy wcześniej żaden mężczyzna nie przygotował dla mnie świeżo mielonej kawy. Nie mówiąc o śniadaniu... I to jakim śniadaniu! Jajka zapiekane w awokado, warzywa, owoce, owsianka, szarlotka i kanapki. Wszystko zgrabnie ułożone, pachnące i niesamowicie kuszące. Tak jak i on, równie pachnący i zdrowy jak to śniadanie. Potrząsnęłam głową, chcąc pozbyć się tej myśli. Nie pomogło. Koszulka zielona jak jego oczy mocno opinała zaokrąglone bicepsy, przez co niewielki symbol jednostki specjalnej rozciągnął się na tyle, bym go zauważyła. Żołnierz. Nie przepadam za żołnierzami. Ludzie wrzucają nas, w sensie policjantów i żołnierzy, do jednego worka. W rzeczywistości są to zupełnie różne worki. Ich uszyty jest z zielonego jedwabiu, a nasz z szarego płótna konopnego. Nie lubimy ich za to, że zarabiają dwa razy więcej i mają sto razy więcej możliwości rozwoju przy połowę mniejszym obłożeniu obowiązkami. Co gorsza obywatele utożsamiają ich z heroizmem rycerzy, za których zresztą niesłusznie się uważają. A izolacja od społeczeństwa owiewa ich tajemnicą, która zawsze pobudza wyobraźnię i uprawnia do szanowania i celebrowania tego co niedostępne. Dla nas, będących przykrym świadectwem szarego życia przeciętnego obywatela, pozostaje krytyka i upokorzenie.

— Dziękuję, nie trzeba było — powiedziałam cicho, nie kryjąc skrępowania.

Uśmiechnął się do mnie i jakoś tak mimowolnie sięgnęłam za włosy, przerzuciłam je na piersi i wygładziłam. Śniadanie jednak bardziej go zainteresowało, bo chwilę później uśmiechnął się do talerza. Nic dziwnego, w końcu wyglądałam jak zombie.

— Zapraszam, ale nie zmuszam — rzucił radośnie. — Nie musi pani jeść ze mną. Nauczono mnie, że o każdą kobietę należy zadbać, nawet o policjantkę.

Odruchowo ściągnęłam brwi. Takiej bezczelności i prymitywizmu dawno nie doświadczyłam. „Nawet o policjantkę?" Kpi ze mnie? Zagotowałam się. Poczułam się urażona i niewarta tego śniadania. Miałam ochotę zrzucić na podłogę tę misternie ułożoną zastawę i rozsmarować masło na kanapie. Niestety wciąż miałam zbyt dużo do stracenia. Powściągnęłam się. Zrobiło mi się trochę przykro, że znowu trafiłam na przystojniaka, który okazał się chamem i pajacem. Czy to zawsze musi iść ze sobą w parze, czy tylko ja mam takiego pecha? Bulgotałam jak woda w czajniku, ale świadomość podpowiadająca mi, że jestem od niego zależna, nakazała ugryźć się w język i niewidzialną ręką wtrąciła mnie do łazienki.

— Chciałabym się najpierw umyć — mruknęłam.

— Proszę bardzo, to nawet wskazane — rzucił mi w odpowiedzi. Coś mi się zdaje, że jeszcze mocniej zmarszczyłam brwi. — Pozwoli pani, że rozpocznę posiłek, zbyt długo na panią czekałem. Mógłbym paść z głodu, a nie byłoby to pani na rękę.

No cóż, trudno było zaprzeczyć. W końcu zniknęłam za drzwiami od łazienki i jeszcze przez chwilę przeżywałam, jak można być takim dupkiem. Ostatecznie zdecydowałam się przełożyć zemstę na później, kiedy już cokolwiek wydobędę z tego cynika.

Wzięłam szybki prysznic, wskoczyłam w świeże ubrania i po kilku minutach zjawiłam się w salonie. Moje wizje o pękającej zastawie przegrały z płaczącym z głodu żołądkiem. Omamiona zapachem wzięłam na talerz wszystkiego po trochu i zaczęłam pałaszować. On przeżuwał spokojnie, wręcz nostalgicznie, celebrował każdy kęs papryki i jajka jakby były kawiorem. Spoglądał to na mnie, to na newsy w smartfonie. Stwierdziłam, że nie ma sensu się spieszyć, bo on i tak nie podejmie rozmowy, nim nie skończy. Nauczona jeść w pośpiechu, dopiero po chwili zwolniłam, dostosowując się do jego tempa. Wolniutko łykałam gorącą, czarną kawę, zagryzałam kęsami misternych kanapek. Wchłonęłam wszystko, łącznie z ogromnym kawałkiem szarlotki, choć cukru na co dzień unikam jak ognia.

Zauważyłam, że przygląda mi się bez pardonu.

— Wsiąkła pani w klimat tego mieszkania. Ono naprawdę pobudza wyobraźnię, przenosi gościa w inny wymiar. Tonuje codzienny pęd życia, zanurza w nostalgii, każe wręcz pochylić się nad sensem jestestwa.

Znów zaskoczył mnie elokwencją, dlatego jedynie potakująco kiwnęłam głową. Po ostatnim łyku kawy postanowiłam dłużej nie zwlekać. Wyciągnęłam z kieszeni telefon i podałam mu.

— Niech pan spojrzy. To są rzeczy, które znaleźliśmy w walizkach.

Zerknął mimochodem na wyświetlacz, skrzywił się i odetchnął głęboko.

— To nie są rzeczy mojego wuja — stwierdził.

— Na pewno?

— Ano tak. Pokazuje mi pani zużyte ubrania, w których na pewno nigdy wuja nie widziałem. On ma nienaganną prezencję, jest elegancki, na uczelnię ubiera się w szykowne koszule. Od wielu lat szyje je dla niego zakład krawiecki, który kiedyś wybrała jego żona. Ten kapelusz również do niego nie należy, a tym bardziej te rękawiczki. Walizki też nie są jego, wuj ma zupełnie inne. Proszę poczekać.

Znikł mi z pola widzenia i chyba przegrzebał jakąś szafę, bo usłyszałam skrzypnięcie drzwi i stłumione szuranie.

— Walizki wujka są tutaj, w szafie!

Poczułam się zawiedziona.

— Rozumiem — odpowiedziałam z rozżaleniem.

Wrócił do pokoju i ponownie zajął miejsce przy stole.

— Mimo wszystko coś tutaj panią przygnało, a wuj faktycznie gdzieś przepadł. Jakie dokumenty znalazła pani w walizce?

— Żadnych, jedynie tę kartkę z zapiskami, o której panu mówiłam.

— Kartkę z zapiskami? — zarechotał. — Naprawdę tylko tyle? Pani żartuje? Może to zwyczajny zbieg okoliczności! I skąd wzięła pani adres?

Ewidentnie próbował sprowokować mnie do sprzeczki, ale nie dałam się. Przybrałam stanowczy ton i wyrecytowałam.

— Nie, nie żartuję, jestem tu z powodu odręcznie napisanej kartki z recenzją wiersza i opisem sakralnego przedmiotu. Domyślam się, że napisał ją pana wujek, proszę spojrzeć. — Powiększyłam w telefonie zdjęcie zapisków i podsunęłam mu pod nos.

Nie popatrzył na ekran, nieprzerwanie tkwił wzrokiem w moich oczach.

— To pani nawet nie ma potwierdzenia, że to on napisał?

— Proszę nie być tak sceptycznym — powiedziałam cicho, instynktownie próbując go uspokoić. — Profesor kiedyś mnie uczył, zachowałam zrecenzowany przez niego wiersz i porównałam pismo.

Maks zerknął na ekran telefonu. Ogarnął mnie przypływ nadziei.

— Faktycznie to jest pismo wujka, specyficzne, trudno je pomylić. Jednak myślę, że to naprawdę zbieg okoliczności. Nie doszukiwałbym się tutaj głębszego sensu — zakończył zdecydowanie, wstał od stołu i rozpoczął sprzątanie zastawy.

Nadzieja odpłynęła. Wyglądało na to, że moje szanse maleją z minuty na minutę. Muchołówka przeżuła owada, nasyciła się, podbudowała swoje ego i przyszło mi czekać, kiedy wypluje mnie z mieszkania.

— A ja bym się doszukiwała, bo muszę się doszukiwać — warknęłam, uderzając dłonią o stół. Szansa ulatywała, grałam va banque. — Tuż pod tym opisem, pański wuj zapisał datę, godzinę i miejsce. Jestem pewna, że ten zapis nie był przypadkowy.

— No tak pani musi się doszukiwać z racji zawodu, ja nie muszę i nie będę — skwitował swobodnie, zbierając ze stołu naczynia. — Dla mnie to bzdury, tę kartkę mógł mieć każdy. Niech pani robi z tą sprawą, co chce. Ja poczekam na wujka, pewnie wróci niedługo. Jest dorosły i przypuszczalnie spotkał kogoś znajomego, rozładował mu się telefon i nie mógł mnie powiadomić. Różnie bywa, czasem plany zmieniają się z dnia na dzień. Jedyne, co może mnie martwić, to jego podeszły wiek — podsumował i zniknął mi z oczu.

Straciłam trop. Zazwyczaj w takich sytuacjach paraliżuję męskiego przeciwnika moją ostateczną bronią w postaci seksapilu. Jak już zauważyłam, tym razem ta broń odrobinę mi skorodowała. Nie pozostało mi więc nic innego, jak powrócić do bardziej konwencjonalnych działań. Blond surfer dał mi do zrozumienia, że mój czas w tym mieszkaniu się skończył, dlatego nie zastanawiając się już ani chwili krzyknęłam w stronę, gdzie poszedł:

— Panie Maksie, idę porozmawiać z sąsiadami, może coś słyszeli lub będą w stanie stwierdzić, kiedy widzieli profesora po raz ostatni.

— OK, ja się stąd nie ruszam — odkrzyknął.

W ciągu kilku minut obdzwoniłam wszystkie mieszkania w kamienicy. Nikt nie zechciał nawet podejść do drzwi. Możliwe też, że w żadnym z tych mieszkań po prostu nikogo nie było, bo nie usłyszałam nawet szmerów.

Gdy zrezygnowana wracałam z powrotem na trzecie piętro, po klatce schodowej rozniosło się ciche zgrzytnięcie. Wytężyłam zmysły i instynktownie zbiegłam z powrotem na parter. W drzwiach pod jedynką zastałam zgiętą w pół, maleńką, pomarszczoną staruszkę w długiej spódnicy z bajecznie zakręconym siwym kokiem.

— Przepraszam, nie jestem już taka szybka jak pani — powiedziała przemiłym głosem, powoli i cicho.

Niezmiernie ucieszył mnie jej widok.

— Nie szkodzi. Dzień dobry, bardzo mi miło. Nazywam się Zofia Sokolnicka, aspirant Zofia Sokolnicka z Komendy Miejskiej Policji w Krakowie.

— Ojej co się stało? — zlękła się staruszka. — Ja też jestem Zofia, Zofia Bednarz, proszę wejść.

Z entuzjazmem przekroczyłam próg jej mieszkania i zatrzymałam się w holu.

— Mam tylko kilka pytań o sąsiada.

— A… Zrobię herbatki, mam takie dobre ciasto z malinami od synowej — zaproponowała i, nie czekając na odpowiedź, ruszyła w stronę kuchni.

Musiałam szybko ostudzić jej zapał. Złapałam ją za rękę. Była bardzo wiotka, a ja mam dość mocny uścisk, dlatego zaraz puściłam ją w obawie, że będzie miała sińce.

— Bardzo dziękuję, nie wątpię, że ciasto jest wyśmienite — oznajmiłam z przekonaniem. — Żałuję, że nie skosztuję, ale spieszę się. Zna pani Jana Wojnickiego?

— Profesora? To mój przyjaciel. Co się stało? — Staruszka osunęła się na pufa przy drzwiach.

Kucnęłam przed nią i usiłowałam jakoś złagodzić sytuację.

— Proszę się nie martwić. Póki co próbujemy go odnaleźć. Kiedy widziała go pani po raz ostatni? A może widziała pani coś podejrzanego, wyjątkowego?

— Janek zaginął? Matko Boska! Jezus Maria! — Spanikowana staruszka złapała się za serce, dźwignęła się z trudem i ponownie ruszyła w stronę kuchni.

Zamiast uspokoić, zaogniłam. Pomyślałam, że zapowiada się jeden z gorszych dni w mojej policyjnej karierze. Pani Zofia nie wyglądała na silną, asekuracyjnie ruszyłam więc jej śladem.

— Nie zaginął, spokojnie — zapewniałam. — Prawdopodobnie wyjechał, tylko nie poinformował dokąd.

— Pani policjantko, ja tutaj wróciłam wczoraj — zaczęła bardzo powoli. — Spędziłam kilka tygodni u syna.

Ale jeszcze w maju coś mi się nie podobało. Lubię wieczorami patrzeć przez okno, oglądać niebo szykujące się do snu. — Staruszka wskazała na okno przystrojone zazdrostką. — Czasem, gdy nie mogę w nocy zasnąć, wpatruję się w księżyc. Tak było w majowe noce. Pewnego razu zauważyłam jakiś obcy samochód pod kamienicą. Nie znam się na takich nowościach, nie wiem jakie to było auto. Na pewno było takie... luksusowe i czarne. Kilka dni później znowu je zauważyłam. I dojrzałam, że ma niemieckie numery rejestracyjne. Nie zapisałam ich. Raz nawet spotkałam tych chłopców na schodach.

Zrobiło się ciekawie.

— Pamięta pani, jak wyglądali, czy mieli jakieś cechy charakterystyczne lub kiedy to było?

— Droga pani, rośli mężczyźni w średnim wieku, ubrani w długie spodnie, koszule z krótkim rękawem. Nawet trochę się ich zlękłam. Ostatnio dużo się słyszy o przejmowaniu przez Niemców starych kamienic. Naprawdę nie umiem powiedzieć więcej, starość młoda pani, umysł już nie ten, trudno mi czasem zebrać myśli, poskładać słowa. Ciężko to wszystko idzie w moim wieku, wielu rzeczy nie rozumiem, czasem coś przekręcę. Chciałabym pomóc, ale więcej nie potrafię pani powiedzieć.

Zatrwożyła mnie ta drobna, siwa babunia. Nie ma nic gorszego niż samotność na stare lata.

— Dziękuję, pani Zofio, bardzo mi pani pomogła. Proszę mi wierzyć, że ma pani bardzo sprawny umysł. Gdyby pani mogła i chciała porozmawiać ze mną w tej sprawie jeszcze raz, tutaj jest mój numer telefonu.

Jeszcze raz bardzo dziękuję i do widzenia — dodałam z uśmiechem i położyłam na stole wizytówkę.

Staruszka odprowadziła mnie do drzwi, a ja pognałam z powrotem w szpony muchołówki. Byłam rozemocjonowana i chyba trochę mnie poniosło.

— Maks, Maks, mam coś! — krzyczałam od progu.

No tak, zdecydowanie mnie poniosło.

Wychylił się z kuchni.

— Rozumiem, że właśnie przeszliśmy na ty? Pasowało już, w końcu spędziliśmy razem noc — powiedział ze śmiechem.

Znowu mnie zaskoczył. Zrobiło mi się jakoś tak nieswojo. Pochyliłam się i zaczęłam rozwiązywać sznurówki, zamiast zzuć buty, jak to robię zazwyczaj, ocierając palcami o kostkę. Tym sposobem miałam chwilę na zebranie myśli.

Odkąd sięgam pamięcią miałam kulawe szczęście do trafiania na bezczelnych, zuchwałych mężczyzn. I choć zawsze świetnie radziłam sobie z męską impertynencją, ostatnio zauważyłam, że coraz częściej zdarza mi się niespodziewanie przyblokować. Prawdopodobnie zaczęłam się starzeć i władzę nade mną przejmuje ta cholerna, drylująca mnie obawa przed staropanieństwem. Jeszcze nie tak dawno naprawdę starałam się temu zapobiec. Chwileczkę… jednak trochę dawno, bo zanim zatrudniłam się w policji. Przygnieciona presją otoczenia i perspektywą staropanieństwa przeprowadziłam wywiad wśród koleżanek z uczelni. Na jego podstawie przestudiowałam możliwości portali randkowych i stworzyłam trzy całkiem przyzwoite profile. Pomimo wielu godzin straconych na internetowych rozmowach, nie miałam szczęścia. Trafiałam na samych napalonych idiotów, leniwych chłoptasiów albo pretensjonalnych macho z nierealnymi wymaganiami. Z aktualnej perspektywy ówczesna przygoda z internetowymi randkami trwała dość długo, bo dobrych parę miesięcy. Wydaje mi się, że dałam z siebie wszystko i, nie zaznawszy szczęścia, którego szukałam, odpuściłam. Uznałam, że póki co samotność jest mi pisana, a moją życiową misją nie są miłosne uniesienia a walka z przestępczością. Dodam, że nie wiążę z tymi randkami najlepszych wspomnień. Zwłaszcza że zdarzyło mi się przeżyć nieodwzajemnione zainteresowanie, co było dla mnie cholernie poniżające. By uniknąć w przyszłości tego typu sytuacji, zbudowałam wokół siebie barierę ochronną, którą ciężko przebić. Dzięki niej świetnie sobie radzę z każdym typem mężczyzn, przez co etap niejasnych znajomości mam już za sobą. Po prostu żadnego poznanego faceta i żadnego ze swoich kolegów nie traktuję jako potencjalnego partnera. Od samego początku pracy w policji zręcznie lekceważę wszelkie przejawy zainteresowania moją osobą.

Dlatego ku własnemu zaskoczeniu, w obliczu pyszałkowatości i bezczelnej pewności siebie pachnącego szarlotką blondasa, zamiast spuścić go po rynnie, jak robiłam z internetowymi nieudacznikami, zrobiłam coś zupełnie niespodziewanego. Zawładnęła mną ta nieżyczliwa mi świadomość staropanieństwa i instynktownie popchnęła ku niemu. Pozwolę sobie zrzucić winę na mechanizm obronny ulokowany gdzieś w mojej tarczycy, jajnikach czy czymś takim. Czymś co odpowiada za instynkt przedłużenia gatunku i pcha kobiety w ramiona mężczyzn, w które rozsądek nigdy by je nie popchnął.

— Tak, właśnie przeszliśmy na ty, po tak upojnej nocy, chyba mi pozwolisz? — odgryzłam się udawanym obojętnym tonem, choć miałam wrażenie, że nie był to ani mój głos, ani moje słowa.

Wyglądał na równie zaskoczonego jak ja, przy czym widocznie się ucieszył, jakby właśnie na to czekał.

— Pozwolę, moja droga Zosieńko. Tylko zaczynam się martwić, jak my będziemy się zwracać do siebie po kilku kolejnych nocach.

Zignorowałam te słowa i odpuściłam dalszą grę. Było mi wystarczająco ciepło po tym, co wyrzuciłam z siebie przed chwilą. Poza tym czas mnie naglił i szkoda było marnować go na bzdury, z których i tak nic nie wyniknie.

— Sąsiadka z parteru widziała w maju podejrzanych ludzi — zaczęłam z przejęciem, jakbym naprawdę odnalazła istotny trop. — Kręcili się po kamienicy, a nocami czatowali w samochodzie na niemieckich tablicach.

Słowa ubrane w głos zyskują zawsze nowy wymiar, pozwalają znaleźć inny kontekst, wyciągnąć nowe wnioski. Tym razem pomogły mi zrozumieć, że gadam bzdury. Sąsiadka nie mogła widzieć tych mężczyzn w maju, bo jak sama stwierdziła, była u syna. Wzięłam na nią poprawkę.

Roześmiał się w głos i podszedł do okna. Odsłonił rąbek firanki i przywołał mnie gestem.

— I to jest to sensacyjne odkrycie? — zapytał, nie kryjąc radości.

Wyjrzałam przez okno. Czarny mercedes na niemieckich tablicach stał na parkingu po przeciwnej stronie ulicy. Przez zaciemnione szyby ciężko było dostrzec, czy ktoś jest w środku.

— Myślisz, że obserwują kamienicę? — zapytałam.

Blondas, no dobra — Maks, znowu, powtarzam znowu uśmiechnął się szyderczo, unosząc lewy kącik ust.

— Tak — odpowiedział — i na pewno czyhają na mojego wuja.

Jak mogłam spodziewać się po nim poważnej reakcji? Przecież mnie przeżuł, wypluł i czekał aż zniknę. Żałosny, szyderca. Pewnie jest w życiu nieszczęśliwy.

— Mam dla ciebie coś ciekawszego — wtrącił, zanim zdążyłam cokolwiek z siebie wydusić. — Chodź za mną — zanęcił i zaprowadził mnie do gabinetu. Sama się dziwię, że za nim poszłam.

— Proszę — podał mi notes. — To jest kalendarz wuja, może coś z niego wyczytasz.

Nagła zmiana taktyki. Zaintrygował mnie, ale pamiętałam, że muszę być ostrożna. Otworzyłam niewielki skórzany kajecik. Przewertowałam go naprędce i zatrzymałam palec na dacie 2 czerwca, gdzie profesor zapisał tę samą godzinę i miejsce co na tajemniczej kartce. Zaraz pod tym napisane było: „560. rocznica bractwa na dworze". Oczy zaszkliły mi się z ekscytacji. „Nie myliłam się", faworyzowałam się w duchu.

— Widzisz, miałam rację, napisał: „20:00, Jama Michalika". Znasz jakąś inną? Bo ja wyłącznie tę w Krakowie. Ta notatka potwierdza, że twój wuj przepadł w mieście królów.

Maks zapatrzył się w notes i, nie odrywając od niego oczu, zapytał z niesmakiem:

— W jaki sposób potwierdza?

— Jak byk masz tutaj zapisane dane spotkania dokładnie takie jak na tej kartce. To potwierdza, że zapisał ją twój wuj, a pytanie brzmi, skąd wzięła się u denata? Prawdopodobnie profesor był w Krakowie. Pomóż mi rozszyfrować tę drugą notatkę. Ja zabieram się za szukanie — oznajmiłam, odblokowałam smartfon i wstukałam w wyszukiwarkę frazę „560. rocznica w Krakowie".

Maks zaczął ponownie wertować notes, a ja zabrałam się za przeszukiwanie Internetu. Mój piękny złoty smartfon wyświetlił wiele wyników, których nie potrafiłam ze sobą powiązać. Wydaje mi się, że trochę się zapomniałam i bełkotałam pod nosem coś, że cholerny instynkt, zaćmienie umysłu, takie tam pierdoły.

— Masz tę kartkę z zapiskami? — zapytał niespodziewanie.

— Mam, już ci ją daję — odpowiedziałam i wyciągnęłam ją z plecaka, a on wnikliwie przyjrzał się recenzji.

— Masz coś? — dopytywałam niecierpliwie.

— Daj mi spokojnie przeczytać — powiedział rozbawiony, jakby miał do czynienia z małym dzieckiem. Dumał i dumał, a ja coraz bardziej się niecierpliwiłam. Nie zdziwiłabym się, gdyby znowu mnie podpuszczał.

W końcu odłożył kartkę.

— Wybacz, nic z tego nie rozumiem — oznajmił.

Nie tego się spodziewałam po kilku minutach oczekiwania. Chociaż tyle, że złagodził magicznym słowem „wybacz".

— Zastanów się — poprosiłam grzecznie, adekwatnie do słowa „wybacz". — Czy wuj należy do jakiegoś bractwa?

— Zapewne do kilku różnych. Jest człowiekiem o wszechstronnych zainteresowaniach.

— A nie sądzisz, że „bractwo" to określenie dość niedzisiejsze?

— Przecież wujek ma osiemdziesiąt lat, słowo „niedzisiejsze" doskonale do niego pasuje.

Aha. Czyli jednak, zwiódł mnie chwilowym przebłyskiem grzeczności.

— Maks! Cholera jasna — fuknęłam. —W ten sposób do niczego nie dojdziemy.

— Przecież chcę ci pomóc i odpowiadam na twoje pytania.

No tak… przecież odpowiada, przecież mi pomaga.

— Znasz go, zastanów się — docisnęłam.

Zanurzył dłonie w blond włosach i przeczesując je palcami zadumał się przez chwilę. Ja też, ale nie nad profesorem, a nad piękną czupryną jego młodszej wersji. Zawsze chciałam mieć takie jasne włosy. Tak jak moje koleżanki blondynki pragnęły mieć moją południową urodę. Taki nasz urok, podziwiamy to, czego nie możemy mieć.

— Czekaj, czekaj — bąknął wyrywając mi z rąk terminarz. — Jakież ja mam dzisiaj powolne myślenie! Dwór Artusa… To jest to!

Jeśli on ma dzisiaj wole myślenie, to ja nie chcę być w pobliżu, kiedy ono przyspieszy. Większa dawka złośliwości mogłaby mnie zabić.

— A to to co?

— Że ja wcześniej nie skojarzyłem!

Rzucił notatnik na stół, rozparł się na krześle i skrzyżował dłonie za głową. Jego klatka piersiowa urosła do gorylich rozmiarów i miałam wrażenie, że zaraz eksploduje.

— Dwór Artusa jest historycznym miejscem spotkań bractw gdańskich. Dzisiaj jest tam muzeum.

W końcu jakieś sensowne informacje. Moje natrętne brzęczenie nad muchołówką przyniosło rezultaty i znów rozwarła paszczę. Uśmiechnęłam się szeroko.

— Świetnie! Skoro tak twierdzisz, nie pozostaje mi nic innego… jak zaufać twojej intuicji.

Maks aż podskoczył.

— Dwór Artusa jest tuż obok, możemy się tam przejść, wypytać o uroczystości rocznicowe.

Zgodziłam się bez wahania.

Maks przebrał się w lniane spodenki i luźną błękitną koszulę, której rozpięte guziczki odsłaniały rzemyki z bursztynem i kłem splątane z kuleczkowym łańcuszkiem nieśmiertelnika. Wychodziłam ze skóry, aby pohamować wygłodniałe oczy spragnione takich widoków. Niekoniecznie mi się udało. Odwróciłam więc głowę i obejrzałam się w lustrze. Miałam na sobie spodnie we wzór paisley, bawełnianą białą koszulkę i miękkie espadryle. Zauważyłam, że przeraźliwie do siebie pasujemy. Zaciekawiło mnie, czy ubrał się tak celowo czy przypadkowo.

Poganiana jego chrząkaniem spakowałam plecak w formie worka i wyruszyliśmy.

Maks z impetem wyskoczył z kamienicy i ruszył prosto do czarnego mercedesa, co wydało mi się kompletnie idiotyczne. Stanął przy drzwiach od strony kierowcy i zapukał w szybkę. Przez moment szłam w jego stronę, ale zawahałam się i zatrzymałam w bezpiecznej odległości. Po chwili czarna, przednia szyba osunęła się, ukazując twarz dojrzałego mężczyzny. Widziałam, że siedzi obok niego pasażer, ale nie dojrzałam twarzy.

Maks puścił na nieznajomych lawinę pytań.

— Co tam, panowie? Szukacie kogoś? Pomóc wam?

Zabrzmiał tak arogancko, że wzięłam to za celowy zabieg mający mnie zirytować.

Mężczyzna w samochodzie wlepił w Maksa złowrogie, mętne oczy i milczał niewzruszenie. Maks podjął jeszcze jedną próbę, po czym machnął ręką i odszedł. Szyba Mercedesa zasunęła się powoli, jakby w środku siedział sam Don Corleone.

— Mówiłam ci, coś tu nie gra — ogłosiłam głośno.

— Daj spokój, masz tak zatrwożony ton, jakby ten drętwy pajac właśnie kogoś zamordował. Niech tam siedzą, to nie nasz problem.

— Nie byłabym tego taka pewna…

— A ja jestem pewien — uciął. — To zwykłe buce, nikt nadzwyczajny. Chodźmy, szkoda czasu.

W ogóle się nie przejął, ale zamilkł. Spasowałam.

SĄD OSTATECZNY

Orzeźwiający zefirek dopełniał promieni słońca i smagał przyjemnie po twarzy. Ogarnęło mnie chwilowe poczucie spokoju. Zabytkowe miejsca działają tak na mnie, od kiedy pamiętam. I przez to, choć nienawidzę brudu, uwielbiam zapach zatęchłych, starych kamienic i przykurzonych przedmiotów. W pewnym sensie mam lekkiego bzika na punkcie zabytków. Niekiedy wydaje mi się, że takie rzeczy opowiadają mi swoją historię.

Maks zatrzymał się przy posągu lwa na przedprożu imponującego budynku wciśniętego pomiędzy dwie kolorowe kamienice, tuż za plecami Neptuna, pana mórz. Biała fasada, strzeliste okna i imponujące posągi przyprawiały o poczucie maluczkości. Powiewająca na dachu flaga i potężne, gotyckie wrota wymuszały zaś powagę.

W pewnej chwili zorientowałam się, że Maks coś do mnie mówi. Właściwie zacięcie tłumaczył mi historię tego miejsca, próbując natrętnym tonem przyciągnąć moją uwagę.

— Dziś to oddział Muzeum Gdańska — powtórzył po raz któryś, aż w końcu zaczęłam go słuchać. — Kiedyś był to ośrodek życia towarzyskiego, powstał bodajże w XIV wieku.

— A kim był Artus? — zaciekawiłam się.

Parsknął śmiechem. „Serio? Jestem aż tak żałosna?", wściekłam się na niego w myślach.

— Nie Artus, a Artur — poprawił mnie z perlistym uśmiechem na ustach. — Na pewno znasz legendę o królu Arturze, wielkim obrońcy chrześcijaństwa, uosobieniu rycerskich cnót. Zapewne pracując w policji, zdążyłaś się przekonać, że ludzie uwielbiają dopisywać ideologię do swoich działań, to też zrozumiesz specyfikę tego miejsca. Otóż w średniowiecznej Europie powstawały miejsca zwane właśnie dworami Artusa. Oficjalnie służyły jako miejsca reprezentacyjne bogatego patrycjatu, faktycznie były wielkimi imprezowniami. Gdańszczanie zwyczajnie chcieli mieć swój Camelot. — Spoglądał na mnie, a ja nie zamierzałam oderwać oczu od budynku. Wolałam ograniczać dyskusję.

— Widzę, że zainteresowała cię fasada — kontynuował. — Powstała na początku XVII wieku i jest dziełem Abrahama van den Blocke'a, architekta i rzeźbiarza gdańskiego, który zaprojektował i wykonał również Fontannę Neptuna czy Złotą Bramę. Spójrz — wskazał palcem na medaliony z popiersiami w portalu głównym — to królowie. Zygmunt III Waza i jego syn Władysław IV — przeniósł palec wyżej. — Te posągi to antyczni bohaterowie utożsamiający cnoty obywatelskie: zwycięzca Scypion Afrykański Starszy, który pokonał Hannibala, mąż stanu i wódz z Aten — Temistokles, dalej to Kamillus — zwycięski dowódca, który uzyskał miano drugiego założyciela Rzymu i Juda Machabeusz — jeden z przywódców powstania żydowskiego przeciw Seleucydom. Te figury na górze — uniósł rękę jeszcze wyżej — to alegorie siły i sprawiedliwości, zaś ten posąg na szczycie to bogini Fortuna kierująca ludzkim losem.

Podeszliśmy do kasy. Mój szarmancki przewodnik kupił nam bilety i weszliśmy do pierwszej sali. Maks musiał dobrze znać to miejsce, bo zaraz po przekroczeniu progu pognał w dal wielkiego pomieszczenia podtrzymywanego przez cztery gigantyczne filary. Ja zatrzymałam się tuż przy drzwiach i porażona przepychem oniemiałam z zachwytu.

— Jest niesamowicie, nieprawdaż? — dobiegł mnie damski głos. — Jesteśmy w reprezentacyjnej Wielkiej Hali. Niech pani spojrzy na to gotyckie gwieździsto-palmowe sklepienie.

Rzuciłam okiem.

— Tak, jest tu wspaniale — przytaknęłam, nie odwracając głowy.

Młoda dziewczyna wyrosła znienacka tuż przed moją twarzą.

— Takiego przepychu dawno nie widziałam — dopowiedziałam, odruchowo spoglądając na przypięty do zwiewnej sukienki identyfikator „Julia, stażystka". Nie otrząsnęłam się jeszcze ze zdziwienia, a podała mi laminowaną kartkę z opisem pomieszczenia i zalała mnie własną falą zachwytu.

— Proszę poczytać o tym miejscu. Ja jestem oczarowana, uwielbiam spędzać tutaj czas. — Przysunęła się do mnie bliżej. Jej wielkie niebieskie oczy zdawały się wypełzać z powiek, a chudziutkie rączki ściskały kurczowo książkę.

— Tak się cieszę, że możemy tutaj być — wyszeptała.

Wyglądało to tak jakby zorientowała się, że nie wypada jej mówić zbyt głośno. Albo chciała zbudować między nami jakąś więź. Sama nie wiem. Zaciekawiła mnie. Przeciągnęłam po niej swoim policyjnym, wnikliwym spojrzeniem, od stóp po czubek głowy. Była całkowitym moim przeciwieństwem. Ja byłam postawna, o atletycznej budowie ciała, z długim warkoczem, w luźnych spodniach i T-shircie. Ona była zaś niska, wiotka, w letniej sukience do pół łydki, o zapadniętych oczach i anielskiej twarzy okolonej równiusieńko przyciętymi brązowymi włosami. Strasznie ładna drobinka, książkowy przykład szkolnej kujonki, w której po kryjomu kocha się pół szkoły. Gdy moje oczy powróciły do jej delikatnej buźki, zauważyłam, że zmieszało ją moje spojrzenie. Nie miałam zamiaru robić jej przykrości, dlatego grzecznie dodałam:

— Dziękuję pani bardzo, nie…

— Tak wiem — wtrąciła mi w pół słowa — przepraszam, jestem straszną gadułą, czasem jak coś palnę, to aż mi wstyd. — Pyknęła się w czoło całkiem zabawnie.

— Zatem jestem obok, gdyby pani miała jakieś pytania.

— OK, dzięki — ucięłam i odwróciłam głowę.

Dwór Artusa zrobił na mnie piorunujące wrażenie. Lewitujące nad moją głową makiety statków zostały tak pieczołowicie odwzorowane, że miałam ochotę sięgnąć po nie i zajrzeć na pokład. Jeszcze bardziej spodobał mi się ogromny piec kaflowy. Chciałabym mieć taki w domu. To znaczy w pałacu, bo ogólnie rzecz biorąc nie miałabym nic przeciwko zamieszkaniu w dawnym pałacu. Bynajmniej, nie kręci mnie bogactwo, a jak napomknęłam — starocie.

Zamyśliłam tak intensywnie, że całkowicie zapomniałam o mucholówce. Nie musiałam się jednak wysilać, aby go zlokalizować. Stał w kącie sali przy rycerskiej zbroi i pstrykał selfiki. Westchnęłam nad jego samouwielbieniem i moim ciężkim losem. A że nie miałam żadnego pomysłu na interpretację zapisków profesora, ruszyłam do mojego gwiazdora trochę mu poprzeszkadzać. Pardon, czy ja użyłam słowa mojego? Najwyraźniej mój pierwotny instynkt za mocno wczuł się w rolę i wskoczył na wysokie obroty, co nie wróżyło mi absolutnie niczego dobrego.

— Cholera jasna, padł mi telefon — usłyszałam, zbliżając się do niego.

Cóż, najwyraźniej nawet bateria w telefonie nie wytrzymała naporu jego samouwielbienia.

— Mówiłaś coś, koleżanko? — Zainteresował się w końcu.

Przewróciłam wymownie oczyma.

— Mówiłam, że trzeba znaleźć jakiś punkt odniesienia.

Zza wielkich pleców Maksa nieoczekiwanie wyskoczyła stażystka. Spryciula, świetnie się ukryła, te szerokie bary przysłoniłyby ze trzy takie wiotkie Julki.

— Życzycie sobie państwo posłuchać o bractwach? — zagadała.

Niesamowite. Nie wiem, jak ona to zrobiła, ale trafiła dokładnie w punkt.

— Bractwa! — powiedzieliśmy zgodnie.

— Bractwo Artusa albo bractwo, które świętuje jakąś pięćset sześćdziesiątą rocznicę — rzuciłam. — Mówi to pani coś?

— Pani Julio, czy mogłaby pani... — zaczął Maks.

Ta przerwała mu, wykrzykując ucieszona:

— Oczywiście! Wszystko państwu opowiem.

— A może któreś z bractw nosi nazwę Pięćset Sześćdziesiąt? — dopytywałam.

— Nie ma czegoś takiego, proszę pani.

Lubię, gdy ktoś tak ładnie się do mnie zwraca.

— Różne bractwa miały tutaj kiedyś swoje ławy. Natomiast w tym roku przypada pięćset sześćdziesiąta rocznica powstania Bractwa Malborskiego.

— Bingo! — podniecił się Maks. — To jest to!

— Chętnie zaprezentuję państwu zrekonstruowane ławy Bractwa Malborskiego, proszę za mną.

Stażystka ruszyła, a Maks przepuścił mnie za nią przodem. Po kilku krokach wyczułam na sobie czyjś wzrok. Obejrzałam się w stronę *Orfeusza wśród zwierząt* zdobiącego ścianę nad wejściem i przeskanowałam dwóch mężczyzn, którzy nieskrępowanie śledzili nasze ruchy. Zatrzęsło mną. Jednym z nich był kierowca mercedesa. Przystanęłam i złapałam Maksa pod rękę, z zamiarem odciągnięcia go od dziewczyny. Wciąż byliśmy na tyle blisko, że nie mogłam swobodnie do niego mówić.

— Maks, chodź przejdziemy do drugiego pomieszczenia, muszę coś ci tam pokazać — powiedziałam, spoglądając na niego wymownie.

Nie zareagował, to puściłam mu oczko. Nie pomogło. Skwasił się i wskazał palcem na malowidła umieszczone nad fotelami ławników.

— Sądzę, że powinniśmy jeszcze rozejrzeć się tutaj — powiedział.

Nie chciał ze mną współpracować a ja nie miałam czasu zastanawiać się, czy to z głupoty czy ze złośliwości.

— Proszę cię, to ważne — nalegałam, wbijając mu w skórę paznokcie i wymownie wskazując głową.

— Skoro tak ci na tym zależy…

— Zaprowadzę państwa i przy okazji omówię obraz o tytule *Sąd Ostateczny* pędzla Antona Möllera — zaproponowała stażystka.

Pomyślałam, że sąd ostateczny będę mieć za chwilę.

— Nie trzeba — burknęłam podenerwowanym głosem, bo kątem oka widziałam, że spacerujący po sali mężczyźni nie spuszczają z nas wzroku. Zestresowałam się.

— Chodźmy już — ponagliłam i mocno pociągnęłam Maksa za przedramię w stronę drzwi pod *Sądem Ostatecznym*, który powoli szykował mi się w realu.

Tajemniczy mężczyźni spokojnym krokiem podążyli za nami. Ściągnęłam Maksa za rękę mniej więcej do mojej wysokości i wyszeptałam mu do ucha:

— Za nami są goście z mercedesa. Nadal uważasz, że to przypadek?

Maks zmarszczył czoło i zerknął w ich stronę.

— O cholera! Faktycznie! Spróbujmy ich zgubić — powiedział cicho i zwrócił się w stronę przewodniczki, nieprzerwanie kierując się do drugiej sali. — Szanowna pani, czy jest tu jakieś tylne wyjście?

Przekroczyliśmy kolejny próg, a podejrzane typy kierowały się w naszą stronę.

— Dlaczego pan pyta? — zdziwiła się dziewczyna.

Maks zauważył, że mężczyźni przyspieszyli kroku.

— Tu — zawołał. Pociągnął mnie za rękę i zaczął biec w stronę kolejnego pomieszczenia. Ruszyłam za nim i w biegu sięgnęłam do plecaka po mojego niezawodnego glocka 17. Mężczyźni ruszyli za nami, zresztą przewodniczka Julia także. Złapałam za pistolet, ale kiedy zorientowałam się, że pomieszczenie jest monitorowane, wrzuciłam go z powrotem do plecaka. Niestety, nasi potencjalni napastnicy zdążyli to zauważyć i również złapali za broń. Żarty się skończyły.

— Tędy! — stażystka wskazała na wyjście. — Te można zamknąć. — Trzeba jej oddać, że mimo skołowania chociaż przez kilka sekund zachowała zimną krew. Maks rzucił się na, drewniane drzwi, otworzył je z impetem i wpadliśmy do niewielkiego ciemnego pomieszczenia.

Odwrócił się, zatrzasnął zamki i sprawnie zabarykadował drzwi skoblem.

— Co się dzieje?! — krzyczała spanikowana dziewczyna.

Maks złapał ją za ręce i przytrzymał, żeby choć trochę się uspokoiła.

— Gdzie jest tylne wyjście? — zapytał całkiem spokojnie.

Ta wyrwała się z jego uścisku i, ocierając łzy, bełkotała pod nosem:

— Nie wiem, jestem stażystką, nie wiem.

Wiedziałam, że z nimi nie będzie łatwo. Rozejrzałam się i w ciemnym kącie długiego korytarza dojrzałam schody.

— Biegiem! — rozkazałam i skierowałam się w stronę klatki schodowej.

Zbiegliśmy schodami na sam dół, gdzie zatrzymaliśmy się przy dużych wrotach. Stażystka powiedziała nam, że to drzwi na dziedziniec. Maks zamachnął się i uderzeniem pięści rozbił niewielki górny zamek. Wychylił się i przepuścił nas przodem. Wybiegliśmy przed budynek, a stamtąd wprost na ulicę Chlebnicką, gdzie Maks bez namysłu obrał kurs na Piwną.

— Za mną! — krzyczał, biegnąc w stronę Wielkiej Zbrojowni.

Co chwila odwracał głowę, rozglądając się pospiesznie za Niemcami. Przyznam, że z trudem dotrzymywałam mu kroku, ciągnąc za rękę półprzytomną, zapłakaną Julkę. Czułam, jak gwałtownie bije mi serce, jak strach miesza się z ekscytacją i kumuluje gdzieś na wysokości żołądka, ściskając go i blokując oddech. Próbowałam zebrać myśli, aby jak najprędzej nas gdzieś schronić. W okolicy

Wielkiej Zbrojowni poczułam na plecach wibrację telefonu. Pospiesznie przekręciłam plecak na klatkę piersiową i usłyszałam dzwonek, który ustawiłam na obce numery.

Przesunęłam w biegu zieloną słuchawkę połączenia.

— Pani policjantko, tutaj Zofia Bednarz — zabrzmiał cichy głos w słuchawce. — Miałam do pani dzwonić. Oni tutaj są.

— Jak to są? Gdzie są? U pani? — dyszałam, ledwo zbierając oddech. Słowa staruszki spotęgowały mój strach, co jeszcze mocniej przyblokowało mi gardło. Byliśmy już wystarczająco daleko od Dworu Artusa i chciałam zatrzymać Maksa, ale topił się w tłumie i znikał mi z oczu.

— Są przy mieszkaniu Jana, widziałam ich z okna, wyszłam za nimi na schody i słyszałam, jak szperają przy drzwiach. Ciągle tam siedzą... Ooo... — zająknęła się i na chwilę zamilkła. — Właśnie wychodzą, wsiadają do samochodu, co mam zrobić?

— Proszę się nie martwić. I proszę dzwonić do mnie, gdyby znów się pojawili, bardzo mi pani pomogła — wycharczałam i rozłączyłam rozmowę. Dopadła mnie mocna zadyszka i nie byłabym w stanie wykrztusić z siebie więcej. Przystanęłam, odsapnęłam i ruszyłam dalej.

GOSPOSIE

Maks gnał przed siebie jak poparzony, uparcie nie chcąc mnie wysłuchać. Wbiegł na schody jakiejś restauracji. Kiedy wpadłyśmy za nim do środka, zaczepił przy barze kelnerkę.

— Maria, czy jest Maria w pracy? — wypytywał.
Dziewczyna wskazała ręką, a on ruszył, jakby od dawna znał to miejsce. Poszłyśmy za nim i wylądowałyśmy w kuchni. Maks stał przy wielkim garze z zupą i obejmował jakąś kobietę.

— Jak dobrze, że jesteś, Marysiu, jak dobrze — powtarzał.

Zatrzymałam się tuż przy nich i nasłuchiwałam.

— Maksiu, kochany synku mój, co ty tutaj robisz? Dlaczego tak dyszycie? — dziwiła się pani Maria.

Po chwili wyciągnęła do mnie dłoń.

— Dzień dobry, jestem Maria, przyszywana ciocia Maksa.

— Aspirant Sokolnicka — odpowiedziałam odruchowo.

Maria wyciągała już dłoń do Julki, kiedy Maks wszedł jej w słowo:

— Marysiu nie czas teraz, proszę, pomóż mi, to ważne, chodzi o wujka.

Przeszedł do ofensywy, korzystając zatem z okazji w końcu wyrzuciłam z siebie wszystkie nowe informacje.

— Oni są w kamienicy, dzwoniła do mnie sąsiadka.

Zmroził mnie spojrzeniem, po czym złapał ciotkę za ramiona. Wyglądał całkiem poważnie. Chyba naprawdę się przejął.

— Tym bardziej musisz nam pomóc. Pożycz mi, proszę, samochód.

— Nie przyjechałam samochodem — odparła Maria.

— Stoi pod blokiem, możesz go wziąć.

— Niech to szlag! — Maks odsunął się od ciotki, uderzył plecami o lodówkę i odgarnął włosy. Zdyszany i przejęty wydawał mi się jeszcze bardziej przystojny. Tłumaczyłam sobie, że to tylko kwestia feromonów. — Sęk w tym, że potrzebuję go właśnie teraz, w tym miejscu! Jasna cholera — uniósł się.

Był wyraźnie zagubiony i całkiem słodki. Zdecydowanie bardziej przystępny niż wcześniej.

Maria posmutniała, złożyła ręce jak do pacierza i zerkała na mnie z przejęciem. Doprawdy nie wiem, dlaczego akurat na mnie. Może szukała we mnie jakiegoś kobiecego wsparcia.

— Przepraszam, chciałabym pomóc — mruknęła pod nosem.

— To ja przepraszam, ciociu — skruszył się. — Nie twoja wina, wybacz. Jestem roztrzęsiony, bo szukamy wujka.

— Ja też nie wiem, co robić — wyjąkała Julka, o której istnieniu zdążyłam zapomnieć. Siedziała skulona na podłodze przy szafkach. Gdyby się nie odezwała mogłabym wyjść stamtąd bez niej.

Spojrzeliśmy na nią z Maksem jednocześnie i jednocześnie zagrzmieliśmy:

— Wracaj do domu!

— Kim wy jesteście? — zapytała rozdygotanym głosem. — Przed chwilą gonili nas bandyci z bronią. Jak mam wrócić do domu, skoro oni wiedzą, jak wyglądam. A jeżeli wiedzą, gdzie mieszkam? Jeśli myślą, że was znam? Kim wy w ogóle jesteście?

— Więc wracaj do domu! — powtórzył Maks.

Nie pomogło. Julka rozpłakała się chyba najmocniej, jak potrafiła, i szlochając przez łzy, jęczała, że się boi i jeszcze coś, czego nie zrozumiałam. Powiedziałam

Maksowi, że w zasadzie to ona ma rację i że faktycznie nie możemy wypuścić jej stąd samej. Powinniśmy najpierw dowiedzieć się, kim są ci ludzie i dlaczego nas śledzą. Napomknęłam już, jak ważne jest wypowiadanie myśli na głos. Znowu bardzo mi się to przydało, bo zdałam sobie sprawę, że zapewne ci cholerni Niemcy polują na Maksa, a nie na profesora.

— Bandyci z bronią? Co tu się dzieje? — Maria złapała się za głowę. — Dzieci, co wy narobiliście.

— Maks, im na pewno chodzi o ciebie — stwierdziłam stanowczo. — Przyznaj się, z kim masz na pieńku i wszystko będzie jasne. Ty zrobisz z tym, co będziesz chciał, a my wrócimy do domu.

Maks chodził w kółko między gotującą się zupą a stertą surowego mięsa.

— Co za bzdura — powtarzał do siebie.

— Nie bzduruj mi tu, tylko wytłumacz nam, o co chodzi — naciskałam go.

— Nie mam z nikim na pieńku! — wrzasnął. — I nie mam bladego pojęcia, o co chodzi! Jak dla mnie równie dobrze ty mogłaś ściągnąć tutaj tych bandziorów. Ciekawe, że pojawiliście się w tym samym czasie.

Nie wiem, po co kazałam mu się przyznać. I tak by tego nie zrobił.

— Spauzuj gościu! — warknęłam na niego.

Zignorował mnie.

— Wezwijcie policję, a ja stąd spadam — oznajmił.

— Jak to spadasz? — spytałam i ściągnęłam brwi.

— Nie twój interes.

— Ja pierdzielę! Właśnie, że mój! Jestem policjantką i wymagam od ciebie szczerości! Mów, o co w tym wszystkim chodzi! Przed kim uciekasz?

— Przed tymi samymi ludźmi co ty... — rzucił zgryźliwie i jeszcze coś dodał, ale dalszą część wypowiedzi zagłuszyła stażystka. Miałam serdecznie dość jej wycia.

— Nie rycz! — warknęłam na nią mocno i głośno, za co Maks zganił mnie wzrokiem.

— Powtórzę — podniósł głos. — Niedawno wuj przekazał mi prawo własności do lokalu mieszczącego się na rynku. Przyjechałem tutaj w tej sprawie. Miał mi wyjaśnić, czym zasłużyłem sobie na taki prezent. Mam klucze, pójdę go obejrzeć. Możliwe, że ma jakiś związek z tymi gośćmi. Może znajdę tam wskazówki, dokumenty, cokolwiek, co przybliży mnie do zrozumienia tej absurdalnej sytuacji.

— Gdzie to jest? — zapytałam.

— Niedaleko, kilka uliczek stąd. Wezwijcie gliny, ja spadam, szkoda czasu.

Wyjątkowa nieostrożność jak na żołnierza. Chyba że on wcale nie jest żołnierzem, a ta koszulka jest tylko prezentem od dziewczyny?

— Zwariowałeś? — prychnęłam.

— Sama powiedziałaś, że ci goście są w kamienicy — obruszył się.

— Byli. Wychodzili, kiedy rozmawiałam z sąsiadką. Nie wiemy, kto to jest i ilu ich jest. Ci, którzy nas gonili, nie zdążyliby przedostać się z Dworu Artusa do kamienicy tak szybko.

Zrobił przytakującą minę.

— Trudno — oznajmił, rozkładając ręce w geście poddania.

— Mam pomysł — wtrąciła Maria. — Pomogę wam, poczekajcie. — Wyraźnie zadowolona zniknęła za drzwiami zaplecza.

Maks podszedł do Julki skulonej za kuchennym blatem. Kucnął obok niej i gładząc ją po plecach tłumaczył:

— Przepraszam cię, dziewczyno — łypnął na plakietkę — Julio, zostałaś przypadkiem wciągnięta w zamieszanie, którego nie potrafię ci wytłumaczyć, ale obiecuję, że nic ci się nie stanie, nie bój się.

Niestety Julka zamiast się wyciszyć, jeszcze mocniej zaniosła się płaczem. Maks objął ją i, głaszcząc po włosach, próbował uspokoić. Z mojego punktu widzenia było to dość jednoznaczne. Nie ma nic gorszego niż wyrywanie laseczek na „supermena". Niedojrzały kretyn gustujący w małolatach. Pojęłam, dlaczego mój seksapil na niego nie zadziałał. Po prostu spłoszyło go wielkie blond ego.

Maria wróciła do nas z naręczem ciuchów.

— To są stroje z ostatniego święta koła gospodyń wiejskich. Przebierzecie się, nikt kto was śledził, na pewno was nie rozpozna.

Niechcący wypsnęło mi się z wyraźnym zniechęceniem:

— Świetnie, na pewno taki barczysty facet nie przykuje niczyjej uwagi w tych ciuszkach.

Maria posmutniała.

— Starałam się pomóc — odpowiedziała mi.

Maks, jak na gentlemana przystało, natychmiast stanął w jej obronie.

— Wpadłaś na świetny pomysł, ciociu!

Gentleman od siedmiu boleści, a Maria i tak oblała się rumieńcem.

Maks wskoczył w falbanki i znowu chciał, żebym jak najprędzej zawiadomiła policję. Nie było mi to na rękę. Udałam, że piszę SMS, po czym poinformowałam go, że powiadomiłam przełożonych. Kiwnął głową i zebrał się do wyjścia. Zamotałam się. Miałam ochotę pójść z nim, w dodatku nie miałam powodu, aby zostać z Marią i Julką. Kiedy więc zobaczyłam, że wychodzi, piorunem naciągnęłam na siebie spódnicę i narzucając gorset wybiegłam za nim. O zgrozo, stażystka pofrunęła za mną. Dogoniłam Maksa z myślą, że to nie dzieje się naprawdę. Ten oczywiście solidnie mnie ofuknął, lecz odpuścił, kiedy przypomniałam mu, że jestem z policji.

Wystroiliśmy się przekomicznie — w białe, haftowane spódnice do ziemi przepasane błękitnymi fartuszkami i koszule z bufiastymi rękawami ściśnięte niebieskimi gorsetami.

Niespokojnie kroczyliśmy przez gdańskie ulice, ściągając wzrok przechodniów. Po kilku minutach skręciliśmy w jedną z bocznych uliczek i znaleźliśmy się na niewielkim podwórzu przedwojennej kamienicy. Przeskoczyliśmy niskie ogrodzenie wąskiego ogródka. Tam Maks zatrzymał się, wyciągnął klucze z nerki schowanej pod spódnicą i wprowadził nas do sieni. Kilka kroków dalej przystanął przy wydeptanych schodach. Zorientowałam się, że w zasadzie stoimy przed niepozornymi, drewnianymi drzwiami schowanymi pod schodami. Wojnicki przejrzał pęk kluczy, znalazł właściwy, otworzył drzwi i gestem ręki zaprosił nas do środka. Nie wyglądało to zbyt ciekawie. Albo ciekawie, ale niezbyt bezpiecznie.

— Naprawdę nie możemy wejść normalnie, frontowymi drzwiami? — zadrwiłam lekko.

— Możemy — usłyszałam w odpowiedzi — ale tędy będzie bezpieczniej. To drzwi od zaplecza, prowadzą do kuchni.

Julka poprosiła go, aby wszedł pierwszy. Bardzo mądrze.

Gospodarz kiwnął głową i wsunął się do środka. Zatrzymał się w przedsionku, poczekał aż wejdziemy i zamknął za nami drzwi. Poprowadził nas do kuchni i przez niewielkie okienko dla kelnera zaprezentował salę. Wnętrze było spore, ciemne i zaniedbane równie mocno co zaplecze. Mimo to zachwycił mnie niebanalny, elegancki wystrój. Mocno zużyte mahoniowe meble, wyścielane aksamitem krzesła i narożniki, dębowa lamperia i cała masa obrazów przywodziły na myśl puby sprzed epoki.

Moją krótką chwilę nostalgii przerwało zawodzenie stażystki. Maks nadal poczuwał się do obowiązku ochrony tego biednego stworzonka. W końcu nauczono go, że tak wypada.

— Spokojnie, dziewczyno jesteś tu bezpieczna — przekonywał,

Zachowywali się tak, jakby znali się od dawna. Dość długo to trwało, jakby celowo chcieli mnie jeszcze bardziej zirytować. Po kilku minutach olałam ich i wyszłam do głównej sali. Obejrzałam każdy jej kąt i zawiesiłam się na solidnych, zabitych dechami drzwiach. Wzdrygnęłam się na myśl, że to miejsce mogłoby być nie tylko kryjówką, ale też cholernie niebezpieczną pułapką.

Trochę dało mi to do myślenia i doszłam do wniosku, że jednak lepiej będzie wygramolić się stąd na komisariat, póki mam jeszcze możliwość zrobić to w miarę bezpiecznie. Wróciłam do Julii i Romea, i kiedy już otwierałam usta, by poinformować blondasa o zamierzeniach opuszczenia tego pachnącego winem lokalu, zniknął pod kontuarem. Po chwili wyciągnął do mnie rękę z latarkami i zaproponował, żebyśmy poczekały na policję w bezpiecznym miejscu, podczas gdy on rozejrzy się po knajpie.

— Przejdźmy w bezpieczne miejsce — zaproponował. — Poczekacie tam na policję, a ja rozejrzę się tutaj.

— Tutaj nie jest bezpiecznie? — udałam zaskoczenie

— Jeżeli zniknięcie mojego wuja ma związek z zakupem tego miejsca i typami spod kamienicy, to lepiej nie ryzykować. Dlatego proponuję wam piwnicę, jest zadbana. Nie tak dawno leżakowało w niej wino.

Zerknęłam pytająco na zapłakaną Julkę, a ta, wzruszając ramionami, zapytała półgłosem:

— Chyba nie mamy wyjścia?

Maks podał nam latarki i lampki naftowe.

— Weźcie — powiedział. — Oświetlcie mi drogę.

W MUROWANEJ PIWNICY

Wahałam się, ale poszłam. Tak jak i ta mała anielica, która była dla mnie przedziwna. Nigdy nie miałam do czynienia z osobą tak eteryczną, ckliwą, uległą i oderwaną od rzeczywistości. Kojarzyła mi się z leśną nimfą albo jelonkiem Bambi. I niestety nie rokowała najlepiej.

Doświadczenie podpowiadało mi, że ta jej nieporadność może nam zaszkodzić. Szła zaraz za Maksem o krok przede mną i cała się trzęsła. Nie wiem, czy ze strachu, czy z zimna, niemniej jednak wyglądała przerażająco. Kościste ramionka zarysowane pod delikatnym materiałem sukienki aż prosiły się o okrycie. Szłam powoli, aby przypadkiem nie nadepnąć jej na piętę, bo moją wielką stopą w butach o rozmiarze czterdzieści jeden mogłabym zedrzeć jej naskórek do kości.

Przeszliśmy przez kuchnię do spiżarni. Maks otworzył niewielkie drzwiczki. Odsunął się, a my poświeciłyśmy latarkami w ciemną otchłań. Strugi światła ukazały strome, kamienne schody i fragment pomieszczenia.

— Pójdę pierwszy, niech któraś z was zamknie drzwi — zarządził i poszedł na dół.

Przepuściłam Julkę przodem, przekręciłam klucz i zeszłam za nimi. Znaleźliśmy się w sporym pomieszczeniu o kształcie prostokąta. Maks oświetlił pomieszczenie lampkami elektrycznymi, które leżały przy schodach.

Powiem szczerze, że przez chwilę zatrzęsłam się nad swoją głupotą. Dobrowolnie dałam się zwabić do ciemnej piwnicy przez domniemanego specjalsa. A jeśli to świr, seryjny morderca, gwałciciel albo inny zwyrol? Ta zimna piwnica wydała mi się idealnym miejscem do popełnienia zbrodni. Mógłby mnie w niej zamordować, poćwiartować i nikt nigdy by tego nie odkrył. Znaczy się nas, a nie mnie, bo na domiar złego zabrałam ze sobą Juleczkę-Bambi. Co mnie tak zaćmiło? Czyżby mucholówka oblepiła mnie jakimś otępiającym jadem? Do jasnej cholery! Przecież jestem policjantką i na co dzień użeram się z takimi sprawami i ludzką głupotą. Nieraz przypisywałam ofierze „syndrom ofiary", naturalnie wikłający ją w kłopoty. A tu proszę, wcale nie byłam mądrzejsza. Jeśli faktycznie zamiary Maksa okazałyby się niejasne, mój glock w plecaku i znajomość karate na niewiele by się zdały w starciu z jego bicepsem. Najgorsze było jednak to, że mogłam jeszcze uciec, a tego nie zrobiłam. Ciekawość, która wepchnęła mnie do tej piwnicy, teraz kazała mi ją oglądać. A była, doprawdy, oryginalna. Półkoliste sklepienie zdobiły średniowieczne ornamenty roślinne, a ściany — malowidła rycerskich herbów i scen bitewnych. Wzdłuż nich stały dwa rzędy stołów i długie ławy.

Zdjęłam z siebie przebranie i usiadłam przy stole. Zerknęłam na Julię, która podeszła do Maksa i trzymając go kurczowo za ręce wypytywała o nasze dalsze losy. Milczał. Zmieszał się, a jego mina zdradzała zagubienie. Zdecydowanie nie miał pomysłu, bo gdyby było inaczej, jego ego nie pozwoliłoby mu zachować tego dla siebie.

— Czekać — powiedział w końcu. — Będziemy czekać.

Julka zapewne tego nie wiedziała, ale jakiej innej odpowiedzi można byłoby się spodziewać od zawodowego żołnierza. Czekać to, moim skromnym zdaniem, jedyna komenda idealnie odzwierciedlająca całokształt zawodowych wysiłków moich prawie kolegów po fachu.

Julka przytaknęła, usiadła obok mnie i wbiła oczy w drzwi. Pewnie dopadły ją te same obawy, które wcześniej męczyły mnie. Odwróciłam wzrok, bo musiałam skupić się na czymś innym, żeby nie zwariować.

— Gwoli ścisłości, co to za miejsce? — zapytałam.

— Wygląda na to, że mój lokal. A piwnica jest jego częścią, w której kiedyś przesiadywali mężczyźni, a później przechowywano tu wino. W ubiegłym stuleciu w lokalu nad nami prosperowała restauracja. Wuj znał właścicieli i jako dzieciak często tu bywałem.

— A dlaczego wuj ją kupił?

— Najprawdopodobniej chciał mi pomóc w realizacji marzeń. Wiedział, że chcę otworzyć knajpę, w której można będzie napić się dobrego piwa i zjeść porządny kawał mięcha.

— Alkohol i mięso… Wróżę ci wielki sukces, w przypadku mężczyzn najprostsze rozwiązania sprawdzają się najlepiej — zauważyłam błyskotliwie.

— Bo prawdziwi mężczyźni z krwi i kości lubią konkrety i nie rozmieniają się na drobne — odgryzł się.

Zamierzałam dowalić mu, że słabo rozwinięta zwierzyna zadowoli się byle czym, ale Julia udaremniła moje zamiary.

— Co mamy robić? — mruknęła jak speszony koteczek.

— Zocha, daj znać policji, gdzie jesteśmy, i czekajcie na patrol. Przyniosę z restauracji koce i poduszki, żeby było wam wygodniej — rzucił zdawkowo i znikł za drzwiami.

Na chwilę zostałyśmy same, a moja wyobraźnia rozbujała się i zarzuciła mnie nowymi przerażającymi wizjami. Wyobrażałam sobie, jak w tych cholernych małych drzwiczkach staje Maks owinięty białym fartuchem z tasakiem w ręku. Niecierpliwiłam się. Chciałam, żeby wrócił jak najprędzej, jednocześnie się tego obawiając. Nieświadomie wsunęłam rękę do plecaka i złapałam za mojego czarnego bulteriera. Julka trwała w milczeniu, jakby w ogóle jej nie było i wydawało mi się, że ta chwila samotności ciągnie się w nieskończoność. W końcu przysunęła się do mnie i wystękała coś, co niekoniecznie zrozumiałam.

— Co? — zapytałam.

— Nie boisz się? — powtórzyła. — Tak tu mrocznie, ponuro, a jesteśmy same z obcym mężczyzną, nie wiem nawet, kim on jest. A ty go znasz? Wiesz, im, to znaczy facetom, lepiej nie ufać. Są podstępni, czasem się nimi brzydzę.

Jakbym tego nie wiedziała, to nie ściskałabym mojego glocka i nie czatowała, wpatrując się w drzwi jak wierny pies na powrót pana z pracy. Westchnęłam głęboko i nie odrywając oczu od drzwi, odpowiedziałam:

— Nie zauważyłam. I nie, nie boję się, potrafię się obronić.

To nie był sarkazm. Naprawdę to sobie wmówiłam.

— Znasz sztuki walki? Ja kiedyś trenowałam balet, ale przywalić też bym pewnie potrafiła.

Mój zdrowy rozsądek nie mógł się oprzeć i nakazał mi spojrzeć na jej wiotkie rączki i kolanka. Możliwe, że potrafiłaby nimi przywalić, ale śmiem podejrzewać, że te czterdzieści kilo żywej wagi nawet z wielkim rozmachem mogłyby spowodować na skórze Maksa co najwyżej ledwo widocznego siniaka.

— Tak znam, jestem policjantką — ucięłam krótko.

Julia wyraźnie się ożywiła.

— W takim razie już się nie boję, przy tobie będę bezpieczna.

No cóż. Od kilku minut waruję obok niej w przeświadczeniu, że w razie zagrożenia możemy polegać wyłącznie na mnie.

— Jestem zaszczycona — odpowiedziałam. Myślę, że grymas na mojej twarzy mógłby zdezorientować każdego, ale najwyraźniej nie małego jelonka.

Drzwi powoli się uchyliły i zaraz trzasnęły o zawiasy. Wzdrygnęłam się i powiększyłam otwór w plecaku. Po chwili Maks ponownie rozchylił wrota i zaprezentował nam swoją konkretną nogę, którą je przytrzymał. Potem ukazał się ze stertą poduszek i koców, wemknął się do środka, a drzwi trzasnęły za nim samoczynnie. Całkowicie zasłonił się tymi rzeczami, czekałam więc w napięciu. Po omacku zszedł po schodach i przechodząc obok, zrzucił mi na kolana poduszki. Odetchnęłam z ulgą. Nie miał pod nimi żadnego tasaka, noża czy innej siekiery. Myśli o morderczych zapędach Maksa wrzuciłam w głowie do szufladki „zakazane" i zasunęłam ją z ulgą.

Puściłam pistolet, pogłaskałam go grzecznie i odłożyłam plecak.

Przez kolejną godzinę Maks krzątał się po piwnicy i niecierpliwił się na przyjazd patrolu. Ułożyłam się wygodnie na wydartych, śmierdzących stęchlizną kocach i poduszkach. Nie mogłabym mu zarzucić, że się nie starał. Pieczołowicie pozsuwał ławki, wyłożył je poduszkami, co by nam pupy nie zdrętwiały i elegancko obłożył je kocami.

Przyglądałam się temu dziwnemu miejscu dość intensywnie i Maks dostrzegł moje zniecierpliwienie.

— Więcej nie jestem w stanie wam zaoferować. I nie znalazłem niczego podejrzanego w knajpie — powiedział, łypiąc ukradkiem w moją stronę. Czyżby liczył na jakąś drobną uwagę? Nie miałam ochoty na pogaduszki. Położyłam się, a on podał mi koc, przy czym nie omieszkał mnie pokąsać.

— Grzecznie byłoby podziękować — syknął cicho.

Dobre sobie.

— Gdybyś przyniósł mi ten koc z koleżeństwa, a nie z poczucia obowiązku wyrosłego na podwalinach dobrego wychowania, o którym zdążyłeś mnie dzisiaj rano poinformować, podziękowałabym.

Poprzeczna żyłka na jego czole nabrzmiała i zgłupiałam, czy zdenerwował się moją ciętą ripostą czy delikatnie podekscytował wyzwaniem które niewątpliwie mu rzuciłam. Nie dane mi było poznać odpowiedzi, bo odwrócił się ostentacyjnie i poszedł na swoją ławkę, którą ustawił na drugim końcu pomieszczenia.

Było wczesne popołudnie, a wszyscy zlegliśmy jak na rozkaz. Myślę, że emocje i klimat ciemnej piwnicy spotęgowały nasze zmęczenie. Maks nieustannie próbował dodzwonić się do wujka, a ja kombinowałam, co powiedzieć policji. Moi towarzysze niedoli czekali na patrol, musiałam więc w końcu go wezwać. Nie mogliśmy siedzieć w tej piwnicy w nieskończoność. Nieustannie analizowałam fakty i próbowałam wyciągnąć jakieś wnioski. Gdy myśli stały się nieznośne, wstałam i zaczęłam przechadzać się po piwnicy. Wpatrywałam się w ściany i sufit i wydawało mi się, że dostrzegam w zdobiących je malowidłach jakąś analogię. Kwiaty ukryte w liściach na ornamencie spływały ze sklepienia w stronę ław. Sceny batalistyczne dzieliły wizerunki świętych. Próbowałam posklejać to z Bractwem Malborskim, pięćset sześćdziesiątą rocznicą. Rzecz jasna, przemknęła mi przez głowę również myśl, że profesor przygotowywał po prostu uroczystości związane z tym wydarzeniem, a moje dywagacje są rodem z powieści przygodowych. Na przekór zdrowemu rozsądkowi, nie potrafiłam oprzeć się wrażeniu, że istnieje jakiś związek przyczynowo skutkowy, związany z tym miejscem. Główkowałam i główkowałam, a w końcu wpadłam na pewną myśl. Przecież cały czas miałam obok siebie skarbnicę wiedzy, z której aż głupio byłoby nie skorzystać.

Przykucnęłam obok Julii i wyszeptałam:

— Opowiedz nam o tym Bractwie Malborskim i pięćset sześćdziesiątej rocznicy. Podpowiedz coś, potrzebujemy spoiwa.

Maks zaraz znalazł się obok mnie. Wydaje mi się, że spojrzeliśmy na Julię takim samym błagalnym wzrokiem.

Ta złapała oddech.

— Wiem niewiele, tylko tyle, ile było w książkach, z których uczyłam się na rozmowę o staż. Uczyłam się, że Dwór Artusa wzniesiono w latach 1348—1350. W 1476 spłonął…

— Jezus Maria! Do rzeczy, dziewczyno! — przerwałam jej zirytowana. Oczywiście dostałam w odwecie cios od obrońcy uciśnionych.

— Trochę wyrozumiałości i szacunku do jej wiedzy, pozwól jej mówić — burknął na mnie spod swojej lwiej grzywy. „Czyżby maleństwo naprawdę wpadło mu w oko?”

— Dziękuję zatem — zaczęła ponownie z przejęciem mowy pogrzebowej. — Dwór wzniosło Bractwo świętego Jerzego, do którego należeli rycerze z elitarnych rodzin niemieckich. Po pożarze odbudowano go na koszt miasta, a bractwo, które go wzniosło, straciło prawo własności. Ten fakt umożliwił tworzenie na Dworze kolejnych bractw, zwanych też ławami, które stawały się jego współwłaścicielami i przyjęły nazwę Dworu Artusa. Ława Malborska została utworzona w 1487 roku przez kombatantów wojny trzynastoletniej, którzy brali udział w oblężeniu Malborka w 1457 roku. Przez kolejne dwa wieki na Dworze gospodarzyła gdańska elita — bogaty patrycjat i mieszczaństwo, kupcy, którzy spotykali się tutaj w sprawach handlowych i towarzyskich. O przyjęciu do bractwa decydowały jak dzisiaj: pieniądze, układy i rzecz jasna — nepotyzm. Nazwy bractw zazwyczaj inspirowano ich patronami. Najstarsza była Ława Świętego Rajnolda, potem powstały Ława Świętego Krzysztofa zwana też Lubecką, Ława Trzech Króli, Ława Żeglarzy lub też Szyprów, Ława Malborska właśnie, Ława Holenderska, Ława Marii i Ława Sędziów. Tyle jeśli chodzi o historię. Natomiast dzisiaj potomkowie niektórych bractw starają się przywracać świetność temu miejscu i kontynuować niektóre tradycje. Działają w stowarzyszeniach zajmujących się renowacją i odzyskiwaniem zabytków.

— Całe szczęście, że cię mamy — schlebił jej Maks.

Uniosłam brew. Cynik, hipokryta, w dodatku amancik. Ciekawe, że nie docenił mojego wkładu w sprawę, a tych kilka słów przedukanych z książki… Dodam, że słów, które niewiele wniosły. Wysnułam pewne wnioski. I nie tylko takie, że marnuję swój czas w tym towarzystwie.

— Czyli, jeśli dobrze dedukuję, jesteśmy w piwnicy któregoś z bractw. Póki co jedyny trop wskazuje, że Bractwa Malborskiego zwanego też Ławą Malborską. Gospodarzu, co wuj mówił ci na temat tego miejsca? — podpytałam.

— Niewiele. Od dziecka znam restaurację, bo była własnością przyjaciół wuja. Byłem zaskoczony, kiedy w zeszłym tygodniu odebrałem od kuriera przesyłkę z dokumentami przekazującymi mi prawo własności. Zadzwoniłem do wuja i dowiedziałem się jedynie, że to prezent i że musimy się spotkać, bo ma mi wiele do powiedzenia.

— Niesamowicie fascynujące — wyrwało się Julce.

Faktycznie… Fascynujące jak cholera. Skoro byliśmy w zabytkowej piwnicy bractwa prawdopodobnie mającego związek ze zniknięciem Wojnickiego, nie pozostało mi nic innego, jak porządnie się rozejrzeć. Moją uwagę przykuło jedno z malowideł. Wskazałam na nie i zasugerowałam towarzyszom, że przypomina zamek w Malborku.

Maks ustawił się przed ścianą i, szukając odpowiedniej perspektywy, kiwał się w przód i tył z wypisanym na twarzy zaciekawieniem.

— Całkiem możliwe — oznajmił w końcu, przysuwając nos do ściany.

Wstałam i dołączyłam do niego. Kiedy zaczął gładzić ścianę, mrużyć oczy i pomrukiwać, jakby próbował nam udowodnić, że faktycznie analizuje zaczarowane w malowidłach elementy, spięło mnie w brzuchu i musiałam przerwać ten teatr.

— Czyli jesteśmy w piwnicy Bractwa Malborskiego i mamy zamek — podsumowałam. — Według mnie czegoś tu brakuje. Jest scena z rozpoczęcia walki, jest jakaś kontynuacja... — Zamilkłam na chwilę, błądząc oczyma po piwnicy. — Nie dostrzegam zakończenia. Brak tu nawet ściany na kolejne malowidło.

Maks odwrócił się do mnie plecami.

— Niekoniecznie — powiedział i przeszedł do drugiej części pomieszczenia zapełnionego w połowie beczkami. Zaczął je po kolei przestawiać.

Potraktowałam to jako idealny pretekst do tyciej i jakże przyjemnej uszczypliwości.

— Rozumiem, że właśnie postanowiłeś potrenować?

Ku mojemu zdziwieniu, on wyraźnie ucieszył się z tej ironii. Odwrócił się w moją stronę i, podnosząc wielgaśną beczkę, wyrzucił z siebie:

— Pomogłabyś, zamiast gadać.

Zagryzłam zęby i postanowiłam nie pomagać. Po kilku minutach przyglądania się jego naprężonym muskułom, otrząsnęłam się i uznałam, że jednak powinnam się czymś zająć albo oszaleję z pragnienia. Nie muszę chyba tłumaczyć, co mam na myśli. W dodatku jego zaangażowanie zdawało się być zarówno seksowne, jak i sensowne, ruszyłam mu więc z pomocą. Julka dołączyła do nas i rozpoczęliśmy wspólne działanie dla wspólnego dobra, które miało za chwilę powalić nas na kolana. A przynajmniej na to liczyłam. Wspólny trening trwał dobrych kilkanaście minut, aż zdążyłam solidnie się rozgrzać.

W końcu naszym oczom ukazało się malowidło, które, jak się spodziewałam, przedstawiało scenę wieńczącą walkę. Centralnym punktem obrazu była postać przywódcy, kogoś na wzór króla. Wokół niego klęczeli rycerze, przyciskający zaciśnięte pięści do serc. Nad nimi rozciągała się wstęga z łacińskim napisem „Pacificus", a pod nimi w połowie zamazany, a brzmiący: „Mater Dei Victoriosa Anno Domini 15...".

— „Matka Boska Zwycięska Roku Pańskiego tysiąc pięćset...", a na górze „Pokój czyniący" jeśli dobrze rozumiem — ucieszył się Maks.

Imponujące, zna łacinę.

— Zgadza się — przytaknęłam i wymieniliśmy zdziwione spojrzenia.

— Studiowałam polonistykę — przyznałam się.

— A ja studiowałem na ASP.

— A ja ukończyłam historię i też znam łacinę — błysnęła Julka.

Nie powiem, zaskoczył mnie. Ciekawe, co on tam robił. Dałabym sobie rękę uciąć, że studiowało tam całe stado jelonków Bambi.

— Serio? Studiowałeś na ASP?

— Tak... i sądzę, że te malowidła skrywają głębszy sens.

„Uuu... bystrzacha", zakpiłam w myślach.

— Myśl, myśl — powtarzał do siebie.

Mówił z taką intensywnością, że w efekcie to mnie oświeciło. Złapałam za telefon z przekonaniem, że to dobry moment, aby powiadomić Pabla. Że też wcześniej tego nie zrobiłam. Zwariowany dzień i mrok piwnicy najwyraźniej wyczerpały mi baterie w synapsach. I nie tylko w synapsach, bo telefon też ledwo działał.

— Można się nad tym zastanawiać godzinami — podkreśliłam i zasugerowałam, żeby sprawdzili w Internecie.

Julka przyznała, że jej telefon nie ma dostępu do Internetu. Jakoś mnie to nie zdziwiło. Wyglądała na osobę, która żyje romansidłami i daleko jej do influencerek z Instagrama czy fanek domowych trenerek. O tak, zdecydowanie ze sportem nie miała zbyt wiele wspólnego. Z jedzeniem raczej też nie. Maks natomiast poinformował nas, że jego telefon padł, a ja zakwiliłam, bo jak wspomniałam, mój też był prawie rozładowany. Mimo to zaczęłam działać. Znowu wszystko w moich rękach.

— Czyniąca pokój Matka Boska w tysiąc pięćset którymś tam roku... — kontynuował głośno Maks. — Według mnie na tej ścianie jest czternastka, czyli rok 1514. Julka, ty na pewno wiesz, co się wówczas wydarzyło.

— Nic nie przychodzi mi do głowy, wybacz — odpowiedziała.

Maks, zamiast skupić te swoje rozjątrzone zwoje, postanowił mnie zaatakować.

— Nie mamy ładowarki, więc lepiej odłóż ten swój śliczny telefon i oszczędzaj baterię, może się jeszcze przydać.

Bezsensowna uwaga. Intuicja podpowiadała mi, że wgapianiem się w ścianę za wiele nie wskóram, wobec tego poszłam usiąść na ławce i zaczęłam powoli układać SMS do Pabla.

Niestety Maks wziął Julkę pod rękę i posadził dokładnie na wprost mnie. Wkurzyłam się, że za mną przyleźli. Julia naciągnęła na siebie koc, a on obdarzył mnie grymasem, który nie wróżył niczego dobrego.

— Właściwie, dlaczego nie ma jeszcze policji? Dlaczego nic nie robisz? Dotychczasowe fakty są istotne dla śledztwa — nagabywał mnie zniecierpliwionym głosem.

— Jeszcze parę godzin temu tak bardzo zależało ci na odnalezieniu wujka, a teraz odnoszę wrażenie, że odpuszczasz. I w ogóle, gdzie ty masz broń?!

No cóż, powinnam była przewiedzieć, że nie zrozumiał istoty problemu. Odwrócona twarzą do ściany powiedziałam chłodno:

— Nie zgłosiłam tego. I nie ma żadnego śledztwa.

Maks mocno się oburzył.

— Cooo?! Jak to nie ma śledztwa! — wrzasnął. — O co tu chodzi do cholery? Kim ty jesteś? Jesteś w ogóle policjantką? A może zwykłą oszustką?!

Znowu przegiął. Coraz bardziej męczyła mnie jego arogancja. Sprowokował mnie do konfrontacji, na którą wcale nie miałam ochoty. Uniosłam głowę i spojrzałam mu w oczy. Pochylał się nad stołem oparty o zaciśnięte pięści i smagał mnie cierpkim spojrzeniem. Kipiał z nerwów.

— Nie sądziłam, że tak łatwo wyprowadzić cię z równowagi — powiedziałam najbardziej powściągliwie, jak umiałam. — Muszę cię rozczarować, kolego. Jestem policjantką, a nie żadną oszustką. Nie zgłosiłam, że ktoś cię obserwuje i śledzi, bo nie ma śledztwa, policja nie podjęła żadnych działań w sprawie profesora, denata, czy tajemniczych walizek. Nie było żadnych podstaw, aby wszcząć jakiekolwiek procedury w tej sprawie. Na własną rękę zaczęłam węszyć, żeby dowiedzieć się, co doprowadziło do tej śmierci. O zaginięciu profesora dowiedziałam się od ciebie. A w zasadzie sama wywnioskowałam, że zaginął. A dopóki nie znaleźliśmy jego zapisków w terminarzu, nie było żadnych sensownych poszlak. Zresztą nadal nie mamy pewności, że to nie zbieg okoliczności. Oczywiście możemy w każdej chwili wyjść z tej piwnicy i wszystko zgłosić. Sądzę jednak, że rozsądnie będzie przemyśleć okoliczności, zanim podejmiemy decyzję o poinformowaniu policji. Fakt, że oddamy tę sprawę w profesjonalne ręce, wcale nie gwarantuje nam sukcesu.

Policzki Maksa nabrały purpury, a pod nimi zaostrzyła się linia żuchwy — musiał naprawdę mocno zacisnąć zęby. Wpatrywałam się w tę czerwień, naiwnie wyczekując jakiegoś cieplejszego słowa. Ledwo nie spłonął. Odszedł od stołu, położył się na ławce i kilka minut później zasnął. Wywnioskowałam to z burczenia przypominającego chrapanie.

Nawet się ucieszyłam, że tak to się skończyło. Byłam zmęczona jego bezczelnością i tkliwością Julki. Koczowałam w tej piwnicy jak szczur, już całkowicie nonsensownie, w związku z czym zaplanowałam, że wypełznę, kiedy otrzymam odpowiedź od Pabla. Uspokoiła mnie wizja czystego pokoju hotelowego z oknem i łazienką. Wyczekując odpowiedzi, zasnęłam.

WSZYSCY ŚWIĘCI
Gdańsk, 7.06.2017 — środa

Przebudziłam się w nocy i odczytałam SMS zwrotny od Pabla. Był mocno zaskoczony rozwojem wydarzeń i sam nie miał dla mnie żadnych nowych informacji. Zaproponował, żebym spróbowała wyciągnąć z Maksa jak najwięcej, odstawiła go wraz z Julką na najbliższy komisariat i wróciła do Krakowa. W zaistniałej sytuacji, wydawało się to jedynym sensownym rozwiązaniem, które, co najważniejsze, pomogłoby mi uniknąć przykrych konsekwencji w związku z moim nieodpowiedzialnym zawodowo zachowaniem. Jednakże było zbyt późno, aby gdziekolwiek się wybrać. Moi towarzysze twardo spali, a ja przewracałam się z boku na bok. Nawet nie wiem, kiedy znowu odleciałam.

Z kamiennego snu wyrwał mnie głód. Przetarłam oczy, podniosłam głowę, żeby sprawdzić, czy Julka wciąż oddycha. Nie tyle oddychała, co spała jak zabita. Choć takie określenie nie było chyba najlepsze, uwzględniając okoliczności. Zerknęłam na zegarek, było dopiero przed piątą. Dobiegło mnie chrupanie i kierowana głodem mimowolnie odwróciłam się w stronę Maksa. Siedział przy stole i zajadał się czymś chrupkim, gapiąc się na mnie. Zawstydziłam się. Bynajmniej nie wczorajszą sytuacją, a moim niewyjściowym wyglądem. Odwróciłam głowę, lecz wciąż czułam na sobie jego spojrzenie. Wygrzebałam z plecaczka wodę, gumy do życia, grzebień i lusterecko. Napiłam się, wrzuciłam do ust miętówkę i zerknęłam na twarz. Nie było tak źle, jak sądziłam, ale też nie najlepiej. Wstałam i zaczęłam rozczesywać włosy.

Wciąż się na mnie patrzył. Chociaż tyle, że wywołał we mnie jakąś kompletnie obcą mi falę gorąca, dzięki czemu chłód piwnicy nie uderzył we mnie tak intensywnie. Czekałam, aż coś powie, tymczasem on konsekwentnie milczał. Podeszłam do niego bez pomysłu, jak zacząć rozmowę. Jego wymowne milczenie sugerowało złość, natomiast wyraz twarzy był całkowicie neutralny.

— Co tam masz? — zapytałam w końcu, siląc się na uśmiech.

— Wafle — powiedział spokojnie, dobitnie i krótko. Wafle. Cudownie. Zmiażdżył moją kreatywność. Bo co można odpowiedzieć na „wafle"? Wzięłam od niego jeden z tych wafli. „Wafel-kafel", zadźwięczało mi w głowie. Usiadłam naprzeciw niego.

— Przemyślałem sprawę i zdecydowałem, że zaraz zgłoszę się na policję — przemówił w końcu.

Pokiwałam tylko głową.

— Zaraz obudzę Julkę i spadamy, szkoda czasu.

— Słusznie — stwierdziłam i sięgnęłam po kolejnego wafla-kafla.

Niespodziewanie wypłynął ze mnie potok słów. Nie wiem, co mnie opętało. Chyba mój instynkt wystraszył się, że poinformowanie policji rozdzieli nasze drogi i macica straci szansę na zdobycie rosłego, silnego samca.

— Przez pół nocy analizowałam wskazówki. I wiesz co, może my za bardzo kombinujemy i niepotrzebnie szukamy alegorii? Może Matka Boska, to dosłownie Matka Boska, a *pacificus* to dosłownie *pacificus*?

— Mamy w Gdańsku Bazylikę Mariacką Wniebowzięcia Najświętszej Maryi Panny — rozbrzmiało z czeluści piwnicy. Na szczęście nie był to żaden piwniczny duch, a nasza mała Juleczka.

— Mój przyjaciel pełni tam posługę — dorzucił Maks.

— Jest wykształcony i oczytany, może podsunie nam jakąś myśl.

— Super. A tak swoją drogą, jaki król brał udział w oblężeniu Malborka? — zapytałam.

— Władysław Jagiełło — powiedziała Julka — ale on zmarł w 1434 roku, a bractwo powstało...

— W 1487 — dopowiedziałam.

Maks wyraźnie się zaciekawił.

— Szukasz powiązania z postacią przywódcy z malowidła? A nie chodzi o jego następcę i wojnę trzynastoletnią? W końcu kombatanci tej wojny założyli bractwo.

— Nie, nie, bez sensu, zostałabym przy Jagielle.

— Chwileczkę! — Uniósł się. Oczy mu rozbłysły.

— Może ten zamek — wskazał na ścianę ozdobioną malunkiem — to wcale nie zamek, a właśnie Bazylika Mariacka?

Julia przesiadła się obok mnie i utonęła w oczach blond superbohatera.

— Właśnie to próbowałam ci zasugerować. Po drugim pokoju toruńskim Polska odzyskała między innymi Gdańsk i Malbork, a państwo krzyżackie stało się naszym lennem. Sytuacja na świecie, upadek Konstantynopola i zamknięcie dróg prowadzących na zachód spowodowały, że Polska zaczęła rosnąć do rangi głównego eksportera zboża do Europy, a Gdańsk leżał u progu drogi handlowej. Za sprawą Kazimierza Jagiellończyka miasto zyskało liczne przywileje, na przykład przywilej bicia monety, zniesienia ceł, poboru podatków czy kontroli żeglugi. Mówi się, że te okoliczności zapoczątkowały okres świetności miasta. A skoro szukamy czegoś związanego z Matką Boską — kontynuowała — muszę dodać, że król ustanowił patronat Najświętszej Maryi Panny nad Kościołem. Wspomnę jeszcze, że na początku drugiej połowy XV wieku jako symbol zwycięstwa miasta nad Krzyżakami podwyższono wieżę tego kościoła.

— Bingo! Pogadajmy z Jacobem. — Maks złapał Julię za ręce. — Maleńka, jesteś wielka. Czas się stąd wynosić, mój przyjaciel nam pomoże — zawołał z radością.

— Czyli jednak nie idziemy na komisariat? — zdumiałam się.

— Pójdziemy do bazyliki, pogadamy z Jacobem. Znając go, zapewne coś nam podpowie. Może zaginięcie wuja ma związek z rocznicą bractwa, a bractwo z tą piwnicą. Stamtąd pójdziemy prosto na policję. Komisariat jest vis-à-vis bazyliki. Co o tym sądzicie?

Julka przytaknęła, a ja byłam w szoku, że zapytał nas o zdanie.

— A jak chcesz stąd wyjść? — zaciekawiłam się. Przyrzekam, że mój głos był pozbawiony krzty złośliwości.

— Normalnie — usłyszałam.

A no tak, że ja na to nie wpadłam. Przecież dwie sprawne nogi, GPS i kilka komórek mózgowych zaprowadzą nas wszędzie. Żebyśmy tylko nie zapomnieli o czapce niewidce, która uchroni nas przed bandytami.

— Zdumiewa mnie twój brak rozsądku. Wczoraj biegaliśmy po mieście przebrani za gospodynie, a dzisiaj nie odczuwasz już zagrożenia i tak po prostu chcesz przejść przez rynek?

— A kto powiedział, że tak po prostu. Rozumiem, że nie pasowało ci wdzianko? Masz pecha, wskakuj w nie i spadamy — rzucił i zaczął się przebierać.

Zapaliła mi się czerwona lampka przypominająca, że powinnam trochę spauzować. Jestem narwana i podekscytowana, ale to nie usprawiedliwia mnie z nietrzymania języka za zębami. Zorientowałam się, że jeśli nad sobą nie zapanuję, nie zdobędę ich zaufania, a co za tym idzie — cennych informacji.

— A mnie się to nawet podoba. Mam wrażenie, jakbym przeniosła się w czasie — powiedziała Julka.

Wcale mnie to nie zdziwiło. Tak jak sobie obiecałam, przygryzłam język i jedynie uśmiechnęłam się półgębkiem. Miałam jej serdecznie dość. Irytowała mnie nawet bardziej niż Maks. Ten przynajmniej chwilami łapał mój sarkazm i potrafił się odgryźć. Julia każde słowo traktowała poważnie, przez co sprawiała wrażenie cholernie głupiutkiej, a czułam, że tak nie jest. W końcu nie była aż tak głupia, aby nie potrafić rozegrać damsko-męskiej gry. Z obrzydzeniem mówiła mi o mężczyznach, co wcale nie przeszkadzało jej w podrywaniu Maksa. Jakby tego było mało, gadała co chwila te wzniosłe, romantyczne farmazony, które przyprawiały mnie o mdłości. Strasznie wkurzał mnie jej rzewny charakter. Byłoby lepiej jakbym się jej pozbyła, postanowiłam więc chociaż spróbować.

— Julia, a ciebie nikt nie szuka? Nikt na ciebie nie czeka? Ile ty masz lat? — zapytałam.

— Dwadzieścia pięć — oznajmiła.

— Wyglądasz dużo młodziej — rzuciłam.

— No, tak mówią. Niedawno przeprowadziłam się do Gdańska — ciągnęła. — Mieszkam sama, wynajmuję pokój u pewnej pani… — Zamilkła na chwilę. — Nie sądzę, żeby ktokolwiek mnie szukał — dopowiedziała zasmuconym głosem, spuściła głowę i skupiła wzrok na gorsecie.

— Nie masz mężczyzny? — zagaił Maks.

— Nie, nie mam! — odpowiedziała stanowczo.

Trochę zrobiło mi się jej żal. Wyglądało na to, że ckliwość i delikatność nie ułatwiają jej życia i że wcale nie jest jej z tym najlepiej.

Maks też się zadumał, lecz raczej nie nad jej losem. Przygryzł dolną wargę i z ogromnym, że tak to nazwę entuzjazmem wpatrywał się w jej twarz. Mrużył oczy i miarowo oddychał. Nadzwyczaj miarowo, co dało mi do myślenia, że kontroluje tę czynność. Wątpiłam, aby miał to być gest skierowany do Julii. Był zbyt inteligentny, żeby nie wiedzieć, że ona tego nie zrozumie. Bo Julka grała na emocjach, wzbudzała litość, przy czym nie wydawała się na tyle wyniosła, aby bawić się słowem i gestem. Uznałam więc jego grymas za przytyk mający wzbudzić we mnie zazdrość o wiedzę Julii. Bo chyba o nic innego? Zgodnie ze złożoną sobie obietnicą zlekceważyłam go i z efekciarską obojętnością przebierałam się za wiejską gospodynię. Maks nie ustępował i przez głowę przemknęła mi kolejna cudowna myśl, że pewnie za bardzo się doszukuję, a on naprawdę leci na tę zagubioną sarenkę.

— Daleko mamy stąd do kościoła? — mruknęłam.

— Blisko, jest tuż za Dworem Artusa — odpowiedział.

— Wspaniale, w takim razie wybieramy się znów w sam środek paszczy lwa — zripostowałam.

Maks prychnął, ewidentnie sugerując, że przeginam.

— Aspirantko, o co ci znowu chodzi?

— O ten zegar, co nie chodzi. Rusz głową, zamiast mięśniami.

Ups, znowu się zapomniałam.

— Skoro masz mnie za idiotę używającego mięśni zamiast rozumu, odpowiem ci zgodnie z tokiem takiego rozumowania. Kto nie ryzykuje, nie wygrywa — zarecytował gniewnie jak łysy kibol, po czym wyszedł po schodach i przepuścił Julię przez drzwi.

Nie drgnęłam. Nie żeby tak bardzo spodobało mi się w tej piwnicy. Zatrzymały mnie niepewność i wstyd.

— Mam cię zaprosić czy przenieść? — cisnął w moją stronę z góry.

Westchnęłam, zagryzłam wargi, wyszłam z nory i poraziło mnie światło. Był ciepły, duszny poranek, a na niebie wisiała gęsta, kosmiczna wydzielina, niczym nieprzypominająca chmur. Maks wyprowadził nas przed kamienicę i głośno główkował.

— Wejście do bazyliki jest dla zwiedzających płatne. Zawsze jest tam sporo turystów. Wejdziemy więc zakrystią, żeby nie rzucać się w oczy. Jakub nas wpuści.

Mruczał coś jeszcze pod nosem, ale zagłuszyli go turyści.

PANNA MŁODA

Na głównej ulicy wbiliśmy się w tłum, choć myślę, że trudno było przejść obok nas obojętnie. W szczególności obok Maksa. Jego postawne, męskie barki ukryte pod bufkami bawełnianej koszuli wydawały się gigantyczne. Smaczku dodawał zawiązany pod brodą czepek i zarzucone na oczy blond włosy z oddali imitujące grzywkę. Jak sama zdążyłam się przekonać, już z odstępu metra trudno by było oszukać kogokolwiek.

Szłam za Julką i śmiałam się sama do siebie. Sytuacja, w której się znalazłam zdawała się być tak nierzeczywista, że straciłam na chwilę poczucie powagi. Rozważałam nawet, czy nie jest to jedynie moje wyobrażenie. Przepracowywałam się ostatnimi czasy, może odbiło mi ze zmęczenia?

Dotarliśmy pod potężną gotycką bazylikę. Maks poprowadził nas na tyły kościoła, gdzie zaczepił leciwego księdza.

— Przepraszam, ojcze, gdzie znajdę księdza Jakuba? — zapytał swoim niskim, męskim głosem. Ksiądz uniósł brwi i z nieskrywanym zdziwieniem wskazał drzwi kilka metrów przed nami. Jakoś nie zaskoczyła mnie jego reakcja.

— Dzięki, Bóg zapłać — odparł i poprowadził nas we wskazane miejsce.

W niedużej sali, pod jedną ze ścian ustawionych było kilka rusztowań i ław, a na nich wiadra, pędzle i sporo kamieni wyglądających na zabytkowe. Pracowało przy nich kilku mężczyzn i młoda kobieta. Na jednym z rusztowań pewien ksiądz, pochylając się nad odrapanym fragmentem ściany, prowadził zaciętą dyskusję ze starszym mężczyzną.

Maks zamachał i zawołał:

— Ciao, Dżejkob!

Ksiądz rozpromienił się na nasz widok, pomachał i kilkoma zgrabnymi skokami znalazł się na dole.

— Ciao Maksymilianie! — odpowiedział, obejmując go w braterskim uścisku. — Świetnie wyglądasz, jak zwykle kipisz testosteronem — zaśmiał się. — Rozumiem, że to jakiś happening — dodał, spoglądając w naszą stronę. Naszą to znaczy Julki i moją.

— Jacob Bertone, ksiądz Jakub. — Skinął głową, wyciągając najpierw do mnie rękę.

— Zofia Sokolnicka.

— Julia Stach, proszę księdza.

— Maks ma coraz ładniejsze koleżanki. — Ksiądz złożył ręce i zwrócił się w stronę sklepienia: — Boże mój, jak on przyciąga do siebie piękne kobiety — powiedział, puszczając do mnie oczko.

Zdaje się, że nie potrafiłam ukryć mojego zażenowania. Przez włoską urodę trudno mi było oszacować wiek Jacoba. Wyglądał tak na trzydzieści kilka lat. Miał ciemną karnację, oczy czarne jak smoła i równie ciemną, falowaną czuprynę. Możliwe, że chodzili z Maksem do tego samego fryzjera. I wystarczyła chwila, abym zdążyła zauważyć, że nie tylko fryzura ich łączy. Jego diabelskie oczy skanowały naszą Juleczkę, a usta rozciągnęły mu się w zawadiackim uśmieszku. Jak to możliwe, że taki amancik został księdzem? Czyżby nawet do duchowieństwa przedostał się najpopularniejszy ostatnio mechanizm rynku pracy? Mam na myśli ten opierający sukces na prezencji pracowników. Bo im bardziej Jacob pokazywał nam swoje śnieżnobiałe zęby, tym bardziej przekonywał mnie, że podczas jego mszy kościół jest pełen parafianek, a taca pełna banknotów.

— Jacob, potrzebuję… my potrzebujemy twojej pomocy — powiedział Maks.

Ten poklepał go po plecach.

— Więc do rzeczy, bracie…

— Proszę, wejdźmy do kościoła, a ja wszystko ci opowiem.

Jacob poprowadził nas przez zakrystię. Weszliśmy do pustego jeszcze kościoła, zamkniętego z uwagi na wczesną porę. Maks poprosił, zaznaczam poprosił, abyśmy się rozejrzały, a sam pogrążył się w rozmowie z przyjacielem.

Rozglądnęłam się i dech mi zaparło. Potężna świątynia z zewnątrz wyglądała mrocznie i naprawdę przywodziła mi na myśl mroki średniowiecza. Wnętrze uderzyło mnie prostotą pomimo nagromadzenia wartościowych zabytków. Podobają mi się kościoły zbudowane na planie krzyża łacińskiego, bo mają ten przedziwny urok tajemniczych miejsc. Z tym że świątynie, które znam, są zazwyczaj mocno zdobione, aby nie powiedzieć pstrokate. Tutaj biało-szare ściany, filary i sklepienie dodatkowo potęgują przestrzeń, dając też poczucie świeżości, czystości. Jakbym wcale nie stała w czternastowiecznej budowli. Wydaje się wręcz, jakby się było w muzeum, gdzie jasne wnętrze celowo eksponuje nadgryzione zębem czasu zabytki.

Zainteresował mnie gotycki ołtarz, a Julia zawiesiła wzrok na sakramentarium. Amanci oddalili się trochę i szeptali pochyleni ku sobie. Wyglądali przezabawnie, niczym aktorzy odgrywający scenę z filmu z Louisem de Funèsem. Jakby mi było mało tego całego kuriozum. Zaśmiałam się pod nosem. Opamiętałam się, kiedy Jacob przywołał nas do jednego z bocznych ołtarzy.

Zatrzymaliśmy się przed odnawianą nastawą ołtarzową.

— Moi drodzy, obawiam się, że wasze podejrzenia co do bazyliki są błędne. Według mnie wątpliwym jest, aby świątynia miała aż tak silny związek z Bractwem Malborskim, bowiem od pierwszej połowy XVI wieku do 1946 roku służyła protestantom. Katolikom na pocieszenie w XVII wieku wybudowano Kaplicę Królewską. Miny nam zrzedły, co zmotywowało Jacoba do główkowania.

— Skoro szukacie czegoś związanego z bractwami, to jest ołtarz Bractwa Świętego Rajnolda. — Wskazał na ołtarz. — Oczywiście, jest to replika. Prawdziwy znajduje się w Warszawskim Muzeum Narodowym.

— Szukamy czegoś związanego z Bractwem Malborskim, a nie świętego Rajnolda — zauważyłam.

— Albo czegoś związanego z pokojem, jakiś symbol pokoju lub pacyfikał — dopowiedziała Julka.

Ksiądz zastanowił się i odparł po chwili:

— Nasuwa mi się na myśl średniowieczny relikwiarz świętej Barbary z 1514 roku, który prawdopodobnie był wystawiany właśnie w tej kaplicy Bractwa Świętego Rajnolda. Jednakże to nie krzyż i już go tutaj nie mamy.

— A gdzie on jest? — zapytałam.

— W Muzeum Diecezjalnym w Pelplinie. Mogę wam go pokazać na zdjęciach. Kataloguję zabytki naszej bazyliki. Gromadzę tam wszystkie informacje na ich temat i w miarę możliwości zamieszczam zdjęcia.

— Bracie, jesteś niezawodny — rzucił Maks.

Jacob uśmiechnął się i poprowadził nas do pomieszczenia przypominającego kancelarię. Tam dał nura do szafy i po chwili wyciągnął z niej gruby skoroszyt. Odsunął zalegającą na biurku stertę dokumentów, rozłożył skoroszyt i zaczął wertować strony.

— Gdzieś tutaj jest, dajcie mi chwilę — mruczał pod nosem, przewracając ręcznie zapisane kartki. — Jest, wiedziałem, że musi być — ucieszył się.

Podeszliśmy bliżej i pochyliliśmy się nad fotografią przedstawiającą figurę świętej Barbary. Autor przedstawił świętą jako młodą kobietę o delikatnych rysach i jak na ówczesne standardy dość smukłym ciele. Była ubrana w suknię, a przez lewe ramię miała przerzucony płaszcz. W prawej dłoni dzierżyła miecz, a w lewej misternie wykonaną wieżyczkę. Kilkukondygnacyjną, ustawioną na planie trójkąta wpisanego w sześciobok. Na drugiej kondygnacji wieży dostrzegłam maleńką misternie wykonaną postać Jezusa. Świętą postawiono na cokole, będącym repozytorium na relikwie. Cokół zbudowano z sześciu boków, a na każdym z nich wyrzeźbiono arkady, pod którymi umieszczono figurki sześciu świętych. W opisie doczytałam, że są to Rajnold, Paweł, Jerzy, Leonard, Zygmunt i najprawdopodobniej Stanisław.

Uwagę Maksa przykuł święty Jerzy ukazany podczas poskramiania smoka. Rzecz jasna nie omieszkał o niego wypytać. Tym sposobem rozgorzała całkiem niepotrzebna według mnie dyskusja.

— Czyim patronem jest święty Jerzy? — zapytał.

— Górników, żołnierzy, wędrowców, artystów... — wyliczał Jacob.

— A dlaczego został przedstawiony w akcie ujarzmiania smoka?

— W taki sposób jest prezentowany w ikonografii chrześcijańskiej, co wynika z pewnej legendy o dobrym rycerzu. Mówi ona, że smok uwił sobie gniazdo na rzece, przez co mieszkańcy pobliskiej osady nie mogli czerpać z niej wody. Przekupywali więc go, oddając mu owce lub wybraną poprzez losowanie młodą kobietę. Gdy wylosowano księżniczkę, w jej obronie stanął święty

Jerzy. Obronił się znakiem krzyża, a następnie pokonał smoka. Mieszkańcy miasta w podzięce Jerzemu przyjęli chrześcijaństwo.

Kolejny dowód, że od wieków niewiele się zmieniło. Zwykłymi wieśniaczkami nikt się nie przejmował, lecz jak tu nie obronić księżniczki? Chluby, dumy wartej więcej niż kilka wsi?

— Jakież to romantyczne — wyszeptała Julia.

Zaiste romantyczne jak diabli. Jestem wyrozumiała, ale żeby mnie tak perfidnie prowokować? Przecież bardzo staram się być grzeczna.

— I nieprawdopodobne — oznajmiłam chłodno. — Ludzie od wieków żyli romansami, marnując czas na pierdoły. Gdyby skupili się na pracy, zamiast wymyślać te durne historyjki o smokach, może nie musielibyśmy biegać po mieście ubrani jak idioci w poszukiwaniu cholera wie czego... i po co.

— Gdyby nie te — zaintonował nisko Maks — jak je nazwałaś, durne historyjki o smokach, pewnie w ogóle nie mielibyśmy tropu. Nie uważasz, że zamiast psioczyć, wypadałoby się skupić... pani aspirant?

Odwróciłam się do niego plecami i zagryzłam zęby. Nie dość, że znowu przeszedł na per pani, to co gorsza niepotrzebnie zajął się pierdołami. Rozgrzebał temat świętej figurki, a ja nie uważałam, aby jakkolwiek wiązała się ze sprawą. Do czego mu ta wiedza o patronie żołnierzy? Jeśli jest taki wierzący i zechciał się zainspirować, niech przełoży te chęci na później. To nie czas ani miejsce na takie głupoty.

Atmosfera między nami znowu zrobiła się ciężka i Jacob, który przed chwilą znalazł się w tym towarzystwie, trochę się zmieszał. Biedaczysko, nie zdążył jeszcze zrozumieć zawiłości naszych relacji. Co więcej, był księdzem, czyli konflikt powinien stanowić dla niego naturalne wyzwanie.

Podjął próbę najpierw w moim kierunku.

— Moi drodzy... Zosiu... Nie ma sensu się sprzeczać. W tym wypadku racjonalne myślenie nie jest żadną determinantą. Odrzućcie, proszę, uprzedzenia i otwórzcie umysły. To naprawdę istotne, żeby doprowadzić do konsensusu. Nierzadko coś, co wydaje się nonsensowne, prowadzi do prawdy. Proszę, chodźcie za mną — uciął i skierował się z powrotem do kościoła.

Zatrzymaliśmy się przy jednej z kaplic, gdzie trwały prace konserwatorskie.

— Jesteśmy przy kaplicy świętego Jerzego. Spójrzcie. — Wskazał dłonią na malowidło na ścianie. — Malowidło pochodzi z początku XV wieku.

Przyznam, że z zakłopotaniem rzuciłam okiem na krajobraz przedstawiający skaliste wzgórze, z rudawym zamkiem na szczycie, z którego wyłaniała się królewska para. Smaczku dodawał niedźwiadek z jelonkiem na straży za rzeką. O ludzie! Nie wiedziałam, czy śmiać się, czy płakać.

— Malowidło było przykryte tym. — Jacob wskazał kolejne obrazki ukazujące widok miasta, mężczyznę na białym koniu i kilku rycerzy. Nie byłam w stanie dłużej udawać, że mnie to interesuje.

— Świetnie, tylko co oznaczają te malowidła?

— Nie wiem, są nieustannie poddawane badaniom, jak zresztą większość zabytków w Bazylice. — Okręcił się wokół własnej osi, wymownym gestem wskazując na kościół. — Wierz mi, tutaj wszystko jest cenne.

— Wierzę.

— Mnie to się kojarzy wyłącznie z Krakowem, jest smok, jest jakiś zamek na wzgórzu... — odezwał się Maks, a Jacob od razu go poparł.

Myślałam, że mnie poskręca i wystrzeli w kosmos. Oni naprawdę doszukiwali się w tym jakiegoś sensu. Musiałam się wtrącić.

— Jaki to ma sens? W czasach, kiedy powstało malowidło, takich zamków zapewne było na pęczki. Podeszliśmy do tego ołtarza ot tak, bo akurat ten święty cię zainteresował. A ty szukasz jakichś alegorii. To idiotyczne.

— Niekoniecznie — przemówiła odważnie Julka.

— Na malowidłach w piwnicy przedstawiono rycerzy i sceny walki. Z opisu tej figury wynika, że każdy przedstawiony święty to prawdopodobnie patron fundatorów figury. Poza postaciami świętego Rajnolda, no i jakiegoś biskupa, zapewne świętego Stanisława lub Wojciecha. Jeśli więc jednym z patronów jest święty Jerzy, a jest on patronem wojaków, zachodzi prawdopodobieństwo, że został sfinansowany przez Bractwo Malborskie. Nawet jeśli to błędny trop, jednak doprowadził nas tutaj, a zamek z tego malowidła przypomina ten w piwnicy, nieprawdaż?

Co? Nic nie zrozumiałam.

Maks przytaknął i zerknął w moją stronę. No cóż, ani się kłócić, ani pałać entuzjazmem. Troje na jednego, na dodatek dwóch amantów i jedna łania do poderwania, to nie jest równa walka. A takich nie podejmuję.

— Nie patrz tak na mnie — zaapelowałam. — Według mnie to się kupy nie trzyma. Doszukujecie się powiązań tam, gdzie ich nie ma. Julka namieszałaś przeokropnie. Ja uważam, że skoro jesteśmy w kościele, mamy figurkę pełną świętych postaci, należy zajrzeć na kartkę profesora i do Kaplicy Królewskiej.

Nim Maks zdążył cokolwiek mi odpowiedzieć, złapał Julię, która bezwładnie opadła na jedną z kolumn podtrzymujących sklepienie. Uniósł ją, co zresztą nie sprawiło mu żadnego wysiłku, a ona zarzuciła na jego szyję swoje chudziutkie rączki i oparła mu głowę na piersi.

— Co ci jest, dziewczyno? Nic dzisiaj nie jadłaś, jesteś przerażona, zmęczona, a ja ciągam cię po kościołach. Zasłabłaś przeze mnie — przeżywał, maszerując z nią przez środek kościoła, czym ściągnął na nas uwagę pierwszych turystów. Jacob prawie biegł przed nimi i też się emocjonował.

— Chodźcie, moi drodzy, nakarmię was i napoję, jak przystoi dobremu pasterzowi.

— Wyglądamy jak idioci — odezwałam się. — Wielka wiejska gospodyni z maleńką gosposią na rękach.

Maks przytaknął mi ze zrezygnowaniem i zwrócił się do Jacoba.

— Potrzebujemy innego przebrania.

— Chyba wiem, co masz na myśli… Pomogę wam, chodźcie.

Ksiądz Jakub zaprowadził nas do domu parafialnego za kościołem. Poczęstował śniadaniem i udostępnił łazienkę. W końcu się wysikałam, umyłam, a co też ważne naładowałam baterię w smartfonie. Siedzieliśmy tam około trzech godzin, aby Julia mogła dojść do siebie. Większość czasu minęło nam na dyskusjach. Ustaliliśmy, że sfotografujemy ściany w piwnicy, a później udamy się do Kaplicy Królewskiej, stamtąd zaś wprost na pobliski komisariat. Nie sczaiłam jaki Maks widział w tym sens i jak to się według niego miało do zniknięcia jego wuja, ale nie dociekałam. Miał swoją wizję i nawet nie marzyłam, że zdołam ją zmienić. Co mi zależało pstryknąć kilka fotek? To tylko parę minut.

Kiedy określiliśmy plan działania, ja się wyłączyłam, a Maks z Jacobem zacięcie szukali powiązań między malowidłami z kościoła i piwnicy. Wymieniali też uszczypliwości dotyczące kobiet i kapłaństwa, a ja ciągle zachodziłam w głowę, jak to możliwe, że Jacob jest księdzem.

Wracając do ciekawszych kwestii, dostaliśmy od Jacoba nowe kostiumy. Maks awansował z gospodyni wiejskiej na księdza, a my na zakonnice. Nasza wiarygodność zdecydowanie wzrosła. Przebraliśmy się i atmosfera trochę się rozrzedziła.

— Bellissima! Teraz wyglądacie porządnie! — ironizował Jacob.

Wymieniliśmy się spojrzeniami i parsknęliśmy śmiechem.

ULICZNICY

Julka doszła do siebie i nadszedł czas, żeby pożegnać się z księdzem. Maks nalegał, żeby sfotografować to superhipercenne malowidło, udaliśmy się więc do kościoła. Weszliśmy tym razem głównym wejściem i byliśmy prawie u celu, gdy od murów odbił się kobiecy pisk, pozostawiając przeraźliwe echo.

Zatrzymaliśmy się i odruchowo odwróciliśmy głowy w kierunku wejścia. To były ułamki sekund. W naszą stronę biegł facet z bronią w ręku. Obejrzałam się w stronę ołtarza, aby upewnić się, że mierzy do nas.

— Uciekajcie! — krzyknął Maks, rzucając się na posadzkę.

Odruchowo kucnęłam i pociągnęłam Julkę w dół. Jacob zareagował identycznie i razem, chowając się za ławkami, w kuckach przemknęliśmy w stronę zakrystii.

Jak poparzeni wpadliśmy do pomieszczenia. Julka schowała się za ciężkim, dębowym biurkiem i zwinęła w kłębek. Jacob chodził w kółko i powtarzał: „policja, policja, telefon, policja". Wydaje mi się, że był w szoku i nie potrafił znaleźć swojego telefonu. Zerwałam z siebie habit i poleciłam Julce zrobić to samo. Później podeszłam do drzwi i, kierowana jakąś dziką ekscytacją, wyjrzałam na nawę kościoła. Momentalnie zlokalizowałam Maksa, który przykucnął za ławkami i łypał na napastnika. Facet najwyraźniej zgubił go z oczu, bo przechadzał się po kościele, mierzył bronią przed siebie i bredził coś po niemiecku. Miałam kiedyś ten język w szkole i do dziś go nie znoszę. Nigdy bym nie pomyślała, że lekcje ze zwariowaną feministką jeszcze na coś mi się zdadzą.

Wytężyłam słuch.

— *Komm! Komm du Feingling. Ich brauche dich… Komm… Zeig dich.*

O ile dobrze zrozumiałam, napastnik mówił do Maksa, żeby się pokazał, bo go potrzebuje. No cóż, gdyby nie miał broni w ręku mogłabym pomyśleć, że lwia grzywa i wyrzeźbiona klata blond superbohatera nawet jemu zawróciły w głowie. Nie wyglądało mi to jednak na zaproszenie na randkę, a prędzej na zalążek niezłej akcji. Czyli nie zapowiadało się nic przyjemnego. Nie żebym wątpiła w taktyczne umiejętności Maksa, lecz fakt był niezaprzeczalny — jako jedyna z nas miałam broń. W dodatku obserwowałam tę sytuację z boku i miałam świetny ogląd zarówno na napastnika, jak i na ofiarę. Choć Maks pewnie nie zgodziłby się ze mną na taki podział ról i nazewnictwo. Na szczęście bądź nieszczęście w tej chwili nie miał zbyt wielu możliwości na wyrażenie swojego zdania. Chociażby dlatego, że czołgał się między ławkami, podtrzymując sutannę, która przeszła z roli kamuflażu do uciążliwej przeszkody. Wyglądał jak panna młoda, która podtrzymuje suknię i tren w obawie przed pobrudzeniem. Przystawał co kawałek, zerkał na napastnika i powoli przesuwał się na klęczkach. Nie byłam pewna, czy czeka na odpowiedni moment, czy nie wie co zrobić. Fakty były takie, że był w sto razy gorszej sytuacji niż facet, który na niego polował. Po pierwsze był potencjalną ofiarą, po drugie i chyba najważniejsze nie miał broni, a po trzecie przeszkadzała mu sutanna. Był zdany na intelekt i siłę swojego ciała. No i na mnie, rzecz jasna.

— Cholera jasna, cholera jasna — wypsnęło mi się ze zdenerwowania.

— On jest żołnierzem, wie co robić — usłyszałam Jacoba.

Przekręciłam głowę w jego stronę i wyszeptałam:

— Ale nie ma broni, a ten szwab ją ma. I ja mam.

Jacob uniósł brwi ze zdziwienia, a ja powróciłam do obserwacji sytuacji. Facet zatrzymywał się co kilka kroków i dokładnie skanował wzrokiem każdy mijany rząd ław.

Nie mogłam dłużej czekać. Wyciągnęłam z plecaka moje cacuszko i powolutku zaczęłam wysuwać się za drzwi. Sporo ryzykowałam i nie mam na myśli swojego życia, a użycie broni służbowej podczas urlopu, kiedy ta broń powinna odpoczywać w szafie pancernej na komisariacie. Jest to świetny przykład ślepego szczęścia, że dyżurny nie dopilnował tej kwestii. Zresztą, nawet gdybym była tu służbowo, to i tak wiadomo, że broń to taki rekwizyt, który jest policjantowi potrzebny jedynie po to, żeby go nie zgubił.

— Co robisz, wariatko, stwarzasz zagrożenie — zganił mnie Jacob, a ja całkowicie zlekceważyłam tę niepotrzebną uwagę.

Poczekałam, aż szwabski dupek odwróci się do mnie plecami i migiem wyślizgnęłam się z zakrystii. Zrobiłam kilka kroków na paluszkach, przystanęłam za filarem i ponownie zbadałam sytuację. Maks był już z drugiej strony kościoła, a napastnik coraz bliżej mnie i na dodatek cały czas tyłem! Byłabym totalną kretynką, nie wykorzystując tak idealnego momentu. Policzyłam do trzech, tak, dokładnie tak jak w filmach, wyciągnęłam szyję za filar i krzyknęłam:

— Stój, policja!

Facet ruszył w moją stronę, oddając kolejne strzały, które na szczęście zatrzymały się na filarze, a nie na mnie. Odskoczyłam w jeden z bocznych ołtarzy, przez co na kilka sekund straciłam go z pola widzenia. Po chwili znów usłyszałam jakieś niemieckie słowa. Wychyliłam się, aby zlokalizować napastnika i zobaczyłam jak

Maks się z nim siłuje. Krzyknęłam do bandziora, żeby rzucił broń, lecz on w ogóle nie zwrócił na mnie uwagi. Nieoczekiwanie oszołomiony upadł na kolana, pistolet wyleciał mu z dłoni i posunął po posadzce pod jedną z ławek. Gdy odwrócił za nim wzrok, Maks pchnął go, a ten zwyczajnie się przewrócił.

— Uciekaj! — huknął do mnie i rzuciłam się w stronę zakrystii. Jeszcze tylko asekuracyjnie łypnęłam za siebie i dostrzegłam, że kolejny mężczyzna wbiega właśnie do kościoła. Pchnęłam drzwi i wskoczyłam do pomieszczenia, a Maks tuż za mną. Jacob nawoływał nas do tylnych drzwi.

— Szybko! Tędy! — krzyczał do nas, machając rękoma. Wybiegliśmy jak szaleni.

— Jacob, prowadź na rynek! — wyryczał Maks i dobiegł do mnie. — Zośka, broń — dodał ściszonym głosem, wyciągając rękę. Zawahałam się. — No dalej, oddaj mi broń i biegnij do przodu — wysapał.

Wykonałam polecenie i dobiegłam do Julki i Jacoba.

Gnaliśmy przez ulicę Świętego Ducha, a Maks nas osłaniał. Na szczęście o tej godzinie boczne uliczki były jeszcze puste i mogliśmy swobodnie uciekać. Dawno tak szybko nie biegłam. A nie, sorry, biegłam tak dzień wcześniej. Po kilkunastu metrach, wydawało mi się, że jesteśmy już całkiem bezpieczni. Nic bardziej mylnego.

Ledwo minęliśmy Bramę Mariacką, a wyskoczył z niej ten drugi napastnik. Na szczęście nie strzelił. Chyba speszył go tłum zgromadzony nad Motławą. Maks zauważył go, zatrzymał się i przystanął za murami muzeum. Kiedy zorientowałam się, co się dzieje, krzyknęłam w stronę Julki i Jacoba, którzy wtopili się w głośną wycieczkę obcokrajowców. Nie usłyszeli mnie i po chwili zniknęli mi z oczu. Rozsądek podpowiadał, że powinnam pobiec za nimi, a intuicja, że nie powinnam zostawić Maksa samego. Kierowana nadzieją, że Julka i Jacob zorientują się, że nas zgubili i prędko zawrócą, wskoczyłam do restauracyjnego ogródka i podbiegłam z powrotem do Maksa.

— Co ty robisz?! — ofuknął mnie. — W tej chwili wracaj do reszty!

— Jestem policjantką! — odszczeknęłam.

— I co z tego?!

Na końcu języka miałam odpowiedź, aż mnie świerzbiło, ale się powstrzymałam.

— Za późno na zawracanie. Julka i Jacob przepadli w tłumie. — Maks nie skomentował. Wystawił głowę za mur i spoglądał w stronę napastnika. Rzecz jasna znowu przyciągnęliśmy uwagę przechodniów, bo on nadal grzał się w tym cholernym habicie.

— Ściągnij tę kieckę! — zarządziłam. Bez wahania zdarł z siebie habit, zmiął go i rzucił mi w ręce. Stojący naprzeciw mnie handlarz bursztynami zmarszczył czoło. No cóż. Najwyraźniej taka moja rola, żebym robiła w tym mieście za błazna.

— Mam pomysł — zaczęłam cicho. — Facet zaatakował nas w kościele pełnym ludzi, więc jest zdeterminowany i pewnie tutaj też długo nie wytrzyma. Musi…

— Nim dokończyłam swój wywód, Maks oddalił się ode mnie i wychylił w stronę bramy, a po chwili całkowicie znikł mi z oczu. Nie rozumiałam, po co on tam polazł, przecież zawsze morderstwa, oszustwa i inne haniebne rzeczy dzieją się właśnie w ciemnych, średniowiecznych bramach. Najgorsze było przeczucie, że powinnam pójść za nim. W końcu oddając mu spluwę, uczyniłam się bezbronną.

— Pilnuj pan, policja — powiedziałam, podając habit sprzedawcy pamiątek.

Powoli zakradłam się pod tę cholerną bramę. Wychyliłam głowę — pusto. „Świetnie, tego mi brakowało, żebym została całkiem sama", westchnęłam w duchu. Weszłam w bramę i ledwo czubek mojego buta dotknął ulicy Mariackiej, zaraz poleciał w powietrze.

Maks, nie zdając sobie sprawy, że poszłam za nim, dosłownie wyrzucił napastnika zza murów wprost na mnie. Z impetem gruchnęliśmy na bruk. W ostatniej chwili zdążyłam podeprzeć się rękoma. Obiłam tyłek i dłonie, ale na szczęście niczego nie połamałam. Facet miał miększe lądowanie, bo prawie zgniótł mi korpus. Kiedy upadaliśmy odruchowo wyciągnął ręce i upuścił broń. Już wyciągał po nią łapę, kiedy w ostatniej chwili Maks doskoczył i kopnął ją kilka metrów dalej. Mojego glocka wsunął do tylnej kieszeni spodni, uniósł faceta za fraki i przywalił mu z dyńki. Obaj aż się zatrzęśli. Ja w tym czasie wygramoliłam się spod ich nóg i podbiegłam po pistolet. Złapałam go, odwróciłam się i zobaczyłam, że ten gnojek nie odpuszcza. W mig się otrząsnął, gdy Maks zadał mu kolejny, tak mocny cios, że ten uderzył o mur i osunął się na ziemię.

Pod bramą gromadzili się gapie, a odważniejsi przechodzili obok, nie zważając na niebezpieczeństwo. Najprawdopodobniej nie byli świadomi, że to prawdziwa bójka. Ucieszyłam się, gdy Maks rozbroił napastnika, bo tym sposobem zwolnił mnie z przymusu użycia broni, a w związku z tym i narażania postronnych osób.

Nabrałam tchu i skupiłam wzrok na Maksie. Szedł w moją stronę z totalnie spiętą twarzą.

— Maks! — krzyknęłam ostrzegawczo, złapałam go za rękę i pociągnęłam w dół. Natychmiast obejrzał się za siebie. Bandzior, któremu zwialiśmy z kościoła, napierał w naszą stronę. Wokół zawrzało, zamotałam się.

Ponownie złapałam rękę Maksa i zaczęłam uciekać nad Motławę. Tak się złożyło, że pomyliłam drogi i zamiast pobiec prosto, zbiegłam w dół, tuż pod statek wycieczkowy. Ostatni pasażerowie wsiedli już na pokład, a facet z obsługi zwijał właśnie niewielki pomost. Bez zastanowienia rozpędziłam się, doskoczyłam do drewnianej burty, złapałam ją oburącz i przerzuciłam ciało na pokład. Gruby facet w stroju kapitana zaczął na mnie wrzeszczeć. Maks znalazł się na pokładzie zaraz za mną, a statek niewzruszenie stał w miejscu. Pasażerowie spanikowali na widok spluwy, którą wymachiwałam. Kobiety i dzieci piszczały, wszyscy krzyczeli na mnie, dopóki do statku nie dobiegł prawdziwy niemiecki pirat. Bez wahania rzucił się na pokład i wprost na mnie. Wytrącił mi broń swojego kolegi, która wpadła do wody. Maks odciągnął go ode mnie, wykręcił mu rękę, uderzył w twarz. Ale jego przeciwnik był równie silny i ciężarem ciała docisnął go do kabiny. Rozpętało się piekło, a ja nie mogłam nic zrobić. A może i mogłam, ale nie wiedziałam co.

Wyciągnęłam odznakę i machając nią krzyczałam, że jestem z policji i że zarządzam ewakuację. Wygoniłam z pola wystrzału kilkoro dzieci, a mężczyźni turlali się po drewnianym pokładzie. Statek trząsł się i skrzypiał jak Czarna Perła na nieznanych wodach. W końcu przeszedł prawdziwy piracki chrzest. Chociaż nie jestem pewna, czy właściciele będą chcieli się nim chwalić. W pewnym momencie Niemiec przydusił Maksa tak mocno, że sam spurpurowiał z wysiłku. Bez chwili namysłu skoczyłam mu na plecy. Udało mi się odrobinę go odciągnąć, dzięki czemu Maks wykaraskał się i odzyskał przewagę. W międzyczasie ktoś wyrwał napastnikowi ze spodni broń i nie wiadomo dlaczego też wyrzucił ją do wody. Ludzie w stresie naprawdę dziwnie się zachowują. Facet w końcu wygiął się w tył i uderzył mną o pokład. Po plecach przebiegł mi silny prąd, który na chwilę sparaliżował mi ręce. Udało mu się wyswobodzić, a Maks wysunął się spod niego, złapał go za koszulę i z impetem uderzył nim o burtę. Napastnik próbował zadać cios, a wtedy Maks pchnął go z całej siły i ten wypadł za burtę.

— Wezwijcie policję — darłam się jak opętana.

Spojrzeliśmy z Maksem po sobie i zeskoczyliśmy na brzeg.

Dotknęliśmy lądu i złapaliśmy oddech, a wokół nas ponownie rozległy się krzyki. Odwróciliśmy się odruchowo w stronę, z której nas dobiegły. Nie wierzyłam własnym oczom. Facet, którego Maks znokautował w bramie, biegł prosto na nas! Pomyślałam, że to jakieś cholerne cyborgi i że mamy przerąbane. Boże! Toż to nie Ameryka!

Maks złapał mnie za rękę i porwał w drugą stronę. W tej sytuacji nawet fakt, że mieliśmy broń nie dawał nam przewagi. Oboje doskonale wiedzieliśmy, że kiedy dookoła są cywile, nie powinniśmy jej użyć.

Pobiegliśmy do Zielonej Bramy, gdzie wpadliśmy na Julkę i Jacoba. Uspokoiłam się trochę, widząc, że nic im nie jest.

We czwórkę ruszyliśmy Długim Targiem przed siebie. Niestety, tych kilka sekund, które uciekły nam podczas wymiany paru słów z Jacobem, istotnie przybliżyło do nas przeciwnika. Chcąc go zgubić i wydostać się z tłumu, próbowaliśmy skręcić w którąś z prostopadłych ulic — w Mieszczańską albo Kuśnierską, ale przeszkodziła nam wycieczka dzieciaków z podstawówki. Pod Fontanną Neptuna wpadliśmy w spory tłum zgromadzony wokół ulicznych artystów dających pokaz sztuk walki. Odwróciłam głowę i zauważyłam napastnika tuż za nami.

— Uciekajcie! — huknął Maks, a sam stanął mu na drodze. Julka i Jacob przepychali się pomiędzy widzami, a Maks zaczął bić się z Niemcem. Ludzie rozpierzchli się na boki, robiąc im przejście w stronę artystów, którzy przerwali swój występ. Obawiałam się wybuchu paniki, wbiegłam więc w krąg uliczników i zaczęłam pokaz karate. Miałam nadzieję, że w ten sposób przekonam publiczność, że ta bójka jest elementem inscenizacji. Zdezorientowani artyści mocno się oburzyli. Stali z rozłożonymi rękoma i obrzucali nas pretensjami. Przysunęłam się do chłopaka z dredami, pociągnęłam go za koszulę i wyszeptałam, że jestem z policji i że ma w try miga wznowić pokaz. Jego mina sugerowała, że niekoniecznie mi uwierzył, to odsłoniłam odznakę spoczywającą spokojnie w dekolcie. Dredziarz odwrócił się, machnął do kolegów i w końcu zaczął się ruszać. Ci parsknęli śmiechem. Pewnie pomyśleli, że pobudził się na widok moich piersi. Nie chcę nawet drążyć, co pomyślała o mnie publiczność. Artyści wznowili pokaz. Maks wpadł z napastnikiem w krąg gapiów, a ja

142

wydawałam z siebie wojownicze okrzyki i wykonywałam swoje ulubione kopnięcia, zbliżając się w ich stronę. Jednocześnie topiłam wzrok w tym cholernym harmidrze w poszukiwaniu Julki i Jacoba. Ale to oni wypatrzyli mnie pierwsi, przecisnęli się między rosnącym tłumem i ustawili się wokół. Julka zaczęła tańczyć balet, a Jacob przybierał pozy kung-fu. Sutanna, koloratka i jego dzikie ruchy wzbudziły zainteresowanie. Swoją drogą ciekawe, gdzie katolicki ksiądz nauczył się takich ruchów. Tłum śmiał się i wrzał w oklaskach. Kto by pomyślał, że razem jesteśmy tak wszechstronnie uzdolnieni. Śmiem nawet sądzić, że daliśmy jeden z najlepszych, a na pewno jeden z najbardziej realistycznych pokazów ulicznych w najnowszej historii Długiego Targu.

Wywołaliśmy ogromne poruszenie. Ludzie śmiali się i wiwatowali, a o ile my moglibyśmy wczuć się w ten klimat, to Maksowi nie mogło być do śmiechu. Tłukł się jak najbardziej na serio, a ja nie mogłam dłużej bezczynnie na to patrzeć. Zaszłam go od tyłu, przyjęłam pozycję i przywaliłam Niemcowi takim ciosem z bicza, że chyba zobaczył wszystkie gwiazdy. W każdym razie osunął się na kolana i aż zakwiczał.

— W nogi! — pisnęłam i podbiegłam do Maksa.

Tłum rozstąpił się, robiąc nam przejście. Maks krzyknął jeszcze do gapiów, żeby zatrzymali napastnika i wezwali policję. Julka i Jacob rzucili się w pogoń za nami. Wbiegliśmy na ulicę Ławniczą, poczekaliśmy na naszych towarzyszy i pognaliśmy do restauracji.

W restauracji Maks dopadł kuchennego zlewu i zaczął przemywać twarz. Podeszłam do niego i dopiero wtedy zobaczyłam jak mocno jest poobijany. Z nosa ciekła mu

krew, miał rozciętą skroń, popękane usta i sine, prze-
krwione oko. W dodatku wszystkie odsłonięte części
ciała miał poranione. Był poobijany i brudny. Potargane
rękawy koszuli cholernie dodawały mu uroku. Chyba
wyczytał to w moich myślach, bo zerwał ją z siebie i rzucił
na podłogę. Serce zabiło mi mocniej. Miałam wrażenie,
że jego naprężona, umorusana klata napina się w moją
stronę. Odwróciłam się i spojrzałam na siebie. Niestety
też nie wyglądałam najlepiej. Miałam brudne ubranie
i pozdzieraną skórę. Powoli docierał do mnie ból całego
ciała. Pulsowało mi w tyłku, kuło w krzyżu, paliło w klatce i szczypało w dłonie. Co gorsza w czaszce raził mnie
prąd, a nogi drętwiały.

Wróciłam wzrokiem do Maksa i naszła mnie myśl,
że skoro ja czuję się tak źle, on musi być w stanie zagra-
żającym życiu.

— Nie powinieneś jechać na pogotowie? — zapytałam
troskliwie.

— Nie teraz — warknął i oddał mi broń.

— A ty, Zosiu, jak się czujesz? — zapytała Julka.

— Nic mi nie będzie.

— Co to miało być?! — krzyknął przerażony Jacob.
— Kto to był?! Co tutaj się dzieje?!

— Nie mamy pojęcia, bracie. To już kolejne świry.
Najpierw obserwowali, śledzili i gonili nas jacyś goście,
teraz kolejni do nas strzelają. Wymiękam. Idę do piwnicy
po dokumenty knajpy i spadamy z tym na policję. Nie
ma na co czekać.

— Pójdę z tobą — zaproponowałam.

— Chodźmy wszyscy — zarządził.

Gdy tylko Maks zatrzasnął za sobą drzwi piwnicy, obrzucił mnie złośliwościami.

— Wszystko zepsułaś! Tą swoją cholerną policyjną nadgorliwością i brakiem wyobraźni. Nie zweryfikowałaś sytuacji!

— Brakiem wyobraźni? — wtrąciłam, wykonując przy tym zamaszysty ruch ręką. — Insynuujesz, że nie znam się na swojej robocie? Jak śmiesz tak mówić, sam chowałeś się po ławkach!

— Spieprzyłaś wszystko, kłamczucho! Mogłaś wcześniej dać mi tę broń!

— Właśnie dlatego nie mówiłam ci, że ją mam. Nie odpuściłbyś!

Stanął tuż przede mną i, wywracając ostentacyjnie oczyma, krzyczał mi prosto w twarz.

— Nie udawaj głupiej! Wiesz dobrze, co chciałem zrobić!

A no właśnie, że nie. Kompletnie nie miałam pojęcia, o co mu chodzi. Przecież uratowałam mu tyłek, do cholery!

— No właśnie nie wiem! — odkrzyknęłam. — Byłeś bierny!

— Zwariowałaś? Nie rób z siebie wybawicielki. Schrzaniłaś sprawę i nie wiesz, jak się wytłumaczyć!

Poczułam się mała i to nie dlatego, że na mnie krzyczał czy że mógł mieć rację. Stał przede mną, a właściwie nade mną, taki wielki, wysoki i barczysty i krzyczał, i krzyczał. Górował nade mną, a ja bardzo tego nie lubię. Stanęłam na palcach, bo chciałam wyszeptać mu to prosto do ust, jak w hollywoodzkich filmach, lecz dosięgłam tylko do jabłka Adama.

Naciągnęłam więc szyję i wyszeptałam groźnie:

145

— Nie mam zamiaru słuchać tych bzdur. Ty nadęty bufonie. Uratowałam ci życie! — krzyknęłam już na koniec

— Ja tobie też! — nie był mi dłużny.

— Gdyby nie ja, ty nie mógłbyś…

— No właśnie! — zakrzyczał mnie.

— Właśnie! — odwrzasnęłam, gubiąc sens naszej kłótni.

W tym momencie po piwnicy rozszedł się zgrzyt klucza. Zamilkliśmy.

Maks zbliżył się do schodów, ja przeładowałam broń i ustawiłam się po jego przeciwnej stronie. Jacob zaciągnął Julkę do drugiego pomieszczenia.

Po chwili drzwi powoli się uchyliły, Maks wytężył wzrok i odsunął się od ściany.

LEGENDA

Stałam wciąż gotowa do ataku. Sędziwy, zmęczony życiem mężczyzna patrzył na nas nie mniej zdziwiony niż my na niego. Obrzucanie się wzajemnie spojrzeniami trwało, dopóki Maks nie odetchnął i nie powiedział wyraźnie zaskoczony:

— Odłóż broń, to doktor Antoni, przyjaciel wujka.

Tego się nie spodziewałam. Schowałam pistolet i usiadłam za stołem. Jacob i Julka wyszli z ukrycia, a starszy pan wymienił z Maksem uściski.

— Antoni, co ty tu robisz? Skąd masz klucze?

Staruszek odwrócił się do Julki i ucałował jej dłoń.

— Antoni Kowniak — przedstawił się, po czym zwrócił się ponownie do Maksa. — Wypada zacząć od początku — zauważył. Później przedstawił się również mnie i Jacobowi.

Maks patrzył na niego z niecierpliwością. Odniosłam wrażenie, że słowa dosłownie cisną mu się na usta. W końcu nie wytrzymał.

— Antoni, wujek zaginął!

Starszy pan ściągnął brwi, a Maks zarzucił go informacjami. Dopiero po szybkim streszczeniu wydarzeń z ostatniej doby, zainteresował się doktorem.

— Antoni, a co ty tutaj robisz, skąd masz klucze? — zapytał.

Mężczyzna wpatrywał się w Maksa, opierając zarośniętą brodę o dłonie ubrudzone zieloną farbą. Zdążyłam dokładnie mu się przyjrzeć. Wyglądał oryginalnie. Był średniego wzrostu i dźwigał kilka kilogramów za dużo. Jego ogorzałą twarz rozjaśniały siwa czupryna, wąsy i broda. Był dobrze po sześćdziesiątce. Zaciekawiło mnie jego ubranie. Koszula, spodnie, buty — były jak z innej epoki. Jakby się przebrał, a nie ubrał. W gruncie rzeczy wyglądał całkiem fajnie, jak szalony artysta. Lubię taki nietuzinkowy styl.

Zauważyłam, że nabrał powietrza i szykował się do wypuszczenia z ust całej chmary słów.

— Panie Antoni — wcięłam się w ostatniej chwili. — Maksymilian zapomniał o najważniejszym. Przyjechałam tutaj z powodu tajemniczych rzeczy pewnego mężczyzny. Zmarł na zawał 1 czerwca, na dworcu kolejowym w Krakowie. Miał przy sobie dwie walizki, a w jednej z nich ten dziwny papierek. — Podałam mu kartkę. — Profesor

Wojnicki opisał czyjś wiersz i jakiś przedmiot, prawdopodobnie relikwiarz. Skupił się głównie na odczytaniu jego symboliki. Tak nam się przynajmniej wydaje. Poza tym zanotował też datę i miejsce. Podejrzewamy, że to był cel jego wizyty w Krakowie. Niech pan zerknie. Skoro jesteście panowie przyjaciółmi, może nasunie się panu jakaś myśl.

Zlekceważył kartkę.

— Czy mogłaby pani powtórzyć, jak znalazła te walizki?

— Były przy denacie. Biedak zmarł na zawał.

Antoni momentalnie zbladł, oparł się o ścianę i zamknął oczy.

— Jak ten człowiek się nazywał?

— Franciszek Aleksandryjski.

Antoni przeżegnał się, jęknął, a zaraz po tym wstał i zaczął się modlić:

— Jezusie, Mario, Matko Boska, świeć nad jego duszą. Wieczne odpoczywanie racz mu dać Panie.

— Znał go pan? — przerwałam mu.

Antoni zaczął płakać, kwiląc i pochlipując próbował udzielić mi odpowiedzi. Wyglądał przejmująco i wszyscy zbledliśmy w oczekiwaniu.

— Znałem. Franciszek jest moim przyjacielem, był z nami w Krakowie. Matko Boska, Franek nie żyje — bełkotał, kręcąc głową.

— Jak to z wami w Krakowie? Proszę rozwinąć tę myśl.

Antoni był skołowany, rozgoryczony. Oddychał głośno i wiercił się gorączkowo.

Maks ujął go pod ramię i ponownie usadził.

— Dobrze, droga pani — powiedział w końcu. — Wszystko wam opowiem. Najpierw jednak chciałbym odnieść się do pytań Maksa.

Ten kiwnął głową.

— Otóż... klucze mam od Jana, w zasadzie... powinieneś wiedzieć... Usiądź, wszystko wam opowiem — zwrócił się do Maksa.

Ten zajął miejsce obok mnie i wbiliśmy wzrok w staruszka.

— Wszyscy mamy te klucze, to znaczy ja, twój wuj, Kazek, no i Franciszek. Jesteśmy potomkami założycieli bractwa.

„Oho, zrobiło się dziwnie, ale ciekawie", pomyślałam.

— Skoro tyle się wydarzyło, jestem wręcz zobowiązany opowiedzieć wam tę historię. Pani mówi — zwrócił się do mnie — że Franio nie żyje, zatem pozostało nas troje: ja, Jan i Kazek. Jesteśmy potomkami rycerzy, którzy podobno byli założycielami Bractwa Malborskiego. Podobno, bo nie dotarliśmy do źródeł, które mogłyby potwierdzić to przypuszczenie. Wyłączając Janka, bo w jego przypadku nie ma co do tego wątpliwości. Ja z chłopakami jesteśmy najpewniej jedynie potomkami członków, a nie założycieli, zresztą, jakie to ma dzisiaj znaczenie. W każdym razie jest z tym związana pewna legenda i pewna historia. Zacznę od tej pierwszej.

Wedle legendy nasi przodkowie byli rycerzami i brali udział w oblężeniu Malborka i wojnie trzynastoletniej. Walczyli ramię w ramię, spełniali się na wojnie, bywali tam, gdzie można było wykazać się męstwem i ambicją. Byli też 8 czerwca 1457 roku w Malborku, kiedy król Kazimierz Jagiellończyk wkroczył do twierdzy. Legenda

mówi, że po zakończeniu wojny i po powrocie do Gdańska nasi przodkowie dorobili się sporych majątków. Wie-
rzyli, że było to zasługą opatrzności boskiej, która czu-
wała nad nimi, od kiedy chwycili za miecz. W podzięce
ufundowali Bazylice Mariackiej w Gdańsku relikwiarz,
który trafił później do Kaplicy Królewskiej. Był w niej
przez lata, aż do drugiej wojny światowej. Tutaj utnę legendę i przejdę do historii. Spróbuję wytłumaczyć wam
to chronologicznie, żeby nie pomieszać wątków. Ojcem
Jana i Alberta, ojca Maksa, był Franciszek, a matką —
Lena, imigrantka żydowskiego pochodzenia. Trafiła do
Gdańska na początku lat dwudziestych razem z całą falą
Żydów ciągnących ze wschodu do Europy. Była młoda,
samotna i zagubiona w obcym świecie. Prędko trafiła do
Żydowskiej Centrali Opieki Społecznej, w której udzielał
się Franciszek. Jego ojciec był zamożnym mecenasem
i filantropem, który tak samo jak jego przodkowie uwa-
żał, że jego majątek to dar opatrzności. W podzięce za
dobre życie nie pozostawał obojętny na ludzkie cierpienie. Udzielał się w instytucjach pomocowych i intensywnie angażował w nie również syna. Dzięki niemu i jego
hojności zaczęła się historia Franciszka i Leny. Poznali
się właśnie w tej centrali i niedługo później zostali mał-
żeństwem. Franciszek, jak na tamte czasy, był wyśmienicie wykształcony. Był znawcą sztuki, konserwatorem
zabytków. Lena nadrabiała zaległości w wykształceniu
i zajmowała się domem. Długo wyczekiwali dzieci, aż
w końcu wymodlili sobie potomstwo. Tuż przed roz-
poczęciem wojny na świat przyszedł ich pierwszy syn
— Jan, a rok później Albert. Franciszek był człowiekiem
obytym i dobrze znanym w mieście. Zdawał sobie sprawę,

że z racji pochodzenia żony jego rodzina jest narażona na wykluczenie społeczne. Podobno zaraz po wybuchu wojny odesłał swoich maleńkich synów na wieś, gdzieś w środkowej Polsce, do swojej jedynej siostry. Sam postanowił pozostać w Gdańsku, aby móc chronić rodzinny dobytek i nadal pomagać. Lena była zagrożona wywózką i ukrywał ją, póki mógł. Niestety już w 1941 roku Żydzi zostali zobowiązani do noszenia opaski z gwiazdą Dawida i rozpoczęto ich masową eksterminację. Utworzono nawet getto na Mysiej. Franciszek postanowił działać i zabezpieczyć to, co zdoła. Podobno najpierw potajemnie wywiózł żonę, a później dzięki uprzejmości zaprzyjaźnionego księdza, któremu leżała na sercu ochrona dóbr kultury — wywiózł z Gdańska zabytki rodzinne i te związane z bractwem, między innymi wspomniany relikwiarz. Franciszek zaginął w trakcie działań wojennych. Na szczęście przeżył ksiądz, który mu pomógł. Lenka też przeżyła wojnę, odnalazła dzieci i wróciła do Gdańska. Wiele lat później odszukał ją ten ksiądz, bodajże Stefan i opowiedział jej historię Franciszka. Lena dowiedziała się, że jej mąż ukrył zabytki i wygrawerował na relikwiarzu napis, w którym zaszyfrował jego kryjówkę. Podobno oprócz tego klucz tkwił też w jego symbolice. Na szczęście Stefan pamiętał, jak wygląda relikwiarz i znał treść grawerunku, dzięki czemu, mogliśmy podjąć próbę odszukania go. Ksiądz twierdził też, że relikwiarz został wywieziony do Krakowa i że w repozytorium na relikwie Franciszek ukrył list do swoich synów, w którym opisał miejsce ukrycia przedmiotów. Wciąż ich nie odnaleziono.

— A przepraszam, o jakiej wartości zabytków mówimy? — wcięłam się.

— Szczerze powiedziawszy wiele z nich jest bardzo cennych, o ile nie bezcennych. Są pewne podejrzenia, że niektóre z ukrytych zabytków znajdują się na liście zaginionych podczas wojny dzieł sztuki. Nie wiemy, ile ich tak naprawdę było, bo nie zachował się żaden spis, a rodzice Franciszka nie przeżyli wojny. Domniemania opieramy na liście stworzonej na podstawie ustnych przekazów księdza Stefana i Leny. Wiemy, że są to przedmioty sakralne, rzeźby, obrazy, jak również rękopisy, biżuteria i zabytkowe przedmioty codziennego użytku. Generalnie, jest to majątek rodu Wojnickich.

„Czyli istne eldorado!", stwierdziłam w myślach. Robiło się coraz ciekawiej. W końcu cała ta historia zaczęła się jakoś krystalizować. Powinnam była się domyślić, że kiedy nie wiadomo, o co chodzi, to chodzi o pieniądze.

— Doktorze, a jak to było z wujkiem? — odezwał się Maks — Z jakich powodów zjawił się w Krakowie?

— Już wam tłumaczę. Janek zadzwonił do mnie w zeszłym tygodniu. Poinformował, że będzie w Krakowie i że musimy się spotkać, bo potrzebuje mojej porady. Ucieszyłem się, bo dawno się nie widzieliśmy i zaproponowałem, żebyśmy spotkali się w większym gronie. Skontaktowałem się z Kazkiem, który co prawda miał zaraz wyjeżdżać do Rosji, lecz zobowiązał się jakoś wyłuskać dla nas odrobinę czasu. Przekonałem też Frania, który mniej więcej rok temu całkowicie odleciał nam w świat fizyki. Przybliżę wam, że prócz tego, że łączy nas bractwo, łączy nas także kawał historii i wspomnień z czasów pracy na uniwersytecie. Kazimierz do dzisiaj wykłada filologię rosyjską, Franciszek jest doktorem fizyki i choć nie pracuje już na uczelni, nadal stara się udowodnić swoje teorie. A w istocie wedle tego, co pani aspirant powiedziała, starał się. Jan, jak wiecie, do dzisiaj gościnnie wykłada literaturę, a ja też już nie pracuję, ale angażuję się w przedsięwzięcia związane ze sztukami plastycznymi. Sztuka jest moją największą życiową miłością — mężczyzna zniżył głos i zamilkł na chwilę. Już podnosiłam dłoń, aby go ponaglić, ale wyłapał ten gest i natychmiast podjął. — Ale wrócę do tematu. Spotkaliśmy się w piątek, bo Kazek miał w nocy wyjeżdżać do Rosji. Żeby nie tracić czasu przyszedł na spotkanie z walizkami, zapewne tymi, które znalazła pani przy Franiu. Matko kochana, nadal nie mogę uwierzyć, że mój przyjaciel nie żyje.

Antoni umilkł i atmosfera zgęstniała. Miałam wrażenie, że zrobiło się zimno. Nikt nie śmiał się odezwać. Wszyscy daliśmy mu czas na przyswojenie tej niewątpliwej tragedii.

Maks poklepał go po plecach i kiedy Antoni otarł łzy, widać było, że chce wrócić do tematu. Ucieszyło mnie to, bo nasunęło mi się mnóstwo pytań, których przed chwilą nie śmiałabym zadać.

— Co było dalej, panie Antoni? — spytałam cicho.

— Tak, wróćmy do sprawy. Odnalazłem naszych wspólnych przyjaciół, Kazka i Franka, i umówiłem nas na piątkowy wieczór. Spotkaliśmy się w ulubionej niegdyś knajpie, gdzie Janek zdradził nam cel swojej wizyty. Opowiedział, że kilka dni wcześniej zadzwonił do niego mężczyzna, który przedstawił się jako Apoloniusz, historyk sztuki. Powiedział, że w jednym z krakowskich kościołów odnalazł relikwiarz, a w repozytorium na relikwie — list. Odczytał dane Jana i Alberta, przy czym wyłącznie z Jankiem zdołał się skontaktować.

Zaproponował spotkanie w celu ustalenia dalszych badań. Jan wystraszył się, że ten obcy człowiek dowiedział się też, gdzie ukryte są zabytki, więc bez wahania się zgodził. Bardzo zależało mu, żeby nikt nie wykorzystał ich w celach zarobkowych. Zawsze marzyliśmy, że trafią kiedyś do muzeów. Zatem przyszliśmy w umówione miejsce, czyli pod nowy cmentarz żydowski na Kazimierzu. Nie powiem, wydawało nam się bardzo dziwne, że naukowiec wybiera takie miejsce, lecz on uspokoił Janka, że to celowo, bo w pobliżu znajduje się miejsce ukrycia zabytków. Stawiliśmy się o dwudziestej na ulicy Miodowej i czekaliśmy. Po pięciu minutach zjawiły się dwa samochody. Wysiadło z nich kilku rosłych mężczyzn w garniturach. Jeden z nich przedstawił się jako Apoloniusz i wyrwał z rąk Janka kartkę z opisem relikwiarza i powiedział, że on wie, że my wiemy, jak do niego dotrzeć i że dobrze nam zapłaci za odnalezienie tego przedmiotu. Janek zaczął go wypytywać, o co mu chodzi i powtarzał, że nie w tym celu się spotkaliśmy. Zrozumiałem, że ten mężczyzna okłamał Janka, aby wyciągnąć od niego dodatkowe informacje. Ostatecznie doszło między nami do ostrej kłótni. Janek mocno się zdenerwował i stwierdził, że nie będzie z nimi rozmawiał. Zaczęliśmy powoli się wycofywać. Wtem ten mężczyzna znowu krzyknął coś po niemiecku i jego osiłki nas napadli. Chyba kazał im wsadzić nas do samochodów. Doszło między nami do szarpaniny. Krzyczeliśmy, wołaliśmy o pomoc, lecz nikogo nie było w pobliżu. Ten facet kilka razy powtórzył do Jana, żeby powiedział, gdzie jest ukryty relikwiarz. Janek zaczął tłumaczyć, że nie ma pojęcia, a bandzior groził mu bronią. W końcu

Janek wygadał, że trzeba rozszyfrować symbolikę relikwiarza, a skoro są na niej święci, pod wezwaniem których są w Krakowie kościoły, zapewne w nich należy szukać. Ten mężczyzna warknął coś w stylu: „Zrobisz to dla mnie". Nie jestem pewien, bo szarpałem się z jednym z osiłków. W każdym razie wywnioskowałem z kontekstu, że kazał Jankowi przeszukać te kościoły i odszyfrować kryjówkę z zastrzeżeniem, że ma czas do środy. Następnie rozkazał coś po niemiecku swoim osiłkom i ci wsadzili nas w dwa czarne audi. Do jednego Janka z Kazkiem, a do drugiego mnie i Frania. Kierowali się w stronę centrum i całą drogę trzymali nas na muszce. Ja nie miałem pojęcia, jak się zachować, a Franek skupił się i wykazał odwagą. Kiedy zatrzymaliśmy się na światłach w centrum, rzucił się z tylnego siedzenia na kierowcę, a ja na tego drugiego. Udało nam się otworzyć tylne drzwi i uciekliśmy. Franio miał te walizki Kazka i tę kartkę Janka z opisem relikwiarza. Niestety pobiegliśmy w dwie różne strony. Ja od razu poszedłem na komendę. No, nie tak od razu, bo po drodze wstąpiłem po flaszeczkę. Wypiłem ją duszkiem i kiedy dotarłem na policję, byłem trochę wstawiony, a tamtejsi policjanci nie znali mnie tak dobrze jak ci z naszego komisariatu, więc nie chcieli słuchać moich opowieści. Zabiegałem o rozmowę, a oni uznali moje opowieści za brednie i zawieźli na izbę wytrzeźwień. Rano odebrali mnie policjanci z patrolu i wypuścili na Plantach. Zasnąłem na ławeczce, a kiedy się obudziłem i dotarło do mnie, co się wydarzyło, postanowiłem przyjechać tutaj. Stawiłem się u Jana w mieszkaniu, jednak nikogo nie zastałem. Zatrzymałem się u starego przyjaciela i ponowiłem próbę jeszcze kilka razy, znów bez skutku. Dzisiaj wpadłem na pomysł, że powinienem zajrzeć tutaj.

Staruszek zakończył monolog i spojrzał na Maksa posępnie. Ten zawiesił wzrok w próżni i trwał tak w milczeniu. Wydawał się zaskoczony tym, co przed chwilą usłyszał, bo jego z natury duże zielone oczy zdawały się nadal rosnąć.

Nie potrafiłam dłużej utrzymać języka za zębami.

— A jak wyglądał ten Apoloniusz? — zapytałam.

— Młody, średniego wzrostu, łysawy, z brzuchem. Nieprzyjemny typ.

Analiza faktów. Punkt pierwszy — Jan nie stawił się na spotkanie z Apoloniuszem, bo ja go zastąpiłam. Ponadto mój Apoloniusz wyglądał zupełnie inaczej niż przedstawił go doktor. Wniosek: albo Antoni kłamie, albo co najmniej jeden z Apoloniuszów nie był tym, za kogo się podawał.

— A jak pan myśli, w jaki sposób ten człowiek dowiedział się o relikwiarzu?

— Nie mam pojęcia. Najpierw powiedział Jankowi, że go odnalazł, a później jemu kazał go odnaleźć.

— Nic nie przychodzi panu do głowy?

— Bardzo mi przykro, ale nie.

Punkt drugi — może mówić prawdę. Profesor faktycznie zanotował w notesie dane, które znalazły potwierdzenie w Jamie Michalika. Czyli kimkolwiek jest Apoloniusz, nazwijmy go Apollo, to dobrze wie, jak wygląda ten relikwiarz. Jeżeli kłamał, musiał być całkiem wiarygodny, bo przekonał profesora.

— A ile osób wie o istnieniu relikwiarza? Kto ma dostęp do wizerunku przedmiotu?

— Na pewno wiedzieliśmy my, matka Jana i ksiądz Stefan. Relikwiarz każdy może znaleźć w Internecie, ponieważ widnieje w ewidencji zabytków zaginionych podczas drugiej wojny. Na stronie internetowej znajduje się jego opis i zdjęcie. Niestety przypomnieliśmy sobie o tym zbyt późno.

— Bardzo cenna uwaga. Czyli nikt poza wami nie wie, jaką wartość ma ten przedmiot? Mam na myśli, że nikt nie wie, że jest zaszyfrowany i że jego symbolika prowadzi do miejsca ukrycia cennych zabytków?

— Tak myślę. Raczej nikt poza nami nie powinien o tym wiedzieć.

— Skąd więc dowiedział się o tym Apoloniusz?

— Nie mam pojęcia, szanowna pani.

Punkt trzeci — któryś z doktorków puścił farbę. Pytanie tylko który. Wykluczałabym Jana i Kazimierza, no chyba że się wygadali i w konsekwencji sami na tym ucierpieli. Podejrzany jest Franciszek, a i Antoni nie wygląda mi na świętego. Miałam przeczucie, że coś kręci.

— A skąd pan wiedział, że nas tu znajdzie?

— Nie wiedziałem. Przyjechałem do Gdańska, poszedłem do mieszkania Janka, lecz nikogo nie zastałem. Janek mówił nam, że podarował Maksiowi tę restaurację, zatem pomyślałem, że tutaj go znajdę. Wszedłem do środka i dobiegły mnie głosy z piwnicy.

— Widział pan kogoś podejrzanego pod kamienicą?

— Nie.

— A czy według pana miejsce, w którym się znajdujemy i pięćset sześćdziesiąta rocznica bractwa mają związek z zaginięciem profesora?

Staruszek dziwnie się skrzywił.

— Nie widzę związku. Faktycznie mamy w tym roku pięćset sześćdziesiątą rocznicę. Czy to by mogło być jakoś powiązane... nie sądzę. Mogłaby pani rozwinąć tę myśl?

— Widzi pan, tak się składa, że te wydarzenia nakładają się z przekazaniem tego miejsca Maksowi. Tak jak i z adnotacją w terminarzu profesora i malowidłami na tutejszych ścianach.

— Z tego co mi wiadomo, Janek przekazał Maksowi tę restaurację, ponieważ bardzo chciał ściągnąć go do Polski. Zapewne nie powinienem tego mówić, lecz ze względu na zaistniałe okoliczności, pokładam nadzieję, że Janek mi to wybaczy. — Doktor odwrócił się w stronę Maksa. — Synu, Janek bardzo przejmuje się twoim tułaczym stylem życia. Przez ostatnie lata prawie cię nie widywał i zadręczał się, że żyjesz w ciągłym zagrożeniu. Kiedy zasygnalizowałeś, że chciałbyś mieć restaurację, wpadł na pomysł, że odkupi od rodziny Kazka ten lokal, żebyś mógł osiedlić się tutaj, w waszym rodzinnym mieście. Naprawdę mu na tym zależy.

Maks głośno wydmuchnął powietrze. Wydaje mi się, że trochę zabolało go wyznanie Antoniego. Zapewne nie był świadom, że jego nieobecność jest dla wuja takim strapieniem.

— A mógłby pan wrócić do tej kwestii z policją? — poprosiłam. — Dyżurny nie przyjął pańskiego zawiadomienia, bo był pan pijany. Tylko dlaczego zamiast od razu pobiec na komisariat, najpierw kupił pan alkohol?

— Wie pani... — zawahał się. — Człowiekowi na starość chwilami ciężko jest uporać się z życiowym bagażem. Mnie czasem pomaga mój alternatywny świat.

Punkt czwarty — Antoni jest alkoholikiem, w związku z czym traci wiarygodność w moich oczach.

— Rozumiem. Jest pan alkoholikiem i wpada pan czasem w cug. Jak mamy panu zaufać?

Policzki staruszka nabrały rumieńców, opuścił głowę i posmutniał. Pozostało mi czekać na odwet Maksa. Obserwował mnie z ukosa i czułam, że w końcu pęknie i rzuci mi kolejną kąśliwą uwagę. Nie pomyliłam się.

— Zocha — warknął. — Opanuj się! Tak nie można! Ten człowiek przed chwilą dowiedział się, że stracił przyjaciela. Jesteś agresywna i tak zapatrzona w cel, że patrzysz na ludzi z góry. Wydaje ci się, że jesteś kimś lepszym i masz prawo oceniać innych. Pewnych rzeczy nie wypada mówić. A to, że jesteś policjantką, nie daje ci prawa do wyrażania niepochlebnych opinii. Antoni zwierzył się nam i niczego nie narzucił. Ja wierzę w jego słowa i wybieram się do Krakowa — oznajmił i zerknął pytająco na Jacoba.

„Rany, pomyślałam, chyba nigdy, nikt tak dobitnie nie zwerbalizował swojego zdania na mój temat". Nim odparłam atak, Maks nieoczekiwanie zaserwował mi kolejną, szybką dawkę jadu.

— Liczę na to, że odpuścisz — syknął złośliwie.

Konkretnie mi dowalił, aż ze złości zacisnęłam usta. Nie spodziewałam się takiego ataku. Ani takiej nieprzyjemnej oceny. Naprawdę patrzę na ludzi z góry? Też mi coś. Ja to widzę tak, że po prostu świetnie analizuję fakty i nie wstydzę się korzystać z mojego szóstego zmysłu. Maks uderzył w moje najczulsze punkty — podważył moje ambicje, zwątpił w umiejętności i profesjonalizm, a przede wszystkim zanegował moją opinię. A jednak przejechał się na swojej impertynencji, bo mówiąc krótko, bardziej nie mógłby zmotywować mnie do działania. Dlaczego miałabym nie jechać z nim do Krakowa? To moje miasto, znam je jak własną kieszeń. A jeśli mój brak zaufania do Antoniego o czymkolwiek przesądza, to właśnie o tym, że powinnam być blisko niego, aby kontrolować sytuację. Powiem więcej, ucieszyła mnie jego obecność, bo wiele się wyjaśniło. Przede wszystkim rozwiał moje wątpliwości odnośnie zaginięcia i potwierdził przypuszczenia, że sprawa nie ma związku z piwnicą, rocznicą i sakralnymi zabytkami z gdańskiej bazyliki. Zaczęła natomiast niebezpiecznie skręcać w stronę najemników i wielkich pieniędzy, przez co zyskała nowy wymiar. No i ta spektakularna pogoń przez pół miasta rodem z seriali kryminalnych. Wydaje mi się, że w tym całym gronie wyłącznie ja zachowałam trzeźwe myślenie. W dodatku byłam bezstronna i miałam przewagę informacyjną. Celowo zataiłam fakt kradzieży z krakowskich kościołów, jak i fakt spotkania z Apoloniuszem. Przede wszystkim dlatego, że nie miałam podstaw, aby ufać komukolwiek, a już na pewno nie Antoniemu. Biorąc pod uwagę powyższe, miałam świadomość, że w tym towarzystwie i z tak mizerną wiedzą nie będzie mi łatwo, lecz tym chętniej podjęłam wyzwanie. Bo od zawsze, stety czy niestety, uważałam, że im trudniej, tym fajniej.

— Nie dam ci tej satysfakcji — wysyczałam do Maksa. — W dodatku Kraków to moje miasto i nie oszukujmy się… — przystopowałam na chwilę i odwróciłam się do reszty — beze mnie sobie nie poradzicie.

Maks roześmiał się w głos.

— O ironio! Wybawicielka Zofia przybywa na ratunek. — Znowu ze mnie zakpił i moja irytacja tym faktem osiągnęła tak wysoki poziom, że miałam ochotę walnąć go. — Za niewiele ponad godzinę mamy samolot, dzwonię po taksówkę — ogłosił.

— Na pewno nie chcesz zgłosić się na policję? — dopytałam.

— Przemyślałem to i uznałem, że minie pół dnia zanim wytłumaczymy wszystko policji. Przemielą nas przez szereg procedur, będą sprawdzać fakty i, zanim podejmą jakieś działania, może być już za późno. Sama wiesz, jak czasochłonna jest biurokracja. My zaś, bazując na opowieści Antoniego, mamy jeszcze możliwość sami coś wskórać. Co prawda nie wiemy, gdzie szukać wuja, i mamy tylko jeden trop, którym możemy się posiłkować, czyli relikwiarz. Skoro bowiem jacyś zwyrodnialcy chcą ciągać wujka po kościołach, proponuję, żebyśmy je sprawdzili. Podejrzewam, że wuj nie ma pojęcia, jak szukać wskazówek, więc będzie posiłkował się wiedzą osób, które znają te kościoły. A jeśli był już w tych miejscach, to zapewne z kimś rozmawiał i pozostaje mi liczyć, że te osoby nakierują nas na kolejny trop. Od weekendu minęło trochę czasu. Do tego jest akurat środa, a jak wspomniał Antoni, ten cały Apoloniusz dał wujkowi czas właśnie do dziś. Nie brzmi to najlepiej, bez względu na to, co miał na myśli. Może mamy ostatnią, niepowtarzalną szansę, by rozwiązać tę sprawę. Policja na pewno dzisiaj tego nie zrobi. Spróbujmy. Jeśli nam się nie powiedzie, jeszcze dziś lub nazajutrz zgłosimy się na najbliższy komisariat.

Pokiwałam głową. I doznałam olśnienia. Zerknęłam na kartkę profesora i dosłownie mnie zmroziło. Obrabowane dotychczas kościoły to dokładnie te pod wezwaniem świętych z relikwiarza. Sprawa niebezpiecznie się zazębiła, a ja nie wierzę w tak silne zbiegi okoliczności. Zyskałam pewność, że Antoni nie przekazał nam całej swojej wiedzy, a w związku z tym zyskałam też większą determinację, aby ją z niego wyciągnąć. Innymi słowy, totalnie się nakręciłam.

Antoni siedział sposępniały, z rękoma opuszczonymi pomiędzy kolanami. Wydawało się, że nie potrafi pogodzić się ze stratą przyjaciela. Niemniej jednak nie uśpił mojej czujności na tyle, bym nie podejrzewała, że jego smutek może mieć inne podłoże. Brałam pod uwagę możliwość, że to wcale nie żal, a pewnego rodzaju skrucha. W końcu w moich oczach nadal był nie tyle świadkiem, co przede wszystkim potencjalnym podejrzanym. Zakładałam, że mógł po pijaku wygadać komuś o relikwiarzu, a gdy sprawa przybrała nieprzyjemny obrót skruszony ruszył po pomoc. Zdawałam sobie sprawę, że aby potwierdzić lub wykluczyć jedną z możliwości, będę musiała stale mu się przyglądać. Nie pozostało mi nic innego, jak postarać się trzymać język za zębami i zabrać tę superferajnę do mojego mieszkania.

Rozejrzałam się dookoła. Maks dzwonił po taksówkę, Julka przysypiała na ramieniu Jacoba, a ten oglądał ornamenty na sklepieniu.

— Za kilka minut będzie taryfa — poinformował Maks. — Jedziecie ze mną?

Wszyscy przytaknęli bezgłośnie. Poprosił doktora o ponowne dokładne przedstawienie wydarzeń. W tym czasie zebraliśmy się do wyjścia z piwnicy.

— Wiem, że zawsze miałeś niezawodną pamięć, oszukiwałeś mnie przy grze w karty jak nikt inny — pochwalił doktora.

Ten troszkę się rozpromienił. Myślę, że Maks chciał go zwyczajnie rozweselić.

— Możesz mi zaufać — zapewnił.

Maks poklepał go po plecach.

— Pamiętam, jak za dziecka opowiadałeś mi o sztuce, o malarzach, masz niewątpliwy dar, doktorze. Szkoda, że tak długo się nie widzieliśmy.

— Szkoda, synu. Opowiedz mi, czym się zajmujesz. Jan mówił, że kontynuujesz rodzinne tradycje. Wiesz już, że wojaczkę masz we krwi.

Wyszliśmy przed restaurację.

— Opowiem ci, wuju, w drodze, samolot nie będzie na nas czekał — uciął rozmowę i pomógł Antoniemu przeskoczyć przez niewielki płotek.

Niedługo później byliśmy w taksówce. Na widok nagiej klaty Maksa kierowca głośno się zaśmiał. Jeśli wziął nas za szalonych turystów, w moim przypadku niewiele się pomylił. Nie dość, że korzystałam z urlopu, to jeszcze co chwila maltretowała mnie myśl, że zwariowałam.

Po drodze na lotnisko zatrzymaliśmy się przy sklepie, gdzie Maks kupił sobie ubrania. Ksiądz pozazdrościł mu prezencji i zdjął sutannę. Przyznam, że wyglądał bez niej sto razy lepiej.

O wyznaczonej godzinie zajęliśmy zabukowane w samolocie miejsca.

ANIELICA PRZESTWORZY

Lot z Gdańska do Krakowa nie trwa długo, ale mnie wydawał się ciągnąć w nieskończoność. Na lotnisku liczyłam jeszcze, że tych kilkanaście minut będzie doskonałą przerwą na zebranie myśli. W samolocie poprosiłam o udostępnienie mi miejsca przy oknie. Niestety, klaustrofobia Julki odebrała mi tę przyjemność. Ostatecznie wylądowałam na miejscu, którego najbardziej chciałam uniknąć, czyli dokładnie pośrodku moich słodko-gorzkich towarzyszy. Słodko miałam na prawo, bo tam dwa siedzenia przy oknie zajęli Julka z Jacobem, a gorzko po lewej, gdzie kolejne dwa zajęli Antoni i Maks. Miałam z tego tyle, że siedziałam przy przejściu i mogłam w każdej chwili skoczyć do toalety. Jak na złość przez cały lot nie chciało mi się siku. Tuż po zajęciu miejsca tłumaczyłam sobie, że plusem tej sytuacji jest też fakt, że Antoni usiadł daleko, dzięki czemu mogłam go obserwować.

Radość opuściła mnie zaraz po starcie, kiedy zorientowałam się, że gorzej usiąść nie mogłam. Po jednej stronie moje uszy łaskotały filozoficzne rozważania o wierze, a po drugiej opowieści o życiu w kamaszach. Całe szczęście, że nawet nie próbowali wciągnąć mnie do rozmów, z tym, że byli tak pochłonięci sobą, że lekceważyli też moje chrząkania. Ich gadulstwo skutecznie zakłócało mi myśli, w związku z czym doszłam do wniosku, że jedynym sensownym zajęciem, na które powinnam poświęcić swój cenny czas, jest sen. Przeczuwałam, że nie zasnę, ale liczyłam chociaż na lekki letarg, który zawsze odświeża mi umysł. Ułożyłam się wygodnie, wcisnęłam głowę w oparcie i mrużąc oczy usilnie próbowałam zasnąć. „Uspokój się", powtarzałam w myślach, starając się oddalić je od bezsensownego bełkotu dobiegającego mnie z obu stron. Naprawdę robiłam, co mogłam. Bez skutku.

W końcu rozzłoszczona otworzyłam oczy, a na horyzoncie objawiła mi się anielica przestworzy. Aż zgłupiałam, czy to fatamorgana, którą wyprodukował mój rozgrzany bełkotem mózg, czy naprawdę mam takie szczęście.

— Chciałaby pani napić się czegoś mocniejszego? — zapytała mnie ciepłym głosem elegancka blondynka wciśnięta w wąską garsonkę.

Ooo tak! Wyczytała to w moich myślach. Albo w skwaszonej twarzy. Tak czy siak niczego nie pragnęłam bardziej niż procentów! „Spadłaś mi z nieba, aniele".

— Poproszę whisky albo jakikolwiek inny dobry alkohol. I coś do jedzenia, jakąś kanapkę i ciasto.

Błękitnooka anielica w kostiumie stewardessy uśmiechnęła się, ukazując śnieżnobiałe ząbki.

— Mogę pani zaproponować kanapkę z ciemnego lub jasnego pieczywa i ciastko z masą lub sernik.

Całkiem niezły wybór mają w tym samolocie.

— A proszę mi powiedzieć, jaki jest ten ciemny chleb? Żytni? Orkiszowy? Z ziarnami? I z czego zrobiona jest masa w tym ciastku? — dopytałam.

Zaintrygowany Maks zerknął na mnie przez ramię Antoniego z nieskrywanym krytycyzmem. Zapewne uznał mnie za wredną, czepialską i uszczypliwą, co w zderzeniu z moim delikatnym żołądkiem nie miało w tej chwili żadnego znaczenia. Co innego dla zmieszanej całą sytuacją stewardessy, która próbowała wybrnąć z ciemnego kąta, do którego niewątpliwie sama się zapędziła.

— Chlebek jest taki ciemny, mieszany z ziarenkami, będzie pani smakował. A masa w ciasteczku jest jasna, też bardzo smaczna.

Fantastycznie, tyle że nadal nic mi to nie mówiło. Powiem więcej, dopadła mnie obawa, że znów trafiłam na cudownie niekompetentną osobę. I to, że miała zgrabny tyłeczek, śliczną buźkę i śnieżnobiałe zęby, w tym przypadku niewiele jej pomagało. W końcu ja też jestem kobietą, mogłaby więc zagłuszyć moją ciekawość wyłącznie stwierdzeniem, że spadamy.

— Czyli pszenno-żytni, orkiszowy czy jaki? — dopytałam ponownie. — A ta masa budyniowa czy maślana?

— Tak, tak, właśnie taki mieszany, a masa taka jasna, budyniowo-maślana. Pyszna, naprawdę pani polecam.

Naprawdę starała się mnie namówić. Nie udało się. Czara goryczy została przelana. W moim szarym, piekielnie zwyczajnym życiu nieustannie mierzę się z rażącą niekompetencją innych osób. A jest to cecha, której nie znoszę najbardziej na świecie. Ludzie, którzy nie przykładają się do swojej pracy, są z niej najzwyczajniej w świecie niezadowoleni i powinni ją zmienić. Nie ma sensu użerać się w zawodzie, którego się nie cierpi. I nie trafiają do mnie tłumaczenia, że ktoś nie ma wyboru i musi pozostać przy tym, co robi, żeby zarobić na życie. Nieprawda, za żadne skarby nigdy się z tym nie zgodzę. Mamy gospodarkę wolnorynkową i choć nasz rynek pracy jest krwiożerczą machiną nastawioną na wyssanie i porzucenie pracownika, zawsze można chociaż spróbować. Bez względu na sytuację osobistą zawsze mamy wybór. Sama przykładam się do swojej pracy, a pracuję dla społeczeństwa, w którym funkcjonuję. Dlatego tak irytuję się rano w piekarni, kupując chlebek z zaczarowanego, objętego tajemnicą ziarna, ciastko z budyniem, zrobione a jakże... z budyniu. W urzędzie, kiedy kobieta wyściubiająca nos spod okienka nie potrafi poprzeć formalnych wymagań sensownym przepisem. Nie mówiąc już o zakupach w drogerii, gdzie nagabujące mnie, młodziutkie ekspedientki usilnie przekonują, że moja twarz bez koenzymu Q10, którego działania i tak nie potrafią profesjonalnie wytłumaczyć, zamieni się w pysk psa rasy shar pei.

— Dobra, chcę tylko whisky. Whisky i żadnego magicznego żarcia! — wyrzuciłam z siebie podniesionym tonem, najmilej jak potrafiłam, a potem grzecznie odprowadziłam stewardessę wzrokiem.

Dostałam to, czego chciałam. Bez oporów zamawiałam szklaneczki jedna po drugiej i gdy na lotnisku w Krakowie przyszło mi podnieść się z fotela, zaniemogłam. Byłam najzwyczajniej w świecie pijana. Maks złapał mnie pod rękę i powoli wyprowadził z samolotu. Pamiętam, że słaniając się na nogach, uporczywie wbijałam paznokcie w jego wielki biceps. I bardzo mnie to cieszyło. W końcu mogłam go bez skrępowania dotykać. Kolejnym przebłyskiem, który zakodowałam, było żółte metalowe krzesło, na którym mnie posadził. Pamiętam też, że później usiadł obok i oparł moje wiotkie ciało o swój bark. Mniej więcej docierało do mnie co się dzieje, wyłapywałam pojedyncze słowa, które wydawały mi się bardzo zabawne i cholernie nieistotne.

— Zocha, jesteśmy na lotnisku. Mieliśmy zatrzymać się u ciebie. Gdzie mieszkasz? — usłyszałam. A później coś o jakiejś decyzji i że ktoś jest kompletnie pijany. Jakoś tak mimowolnie nasunęła mi się pewna myśl.

— Ta mała piła dziś i jest wstawiona! Ten kto nie wierzyyy mi nieeech się przekona, ta mała piła dziś iii nie wie niiic — wyburczałam i osunęłam się na Maksa.

Wokół mnie zabrzmiał śmiech i poczułam, że się unoszę. Spoczęłam głową na wielkiej poduszce i po chwili dotarło do mnie, że opieram się o tę opaloną superklatę, do której tak mnie ciągnie. Zrobiło mi się błogo i przyjemnie. Chciałam, aby ta chwila trwała wiecznie. Niestety mój umysł nie pozwolił mi się tym nacieszyć i nawet odurzony alkoholem orientował się, że docierają do niego sprzeczne sygnały. Bezwiednie zaczęłam wyłapywać dobiegające mnie zewsząd głosy.

— Sprawdź w jej plecaku, czy ma klucze i dokumenty. Jeśli ma jeszcze starą wersję dowodu osobistego, jest na nim adres zameldowania.

— Sam sprawdź, ja nie włożę tam ręki. Kto wie, czy nie ukąsi mnie wąż albo nie pożre jakiś ukryty tam przez nią potwór.

Usiłowałam otworzyć oczy, żeby zobaczyć, czy ktoś grzebie w moich rzeczach, lecz gdy ledwie je uchyliłam helikopter, w którym leciałam, znowu zrobił pętelkę.

— Mam! Kraków, ulica Michała Stachowicza. To na Zwierzyńcu, niedaleko stadionu Cracovii, kawałek od rynku.

— Zatem w drogę.

Poduszeczka mocniej przycisnęła mnie do siebie, a później ktoś odebrał mi ją i ułożył mnie na twardym samochodowym fotelu.

PATRON

Maks pchnął drzwi do mojego mieszkania i z zaciekawieniem wkroczył do środka. Nadal trzymał mnie na rękach, a ja powoli odzyskiwałam świadomość. Przyglądałam się, jak łapiąc orientację w układzie pomieszczeń, coraz szerzej otwierał oczy ze zdumienia. Coraz mocniej rozchylał też usta w uśmiechu, jakby był bardzo mile zaskoczony. Zdaje się, że nie podejrzewał mnie o zamiłowanie do eklektyzmu i stylu marokańskiego. Przystanął w przedpokoju i podziwiał misterne wzory na kafelkach, lampach, dywanikach. Przeszedł do salonu i przebiegł wzrokiem po książkach, płytach, odtwarzaczu. Później zlokalizował sypialnię i ułożył mnie na łóżku z baldachimem, który swoją drogą cholernie go rozbawił.

Z niedowierzaniem wpatrywał się w moją niewinną twarz.

— Do usług, królewno — rzucił z zachwytem, okrywając mnie kołdrą.

Obudziłam się ze znanym mi i znienawidzonym uczuciem, że spałam zbyt długo. Złapałam za zegarek, była czternasta. Niedostrzegalnie przemknęłam do łazienki, wzięłam w końcu porządny prysznic, założyłam świeże ubrania i wkroczyłam do salonu. Usadowieni na dywanie goście debatowali nad kartką papieru. W tle słychać było rozśpiewaną Ninę Simon w piosence *I put a spell on you*, którą Maks włączył w momencie, gdy weszłam do pokoju.

169

— Mam nadzieję — zaczęłam — że odnaleźliście się w mieszkaniu i niczego wam nie brakuje. Przepraszam... — ucięłam, bo było mi naprawdę głupio.

Poranne wydarzenia trochę mnie przerosły. Zdawałam sobie sprawę, że mój twardy, przywódczy charakter, zdecydowane poglądy i bezkompromisowość przeszkadzają w zawieraniu znajomości. Już od czasów nastoletnich brakuje mi swobody w kontaktach towarzyskich. Zawsze jestem skupiona i nie podejmuję byle jakich rozmów. Nie używam zbędnych przymiotników, a treści zastępcze, takie jak pogoda czy niestrzelony karny podczas ostatnich rozgrywek piłkarskich zawsze mnie wkurzają. Po stokroć wolę przerzucać kolejne tomy akt, niż kłapać niepotrzebnie językiem, jak to jest fajnie, ciepło, choć w sumie za gorąco i mogłoby popadać.

Znalazłam się w takim punkcie mojego życia, który nie ułatwia mi zawierania przyjaźni. Nawet nie wiem, gdzie mogłabym poznawać inne kobiety. Próbowałam na karate, na siłowni, nawet umówiłam się w Internecie na wspólne bieganie. Nic z tego. Nie potrafię się odnaleźć w gadce na temat facetów, związków i poprawiania urody. Moje koleżanki z liceum czy studiów najczęściej miały już dzieci, a co najmniej męża. Z kolegami z pracy też się nie przyjaźnię, bo jest to, w skrócie rzecz ujmując, niemożliwe. Młoda, samotna kobieta z oczywistych powodów nie zaprzyjaźni się z facetem mającym rodzinę ani też z innym samotnym facetem. Powiedzmy sobie szczerze, nie zaprzyjaźni się w ogóle z żadnym facetem. Jedynym rozwiązaniem byłaby przyjaźń z homoseksualistą, ale takich u mnie w jednostce brak. Sądzę też, że gdybym jednak przełamała schemat i z jakichś niewytłumaczalnych powodów albo braku przeszkód zaprzyjaźniła się z kolegą z komisariatu, naraziłabym i jego, i siebie na ogromne ryzyko. Jego przede wszystkim dlatego, że reszta kumpli zaczęłaby go separować jako tego, który przyjaźni się z „nią", „tą", która jak wiadomo nie jest naturalnym klockiem lego pasującym do całej układanki. Tą, która jest tylko marną podróbką, modelinką imitującą klocek i udającą, że potrafi trwale utrzymać konstrukcję. I wszyscy wiedzą, że nadejdzie kiedyś dzień, w którym modelina skruszeje pod naporem ciężaru innych klocków i zostawi w konstrukcji dziurę, która zaburzy układankę. Oczywiste jest, że wszystkie te klocki wytrwale czekają na ten moment. Będą mogły świętować swój triumf, zwycięstwo twardości i siły. Dodam, że dla modelinki mocne spajanie się z innym klockiem nie jest wskazane, jeśli oczywiście chce zachować swoje dobre imię i nie wysłuchiwać plotek na temat skłonności do budowania sukcesu na plecach innych klocków. Uściślając, nie na plecach, a na zupełnie innej, zdecydowanie mniejszej części ciała. *Do you know what I mean? Of course*[5]. Zapomniałabym... Najgorszym, co mogłoby mnie spotkać, z mocnym podkreśleniem na mnie i chyba tylko mnie, byłyby właśnie takie plotki. Raczej nie zniosłabym szeptów o moich wyczynach łóżkowych, ja... prawie trzydziestoletnia dziewica. Tak, zdecydowanie tego właśnie obawiam się najbardziej. Myślę, że to mogłoby mnie zabić.

— Zocha, pozwoliłem sobie skorzystać z twojego prysznica — usłyszałam od rozpromienionego Maksa.

---

5 Wiesz co mam na myśli? Oczywiście.

— Do usług — odpowiedziałam.

„Naprawdę to powiedziałam, czy mi się zdawało?",
zastanawiałam się w myślach.

Uśmiechnął się zalotnie i dodał:

— A w ogóle to, dzień dobry, nasza Alinko Janowska.

— Zakładam, że wyłapał moje zniesmaczenie, bo zaraz
dorzucił: — No dobrze, nie będę ci tego wypominał.
A przynajmniej nie dzisiaj. — A to ciekawostka. Czyli
zanosi się na dłuższą znajomość. — Siadaj — zaproponował, poklepując radośnie dywanik obok siebie i skinął
głową w stronę Julki, która zabrała kartę.

Usiadłam naprzeciw niej, a ona zmrużyła oczy, odchyliła głowę i z wypisaną na twarzy fascynacją zabrzmiała
jak poranny skowronek:

— Mam nadzieję, że jesteś gotowa na spotkanie z historią. Doświadczymy dzisiaj czegoś niezwykłego —
przeniesiemy się w czasie.

Zachwyt Julki absolutnie mnie nie zaskoczył. Od początku naszej znajomości przedziwnie zachwycała się
wszystkim. W końcu zachwyciła się nawet mną, w sensie
moją znajomością karate. Była dla mnie przekosmicz-
na i ciekawiło mnie, z jakiej planety do nas przybyła.
Podejrzewałam, że z Wenus, choć zdecydowanie z tej
nieznanej mi części.

— Takie cuda tylko w Krakowie — zauważyłam i odczytałam na głos: — „Miedziany, złocony relikwiarz
w formie krzyża, wsparty na grawerowanej stopie w formie trzech pagórków, ozdobionej medalionami z wi-
zerunkami świętych: świętego Marka, świętego Jana,
świętego Andrzeja i świętej Barbary. Ramiona awersu
ozdobione ornamentem roślinnym z kapsułą na relikwie

umieszczoną na skrzyżowaniu. Rewers ozdobiony chrystogramem chi rho i wygrawerowanym napisem: «Gdzie matka zasypia pod niebem gwieździstym, trzepoczą skrzydłami nad progiem strzelistym. Tam bracia, co strzegą tego, co nas strzeże, stąd szukaj kierunku, gdzie spoczął w ofierze». Brzegi ramion udekorowano kulkami z kości słoniowej". Dlaczego nad tym siedzicie? — zapytałam, spoglądając w stronę Maksa i Jacoba.

— Próbujemy to rozgryźć — odpowiedzieli równocześnie.

— I do jakich wniosków doszliście?

— Pomyśleliśmy — zaczął Maks — że Jan jest przetrzymywany tak długo, że może być właśnie na tym etapie odczytywania zaszyfrowanego przekazu. Próbujemy więc rozgryźć ten zapis.

— Czyli zmieniliście zdanie i uważacie, że nie szukał wskazówek w kościołach?

— Nie, absolutnie nie zmieniliśmy zdania. Zamierzamy wybrać się do kościołów, tylko nie chcieliśmy marnować czasu. Wykorzystaliśmy go na główkowanie nad tym szyfrem.

— OK, rozumiem. A dlaczego nie poszliście beze mnie?

Maks znowu posłał mi uśmiech, ale tym razem nie szyderczy, a jakiś taki inny niż dotychczas.

— Przecież sama mówiłaś, że bez ciebie niczego nie wskóramy. — Trochę zgłupiałam. — Mamy za to pewien plan — ucieszył się. — Antoni zasugerował, że grawer na rewersie pasuje do kościoła Mariackiego i ołtarza Zaśnięcia Najświętszej Marii Panny, nad którym prezbiterium nakryte jest sklepieniem gwieździstym. Kościół jest w pobliżu tych, które mamy odwiedzić, więc nie stracimy zbyt wiele czasu. Chyba że ty Zocha masz lepszy pomysł?

„Zocha? Nie cierpię, gdy ktoś zwraca się do mnie w ten sposób", zezłościłam się w sobie.

— Jedyne skojarzenie jakie na tę chwilę przychodzi mi do głowy, to kobieta żebrząca z małym dzieckiem na rękach, którą często wieczorem mijam na Plantach. I nie sądzę, żeby satysfakcjonował was ten trop.

— W takim razie proponuję się zbierać. Szkoda czasu — podsumował.

— OK, dajcie mi jeszcze chwilę na zorganizowanie nam posiłku. Chciałabym być najedzona, skoro mam dzisiaj przenosić się w czasie.

Odpuściłam. Pozwoliłam cywilom przejąć inicjatywę. Miałam nadzieję, że do tego czasu dowiem się więcej. Póki co nie potrafiłam wymyślić czegoś równie sensownego, bo cholernie bolała mnie głowa. W ferworze tych wszystkich wydarzeń zapomniałam napisać do Pabla. Podpięłam mój złoty smartfon do ładowarki i wystukałam do niego SMS z informacjami. Z tym, że nie ze wszystkimi. Powiedzmy, że przypadkiem zapomniałam napisać o strzelaninie.

Po chwili dostałam odpowiedź:

„Idę z tym do Jędrka. Zostań w kontakcie".

Ucieszyłam się, że ściągną mnie z urlopu i formalnie włączą w działania.

Wróciłam do mojej złotej kuchni przygotować kanapki. W tym czasie Julia wsłuchiwała się w rozważania Antoniego na temat sztuki jako społecznej terapii. Po szybkim posiłku i krótkiej wymianie zdań na temat planu działania wyruszyliśmy w stronę rynku.

Poprowadziłam nas moją ulubioną drogą — wzdłuż Wisły, przy Zamku, Trasą Królewską.

Było ciepłe, słoneczne popołudnie. Grube, białe chmury sunęły nostalgicznie po błękitnym niebie, zdecydowanie zbyt daleko od słońca. Spacer umilała nam egzaltacja Julki, znaczy się wątpliwie umilała. Środek przeciwbólowy był dzisiaj ze mną na bakier i każdy jej dźwięczny zaśpiew zdawał się być jak uderzenie młotkiem prosto w czaszkę. Jakby tego było mało, nie zdążyłam jeszcze porządnie wytrzeźwieć, chodnik mocno mi falował, a popołudniowe słońce nie chciało mnie oszczędzać. Szłam w milczeniu, próbując dojść do siebie i ganiłam się za wypity alkohol.

— Co trzepocze skrzydłami? — zagaił Maks.

— W kościele zazwyczaj anioły — odpowiedział mu Jacob.

— To byłoby zbyt proste.

— A może by tak spojrzeć z perspektywy ówczesnych rycerzy? — napomknęła Julia.

— Tak więc skrzydłami mogą trzepotać ptaki... — główkował Maks. — Wszystko jest kwestią wyobraźni i odpowiedniej perspektywy.

Rozważali tak aż do kościoła Mariackiego. Zdążyli obić moją głowę całym zestawem małego majsterkowicza. Czułam się tak paskudnie, że nawet nie próbowałam się skupić. Ożywił mnie dopiero przyjemny chłodek bazyliki.

— Najlepiej będzie, jeśli się rozdzielimy — zauważyłam, kiedy przekroczyliśmy próg. Z tym że nikt nie ustosunkował się do mojej propozycji i wszyscy zniknęli mi z oczu. No prawie wszyscy, bo Antoni powoli stąpał obok mnie, zatrzymywał się co krok i cierpliwie omiatał spojrzeniem każdy szczegół korpusu nawowego.

— Zaczekaj — zatrzymał mnie, kiedy odciągnęłam ciężkie wrota kościoła, chcąc opuścić kruchtę.

— Ktoś powinien rozejrzeć się tutaj.

— Racja, doktorze — odparłam. — A tak przy okazji, przepraszam. Moje dywagacje nie były skierowane w pana, nie chciałam pana urazić.

Zdążyliśmy wejść do kościoła i doktor uciszył mnie gestem, przypominając, że znajdujemy się w miejscu świętym. Zatrzymaliśmy się przy ostatnich rzędach ław. Antoni odwrócił się w stronę wejścia. Podążyłam za jego wzrokiem i pierwszy raz zobaczyłam ten kościół z takiej perspektywy. I właśnie ten inny punkt widzenia otworzył mój umysł tonący nadal w oparach alkoholu. Zawiesiłam przez chwilę wzrok na piętrze ulokowanym nad drzwiami frontowymi. I doznałam prawdziwego objawienia. Nie było tak spektakularne, jak to przedstawiają w filmach przygodowych, ale jak dla mnie i tak wystarczająco emocjonujące. „Trzepoczą skrzydłami nad progiem strzelistym", wymamrotałam pod nosem. Pozwólcie, że powtórzę, iż słowa wypowiedziane na głos, pomagają lepiej je zrozumieć i złapać nowy kontekst.

— Doktorze, trzeba się tam dostać — wyszeptałam wskazując w górę. — Nad główne wejście.

— Świetne spostrzeżenie. Niestety tam nie można wejść.

— Bez ryzyka nie ma wygranej — palnęłam i pognałam do niewielkich bajkowych drzwiczek z tabliczką

„przejście dla chóru", które ledwo trzasnęły za dwojgiem starszych panów.

Że jak ja to powiedziałam? Takie teksty raczej nie są w moim stylu i coś mi się zdawało, że gdzieś to już słyszałam.

Zatrzymałam się jeszcze, rozejrzałam i odwróciłam się, żeby zlokalizować resztę. Całe szczęście oni wypatrzyli mnie jako pierwsi. Jacob wymownie skinął do mnie głową i zagadał strażnika, dając mi w ten sposób trochę czasu na rozeznanie w terenie.

Uchyliłam drzwiczki i wąskim, krętym korytarzem gorączkowo wbiegłam na piętro. Ku swojemu zdziwieniu nie zastałam tam żadnego organisty czy śpiewaka. Prędko udało mi się zlokalizować kaplicę, wygrzebałam telefon i zaczęłam pstrykać zdjęcia. Jak na złość dopadły mnie wspomnienia, których bardzo w takich chwilach nie lubię. Usypiają czujność, rozstrajają zmysły, zasadniczo utrudniają skupienie. Wpatrywałam się w kaplicę, cykałam fotki, a przed oczyma przewijały mi się klisze zapełnione zdjęciami z różnych akcji.

W kościele Mariackim byłam nieraz i bynajmniej nie po to, aby zmówić pacierz. Przed oczyma stanął mi chociażby obraz nieprzytomnego bezdomnego, którego reanimowałam. Zważywszy na jego higienę, a raczej jej brak, nie była to przyjemna czynność. Niekiedy wolałabym nie mieć tych wspomnień, bo często uderzają we mnie wraz ze zwyczajnymi ludzkimi uczuciami, takimi jak strach, obrzydzenie, bezsilność i zagubienie. Inaczej mówiąc, z moimi policyjnymi wrogami, których na co dzień unikam jak ognia, żeby przypadkiem nie uczyniły mnie słabszą. Wrogach... kto nie ryzykuje... no tak, już wiem od kogo to słyszałam.

Otrząsnęłam się, schowałam telefon i wbiegłam na wąskie schody. Po kilku krokach w zakręconym korytarzu zawirowały głosy. Cofnęłam się o parę schodków i ponownie ruszyłam, wbiegając na górę. Przykucnęłam za organami, lecz zaraz opamiętałam się i wstałam. Dwóch zdziwionych mężczyzn, których wcześniej widziałam stanęło naprzeciw mnie. Wyrzuciłam z siebie jednym tchem, że szukam przyjaciela chórzysty, który miał spotkać się ze mną w kościele i że bardzo mi głupio, że tu wlazłam. Ukłoniłam się, zasłoniłam ręką kieszeń wypchaną smartfonem i prześlizgnęłam się pomiędzy mężczyznami zbierającymi dech, żeby mnie ochrzanić.

Zbiegłam jak burza, złapałam pod rękę Antoniego i wyszeptałam z ekscytacją:

— Kaplica Aniołów Stróżów i tryptyk świętego Stanisława.

— Dobry trop! — ucieszył się. — Odszukajmy resztę.

Maks i Julka szli w naszą stronę, a Jacob prowadził nadal żywe dyskusje. Podeszliśmy do niego.

— Kobieta, która tutaj stróżuje — rozpoczął uradowany — opowiedziała mi wszystko o Kaplicy Męki Pańskiej. Święty Stanisław spoczywa w kaplicy na Wawelu.

Oczy mu się zaświeciły i spojrzeliśmy na siebie ze zrozumieniem. Po chwili niemo skomunikowaliśmy się z resztą i wyszliśmy z kościoła.

— Kierunek Wawel — oznajmiłam.

Julia zadźwięczała błagalnie.

— Czy moglibyście wytłumaczyć mi, o co chodzi?

— No właśnie, ja też nie rozumiem — oświadczył Maks. Weszliśmy z Jacobem pomiędzy nich i zaczęliśmy wykład.

— Grawerunek na relikwiarzu brzmi: „Gdzie matka zasypia pod niebem gwieździstym, trzepoczą skrzydłami nad progiem strzelistym. Tam bracia, co strzegą tego, co nas strzeże, stąd szukaj kierunku, gdzie spoczął w ofierze" — wyrecytowałam. — Zatem po kolei. Po pierwsze, matka zasypia pod niebem gwieździstym na ołtarzu w kościele Mariackim. Po drugie, próg strzelisty to kruchta, czyli przedsionek kościoła, nad którym ulokowana jest Kaplica Aniołów Stróżów. Jest na niej tryptyk z legendą świętego Stanisława — zakończyłam i teatralnym gestem dłoni przekazałam Jacobowi rolę mówcy.

— „Bracia, co strzegą tego, co nas strzeże" to anioły — zaczął, gestykulując — a ten, co nas strzeże to święty Stanisław, patron Polski. Od kościoła świętego Floriana przez Floriańską obok kościoła Mariackiego, tędy — wskazał ulicę Grodzką — biegnie tak zwana Droga Królewska, która doprowadzi nas do bazyliki archikatedralnej świętego Stanisława i świętego Wacława na Wzgórzu Wawelskim. Chyba nie muszę tłumaczyć, że pośrodku świątyni znajduje się konfesja świętego Stanisława, w której spoczywają jego szczątki. Zatem „szukaj kierunku, gdzie spoczął w ofierze" może być naszym kolejnym celem. Jako ciekawostkę dodam, że król Władysław II Jagiełło wstawiennictwu świętego Stanisława przypisywał zwycięstwo w bitwie pod Grunwaldem. Dowodem jest złożenie przez niego chorągwi krzyżackich pod grobem świętego. Jakby wam było mało ciekawostek, dodam jeszcze, że w XVII wieku krakowska kapituła zamówiła u gdańskiego złotnika trumienny relikwiarz świętego, a mówiąc prościej sarkofag z dwunastoma scenami z życia, który do dzisiaj znajduje się w katedrze na Wawelu.

— Fantastycznie! — uniosła się Julka. — Odszyfrowaliście grawerkę! Jak na to wpadliście?

— No faktycznie, gratuluję — ogłosił Maks i uścisnął dłoń Jacoba.

Kiedy wyciągnął rękę do mnie, dodał:

— Zocha, musisz częściej pić, bo nie dość, że alkohol oczyścił ci umysł, to jeszcze wypalił trochę to rozżarzone ego.

Chciałam się jakoś fajnie odgryźć, ale nie potrafiłam sklecić żadnego sensownego zdania i ostatecznie wyszło ze mnie krótkie:

— Nie kpij.

Podałam mu dłoń i poczułam bardzo przyjemny uścisk, który w połączeniu z łagodnym uśmiechem wydał mi się wręcz namiętny. Potrząsnęłam głową i odwróciłam wzrok.

— Czyli sądzicie, że te zabytkowe przedmioty ukryte są na Wawelu? — upewniał się. — Jak mój dziadek mógłby je tutaj ukryć? Kraków podczas wojny był okupowany, a Wawel był siedzibą generalnego gubernatora Hansa Franka. Z tego co mi wiadomo, Niemcy rozkradli w tym czasie większość naszych zabytków. Nie tylko nie miałoby to sensu, a byłoby prawie niemożliwe. No, chyba że dziadek miał jakieś wyjątkowe kontakty. Poza tym, jest to jedno z najlepiej przebadanych miejsc w kraju.

— Dokładnie tak — potwierdziła Julka.

— Najciemniej pod latarnią — dodałam. — Choć masz rację, wydaje się to kosmicznie nierealne. I byłoby też zbyt proste, w końcu powinniśmy jeszcze zebrać wskazówki z kościołów i skonfrontować je z naszymi domniemaniami. Zaczynamy trochę od tyłu.

— Racja. Nie lepiej od razu ruszyć do kościołów? — zaproponował Antoni.

— Sądzę, że trzeba kuć żelazo, póki gorące — stwierdził Maks. — Sprawdźmy Wawel teraz, gdy jesteśmy nakręceni.

— Może dzięki temu łatwiej nam będzie odszukać wskazówki — dopowiedziała Julka.

— Co właściwie chcecie tam sprawdzać? — dopytał Antoni.

— Obejrzymy wszystko, co wiąże się ze świętym Stanisławem — zakomunikował Jacob, puszczając do mnie oczko.

Uśmiechnęłam się delikatnie, a Antoni przytaknął. Sama nie wiedziałam, jak wpadłam na ten stanisławowski trop. Czyżby spłynęło na mnie boskie natchnienie?

Przebijaliśmy się przez tłum na drodze królewskiej. Jacob z Maksem ostro nad czymś dyskutowali, a ja wkurzałam się, że jestem zbyt daleko, aby w tym ulicznym hałasie usłyszeć cokolwiek. Julka, jak na sarenkę przystało, doskakiwała za mną, odbijając się od przechodniów. Antoni próbował nadążyć za Maksem i całą drogę niewzruszenie milczał. Znowu wydawał mi się mocno strapiony.

Postanowiłam go zagadać.

— Doktorze, a wie pan, że w kościele Mariackim jest kaplica świętego Antoniego zwana kaplicą Złoczyńców? Podobno sypiali w niej przestępcy dzień przed egzekucją.

— A tak, wiem o tym, Zosiu. Mnie ze świętością, co prawda, nie po drodze, aczkolwiek mamy ze świętym odrobinę wspólnego. Przepadam za wszystkim, czemu on patronuje.

— Czyli przykładowo za czym?

— Lubię kościoły, zakon franciszkanów, Padwę, Lizbonę, dzieci, ubogich, podróżników oraz, jak sama widzisz, rzeczy zaginione — wyrecytował radośnie. Po chwili zaśmiał się i trochę ode mnie odsunął, bo na ulicy zrobiło się nagle nadzwyczaj ciasno. Przystanęłam na uboczu, aby przepuścić turystów z wycieczki.

„Rzeczy zaginionych… a to ciekawostka", powiedziałam do siebie w duchu.

Wtem ktoś mnie popchnął, ktoś inny szturchnął, a nie mogłam pozwolić sobie na kłótnie, żeby nie stracić reszty z oczu. Wokół mnie przelewał się płynący w stronę rynku potok rozdrażnionych ludzi. Ledwie zaczęłam zastanawiać się, skąd i dlaczego ta fala nadeszła, kiedy ktoś krzyknął:

— Kradzież na Wawelu! Nie idźcie tam, wszystko zamknięte!

Osłupiałam, ale mój mózg wskoczył na tak wysokie obroty, jakbym włączyła mu turbo doładowanie. Wyglądało na to, że w końcu środki przeciwbólowe zaczęły działać.

Antoni zastygł, Maks również, przy czym mocno wytrzeszczył oczy, a Julka zbladła bardziej niż zwykle. Jedynie Jacob zachował zimną krew.

— Spokojnie, moi mili. Zrobią, co mają zrobić, i otworzą. Poczekajmy.

— Obawiam się, że chodzi o coś więcej — zauważył Antoni.

Zaczepiłam przechodnia i zapytałam, co skradziono.

— Jakiś krzyż chyba czy coś takiego — odpowiedział mi chłopak z aktówką pod ręką. Na bank student prawa, oni zawsze wszystko wiedzą.

— Niech to szlag! Uprzedzili nas! — wrzasnął Maks.

— W czym nas niby uprzedzili? — zapytałam.

— Jak to w czym! Cholerne bandziory zwinęli nasz relikwiarz! — krzyknął do mnie wtłoczony w sporą grupę Japończyków. Zmarszczyłam brwi, a on zaczął tak głośno kląć, że mała Japonka zwróciła mu uwagę. Nie od dziś wiemy, że turyści może i nie potrafią zamówić po polsku obiadu, ale „kurwa" każdy zrozumie.

Nie dziwiłam się, że Maks się wkurzył, sama się zezłościłam. Kolejny relikwiarz, o co tu chodzi, do jasnej cholery.

Maks przedarł się przez tłum, złapał mnie pod rękę i poprowadził w stronę zamku. Kątem oka widziałam, że pozostali idą po drugiej stronie ulicy w tym samym kierunku.

— Zocha, czas najwyższy uruchomić twoje kontakty — zaczął prowokująco.

— Co masz na myśli?

— Mogłabyś się zakręcić wokół policjantów i coś od nich wyciągnąć.

— Nie lubię, kiedy mówisz do mnie Zocha.

— A ja nie lubię, Zosiu, kiedy zmieniasz temat.

— Postaram się.

Dołączyliśmy do reszty ferajny i Maks puścił moje przedramię.

Szkoda.

SZEFOWA

Podeszliśmy pod Bramę Herbową. Faktycznie policjanci prowadzili działania, a na straży pozostawili kilku młodych funkcjonariuszy. Przystanęliśmy w gronie gapiów zgromadzonych przy niezdarnie rozciągniętej taśmie. Poprosiłam moich towarzyszy, aby wtopili się w tłum i w miarę możliwości nie ruszali się z miejsca, a sama wkroczyłam do akcji. Niczym James Bond przeskoczyłam przez mizerne zabezpieczenie i z miażdżącą pewnością siebie, machając odznaką, ogłosiłam:

— Aspirant Sokolnicka, proszę mi panowie opowiedzieć, co się tutaj wydarzyło.

Kilka nieznajomych mi młodych twarzy spoglądało na mnie w milczeniu i z wyraźnym zdziwieniem. W końcu jeden z nich odpowiedział zniesmaczonym tonem:

— Śledczy zrobili już robotę. Ja tu tylko zabezpieczam teren.

Zostałam najzwyczajniej w świecie zgaszona przez jakiegoś chłystka, któremu jeszcze wąsy dobrze nie wykiełkowały. Zignorowałam go, wychyliłam się za taśmę i zaczęłam szukać wzrokiem kogoś znajomego. W oddali zlokalizowałam kilku mężczyzn i rozpoznałam jednego z nich. Ominęłam podlotków, a ten z meszkiem pod nosem targnął się, aby mnie zatrzymać.

— Co pani wyprawia?! — usłyszałam za plecami. — Tam nie wolno wchodzić! — Nie odwracając głowy, dosadnie kazałam zejść mi z drogi.

— Zośka! Zosieńko, nie mogło cię tutaj zabraknąć — powiedział do mnie wysoki brzuchacz. Uśmiechnęłam się szczerze, a on podszedł do mnie i objął za bark.

— Widzisz, Jureczku, tak to ze mną jest — stwierdziłam ze śmiechem. — Usłyszałam od przechodniów jakieś niestworzone historie. Co tu się wydarzyło? Ciekawość mnie zżera.

Czterdziestokilkuletni mężczyzna pokiwał głową z politowaniem.

— Wyluzuj, mała. Podobno masz urlop. Wyrwij jakiegoś obcokrajowca, zabaw się…

— Do rzeczy, oficerze — przerwałam mu.

Myślę, że zrozumiał, że nie wygra. Miał bowiem przyjemność uczestniczyć w kilku akcjach z moim udziałem. A naprawdę niewiele wystarczy, żeby poznać moją zaciętość. Zamiast się wkurzyć, zrobił maślane oczy i uśmiechał się w milczeniu.

— Co jest? — zapytałam.

— A nic, śliczna jesteś — westchnął. — Cały dzień gapię się na te paskudne mordy, w końcu jakaś miła odmiana. — Zaśmiałam się i udałam zakłopotaną, choć takie teksty od dawna nie robią na mnie wrażenia. — Wiem, wiem, pewnie ci się spieszy. Już ci tłumaczę. Dwóch facetów podających się za turystów ukradło zabytkowy relikwiarz. Dziwna sprawa, bo w porównaniu z innymi rzeczami jest niewiele wart. Dobrze się zorganizowali, świetnie obeszli zabezpieczenia. Szczerze mówiąc, zachodzimy w głowę, jak to w ogóle jest możliwe, że nikt nie zauważył niczego podejrzanego.

— Ty prowadzisz sprawę relikwiarzy?

— Nie, Pablo. Wrócił na komendę. Popatrz, jak nas wycyckali. Obstawiamy kościoły, wysyłamy dodatkowe patrole, węszymy po antykwariatach, a tu proszę, kradzież w samym sercu miasta.

— Fakt. Chyba nikt by nie podejrzewał, że ktoś pokusi się o kradzież czegoś z katedry na Wawelu. A tak gwoli ścisłości, skąd dokładnie skradziono ten relikwiarz?

— Ha! Lepiej, moja droga. Nie z katedry, a z wystawy! Rozumiesz? Ktoś połasił się na ekspozycję.

— Niekoniecznie rozumiem. — Ściągnęłam brwi ze zdziwienia. — Jak to w ogóle możliwe. Przecież komnat pilnuje straż zamkowa, a każdego pomieszczenia dogląda opiekun wystawy. Poza tym są kamery.

— Zgadza się. Ale... tak się niefortunnie złożyło, że kobieta doglądająca wystawy była akurat w pomieszczeniu obok, gdzie zafrasowana szkolną wycieczką pilnowała, aby dzieciaki nie palcowały szyb. Tyle mamy na nagraniu. A w pomieszczeniu, gdzie przechowywano relikwiarz nie było monitoringu. Za to przedmiot był pięknie wystawiony na szesnastowiecznym stole.

— Żartujesz?

Jurek z zabawną miną przecząco pokręcił głową.

— A ekspozycja nie była zabezpieczona alarmem? — dopytałam.

— Nie była.

— O cholera. A jak go wyniósł? Turystów obowiązuje nakaz pozostawienia rzeczy w przechowalni bagażu.

— Pod kurtką. Czaisz? Jeden ze złodziei schował przedmiot pod szeroką kurtkę. To szczupły facet o niepozornym wyglądzie. Generalnie mieli po prostu dużo szczęścia. Obrobili jedno z najlepiej strzeżonych miejsc w Krakowie.

— Późnym popołudniem, kiedy przez muzeum przelewają się resztki wycieńczonych turystów — myślałam na głos.

— Właśnie. I wszystkim spieszy się na piwko. Idealna pora. Muszę przyznać, że ten facet dobrze to wymyślił.

— Ten facet?

— W zasadzie dwóch facetów.

W tym momencie podszedł do nas nieznany mi sierżant, przedstawił się i wszedł nam w rozmowę.

— Wybaczcie, że przeszkodzę… Jurek — zwrócił się do mojego rozmówcy. — Daniel nalega, żebyś podszedł do wozu. Ponownie przegląda nagranie z monitoringu. Piekli się, bo siedzi w nadgodzinach.

— A masz te papiery? — dopytał go Jurek.

— Mam, wracajmy na komis.

Jurek uniósł brwi i wyciągnął do mnie rękę na pożegnanie.

— Żartujesz? Idę z tobą — oznajmiłam.

Zaśmiał się, pokręcił z westchnieniem głową i eleganckim gestem przepuścił mnie przodem. Pomaszerowałam przed nim w stronę zamku, w związku z czym zniknęłam reszcie z pola widzenia. Miałam nadzieję, że będą na mnie czekać i nie będę musiała szukać po Krakowie księży ani gospodyń wiejskich.

Podeszłam do kolegów z komendy, przywitałam się i jak gdyby nigdy nic obejrzałam razem z Jurkiem nagranie z monitoringu. Sądzę, że nikt nawet nie pomyślał, że nie robiłam tego służbowo, bo kto podejrzewałby, że można być tak sfiksowanym na punkcie pracy, aby w słoneczny, wolny od pracy dzień angażować się w nie swoją sprawę. Po kilku minutach przekonałam się, ze faktycznie relikwiarz zwinęli starsi, drobni mężczyźni niczym niewyróżniający się z tłumu turystów. Może to jakaś turystyczna plaga? Nowa moda z Instagrama, żeby z zagranicznych podróży zabierać na pamiątkę sakralne przedmioty?

Praktycznie rzecz biorąc, cała ta nowa wiedza trochę skomplikowała sprawę. Mogłam wykluczyć dokonanie kradzieży przez profesora, co nie zmieniło faktu, że mogli to zrobić ludzie, którzy go bądź co bądź porwali. Żeby potwierdzić lub wykluczyć tę opcję, musiałam najpierw skonfrontować ich wizerunki z wiedzą Antoniego. Dobrze by było również dowiedzieć się, skąd ci ludzie tutaj przyszli. No i pozostało jeszcze pytanie, co w końcu skradziono, bo oprócz tego, że relikwiarz, za wiele się nie dowiedziałam.

— Sprawdziliście monitoring miejski? Widać, dokąd poszli? — zapytałam.

— Sprawdziliśmy. Faceci zniknęli niedługo po wejściu na rynek.

— A wiadomo już, kto to jest?

— Jeszcze nie, ale nie wyglądają na zawodowców. Spójrz. — Jurek wskazał palcem na mężczyznę z nagrania.

— Trochę niewyraźnie, nie widać dokładnie twarzy.

— Nie wyglądają na zawodowców. — powtórzył Daniel. — Toż to totalna amatorszczyzna. Jaki zawodowiec kradłby w miejscu tak oklejonym kamerami?

— Pewnie taki był zamysł — zauważyłam — żeby odciągnąć uwagę.

— Brawo, pani aspirantko — usłyszałam Daniela. — Jak na razie to nasza główna hipoteza.

Zlekceważyłam tę uwagę i wróciłam do myśli Jureczka. Czułam, że chciał mi powiedzieć coś ciekawego.

— Jurek, a ty miałeś na myśli coś konkretnego? Mów głośno, ty się nigdy nie mylisz — zagaiłam zalotnie.

— Ciekawość to pierwszy stopień do piekła — zarechotał.

— Nie martw się o mnie, mój drogi, jeszcze się odkupię niejedną rozwiązaną sprawą.

— Wiem, wiem, mała, jeśli niebo istnieje, pójdziesz tam jako pierwsza.

Przytaknęłam i pochyliłam się w jego stronę, bo pociągnął mnie za rękę.

— Nie chcę grzebać Pablowi w sprawie — zaczął ściszonym głosem — więc nie będę się wymądrzał na forum. Jak dla mnie, to nie są przeciętni złodzieje. Chłopcy podejrzewają, że to tubylcy, którzy łapią się pierwszych lepszych zleceń, żeby dorobić. Tyle, że oni nie targnęliby się na Wawel ot tak. Według mnie są to ludzie dobrze obeznani z tematem. I nie wynajął ich szajbnięty kolekcjoner, a ktoś świetnie ich opłacił, żeby odciągnęli uwagę od czegoś innego.

Hm, poza sporną kwestią co do tożsamości złodziei, to samo usłyszałam przed chwilą od Daniela. Nie mogłam uświadomić Jureczka, że prawdopodobnie jest w błędzie, ponieważ naprawdę istnieje drogocenny relikwiarz, którego mogą szukać. Szkoda, bo ten fakt na pewno zmieniłby jego ogląd na sytuację. Naprawdę nie lubię zatajać informacji i miałam ogromną ochotę opowiedzieć mu wszystko, co mnie spotkało.

— Masz jakieś podejrzenia? — dopytałam z wyraźnym zainteresowaniem.

— Ano mam — ucieszył się. — To mi się zlepia z naszym przestępczym światkiem.

— No coś ty. Taka robota wymaga odrobiny finezji, a doświadczenie podpowiada mi, że znani nam panowie za wiele jej nie mają.

— Toż to była kwintesencja finezji. — Jurek znowu zarechotał.

— Słuchaj, a mógłbyś mi podesłać zdjęcie tego skradzionego przedmiotu?

— A ty nie jesteś na urlopie? — Skrzywił się zabawnie.

— Już niedługo — ściszyłam głos. — Czekam na wytyczne.

— To się nazywa pracoholizm i można to leczyć. Podobno nawet skutecznie.

— Jureczku, ja cię bardzo proszę…

— Dobra, dobra, zaraz podeślę ci fotki SMS-em. Tylko obiecaj mi, że odpoczniesz.

— Dzięki, Juruś — powiedziałam z wdzięcznością.

— Odpocznę, obiecuję.

— Ależ proszę słodziutka, ja spadam na komis. Człowiek uczy się całe życie, może mnie to nagranie zainspiruje — spuentował niby żartobliwie, puścił mi oczko i odszedł w kierunku katedry.

Wróciłam do towarzyszy, którzy ku mojej wielkiej radości nadal tkwili w miejscu, w którym ich zostawiłam. Na dodatek wciąż w swoich zwykłych ubraniach. Niesamowita sprawa.

Pokrótce przedstawiłam fakty i opisałam Antoniemu złodziei z nagrania. Rysopis nie bardzo pasował do wizji doktora, nie potrafił się zatem określić w tej kwestii. Stwierdził, że nie powinien wyrokować, dopóki nie zobaczy tych twarzy, i że po prawdzie, nawet gdyby mógł na żywo dokonać porównania, to byłoby mu ciężko, bo porwanie przebiegało w pośpiechu i w ferworze emocji. Dodał też, że poza tym jest stary i miewa problemy z pamięcią.

Taka ciekawostka, proszę państwa.

Otrzymałam zdjęcie relikwiarza. To nie był nasz *Pacificus*. Powiedziałam nasz? Miałam na myśli Maksa. W każdym razie skradziony relikwiarz nijak nie pasował do relikwiarza z opisu profesora. Na zdjęciu, które dostałam, zobaczyliśmy skrzynkę na relikwie w kształcie krzyża zdobioną kamieniami. Myślę, że wszyscy odetchnęliśmy z ulgą. Jeszcze nie wszystko stracone, nadal byliśmy w grze.

Przez dłuższą chwilę nikt nie podejmował rozmowy. Rozdrażniłam się, bo w końcu spieszyło się nam i to jak cholera. Właściwie paliło się nam pod nogami.

— Działamy? — przełamałam pytaniem ciszę.

— Nic z tego nie rozumiem — odezwał się Jacob. — Dlaczego ukradli nie ten relikwiarz?

— Przypuszczam, że Jan chciał ich zwieść — domniemał Antoni.

Maks włączył się do rozważań.

— Trop z kościoła Mariackiego doprowadził nas tutaj i akurat stąd zaginął relikwiarz. Nie wierzę w takie zbiegi okoliczności.

— Czyli zakładasz, że Janek już odwiedził kościoły?

— No tak, tak sądzę. W końcu coś go tutaj doprowadziło.

— Nas też, a nie byliśmy jeszcze w kościołach — zauważyła Julka, Maks zaś przyznał jej rację.

— W takim wypadku nie pozostaje nam nic innego, jak sprawdzić te kościoły i zgłosić się na policję. Czas najwyższy. Skoro wujek przyczynił się do kradzieży nie tego co trzeba, to pewnie ma z tego powodu jeszcze większe problemy.

— Chwileczkę — wtrącił Jacob. — Skoro dotarli do celu, ukradli nie ten relikwiarz, ale Jan prawdopodobnie wie, że ten prawidłowy jest gdzieś na zamku, to możemy spodziewać się, że będą się tu kręcić, dopóki go nie dostaną.

— Racja, Jacob. Masz sto procent racji. W takim wypadku, zamiast marnować czas na kościoły, powinniśmy się skupić na obserwacji wzgórza i jak najszybciej zgłosić policji, żeby zrobili to samo.

W mojej głowie zaczęło się kotłować. Ta rozmowa zdecydowanie nie szła po mojej myśli.

— Czyli chcecie zrezygnować z kościołów? — nagabnęłam.

— Tak — odpowiedzieli jednocześnie.

Nadszedł najwyższy czas, bym uświadomiła moją ferajnę, że akurat ta kradzież jest przypuszczalnie zwyczajnym zbiegiem okoliczności. Tym bardziej, że fakt kradzieży relikwiarza, innego niż ten, którego szukaliśmy, na dodatek zupełnie nieodpowiadającego opisowi, a także moja dotychczasowa wiedza o różnych metodach kradzieży z kościołów pod wezwaniem świętych, potwierdzały moją teorię, że dokonują ich niepowiązani ze sobą złodzieje. Przemawiał za tym również fakt, że domniemany Apoloniusz, który uprowadził Wojnickiego kazał mu przeszukać kościoły. To oznacza, że nie wiedział, iż zostały one obrabowane w zeszłym tygodniu. Trwając przy swoim zdaniu, jak powyżej, nie mogłam zgodzić się na pomysł porzucenia odwiedzenia kościołów. Jeśli miałam rację, trwalibyśmy bezczynnie na wzgórzu, podczas gdy kolejni przestępcy nadal szukaliby relikwiarza. Naprawdę wciąż miałam nadzieję, że nie przetrzepali jeszcze kościołów i że gdzieś na nich trafię. Nasunęła mi się jeszcze taka myśl, że gdyby Jan czy ktokolwiek inny wypytywał w kościołach o relikwiarze, to zapewne osoby odpowiedzialne za kościół zgłosiłyby ten fakt policji, a Pablo nic o tym nie wspominał.

— Słuchajcie, muszę was uświadomić — zaczęłam spokojnie. — W zeszłym tygodniu z krakowskich kościołów skradziono zupełnie różne, niepowiązane ze sobą relikwiarze. O sprawie jest dosyć głośno, policja szuka sprawców. Okradzione zostały dokładnie trzy kościoły pod wezwaniem świętych z waszego relikwiarza, oprócz kościoła sióstr klarysek. Pewnie dlatego, że tam nie można się tak łatwo dostać.

Maks zaczął pofukiwać pod nosem i przewidywałam, że zaraz mi nawrzuca.

— A ja myślałem, że interesuje cię wyjaśnienie okoliczności śmierci Franciszka…

— Bo interesuje — odszczeknęłam.

— Jak mogłaś nam o tym nie powiedzieć? — zapytał gniewnie, z pretensją w głosie.

— A co by to zmieniło?

— Wszystko!

Wyprostowałam się, łyknęłam trochę powietrza i powiedziałam zdecydowanie:

— Uważam obserwację wzgórza za bezsensowną. Podejrzewam, że ktoś, prawdopodobnie jakiś kolekcjoner, dowiedział się o relikwiarzu i puścił famę w środowisku złodziei. Świadczy o tym chociażby fakt kradzieży czterech zupełnie różnych relikwiarzy. To oznacza, że złodzieje nie wiedzą, jak ten prawidłowy relikwiarz wygląda. A Apoloniusz przecież wie.

Trochę skłamałam. Ale tylko trochę. Była to bowiem jedna z moich dwóch hipotez, których trzymałam się od początku. Przypomnę, że druga była taka, iż nie żaden kolekcjoner, a któryś z szanownych doktorków wygadał się komuś, komu nie powinien i teraz poszukiwacze skarbów szturmują kościoły.

— Dlatego też — podjął Maks — ktoś mógł dotrzeć do mojego wujka i ściągnąć go tutaj, aby zwiększyć swoje szanse na odnalezienie relikwiarza, a w związku z tym i zabytków wartych grubą kasę.

— Istnieje taka możliwość — przytaknęłam.

— Do jasnej cholery! Dlaczego nie powiedziałaś wcześniej! — Maks wlepił we mnie rozjątrzony wzrok.

— Bo niczego by to nie zmieniło, a mogłoby wam niepotrzebnie namieszać.

— Zocha! Przecież ktoś próbował nas sprzątnąć!

— Wiem.

— A my zamiast działać, stoimy bezczynnie i się kłócimy — zaświergotała Julka.

— Czyli nie tak całkiem bezczynnie — ironizowałam.

— Słuchajcie, skoro ten relikwiarz nie był tym, którego szukamy, istnieje duże prawdopodobieństwo, że to nie porywacze wujka, znaczy się Jana, go ukradli. Sądzę, że dokonali tego złodzieje niemający z nimi nic wspólnego. A to oznacza, że nie wszystko stracone. Może profesor nie sprawdził jeszcze kościołów. Albo może wcale nie ma zamiaru tego robić — dodałam pod nosem.

— Jakimś cudem tu trafili! — uniósł się Maks. — Rozszyfrowali zagadkę.

— Niekoniecznie. Skradziono kilka odmiennych relikwiarzy. Możliwe, że to zwyczajny zbieg okoliczności. Według mnie kradną wszystko, co pasuje do symboliki waszego pacyfikału, albo ktoś zwyczajnie powiedział im, skąd kraść.

Blondas zaczął wyrzucać z siebie inwektywy. Julka aż się skuliła.

— Spokojnie — zadźwięczała cichutko. — Nasza dedukcja jest na odpowiednim poziomie, skoro dotarliśmy aż tutaj — wtrąciła znowu.

Maks był jednak przeciwnego zdania.

— To nie kwestia poziomu naszej dedukcji, a pomocy ze strony doktora — fuknął.

Trochę mnie zabolało. W końcu ja to wszystko zaczęłam, ja ocaliłam Maksa, rozszyfrowałam rymowankę z rewersu, ja ryzykowałam w kościele Mariackim i to ja zdobyłam informacje od policjantów. Oczywiście nie pierwszy i nie ostatni raz w życiu poczułam się niedoceniona, ale miałam tego serdecznie dość. Nie uważałam

Maksa za jakikolwiek autorytet, jednak liczyłam na kilka słów pochwały i wsparcia. Tak po ludzku pragnęłam, żeby ktoś w końcu docenił moje starania. Niestety, jak to zazwyczaj bywa w kontaktach z takimi przystojniakami, przeliczyłam się. I to mocno.

Jacob postanowił ratować sytuację.

— Nie mamy czasu na sprzeczki, proponuję usiąść w ustronnym miejscu i jak najprędzej ustalić plan działania.

Nie drgnęliśmy, ponowił więc propozycję.

— Stoimy tu tak długo, że policjanci zza taśmy w końcu nas zamkną.

Zuchwale zagłębiałam się we wściekłych oczach Maksa, aż wydawało mi się, że słyszę jego myśli. Telepatia podpowiadała mi, że ocenia moje poczucie misji jako nad wyraz wyolbrzymione. A mnie samą widzi jako naburmuszoną dziewczynkę, która nie radzi sobie na wuefie ani nie odnajduje się pomiędzy koleżankami bawiącymi się lalkami Barbie, próbuje więc za wszelką cenę udowodnić ekipie spod trzepaka, że jest coś, w czym może być naprawdę dobra.

Konfrontacja

Usiedliśmy w ogródku najbliższej knajpki.

— Jakie kościoły mamy do sprawdzenia? — zaczął Jacob. — Zosia, pokaż, proszę, kartkę profesora. — Podałam mu papierek i odczytał: — Marek, Jan, Andrzej, Barbara.

— Zocha, masz okazję się wykazać — rzucił do mnie Maks. — Wiesz, gdzie są te kościoły?

To nie było miłe. Atakował mnie skurczybyk, bo był wściekły, że nie powiedziałam mu o kradzieżach. Faktycznie, znałam Kraków od podszewki, tylko co z tego, skoro byłam w paskudnej formie i sytuacja stała się dla mnie niezręczna. Nie chciałam zepsuć śledztwa zwykłą gafą, to zasugerowałam żebyśmy sprawdzili w Internecie. Wyciągnęłam z plecaka telefon i wstukałam w wujaszka Google nazwę pierwszego kościoła.

— Lepiej i szybciej będzie, jeśli każdy poszuka kogoś innego — zaproponowała Julka. — Ja w takim razie w telefonie Jacoba poszukam Barbary i Andrzeja, a ty szukaj Marka i Jana.

Coś pięknego. Julka pozytywnie mnie zaskoczyła. Pierwszy raz, od kiedy ją poznałam, wyszła z sensowną inicjatywą. Czyżby uczyła się od najlepszych?

Przytaknęłam i kontynuowałam szukanie informacji o kościele świętego Marka. Maks przysunął się do mnie, objął ręką oparcie krzesła i zerkał na telefon z ukosa. Znów uchwyciłam ten cudowny nektar muchołówki. Antoni stał nad nami i zaglądał mi przez prawe ramię. Jak ja nie znoszę, gdy ktoś tak mnie kontroluje, zgroza. Po przeciwnej stronie stolika Julka szukała dalej, a Jacob udawał, że patrzy na ekran, a nie na jej twarz. Zaintrygowało mnie to. Czyżby Julia znalazła swojego Romea?

— No i co tam masz, Julka? — zagadałam po kilku minutach. — Tak w wielkim skrócie, gdzie są te kościoły.

Maks zabrał mi telefon i zbliżył go do twarzy, jakby był krótkowidzem.

— Kościół świętej Barbary znajduje się przy kościele Mariackim — wyczytała. — Został wzniesiony na przełomie XIV i XV wieku. Natomiast kościół świętego Andrzeja jest przy Grodzkiej, powstał w XI wieku. Zatem kościoły istniały już w czasach Bractwa Malborskiego i jest pewne prawdopodobieństwo, że mogą mieć związek z relikwiarzem.

— Świetnie, bo kościoły świętego Marka i świętego Jana pochodzą z XIII i XII wieku. Pierwszy mieści się na rogu ulic Sławkowskiej i Marka, a kościół świętego Jana Chrzciciela i świętego Jana Ewangelisty to kościół sióstr prezentek przy ulicy, a jakże, świętego Jana.

Maks podniósł wzrok znad smartfonu.

— Poczytajmy jeszcze przez chwilę, aby zapamiętać jak najwięcej informacji. Może dzięki temu cokolwiek nam zaświta.

Jacob poderwał się z krzesełka.

— Racja, co tam masz — zaciekawił się.

Zwolniłam mu miejsce, zajęłam krzesło obok Julki i tak samo jak wcześniej on udawałam zainteresowanie treścią jej telefonu. W istocie gotowałam się w środku. Dlaczego oni znowu spowalniali działania? Dlaczego nie podnosili czterech liter i nie ruszali? Przecież do cholery mogli w każdej chwili zerknąć do wujaszka. I czy ja nieustannie muszę denerwować się cudzą głupotą? No nie muszę. Dlatego wolałam się już nie odzywać. Nie chciałam prowokować kolejnej kłótni, choć uważałam, że tak w zasadzie to oni znowu próbowali mnie sprowokować. Powtarzam — znowu!

— A co, jeśli znajdziemy te zabytkowe rzeczy? — zapytałam znienacka. Naprawdę nie wiem, dlaczego moje usta wypapłały tę myśl. Nie mogła zaplątać się gdzieś pomiędzy „Maksiu, jesteś przystojny i chciałabym cię jeszcze zobaczyć" a „Lepiej nie zawracać sobie tobą głowy"?

— Jak to co? Zgłosimy to i oddamy je do muzeów — stwierdził z oczywistością Maks.

Nie to miałam na myśli, rany. Choć w sumie nawet dobrze, że tak to zinterpretował, pomyślałam z ulgą. Lepiej tak, niż żeby zorientował się, że jego afrodyzjak znów mnie omamił.

— Zośka, błagam cię, nie załamuj mnie! — dorzucił.

Że co? Zgłupiałam. Zrozumiał, czy jak?

— O co ci chodzi?

— Liczyłaś, że zarobisz?

„O matko kochana! Że co?! Nie, nie zrozumiał! Niczego nie zrozumiał! Co za palant!", krzyczałam w myślach. Nawet nie zdążyłam podjąć rękawicy, a znów mnie zaatakował.

— Nie dość ci, że masz chorą ambicję? Jestem pewien, że marzysz, by ogłosić światu, jaką jesteś wybitną policjantką.

Poczułam uderzenie gorąca. Na usta cisnęło mi się mnóstwo niecenzuralnych i ostrych słów, a w głowie brzęczało mi pytanie: „Co ja mu do cholery zrobiłam?".

— Nie obrażaj mnie! Nie jestem interesowna ani zachłanna — wycedziłam przez zaciśnięte zęby.

Maks nachylił się w moją stronę i ewidentnie próbował wyprowadzić mnie z równowagi.

— Skoro już mowa o tych niepochlebnych cechach, zapomniałem pogratulować ci pięknego mieszkania. Zapewne dorobiłaś się na nie i na ten nietuzinkowy wystrój z pensji krawężnika.

— Co ty insynuujesz? — ryknęłam pełną piersią. — Sugerujesz, że biorę łapówki?

— Nie sugeruję, a dopytuję — bronił się. — Tworzysz wokół siebie aurę nieskazitelności. Uważasz się za lepszą, bezbłędną, oceniasz innych z góry. Może robisz to, by odciągnąć od siebie uwagę? Może tylko udajesz przed nami taką szlachetną i prawą?

Tym razem nie zirytował i nie podburzył mnie jak zazwyczaj. Tym razem dostałam białej gorączki. Z nerwów aż nie potrafiłam usiedzieć. Wstałam i zaczęłam wymachiwać rękoma.

— A może ty nie udajesz idioty, a jesteś idiotą? — zagrzmiałam rozpalona do czerwoności.

On zdawał się nie przejmować moim uniesieniem. Rozparł się na krzesełku, podparł głowę jak zirytowany ojciec i zwężonymi oczami przyglądał mi się spod byka.

— Nie bądź infantylna.

— Ja?! To ty jesteś niedojrzałym, bezkrytycznym wobec siebie, grubiańskim dupkiem!

— Dość tego — przerwał mi Antoni. — Uspokójcie się. Ściągacie na nas wzrok klientów i obsługi. A swoją drogą od początku wyczułem pomiędzy wami napięcie. I wybaczcie mi te słowa, według mnie albo się pozabijacie, albo wylądujecie w łóżku. Znam się na ludziach i wiem, że nie warto się kłócić. Dotrzecie się, dajcie sobie czas. Schowajcie dumę do kieszeni i ruszajmy dalej, bo w ten sposób do niczego nie dojdziemy. Janek i Kazek potrzebują naszej pomocy!

Zapadła cisza.

Antoni omiatał nas wzrokiem, Maks nieustannie wwiercał się we mnie rozpalonym spojrzeniem, a ja z zaciśniętymi zębami raczyłam go spojrzeniem pełnym gotowości bojowej. Julka i Jacob zainteresowali się odrapanym brzegiem stołu, z którego próbowali wydłubać resztkę zaschniętej gumy do żucia. Wszyscy wstrzymali oddech i każdy tylko czekał na kolejny wybuch emocji. Doktor wyraźnie nie mógł tego znieść.

— Dajcie spokój — napomniał nas rozzłoszczonym tonem.

Julka łypała na niego ukradkiem, jakby wstydziła się odezwać.

— Zatem od czego zaczynamy? — zapytała nieśmiało.

Jacob asekuracyjnie podjął się odpowiedzi.

— Warto się rozdzielić.

— Dokładnie — skwitował Maks, nie ściągając ze mnie złowrogiego spojrzenia.

— Więc kto idzie z kim? — dopytała Julka.

Maks wstał, oddał mi telefon i zarządził, wskazując palcem:

— Dzielimy się na dwie grupy i spotykamy się o dwudziestej pod kościołem Mariackim. Ty, Zocha, idziesz ze mną, a Jacob z Julką i Antonim.

Też mi frajda.

Parsknęłam śmiechem.

— Jasne, już pędzę — burknęłam lekceważąco, unosząc brwi. — I nie jesteśmy w wojsku, żebyś mógł rzucać rozkazami. Pójdę, z kim zechcę.

Maks prychnął i wywrócił oczyma.

— Nie bądź śmieszna — zaczął z politowaniem w głosie. — Na pewno nikt nie chce pójść z tobą. Idziemy razem do kościoła świętej Barbary i świętego Marka. A wy pamiętajcie — zwrócił się do Julki i Jacoba — do świętego

Andrzeja nie wejdziecie, musicie jakoś zagaić Klaryski. A ty rób, jak uważasz — dorzucił mi na odchodne.

Ośmieszył mnie. Frajer! Dlaczego nikt nie stanął w mojej obronie? Nikt nie podważył jego słów, nikt nie zaprotestował? Wywnioskowałam, że w całej tej grupie nie mam żadnego poparcia. Czyli nikt mnie nie lubi. Coś we mnie pękło. Zrobiło mi się najzwyczajniej w świecie przykro i uznałam, że nadszedł czas, aby spojrzeć na siebie cudzymi oczyma. Maks jako samiec alfa niewątpliwie poczuwał się do obowiązku ściągnięcia z barków towarzystwa ciężaru mojej perfekcji. Pewnie po tych kilkunastu spędzonych wspólnie godzinach potrafił wyobrazić sobie kolejne. Wiedział, że unikałam delikatnej Julki, pogardliwie spoglądałam na Jacoba, a Antoniemu nie ufałam. Odgrzałam w pamięci pewien zeszłoroczny dyżur. Była ciepła noc, siedziałam w dyżurce i pstrykałam pilotem po kanałach telewizyjnych w poszukiwaniu programu informacyjnego. Trafiłam na film pod tytułem *Jak stracić przyjaciół i zrazić do siebie ludzi*. Nie mam pojęcia o czym jest, bo nie odczuwałam potrzeby, żeby go obejrzeć, skoro znam odpowiedź. Wystarczy powiedzieć innym, co się o nich myśli. Żadna filozofia. Szybko wyciągnęłam wniosek — jestem jędzą.

Czułam jednocześnie uderzenia gorąca i zimny pot na plecach. Faktycznie Maks jako jedyny potrafił jednocześnie mnie rozjuszyć, jak i ostudzić mój wybuchowy charakter. I na pewno zdążył to zauważyć. Nie zauważył natomiast, że brakuje mu taktu, a w całym tym poskramianiu mojej cierpkości jest nad wyraz cyniczny i złośliwy. Kilkoma słowami położył mnie na łopatki. Bo choć z pozoru jestem silna i potrafię być oschła, wcale nie przychodzi mi to łatwo. Jak każdy potrzebuję czasem aprobaty, wsparcia, pochwały. Chcę mieć przyjaciół, chcę być lubiana i szanowana. A teraz znów trafiłam na ludzi, z którymi nie potrafię się dogadać. I znów pojawił się mężczyzna, który wpadł mi w oko i zdawkowymi uśmieszkami wodzi mnie na pokuszenie. Przyszło mi na myśl, że ta muchołówka w zasadzie jest jak ten kaktus, co niedawno zakwitł na moim parapecie: jest intrygujący, bo niedostępny, ładny, lecz kłujący.

Zatem patrzyłam na niego ze smutkiem w sercu, ale bez żadnego wyrazu, myśląc, jak ja ten kaktus przesadzę, kiedy podrośnie.

— Więcej klasy, Maks. I chodźmy, bo czas nagli — wyrwał się Jacob.

I tak Jacob i Antoni ruszyli za swoją przewodniczką z GPS-em w ręku, zostawiając mnie samą z tą niebezpieczną rośliną.

— Nie wiem jak ty, ja ruszam — zawiadomił mnie i faktycznie ruszył.

POLOWANIE

Poszłam za nim bez słowa.

Po chwili dostałam wiadomość od Pabla. W końcu, bo mocno się niecierpliwiłam. A w zasadzie, denerwowałam się, że trzyma mnie na dystans. Nie przekazywał mi żadnych informacji o śledztwie. Rozumiałam, że nie ma sensu rozmieniać się na drobne i że Pablo jak każdy normalny człowiek pracuje po osiem godzin dziennie, a później żyje swoim życiem. To że ja od dwóch dni działałam bez przerwy, nie upoważniało mnie do oczekiwania od niego tego samego. Z drugiej zaś strony miałam świadomość, jak takie działania wyglądają od środka, i miałam prawo przypuszczać, że Pablo celowo dozuje mi informacje. Przez głowę przemknęła mi złośliwa myśl, czy nie lepiej by było, gdybym ja też drobnym sitem odsiewała informacje. „Dyscyplina, szacunek i zaufanie", tłukło się gdzieś w czeluściach mojej pamięci nieopodal wspomnień ze szkoły policyjnej.

„Zocha! Gdzie jesteś? Co tu się, kurwa, dzieje?! Właśnie wyszedłem od komendanta. Zaraz do ciebie zadzwoni. Jest wściekły, zieje ogniem. Dostaniesz rozkaz zgłoszenia się na komis razem z resztą. Masz zakaz działania! Za chwilę narada, nie mogę przekazać ci szczegółów. Między nami — monitoring na Kazimierzu nie zarejestrował zdarzenia, które opisałaś. Radzę ci pokajać się przed Hardym".

Jak to nie zarejestrował? Niedobrze! Tragicznie do cholery! Antoni kłamie, a ja zostawiłam go samego z Julką i Jacobem. Pora wziąć się w garść. Koniec użalania się nad sobą. Szkoda czasu.

Przez chwilę zawiesiłam się nad treścią kolejnej wiadomości do Pabla. Czułam, że dostanę zjebkę, odsuną mnie od tej sprawy, cholera wie, co jeszcze, a i tak jej nie rozwiążą. Dlaczego? Dlatego, że ja nie miałam prawa mieć z nią nic wspólnego, dlatego, że nie mieli zaufania do moich towarzyszy i dlatego, że czasu było coraz mniej. A ja naprawdę czułam, że jestem o malusieńki kroczek od prawdy. Przy czym nie wiem, z czego zrodziła się we mnie potrzeba, aby brnąć w to dalej. Nie wiem, skąd wzięła się we mnie niesubordynacja wobec przełożonych, kiedy ja zawsze jestem posłuszna jak tresowany pies. Zdecydowałam, że pozostanę taka, jak mnie uczyli i z prędkością światła wystukałam SMS wyrażający wszystko, co chciałabym im powiedzieć. „Chętnie napisałabym: całujcie mnie w dupę, ale nie jestem wulgarna. Zgłoszę się najszybciej, jak będę mogła". Nie skłamałam. Wyraziłam się ociupinkę dwuznacznie, choć szczerze. Zamierzałam zgłosić się na komis, tyle że po wyjaśnieniu sprawy. A kto tam będzie wiedział, czy faktycznie nie zamierzałam tego zrobić, a przeszkodziły mi w tym przypadki i zbiegi okoliczności? A w ogóle, nie dość, że nie chciałam, to faktycznie nie mogłam rozmawiać, bo już samo pisanie SMS-a nie było łatwe. Musiałam jednocześnie patrzeć w telefon i gonić Maksa, który pędził równym krokiem i z zaciekawieniem rozglądał się dookoła. Wyglądał jak turysta podniecony urokiem Krakowa. Chwilami dosłownie nie potrafiłam dotrzymać mu kroku. Wyłączyłam telefon i dogoniłam go.

— Widziałaś te meleksy? — zagadał. — Wytłumacz mi, dlaczego włodarze takiej perełki turystycznej, jaką niewątpliwie jest Kraków, godzą się na działalność tak wstrętnych pojazdów? Powinni wziąć przykład z Gdańska. U nas są takie stylizowane, konkretne. Na pewno też bardziej kuszą klientów niż to paskudztwo, którego wszędzie tu pełno. Jak tych gołębi, które dorzucają coś od siebie do zabytków. To takie małe studenckie piekiełko.

Piekiełko? Piekiełko to on mi serwuje! Moja głowa była zajęta łączeniem faktów i ich konfrontacją ze słowami Antoniego. Absolutnie nie miałam ochoty na tak durne, zastępcze tematy. Miałam ochotę go zbyć, tylko jak to zrobić, jednocześnie ważąc słowa? Domyślałam się, że Maks jest do mnie uprzedzony i jeśli będzie chciał, nawet najmilsze słowa obróci przeciwko mnie. Ale czy warto mi się roztkliwiać nad każdym słowem w obawie o błędną interpretację? Bez przesady! A w ogóle byłam na niego wściekła i nie miałam ochoty patrzeć mu w oczy. Zresztą, byłoby to niewykonalne, bo nawet nie zwolnił, abym mogła dotrzymać mu kroku. Może wcale nie oczekiwał odpowiedzi?

— Jeśli coś mnie razi, to pretensje przyjezdnych — odpowiedziałam najspokojniej, jak umiałam. — Kraków jest nietuzinkowy i by go zrozumieć, samemu takim trzeba być. To jedno z tych miast, które albo się kocha, albo nienawidzi.

Maks zwolnił i podszedł do mnie. Spoglądał na mnie, a ja niewzruszenie nie odrywałam wzroku od chodnika.

— Gdy przemierzam co rano krakowskie uliczki spowite oparami końskiego łajna, nie skupiam się na tym, że czuję smród, a na tym, że to piękne, że mamy tu konie. I wolę ten zapach niż ten unoszący się z budek z kebabem, który nijak tu nie pasuje. A kiedy coraz próbują rozjechać mnie meleksy, to wkurzam się niemiłosiernie i zaraz śmieję sama do siebie. Bo to jednocześnie żałosne i zabawne, że ludzie są tak leniwi. Poza tym co mi tam meleksy, skoro za chwilę ujrzę Wawel. I moje ulubione Planty, które za dnia służą strudzonym studentom, turystom i zakochanym, a pod osłoną nocy tak życzliwie przyjmują bezdomnych. Kraków jest miastem, które bije cię po głowie, by zaraz wynagrodzić ten cios ciepłym uściskiem. Ma swój urok i specyficzny mikroklimat. Owszem, nie jest idealnie. Wielu mieszkańców narzeka na politykę, wytyka oszustwa i błędne decyzje. Ale nie są bierni, jednoczą się, działają dla wspólnego dobra. Tworzą równowagę. Zresztą, w naszym kraju nie ma miast idealnych. Żyjemy trochę jak w westernie, jest miejsce dla tego złego i tego dobrego. Rozumiesz? Zawsze znajdzie się taki, co wyrzuci papier na trawnik i taki, który ten papier podniesie. Ja należę do tych drugich i na co dzień walczę o to miasto, bo to jest moje miejsce. Tutaj odnalazłam siebie.

Zdaje się, że Maks liczył na kolejną sprzeczkę, bo zamilkł i dziwnie mi się przyglądał.

— Czyli nie jechałaś nigdy meleksem? — zapytał całkiem zwyczajnie i zatrzymał się na środku chodnika.

— Nie — odpowiedziałam bez emocji, a on chwycił mnie za rękę i pociągnął za sobą.

— Niech pan zaczeka, jedziemy z wami! — krzyknął do zaskoczonego kierowcy meleksa, po czym wepchnął mnie na fotelik tuż za stukilową Angielką.

— Dawaj pan, ile wlezie! Do kościoła świętej Barbary!

Zaskoczony kierowca odwrócił się i przecząco kręcąc głową, tłumaczył:

— Jadę z wycieczką, mam zaplanowaną trasę.

— Z wycieczką? — zadrwił Maks. — Przecież tutaj poza szanowną panią i nami nikogo więcej nie ma.

Kierowca skwasił się.

— Ta pani jest jak cała grupa — wyjaśnił.

Parsknęliśmy śmiechem. Doprawdy, ta Angielka ważyła tyle, co kilkoro Japończyków. Kierowca zmieszał się, zaczerwienił i zaraz poprawił: — W sensie, że płaci jak za grupę.

Maks jednak nie odpuszczał.

— Nie jedzie pan tamtędy?

— Jadę, ale nie na pełnym gazie… nie dałbym rady — zażartował.

— No i dobrze, będzie więcej czasu na rozmowy.

Kierowca skinął głową, ruszył i kontynuował swoją opowieść o niezwykłości krakowskich zabytków.

Maks odwrócił się w moją stronę i jak gdyby nigdy nic, jak gdyby kilka minut wcześniej nie posądził mnie o nieuczciwość i szachrajstwo zagadał:

— Skoro już mowa o kościołach, dlaczego tak oschle przyjęłaś Jacoba? Jest niezwykłym człowiekiem. Niektórzy ludzie przez całe swoje życie nie zrobią tyle dla innych, co on przez kilka lat swojej dotychczasowej posługi. Ma w sobie morze empatii, ogromny dar jednania sobie ludzi.

— Zauważyłam. To jego morze ma intensywne przypływy w stronę Julki.

— Nie gadaj bzdur, doszukujesz się czegoś, czego nie ma. To zboczenie zawodowe.

— Pewnie coś w tym jest, co nie zmienia faktu, że Jacob strzela do Julki maślaki.

Maks zastanowił się chwilę i kiedy jego mózg przemielił moje słowa i zderzył je z rzeczywistością zapytał:

— A nawet jeśli dzieje się między nimi coś niezwykłego, to co z tego?

Co z tego? A mnie się wydawało, czy Jacob jest księdzem?

— Właśnie to, że nie powinno — oznajmiłam stanowczo. — Obowiązuje go celibat! A później duchowieństwo dziwi się, że społeczeństwo odwraca się od Kościoła. Kler jest okropnie zakłamany, oderwany od rzeczywistości. Nie tak dawno sama się o tym przekonałam. Przyjaciółka poprosiła mnie, abym została matką chrzestną jej synka. Potrzebowałam w tym celu zaświadczenia od księdza z parafii, do której należę. Zanim ksiądz wydał mi ten świstek, przeprowadził ze mną obszerny wywiad i kiedy dowiedział się, że jestem panną, to kazał mi się najpierw wyspowiadać. Rozumiesz do cholery? Facet w sukience wyszedł z założenia, że w dzisiejszych czasach nie ma samotnych kobiet przed trzydziestką, które cytuję „prowadzą stosowny tryb życia". Czyli pewnie stwierdził, że sypiam z kim popadnie, zamiast jak porządna kobieta znaleźć męża.

— A nie miał racji? — usłyszałam.

Szczyt szczytów tupetu i chamstwa został właśnie osiągnięty.

— Nie, nie miał! — warknęłam. — Nie rób z siebie totalnego dupka! I nie obrażaj mnie, jestem porządną kobietą! To, że ty sypiasz z kim popadnie...

— Hola, hola, koleżanko — przerwał mi. — Nie oceniaj mnie, ja tylko grzecznie zapytałem.

— Właśnie, że niegrzecznie! — znów podniosłam głos. — Z góry założyłeś, że jestem puszczalska! Oceniłeś mnie! Jesteś bezczelny!

— Nie oceniłem, zapytałem...

— Taaa, jasne.

Miałam go dość. Odwróciłam głowę, a on delikatnie złapał mnie za szyję.

— Przepraszam, nie chciałem, żeby tak wyszło. Liczyłem na inteligentną wymianę pretensjonalnych spojrzeń — wyszeptał uwodzicielskim tonem. — A powiedz mi... wierzysz w Boga?

— Co do cholery?

— Czy wierzysz w Boga?

Serio? Serio mnie o to zapytał?

— Nie wiem. Czasem chodzę do kościoła, bo chciałabym wierzyć. Sądzę, że wówczas byłoby mi łatwiej.

— Łatwiej?

— Zrozumieć ten brudny, obrzydliwy świat. Zapewne wierząc, że czeka mnie po życiu coś lepszego, nie brałabym wszystkiego do siebie.

— Zwróć się do Jacoba, pomoże ci — rzucił radośnie, po czym wychylił się na przednie siedzenie w meleksie.

— Panie kierowco, tutaj wysiądziemy — zawołał.

— Do kościoła świętej Barbary jeszcze kawałek — odkrzyknął.

— OK, dzięki, wysiadamy — postanowił, po czym zapłacił i zapatrzony daleko przed siebie chwycił mnie pod rękę i pociągnął za sobą, dorzucając z uśmieszkiem:

— Zapraszam na ciasteczko z twoją ulubioną masą. No albo piwko. Ja mam ochotę na jedno i drugie.

Jakie, do cholery, ciasteczko? To się robi tragikomedia. Czas leci, a ja tu jestem na akcji, nie na wakacjach! Szarpnęłam go za rękę, próbując zatrzymać.

— Nie mamy czasu na ciasteczka — warknęłam.

— A nie gadaj, pozwolę ci wybrać masę, może być nawet budyniowo-maślana. I do tego piwko, lubisz jasne czy ciemne? — szydził, prowadząc mnie obok siebie zdecydowanym, wręcz defiladowym krokiem.

Próbowałam się wyswobodzić, ale mocno trzymał mnie pod rękę.

— Nie teraz, do cholery. Maks! — upominałam go, ale wcale nie zamierzał odpuścić. Wskazał na niewielką knajpkę z romantycznym ogródkiem. Dodam, że naprawdę ślicznym ogródkiem. Na myśl o piwie i cukrze zrobiło mi się niebezpiecznie błogo. Czułam się słaba, było mi duszno, przez głowę nieustannie przebiegało mi stado słoni, skutecznie rozpraszając myśli o relikwiarzu i Antonim. Nogi uginały się pode mną, a oczy szczypały od światła. Czyżby mucholówka wychwyciła moje sko-łowanie i postanowiła znowu mnie zjeść? Tylko w jakim celu? Aby nasycić swoje ego? Raczej nie, bo dopiero co to zrobił.

Nieubłaganie zbliżaliśmy się do tej ślicznej knajpki, a ja byłam coraz bardziej uległa.

— Naprawdę nie mamy czasu, twój wuj potrzebuje pomocy! — zawyłam rozpaczliwie.

— Bez cukru i piwa ciężko mi będzie działać. Usiądź-my na dziesięć minut. Proszę.

Mój stan psychofizyczny był idealny do manipula-cji. Rzuciłam okiem na dwoje młodych, ładnych ludzi wylegujących się w tym pięknym ogródeczku i ukuła mnie zazdrość. Też chciałabym być znowu taka mło-da, ładna i zakochana z wzajemnością. Stało się. Nim się zorientowałam Maks zniknął we wnętrzu knajpki. Tłumaczyłam sobie naiwnie, że to będzie dobry mo-ment na zebranie myśli. A przecież zbierałam je już od kilku godzin.

Zajęłam najustronniejsze miejsce w ogródku.

— Dlaczego nie weszłaś ze mną? — usłyszałam po chwili. — Zamówiłem dla ciebie ciasteczko z masą bu-dyniową i jasne piwo, a dla siebie bezę z owocami i kufel ciemnego piwa. Mogę się zamienić.

— Nie, wszystko mi jedno — odpowiedziałam.

Dziwne, mnie nigdy nie było wszystko jedno.

— Ładnie tu, a ty wybrałaś fajne miejsce.

Jak miło, że chociaż raz mnie pochwalił.

Faktycznie miejsce było fajne, ustronne, a zarazem stanowiło świetny punkt obserwacyjny rynku, co dla mojego wścibskiego nosa było idealnym dopełnieniem. Siedzieliśmy między kolorową fasadą kamienicy, a drewnianym płotkiem okalającym ogródek piwny. Ja wyłożyłam się na miękkich poduchach i schowałam za wysokie doniczki gęsto obsadzone białymi kwiatami. Coś mi się zdaje, że to miejsce było też bardzo romantyczne, ale nie mam doświadczenia, to trudno mi było ocenić.

Kelnerka przyniosła zamówienie, spróbowałam i jakoś tak mimowolnie wpatrzyłam się w Maksa. Zastanawiałam się, po co mnie tutaj przyciągnął. Mówił, że jest spragniony i głodny, ale przecież nie siedziałby tu ze mną, gdyby mnie nie znosił. Miałam nadzieję, że w końcu jest mu zwyczajnie głupio za tych kilka nieprzyjemnych słów rzuconych w moją stronę, a ten podwieczorek jest rekompensatą. Trochę mnie to uspokoiło. Po dwóch intensywnych dniach przygód i nieustannej walki ze wszystkimi dookoła, chwilowo było mi już obojętne, w którą stronę to wszystko dalej się potoczy. Maks okazał się, mówiąc delikatnie, złożoną osobowością. Reszta towarzystwa mnie nie lubiła, a Pablo i moi szefowie potraktowali jak dziecko. I myślę, że dzięki temu, że te wszystkie sprawy tak się nawarstwiły i że niedoceniona zobojętniałam, to w końcu poczułam się po prostu sobą. Kobiety tak mają, że są prawdziwe, gdy im nie zależy. Nie mają wówczas potrzeby zakładania masek.

Maks dorwał się do bezy jak dziecko do mleka, a ja nie potrafiłam oderwać od niego wzroku. Zatopiłam się w jego twarzy, w poszukiwaniu tego wyjątkowego „czegoś", co zdradza prawdziwy charakter człowieka. Za niektórych ludzi przemawiają oczy, za innych kąciki ust, zarysowana szczęka czy uniesione brwi. W jego twarzy nie potrafiłam dostrzec niczego, co mogłoby zdradzać jego uczucia lub charakter. Dostrzegałam jedynie nieziemską urodę. Moje wygłodniałe ciało i spragnione miłości serce mogły za bardzo idealizować jego urodę. Rozumiałam to niebezpieczeństwo, ale ta wiedza w niczym mi nie pomagała. Wciąż był dla mnie dosłownie idealny. Tak więc szukałam w tej ładnej twarzy tego czegoś i dopiero, gdy mlaskając przy kolejnym kęsie bezy, powiedział, żebym piła piwo, to lepiej się poczuję, dostrzegłam swobodę i szczerość. Jego oczy lekko się zmrużyły, kąciki ust uniosły w uśmiechu, a zarys szczęki zniknął pod policzkami. Opadłam wzrokiem na piwną pianę i przyssałam się do słomki. Maks zerknął na mój pusty w połowie pokal i zapytał:

— Jesteś aż tak spragniona, czy tak bardzo ci smakuje?

— Jedno i drugie — odpowiedziałam. — Mówiłeś, że mamy dziesięć minut, a poza tym piwo świetnie komponuje się z ciasteczkiem — dodałam z uśmiechem.

Kiwnął głową, odwzajemnił uśmiech i zamilkł.

Oderwałam od niego wzrok i pobłądziłam nim w kierunku Sukiennic. Było ciepłe popołudnie, nieskazitelne, błękitne niebo mieniło się błyszczącą poświatą. Rynek tonął w zamglonym słońcu, majaczył. Zmrużonymi oczyma dostrzegałam falujące, rozpływające się od ciepła kontury budynków. Pogoda zwabiła na rynek mnóstwo osób — turystów, studentów, miejscowych, ale nie było jeszcze tłoczno, raczej nostalgicznie, przyjemnie, jakby Kraków wyciszał się po sjeście. Niektórzy mknęli przed siebie, nie zważając na innych, inni zaś rozkoszowali się ciepłem, wygrzewając się z radością w restauracyjnych ogródkach. Miałam wrażenie, że ludzie uciekają z cienia, aby złapać jak najwięcej promieni. Z zaciemnionych zakamarków kamienic delikatnie zawiewał chłodny, zatęchły zefirek charakterystyczny dla pierwszych gorących dni. Oszołomiona piwem swobodnie wczułam się w tę sielską atmosferę.

— Rozumiem, co miałaś na myśli. Powoli się zakochuję — usłyszałam nieoczekiwanie.

Zerknęłam na Maksa, lecz on nie uraczył mnie spojrzeniem. Zakołysałam kuflem, dopiłam ostatni łyk piwa.

— To miłe — odpowiedziałam krótko.

Za krótko. Nie potrafiłam złapać kontekstu jego słów. W pierwszej chwili uznałam, że miał na myśli urok Krakowa, lecz jakby się nad tym mocniej zastanowić… Zmieszałam się. Jeśli błędnie odczytałam sygnały, to niech mnie ktoś w końcu zabije i pozbawi dalszej męki.

Maks wstał, wyciągnął do mnie rękę i, uśmiechając się beztrosko, powiedział coś bardzo dziwnego:

— Zapraszam cię na spacer szlakiem potężnego rycerza Maksymiliana Wielkiego.

Ten z pozoru prosty żart był pozbawiony ironii, nawet mi się spodobał. To były jego pierwsze tak lekkie słowa skierowane w moją stronę. Zaśmiałam się i ścisnęłam jego dłoń.

— Uważasz, że jesteś czarujący? — zapytałam.

— Owszem, mam cholernie uwodzicielski uśmiech — stwierdził i wziął mnie pod rękę.

Masz, nie da się ukryć. I coś mi się zdaje, że dopiero się rozkręcasz.

Szliśmy nieopodal kościoła świętej Barbary, kiedy Maks zawrócił. Zwróciłam mu więc uwagę.

— Idziesz w złym kierunku, kościół jest w drugą stronę.

— Wiem, gdzie idę, zaufaj mi — uspokajał.

Zaufałam. Jego uprzejmość powoli usypiała moją czujność.

Minęliśmy Sukiennice i zatrzymaliśmy się przy dorożkach, a dokładnie przy bajkowej, biało-złotej karocy. Pogłaskał konia po pysku i odezwał się do woźnicy:

— Dzień dobry, prosimy z moją damą rundkę przez rynek, a później kawałek przez Planty i na koniec pod kościół świętej Barbary.

— Pięknie! Będzie ślub? — zapytał dorożkarz. Maks uchylił drzwiczki i zaprosił mnie do środka.

— O ile dama się zgodzi... — usłyszałam.

Wsiadłam oszołomiona jednym piwem i dwoma dwuznacznymi słowami o zakochaniu. Zobojętniałam na wszystko dookoła, na całe moje superhiperdochodzenie. Liczyła się wyłącznie ta chwila. „Co jest z tym facetem, o co mu chodzi?", główkowałam. Kaktus najpierw mnie poranił, a później nieoczekiwanie zgubił kolce. „Alkohol działa cuda. Chwilo trwaj!"

Dorożka ruszyła, wiatr rozwiał moje długie, ciemne włosy, które muskały mu twarz. On zaś z ogromną radością rozglądał się dookoła jak dziecko będące pierwszy raz w wesołym miasteczku. Naprawdę nie wiem, skąd te skojarzenia z dziećmi. Czyżby połaskotany instynkt znowu wysyłał mi sygnały? Dorożkarz zrobił rundkę dookoła rynku, od czego jeszcze mocniej zakręciło mi się w głowie. Maks zauważył to, objął mnie ramieniem za barki i, głaszcząc pukiel moich włosów, rzucił:

— Zapewne jesteś z królewskiego rodu.

Zaniosłam się ze śmiechu. Bingo! Achilles! Od początku z kimś mi się kojarzył, tylko nie potrafiłam załapać.

— Opanuj zuchwałość, Achillesie — odezwałam się z żartobliwą powagą. — Nie wiesz, skąd nadleci strzała, która ugodzi cię w piętę.

Zerknęłam na niego. Zmrużył szelmowsko oczy i przeciągnął chwilę ciszy.

— Na pewno nie z twojej strony — stwierdził w końcu.

— Taki jesteś pewny? — dopytałam z przekąsem.

Odwrócił wzrok i pobłądził nim po turystach. Znienacka odwrócił się do mnie i wyszeptał z pełną powagą:

— Ufam ci, jestem ciebie pewien.

Tym sposobem sprowadził mnie na ziemię. Nie spodziewałam się po nim takiego tekstu, za żadne skarby świata! Uniosłam brwi, spojrzałam w bok, a w mojej głowie włączyła się analiza faktów. Jak może być mnie pewien? Znowu ta nieznośna dwuznaczność. Przed chwilą demonstrował swoją nieufność dotyczącą dochodzenia, rzucając we mnie obelgami, czyli raczej nie o to mu chodzi. Wykluczyłam też, że moja siła charakteru, upór i zacięcie mogły wzbudzić w nim poczucie pewności. Czyli ma na myśli relacje damsko-męskie. Taki jest przekonany o swojej wyjątkowości? Myśli, że jak zanęcił mnie kilkoma milszymi słówkami, to dałam się złapać? Jak płotka? Jak głupia ryba, którą rzuca się na pożarcie drapieżnikowi? Nie ze mną takie numery!

NAUKI PRZEDMAŁŻEŃSKIE

Dorożkarz zatrzymał konie na placu Mariackim. Maks wysiadł jako pierwszy, otworzył mi drzwiczki i wyciągnął do mnie dłoń.

— Dziękuję, nie potrzebuję pomocy — burknęłam, po czym ostentacyjnie przemaszerowałam mu przed nosem. Wyglądał na zmieszanego. Poszedł rozliczyć się z woźnicą, a ja oddaliłam się w stronę kościoła. Moją uwagę przykuł ksiądz, który wybiegł przede mnie z otwartymi ramionami. Rozejrzałam się dookoła, obejrzałam się za siebie. Prócz klientów gruzińskiej restauracji na horyzoncie był jedynie Maks, skrzywiony ze zdziwienia równie mocno jak ja. Ksiądz zatrzymał się tuż przed moim nosem. Był mężczyzną w średnim wieku, o przyjemnej aparycji.

— Dobrze, że już jesteście, moi drodzy — ucieszył się. — Prędzej, czas nagli, nie wyrobimy się przed mszą — nalegał.

Nie byłam pewna, czy to się dzieje naprawdę.

— Proszę księdza, chcielibyśmy rozejrzeć się po kościele — zaczęłam grzecznie.

— Ach, przepraszam moi drodzy, dzisiaj naprawdę nie mamy czasu. Najpierw ustalimy wszystko w zakrystii, a później będziecie się mogli rozglądać. Kościół jest zamknięty, więc będziecie mieli spokój.

— Jak to zamknięty? — zdziwiłam się.

— Zwyczajnie zamknięty.

— Dla wiernych, którzy chcą się pomodlić również?

— Tak, od tego jest msza święta. Proszę, proszę, moi drodzy. — Ksiądz zasugerował nam gestem, abyśmy w końcu ruszyli się z miejsca.

— Tak jest — usłyszałam przy prawym uchu i po chwili szłam już z Maksem pod rękę.

Przeszliśmy za kapłanem przez boczne wejście, do zakrystii. Tam duchowny wskazał nam miejsca na których mieliśmy spocząć, a sam zasiadł za biurkiem. Wydobył z szuflady teczkę z dokumentami i wygrzebał z niej zapisaną ręcznie kartkę, z której przeczytał:

— Etyka życia małżeńskiego. Moi drodzy — zaczął — dzisiaj szybciutko omówimy temat: „Prawidłowy dialog w małżeństwie i rodzinie". Nazywam się Mateusz Kostrzewa. Jak wspominałem w rozmowie telefonicznej, ojciec Konstanty przysłał mnie dzisiaj w zastępstwie. Przekazał mi, że to kolejny temat, który przygotował do omówienia. Całe szczęście jest łatwy i przyjemny. Liczę, że pójdzie nam szybciutko, bo troszkę się spóźniliście.

Nie wierzyłam własnym uszom. To było tak irracjonalne, że aż śmieszne.

— Proszę księdza, to jakaś…

— To jakaś niewiarygodna opatrzność boska pozwoliła nam zdążyć — zagłuszył mnie Maks. — Mieliśmy dzisiaj szalony poranek.

Popatrzyłam na niego z widoczną dezaprobatą, a on mrugnął do mnie i uśmiechnął się perliście. Zdecydowałam, że skoro tak sobie ze mną pogrywa, dostanie to, czego chce.

— Ponieważ jestem w zastępstwie ojca Konstantego — kontynuował ksiądz — i nie mieliśmy okazji, aby się poznać, chciałbym na początek dowiedzieć się od was kilku podstawowych dla mnie rzeczy. Powiedzcie, moi drodzy, w jaki sposób zwracacie się do siebie?

Maks od razu podjął inicjatywę.

— Proszę księdza, jesteśmy idealnym narzeczeństwem — zaczął z pełną powagą. — Miłość przemawia przez nas w każdym słowie. Moja cudowna narzeczona używa wobec mnie słodkich zdrobnień zwierząt, a ja nazywam ją roślinkami. Jest moją różyczką, stokroteczką, truskaweczką.

Prawie spadłam z krzesła. Nieświadomie uniosłam oczy ku górze i przycisnęłam dłonie do skroni. Wahałam się, czy zagrać w tym kabarecie, w który zostałam mimowolnie wciągnięta, czy postraszyć ich moim glockiem. Druga opcja spłoszyłaby mi księdza i mogłabym nie dostać tego, po co przyszłam. Wybór był więc prosty, tym bardziej, że ksiądz zdołał przejść do kolejnego pytania.

— A jak często rozmawiacie o uczuciach?

Milczałam, wsłuchując się, jak Maks płynie z nurtem rzeki wyobraźni wprost do krainy mlekiem i miodem płynącej. W oczach księdza mieszkaliśmy tam w osobnych domkach na drzewie, a nasze życie toczyło się zgodnie z rytmem natury. W cieniu liści drzew i zapachu mięty, wśród mchu i paproci, cudownych darów Boga.

— Prostota jest słowem najlepiej opisującym nasze relacje — zaczął Maks, a duchowny, słuchając, podsunął nam do podpisu listę obecności z rubryką pełną nazwisk i podpisów z poprzednich spotkań. Miałam wątpliwości, ale jednak nabazgrałam cudze nazwisko, wsłuchując się w żenujące słowa mojego rzekomo przyszłego męża.

— Rozmawiamy o uczuciach, gdy jesteśmy szczęśliwi i gdy któreś z nas dopada smutek. Takie sytuacje zdarzają się sporadycznie, ponieważ jesteśmy najszczęśliwszymi ludźmi na świecie — objął mnie i kontynuował. — Prosto i zwięźle wyrażamy uczucia. Nie awanturujemy się, nie komplikujemy naszej relacji. Nie stosujemy wobec siebie dwuznacznych wyrażeń czy słów, które druga strona mogłaby błędnie odebrać.

Przypatrywałam się mu z wyraźnym sprzeciwem.

„Ty cwany cyniku", mówiłam do siebie w myślach. „Jeśli myślisz, że postawiłeś mnie w sytuacji bez wyjścia, to grubo się mylisz". Choć faktycznie zakłamywał rzeczywistość, to brzmiał nawet zabawnie, ale ja, tolerując te wszystkie brednie, dawałam mu przyzwolenie na wykpiwanie mnie w oczach nieświadomego księdza.

Nagle ten zwrócił się bezpośrednio do mnie:

— Natalia, a czy ty mogłabyś przedstawić swoje stanowisko dotyczące relacji z przyszłym mężem? Czy czujesz przy Dawidzie, że twoja wartość jako kobiety wzrasta?

Bingo! Na to właśnie czekałam, ksiądz przygotował mi idealny start, jazda z pole position. Zatem ruszyłam, wjeżdżając ponownie na tor podtekstów i aluzji, rozjeżdżając uszczypliwości Maksa kołami kobiecej kąśliwości.

— Och, proszę księdza, mój Dawidek to mój książę. Dzięki niemu rozwinęłam się jako kobieta. Ciągle mi powtarza, że należy mężczyźnie ustępować, przytakiwać mu i przyjmować jego zdanie. Uczy mnie, co i jak mam myśleć. Dzięki niemu odnalazłam swoje ja.

Brawo ja. Zdobyłam kolejny punkt w wyścigu sarkazmu i szyderstwa.

Ksiądz złapał się za głowę. Było mi wobec niego głupio, ale nie mogłam pozwalać sobie na bezpardonowe kpiny.

— Ona żartuje, proszę księdza — tłumaczył Maks. — Prawda, kochanie? — dodał, spoglądając na mnie z wyrzutem, lecz ja zacięcie milczałam. — Powiedz księdzu prawdę. Proszę księdza, ona nie potrafi się skupić, bo ciągle myśli o wystroju kościoła na ślub. Ileż ona mi naopowiadała, gdzie, co i jak przyozdobić. Coś mi się zdaje, że musimy najpierw obejrzeć kościół.

— Spokojnie, moi drodzy, musimy dyskutować, jedynie tak zbliżycie się do Pana Boga.

Yhm. Jeszcze kilka niepotrzebnych słów i mój glock zbliży się do Maksa bardziej, niż mu się wydaje.

— Więc ja powiem księdzu krótko — zaczął. — Kocham tę kobietę, od kiedy pierwszy raz ją ujrzałem. Imponuje mi intelektem, konsekwencją, zaradnością i siłą. Ma wspaniałe, dobre serce, a jej praca jest dla niej misją. Na dodatek jest niemożliwie piękna.

Jak miło. Jestem łasa na komplementy.

— Oj tak, taniec na rurze jest wielkim wyzwaniem — rzuciłam. — Muszę się nieźle nagimnastykować, aby zadowolić klientów.

— Cóż pani opowiada? — Ksiądz aż się wyprostował, a jego miła twarz ściągnęła się w zażenowaniu. — Ojciec Konstanty mówił — zaczął z przejęciem — że pracuje pani w klubie, ale myślałem, że jako kelnerka. Zatem, mówi pani, że praca jest dla niej misją? Ja rozumiem, że podchodzi pani profesjonalnie do swojego zawodu, jednak to nieetyczne, niezgodne z zasadami Kościoła! Musimy to omówić, bo obawiam się, że w takich okolicznościach nie możemy udzielić wam ślubu. Wiem, że młodym ciężko o dobrze płatną pracę, lecz takie zajęcie nie jest dobrym rozwiązaniem! Dawidzie, dlaczego na to pozwalasz?

Maks wziął głęboki oddech i przyłożył otwartą dłoń do czoła. Wówczas w zakrystii rozległ się dzwonek.

— Przepraszam na chwilę, ktoś próbuje dostać się do kościoła. Zaraz wrócimy do tej rozmowy.

Ksiądz wyszedł. Zostawił nas samych, co nie wróżyło niczego dobrego.

— Co jest z tobą, Zocha — fuknął Maks. — O co ci chodzi? Nie mogłaś podejść do tego na luzie?

Prychnęłam.

— Jestem całkowicie wyluzowana.

— Czyli nie masz wyczucia? Nie wiesz, kiedy przystopować — podsumował mnie i wyszedł drzwiami, za którymi zniknął ksiądz.

Po chwili wsadził głowę do pomieszczenia, w którym siedziałam, i wyszeptał:

— Mamy problem, wydaje mi się, że przyszli Dawid i Natalia. Musimy spadać.

— Musimy zagadać księżulka i obejrzeć kościół — naciskałam.

Maks wrócił do zakrystii.

— A jak chcesz to zrobić? Co mu powiesz? Mogłoby coś z tego być, gdybyś nie wcieliła się w striptizerkę.

Znowu wyszedł i po chwili ponownie wsadził głowę w drzwi.

— Zośka, to nie oni, a jakiś facet. Ksiądz wpuścił go do kościoła — poinformował mnie, wszedł i usiadł na miejsce.

— Jak wróci, proszę cię, chociaż raz mi odpuść. Niech nas pobłogosławi i wpuści do tego kościoła. Wtedy go zagadamy. Zapamiętaj, że łagodne słowo otwiera żelazną bramę. Swoją drogą nie rozumiem cię. Uważam, że zwracam się do ciebie z sympatią, liczyłem, że dasz mi szansę.

Szansę? Matko kochana, jaką szansę? To było dwu-znaczne czy takie wprost, czy jak? Pomocy!

Rozchyliłam usta, aby wydusić z siebie zdawkową od-powiedź, kiedy po kościele rozległ się odgłos innych led-wo rozchylonych ust. Maks nerwowo wybiegł z zakrystii do niewielkiej kaplicy, która prowadziła do kościoła. Uchylił drzwi wychodzące na kościół i zastygł w bez-ruchu. Stanęłam za jego plecami, wystawiłam czubek nosa i błądziłam wzrokiem po świątyni.

— Gdzie jest ksiądz?

On, nie odpowiadając mi na pytanie, bez zastanowie-nia wybiegł z kaplicy, a ja tuż za nim. W pewnej chwi-li przystanął na moment, po czym ruszył z rozpędem w stronę kruchty, gdzie znikł mi z oczu.

Kiedy do niego podbiegłam klęczał przy nieprzy-tomnym księdzu, leżącym na posadzce. Spod głowy duchownego ciekła maleńka strużka krwi.

— Żyje? — wykrztusiłam przez zaciśnięte gardło.

Maks pochylił głowę i z obcą mu powagą stwierdził:

— Nie, nie żyje.

W tym momencie jakby poraził mnie prąd.

Maks bez chwili namysłu przeszukał kieszenie du-chownego i zabrał z nich pęk kluczy.

— Spadamy tylnym wyjściem. Biegiem!

Ledwo zdążyłam odnaleźć się w sytuacji, a biegłam ponownie na tyły kościoła. Jak szaleni wpadliśmy do kaplicy, gdzie Maks z impetem rzucił się na tylne drzwi. Cisnął jeszcze kluczami o ławkę, wybiegł, a ja przetarłam klamkę koszulką, tak jakby miało to w czymś pomóc, i pognałam za nim.

Przebiegliśmy przez bramę kamienicy jezuitów i znaleźliśmy się na Małym Rynku.

— Stój! — krzyknęłam zdyszana. — Stwarzamy podejrzenia.

Zatrzymał się, wziął mnie pod rękę i wysyczał:

— Skurwysyny. Zginął niewinny człowiek.

— Tylko dlaczego? Widział coś? Nie zdradził wskazówek? O co chodzi?

— Nie wiem, Zocha. Ten facet ma albo wie coś, czego my, niestety, nie.

— Stanęliśmy w martwym punkcie — stwierdziłam.

— Gramy w grę, której nie rozumiemy. Co robimy?

— Prowadź do kolejnego kościoła.

— OK, OK. To akurat niedaleko, zaraz tam będziemy.

Pędziliśmy zdyszani ulicą Szpitalną. Biłam się z myślami, lecz ostatecznie wygrzebałam telefon, żeby powiadomić Pabla. I wtedy pierwszy raz w życiu spokorniałam jak dziecko. Znowu to dziecko, cholera jasna!

— Zadzwoń do Jacoba, mnie padł telefon — wybełkotałam zdenerwowana.

Maks sprawdził nerkę przy pasie, potem wsunął ręce do kieszeni. Był skołowany.

— Nie mam telefonu! — krzyknął.

Zdębiałam. Zatrzymałam się, złapałam oburącz z tyłu za kark i kręciłam w miejscu, wypuszczając z ust powietrze. Czułam się jak niedotleniona.

Maks nerwowo przeczesywał nerkę, aż w końcu zaczął kląć, zrobił kilka kroków w tył i rzucił nią o chodnik.

— Nie mów mi, że zgubiłeś go w kościele?

— Nie, nie wiem! Nie wiem, cholera jasna! — powtarzał, kręcąc się w miejscu.

— Kiedy ostatni raz go używałeś?

— W dorożce. Chciałem zrobić ci zdjęcie, ale oburzyłaś się, a wtedy ja chyba położyłem go na siedzeniu...

Usiadł na krawężniku i schował twarz w dłoniach.

— W takim razie nie ma tragedii, choć i tak jako ostatni weszliśmy z księdzem do kościoła, jeżeli ktoś nas zapamiętał...

— Tak wiem, mamy przejebane — podsumował, po czym poderwał się i ruszył przed siebie. Buchała z niego złość.

Byliśmy już na ulicy świętego Marka i nieubłaganie zbliżaliśmy się do celu. Jak zawsze w takich sytuacjach bywa, sprawę utrudniał mi pełny pęcherz. Po cholerę skusiłam się na piwo. Gdyby nie te piętnaście minut obsuwy, może zdążyłabym zebrać z kościoła wskazówki i w jakiś sposób zapobiec morderstwu. No i miałabym pusty pęcherz!

— Maks, wejdźmy na sekundę do tej knajpy — poprosiłam, wskazując piwiarnię przed nami.

— Po co?

— Muszę jak najszybciej skorzystać z toalety.

— Teraz?!

— No teraz. Chyba nie życzysz sobie, żebym tłumaczyła ci po co. Wypiłam cały pokal piwa...

— Ja cały kufel, a jakoś mi się nie chce — stwierdził.

— Maks — powtórzyłam wymownie.

— No co. Nie moja wina, że zazwyczaj idę po trzecim.

Zatrzymałam się przed knajpą.

— Zaczekam tu — oznajmił.

— Chodź do środka. Toaleta jest pewnie tylko dla klientów. — Wygrzebałam z plecaka portfel i podałam mu, mówiąc: — Kup cokolwiek.

— Zabierz to — warknął i zszedł po schodkach.

Zbiegłam za nim i jak poparzona pognałam prosto do toalety.

Wyryczałam się, przemyłam twarz i wróciłam do muchołówki.

Poprowadziłam nas tajniackim obejściem, unikając miejskiego monitoringu.

KONCERT

Mosiężne wrota kościoła były zamknięte. Maks chwytał już za klamkę, kiedy starsza pani podpierająca krzesełkiem mury świątyni, zatrzymała go zrzędliwym głosem.

— A bilet pan masz?

Maks odwrócił się na pięcie i, ściskając agresywnie pięści, rzucił w jej stronę:

— Jaki, kurwa, bilet?

— Maks! — upomniałam go głośno.

— Przepraszam panią, mąż ma ciężki dzień — tłumaczyłam się jak prawdziwa żona. Mąż? Żona? Naprawdę przegrzały mi się styki! — A co tutaj się dzieje? — dopytałam.

— W kościele odbywa się koncert studentów — poinformowała nas kobieta. — Właśnie się zaczyna, więc możecie państwo jeszcze kupić bilet i wziąć w nim udział.

Maks nerwowo kręcił się w miejscu, sama więc skinęłam głową i wygrzebałam z plecaka gotówkę. Chwyciłam bilety i zaraz byliśmy w kruchcie. Zawahałam się, bo przeszklone drzwi prowadziły pod prezbiterium pełniące aktualnie funkcję sceny. Skupiona orkiestra wyciskała z instrumentów nastrojowe melodie. Nie chciałam zepsuć artystom występu ani też przyciągnąć zbędnej uwagi. Mój towarzysz niedoli nie przejął się tym faktem i lekceważąco wparował do środka. Poszłam za nim i tak jak podejrzewałam, przez chwilę znaleźliśmy się pomiędzy artystami, a widownią, przez co ściągnęliśmy na siebie spojrzenia. Maks ruszył wzdłuż nawy głównej, lecz znów upomniała go jakaś kobieta. Pokręcił głową, zaklął pod nosem i nawą boczną pognał na tyły świątyni, gdzie usadowił się w ostatniej ławce.

Dosiadłam się do niego i przyciszonym głosem zapytałam co dalej.

— Siedzimy i słuchamy muzyki — odpowiedział stanowczo ze wzrokiem wbitym w ołtarz.

Przytaknęłam, wzdychając z ulgą. Nie miałam najmniejszej ochoty na kolejną brawurową akcję. Ponadto, póki trwał koncert, niewiele mogliśmy zdziałać. Siedzieliśmy ramię w ramię i grzecznie lustrowaliśmy świątynię.

Nigdy nie byłam w tym kościele, choć mijałam go setki razy. Tak się złożyło, że zawsze, gdy chciałam zajrzeć do środka, drzwi były zamknięte. Szczerze mówiąc, nawet nie przypuszczałam, że w ogóle można tu wejść. Nie spodziewałam się też, że wnętrze jest tak przyjemne. Byłam pozytywnie zaskoczona, dokładnie tak samo jak w przypadku Bazyliki Mariackiej w Gdańsku. Spodziewałam się średniowiecznego przepychu, a zastałam elegancką skromność. Najokazalsze w tej świątyni okazały się złocone, barokowe ołtarze umieszczone na przęsłach wzdłuż nawy głównej. Nadano im formę rozwartych kolumn, z figurami na mensach i obrazami świętych w centrum.

Nagle coś mną wstrząsnęło. Odwróciłam głowę. Organy zabrzmiały z całą swoją potęgą i znów spokorniałam. Spoglądałam na złoto-granatowy ołtarz z gotyckim krzyżem, z którego podobno przemawiał sam Chrystus i naszła mnie myśl, że potrzebuję wsparcia, jakiegoś znaku, który pozwoli mi dalej brnąć w ten absurd. Cholerni studenci grali doprawdy genialnie, odciągając moje skołowane myśli od meritum sprawy. Czyli znów jak na złość nie potrafiłam się skupić. Jakby tego było mało, powoli dopadało mnie przygnębienie. Na własne życzenie rozpoczęłam akcję, która toczyła się kompletnie nie po mojej myśli. Do tego dopuściłam do śmierci człowieka, który w moim przekonaniu był niewinny. Znów zaczęłam sobie zarzucać, że gdybyśmy nie poszli na to cholerne ciastko, pewnie udałoby się temu zapobiec. Prześladowała mnie myśl, że to wina mojej niezaspokojonej kobiecości, której w ogóle nie powinnam była dopuszczać do głosu. Trzeba ją było stłumić w zarodku, już w progu mieszkania profesora. Profesor… Boże drogi, czy on w ogóle jeszcze żyje? Przeraziłam się. Wzniosłe sakralne utwory przeplatane spokojnymi romantycznymi piosenkami na przemian zaogniały i uspokajały moje emocje. Zaczęłam niebezpiecznie się nakręcać. Nabrałam powietrza, otrząsnęłam się z amoku i przeskanowałam dokładnie każdą osobę i każdy instrument pod kątem ewentualnego niebezpieczeństwa.

Mniej więcej po godzinie koncert dobiegł końca, muzycy kłaniali się, widownia wrzała w oklaskach. Wsadziłam rękę do plecaka i ścisnęłam moje cacuszko. Wolałam być przygotowana. Czekałam na reakcję Maksa, ale on niewzruszenie trwał w miejscu i nie kwapił się do działania.

Wysunęłam się z ławki, przecisnęłam się przez tłum i podeszłam do grupy młodych ludzi gromadzących się pod ołtarzem.

— Cześć, Zośka, miło mi — zagadałam do przystojnego bruneta o zmysłowych oczach. — Czy koncert już się skończył?

— Cześć, Robert — przedstawił się, ściskając mi dłoń.

— Tak. Koncert przed chwilą się skończył. Zaraz przenosimy się do klubu jazzowego. Musimy odreagować zakończenie sesji.

— A czy kościół pozostanie otwarty? — dopytałam zniecierpliwiona.

— Nie wiem, interesuje mnie wyłącznie kufel pełen zimnego piwa.

— No cóż, dzięki. — Odwróciłam się, a wtedy Robert złapał mnie za rękę.

— Poczekaj, Zośka! A nie chcesz pójść z nami? — zaproponował.

Obejrzałam się i przyjrzałam jego młodej twarzy. Na blado różowych ustach malował się zawadiacki uśmieszek i pożałowałam, że nie poznałam go kilka lat wcześniej.

— Nie mam towarzyszki — dorzucił.

Zaśmiałam się i lekko zawstydzona spuściłam wzrok.

— Muszę przyznać, że trudno oprzeć się twojemu urokowi osobistemu — przyznałam.

— Zatem?

— Naprawdę nie powinnam. Mamy jeszcze z kolegą kilka spraw do załatwienia. No i jestem za stara.

Robert zaśmiał się w głos.

— Jesteś idealna. A gdzie ten kumpel?

— Ten wysoki blondyn. — Wskazałam Maksa głową.

— Ten byczek? Niech pójdzie z nami. Mamy w tym gronie sporo singielek — zasugerował. — Żartuję — wytłumaczył w odpowiedzi na moją minę — naprawdę zapraszam.

— Ależ ja naprawdę bardzo dziękuję. Zwyczajnie nie mogę skorzystać z twojej propozycji. Mam coś ważnego do załatwienia.

— O nie, tylko nie to. Nie ma nic gorszego niż usłyszeć od pięknej kobiety, że jest coś ważniejszego od twojego zaproszenia. Nie rób mi tego. A może mogę ci jakoś pomóc?

— Chciałabym porozmawiać z tutejszym księdzem.

— A widzisz, tak się składa, że ojciec Adam idzie z nami.

—Szkoda. A gdzie znajdę jakiegoś innego księdza? — dopytałam.

— Hm, obawiam się, że będziesz musiała poczekać do wieczora, aż wrócą Paweł i Joachim, bo ksiądz Henryk nie jest zbyt rozmowny.

— A gdzie jest ten ksiądz Adam?

— O tam, rozmawia ze skrzypaczką. — Robert wskazał na dziewczynę ze skrzypcami w ręce. Właśnie żegnał się z nią młody, ubrany po cywilnemu mężczyzna. W kościele panowało spore zamieszanie. Widzowie gratulowali muzykom, flecistka z czarnymi lokami przyjmowała kwiaty od starszego pana, młody chłopak wertował książkę z nutami, elegancko ubrana kobieta ściskała w zachwycie wiotkie ciało piegowatej śpiewaczki.

Maks nadal siedział ze wzrokiem utkwionym w próżnię, miałam więc chwilę, aby zagadać do księdza. Podziękowałam Robertowi i podeszłam do kapłana.

— Proszę księdza, Zofia Sokolnicka, mogłabym zająć ojcu kilka minut?

— Witam panią, Adam Witula — podał mi rękę.

Zauroczył mnie. Dawno nie spotkałam księdza jak z obrazka. Ten człowiek miał po prostu niesamowity urok osobisty. Mówił ciepłym, spokojnym głosem i miał twarz pozbawioną grymasu. Lekko mrużył niebieskie oczy, a wydatne policzki unosiły podczas uśmiechu oprawy okularów. Ucieszyłam się na myśl, że trafiłam na miłego i oczytanego człowieka, który z radością podzieli się ze mną swoja wiedzą.

— Jestem studentką, interesuję się historią, wyjątkowymi postaciami i relikwiami. Czy mógłby ksiądz podzielić się ze mną swoją wiedzą na temat kościoła? Muszę napisać pracę na poprawkę i szukam inspiracji. Ten kościół i osoba błogosławionego Michała Giedroycia to niezwykle ciekawe tematy. Mógłby mi ksiądz pomóc?

Ksiądz wyglądał na zaskoczonego, a ja zdumiałam się, że po tym, co się niedawno wydarzyło, potrafię jeszcze tak perfidnie okłamać duchownego. Nawet trochę się zawstydziłam, lecz słowo się rzekło.

— Pani Zosiu, mamy tutaj spore zamieszanie — powiedział głośno, przekrzykując tłum. — Jestem organizatorem pierwszej części koncertu, która właśnie dobiegła końca. Druga część z udziałem innych muzyków odbędzie się jutro. Mam naprawdę sporo na głowie. Obawiam się, że dzisiaj nie znajdę dla pani czasu. Zapraszam w czwartek na popołudniowy dyżur w kancelarii. Z chęcią opowiem o kościele i podpowiem, jak mogłaby pani poprowadzić swoją pracę.

— Wspaniale, proszę księdza, tyle że ja potrzebuję księdza pomocy dzisiaj, teraz. Ja również mam swoje zobowiązania zawodowe i nie jestem w stanie zostać w Krakowie dłużej niż do dzisiejszego wieczoru. Mam bardzo napięty grafik.

Ksiądz zadumał się, a po kilku sekundach powtórzył po mnie:

— Czyli ma pani czas do wieczora?

— Dokładnie tak.

— Zatem zapraszam panią na zwany przez młodych after. — Zaśmiał się. — Ja zostanę tutaj jeszcze jakiś czas, muszę wszystkiego dopilnować, posprzątać kościół, przyjąć kilku parafian, z którymi jestem umówiony. Później pozamykam, co trzeba i za około godzinę dołączę do muzyków. A jeśli za chwilę pojawi się ksiądz Paweł i zechce mnie zastąpić, to dołączę nawet prędzej. Pobędę ze studentami przez chwilę, myślę, że po drugim piwie opadną ich artystyczne emocje i będziemy mogli spokojnie porozmawiać. Naprawdę nie widzę innej możliwości, jutro rano odprawiam mszę i muszę się jeszcze przygotować.

— Dobrze, w takim razie będę z nimi czekać na księdza.

Nie było się nad czym zastanawiać. Pożegnałam się z tym sympatycznym człowiekiem, podeszłam do Maksa i wybiłam go z otchłani kontemplacji.

232

— Ojciec Adam i jeden z muzyków, Robert, zaprosili nas na after party. Ksiądz nie ma teraz czasu na rozmowy i jedynym wyjściem jest zagadanie go na tym afterze. Powiedział mi, że dołączy do reszty za około godzinę, może wcześniej. Zgodziłam się iść z nimi do klubu jazzowego i tam na niego poczekać. Słuchasz mnie?

Maks w mocnym skupieniu wpatrywał się w ołtarz.

— Uwielbiam sztukę — przemówił skupiony. — Każdy z nas ma jakiś talent twórczy. Szkoda, że tak nieliczni ludzie mają tego świadomość. Gdyby każdy chciał i mógł tworzyć, niesamowicie wzbogacilibyśmy naszą kulturę. A tak niestety nie jest. Ludzie albo nie chcą, albo nie wiedzą, że chcą, albo nie mogą tworzyć. W dodatku, w dobie kultu posiadania tak bardzo zadeptujemy naszą kulturę. Świat pędzi jak szalony. Technika jest tak rozwinięta, że przeciętny człowiek nie nadąża za automatyką urządzeń, które służą mu na co dzień. Moglibyśmy lepiej wykorzystać tę technikę do ratowania świadectw historii, budować na ich podstawie swoją tożsamość, uczyć się. Tymczasem nie potrafimy wyciągać najprostszych wniosków z doświadczeń naszych dziadków. Jest gros ludzi stających w obronie dziedzictwa kulturowego i cała rzesza tępej masy, która ma to głęboko w tyle. Ściska mnie w dołku, że tych drugich jest zdecydowanie więcej i że mają tak wielką siłę przebicia, iż zadeptują pracę tych pierwszych. Przez to człowiek, który chce ratować sztukę i pielęgnować rozwój kultury, musi się zmierzyć w tym nierównym boju z ograniczającą go zewsząd i nastawioną na zysk hałastrą. Gdyby hedonizm naszego społeczeństwa ograniczał się do życia prywatnego, mógłbym spać spokojnie. A wszechobecna degrengolada moralna, głupota, matactwo i brak szacunku do rodaka odbijają się na nas, deprecjonując nasze dziedzictwo. Studiowałem na ASP, miałem poczucie misji i co zrobiłem? Pozwoliłem sobie wejść na głowę, dołączyłem do świata próżności. Zagubiłem gdzieś po drodze do szczęścia moje poczucie misji. I teraz, stojąc przed tym ołtarzem czuję ciężar obowiązku. Czuję, że jestem winien moim dziadkom szacunek do dziedzictwa po nich. Nie odpuszczę, odnajdę wuja, a później odnajdę siebie. On uczył mnie wartości, a ja zostawiłem go w Polsce samego i sam zagubiłem się w świecie. W życiu nie dzieje się nic przez przypadek. Dlatego dostałem nauczkę. Porzuciłem moją misję. To los sam się o mnie upomniał.

Nie wierzyłam, że wylał z siebie te wszystkie słowa. Na dodatek to było tak, jakby wypowiedział moje myśli! A to mi się do tej pory nie zdarzyło. Co jak co, ale takiego oświecenia absolutnie się po nim nie spodziewałam. Zdążyłam się już jednak przekonać, że jest inteligentny, nietuzinkowy i kreatywny, choć cechy te nie są wyznacznikiem empatii wobec kultury. Zrozumienie mechanizmów rządzących światem też niekoniecznie świadczy o inteligencji emocjonalnej. Natomiast działanie, czy nawet samą próbę podjęcia działania ku zmianie miejsc w hierarchii wartości społecznych, można przypisać wyjątkowym jednostkom. Swoją dotychczasową postawą Maks udowodnił mi, że doskonale posiadł umiejętności, takie jak przywództwo czy asertywność, choć dopiero teraz dowiódł, że posiada również samoświadomość. A co do tego miałam wątpliwości. Uważałam go za amanta i narcyza, świadomego jedynie swojego uroku. Podejrzewałam, że jego zachowanie wobec mnie jest perfidną, emocjonalną grą ze świadomie rozgrywanymi podchodami. No i otrzymałam potwierdzenie. Przecież facet z tak rozwiniętą bazą intelektualną i samoświadomością nie może grać z kobietą nieświadomie. Przejrzałam go. I cholernie mnie to podekscytowało. Moja pewność siebie wskoczyła na wyższy poziom. Zechciałam, że tak się wyrażę, rzetelnie podjąć jego damsko-męską grę, choćby po to, aby odkryć jego piętę Achillesową. No dobra, jest jeszcze jedna możliwość, druzgocąca dla moich rozbujanych emocji, że ta wypowiedź dowartościowała go w moich oczach.

— Czyli idziemy z nimi? — upewniłam się.

Przytaknął bez słowa.

Prędko odnalazłam Roberta, przedstawiłam go Maksowi i razem z grupą przeszło dwudziestu osób ruszyliśmy w stronę klubu.

— A jak on cię właściwie zaprosił? — zapytał Maks.

— Normalnie. Podeszłam, przedstawiłam się, a on zaproponował mi imprezę.

— Tak po prostu?

— Nooo tak… po prostu.

— Spodobałaś mu się — stwierdził stanowczo.

— Nawet jeśli, to co z tego?

— Nic. Sądzę, że nie jest w twoim guście.

A to dobre.

— Zdążyłeś poznać mój gust?

— Tak mi się wydaje. Uważam, że ten chłopak trochę kiepsko wygląda, zapewne nadrabia intelektem.

Faktycznie Robert nie był w moim guście. Był młody, słodki i kompletnie nie dla mnie.

— W takim razie powiedz mi, kto by do mnie pasował?

— Oj, Zośka, a jakie mój gust ma dla ciebie znaczenie? — wymamrotał leniwie.

— Jestem zwyczajnie ciekawa.

— Dlaczego?

— Ponieważ masz takie ego, jakbyś był ideałem.

— No widzisz. Z góry założyłaś, że uważam się za ideał, więc to chyba oczywiste, jak według mnie powinien wyglądać facet. Ale dzięki za komplement. Schlebiasz mi, jednak kult ciała jest mi obcy.

Zignorowałam ten absurd. Jeśli mówi coś takiego facet o wyglądzie lepszym od młodego Brada Pitta, to znaczy, że albo kłamie, albo ja tak bardzo nie znam się na ludziach. Zdziwiło mnie też, że nie gra ze mną w tę swoją gierkę.

— Po tobie też widać, że sporo trenujesz — powiedział całkiem normalnie. — Jesteś gibka i masz jędrne ciało.

Ciekawy komplement, w sumie nawet mi się spodobał. Starałam się ukryć zadowolenie, lecz policzki jak na złość trochę mnie zapiekły. Uśmiechnęłam się delikatnie i umknęłam mu wzrokiem. Gwarne towarzystwo spełnionych muzyków stworzyło mi swoiste schronienie.

SACRIFICE

Dotarliśmy do klubu. Muzycy rozsiedli się wokół stołów rozstawionych w głębi dużej piwnicy. Ja wcisnęłam się w róg jednej z kanap stojących przy stolikach po boku. Maks dostawił krzesło i usiadł przy tym samym stoliku po prawej stronie. Jazgoczące towarzystwo prędko pognało do baru. Wypadało nam zrobić to samo.

— Czego się napijesz? — zapytał zielonooki.

— Nie mam ochoty na alkohol, ale jestem głodna — zasugerowałam delikatnie.

— OK, zaraz wracam — oznajmił i udał się do kolejki.

Na jego miejscu usiadła młodziutka blond klarnecistka.

— Cześć, jestem Alicja. Robert mówił, że ten facet — wskazała na Maksa — przyszedł z tobą. Czy on jest wolny?

Ano tak… Teraz pewnie tak się robi. Nie znam się na tym, nigdy nie potrafiłam działać w tych sprawach tak bezpardonowo jak ta studentka. Dzieliło nas około dziesięciu lat, wychowałyśmy się w podobnych czasach, a odniosłam wrażenie, że dzieli nas cały wiek. Mam niecałe trzydzieści lat, a poczułam się staro. Przyglądałam się jej idealnej, nieskażonej pryszczami cerze, gładkim i jasnym oczodołom, a właściwie miejscu, gdzie ja mam worki, fioletowe worki i zmarszczki. No i te jej śliczniutkie białe ząbki, włosy w kolorze kłosów zboża i malusieńki nosek bez śladu wągierka… Życie jest okrutne i niesprawiedliwe. Kumulował się we mnie jakiś nagły, niepohamowany i niebezpieczny żal. Przypuszczałam, że jeśli nie przestanę się na nią gapić, to ta bomba wybuchnie i poczuję się nie tylko stara, ale też brzydka. A tego uczucia zdecydowanie trudniej się pozbyć. Na dodatek przynosi ze sobą masę kompleksów, w które niechcący mogłabym uwierzyć i spłoszyć Maksa. A dopiero co zrobiło się miło. Walnął mi komplement i spoważniał. Nie chciałam tego zepsuć.

— Tak, wolny jak dziki ptak, może być cały twój — poinformowałam ją, sama sobie wszystko psując.

Ala nie chciała wiedzieć już nic więcej. Rzuciła mi zdawkowo, że super, i wróciła na swoje miejsce. Nawet nie próbowała być dla mnie miła i udawać, że ma trochę klasy. Oceniłam, że musi mieć niezły tupet.

Maks wrócił do stolika, postawił przede mną miskę sałatki, tosty i wielki kieliszek wina.

— Wziąłem, co mieli najlepszego — oznajmił. — Smacznego.

Nie protestując w sprawie wina, z wielką radością złapałam za sztućce. Kiedy rozkoszowałam się goudą mistrzowsko roztopioną w kruchym toście, na miejscu obok mnie pojawił się Robert. Zaczął zagadywać, pytać o ulubioną muzykę, a mnie nie chciało się z nim rozmawiać. Łaknęłam świętego spokoju podczas posiłku, czy to nieoczywiste? Po co w ogóle zagadywać kogoś, kto je? Przecież wiadomo, że niegrzecznie jest mówić z pełnymi ustami. Zdecydowanie mógł poczekać.

Maks zjadł swoje tosty i poszedł do baru po piwo. Ala też. Kątem oka widziałam, że go zagaduje. A mnie nie dość, że wciąż nagabywał Robert, to w dodatku nadal przeżuwałam. Zawzięta miss nastolatek doszczętnie zadeptywała mój i tak mocno nadwątlony wizerunek. Gryzła mnie myśl, że do tej pory byłam dla Maksa wredną hipokrytką z przerośniętą ambicją. Teraz dodatkowo będę brzydka.

Kiedy skończyłam jeść, Robert przeszedł do ofensywy. Tak sprytnie mnie zagadywał, że nim zdążyłam wyczerpująco odpowiedzieć na pytanie, zadawał kolejne. Nawet nie zauważyłam, kiedy miejsce Maksa obok mnie zajęła Ala. Domyślałam się, że posadził ją tam celowo, aby mieć widok na nas obie. A ta konfrontacja mnie dobijała. Odczuwałam jak z minuty na minutę tracę resztki urody. Złośliwy troll. Zawstydziłam się i rozpaczliwie odwracałam głowę, aby tego po mnie nie poznał. W ten sposób im bardziej Robert angażował się w rozmowę, tym i ja coraz bardziej się przed nim otwierałam. W pewnym momencie, a dokładniej w momencie, kiedy skończyłam drugą lampkę wina, naprawdę mocno się rozgadałam. Rozmawiało mi się wyśmienicie. Robert okazał się nieprzeciętnym chłopakiem, z wysmakowanym gustem i niebanalnym podejściem do życia. Adorował mnie, a ja trajkotałam jak nakręcona, śmiałam się w głos i złapałam się na tym, że bawię się kosmykami włosów, co podobno jest dość wymowne.

Wino i przyjemna rozmowa całkowicie uśpiły moją czujność i przy trzeciej lampce przepadłam w czasie i całkiem zapomniałam, po co przyszłam. Z głośników zaczęła się sączyć wspaniała *Sacrifice* Eltona Johna, gdy nieoczekiwanie Maks poprosił Alę do tańca, proponując nam to samo.

— Nalegam, ten taniec wiele ci wyjaśni — rzucił do mnie.

Nie mam pojęcia skąd mi się to wzięło, ale pomyślałam, że chodzi mu o naszą rozmowę na temat fizyczności Roberta. Że niby taniec pozwoli mi ją ocenić, czy jakoś tak. Ciężko to wytłumaczyć, byłam już lekko wstawiona. Ruszyłam na parkiet i, nim zdążyłam nacieszyć się Robertem, Maks porwał mnie w ramiona, przycisnął do siebie, odwrócił w stronę baru i wyszeptał do ucha:

— Pozbądźmy się hipokryzji, jestem zakochany i ty też.

W końcu! Cóż za wspaniałe uczucie! Rozkochałam go! Życie znów nabrało kolorów, ptaki zaśpiewały mi nad głową, zrobiło się tak przyjemnie. I odzyskałam swoją urodę! W tle Elton John śpiewał mi: *We lose direction, no stone unturned. No tears to damn you when jealousy burns*[6].

Trzeba mu oddać, że idealnie wbił się w chwilę. Ech, stary dobry Elton. Naraz zrozumiałam wszystkie niejasne sytuacje, każdy głupi tekst Maksa. Sytuacja w końcu się wyklarowała. Zachowywał się jak kretyn, bo po prostu się zakochał! To takie normalne! Zrobiło mi się tak błogo. Przylgnęłam do niego i nieśmiało wyszeptałam:

— W końcu…

— Jak to? Nie rozumiem? — zdziwił się.

Wcale mnie to nie zaskoczyło. Na pewno nie spodziewał się po mnie takiego wyznania. Wtuliłam się w jego klatę, przycisnęłam do niej jedną dłoń, a drugą złapałam go za kark. Elton nadal wlewał miód w moje uszy, śpiewając:

And it's no sacrifice, just a simple word. It's two hearts living, in two separate worlds. But it's no sacrifice, no sacrifice. It's no sacrifice at all…[7].

I w tej scenerii niczym z argentyńskiego serialu wyszeptałam Maksowi wprost do ucha:

— Cieszę się, że zaryzykowałam.

On odsunął mnie lekko od siebie i z ogromnym zaskoczeniem zapytał:

— Ciebie to ekscytuje?

— A ciebie nie?

---

6 Straciliśmy orientację, poruszając niebo i ziemię. Nawet łez jest już brak, aby cię przekląć, gdy tak pali zazdrość.

7 I to nie jest żadne poświęcenie, to tylko proste słowo. To są dwa serca żyjące w swoich oddzielnych światach. Ale to nie jest żadne poświęcenie, żadne poświęcenie. To w ogóle nie jest poświęcenie.

— Niekoniecznie. Wolałbym, aby wszystko, co nas spotkało, potoczyło się inaczej. Nie potrzebuję nadętej fascynacji, chcę mieć spokój.

Spokój, jakie to słodkie. On chce mieć spokój. Moja wyobraźnia wrzuciła nas w ogródek sielskiego domku na obrzeżach miasta. Ja odpoczywałam na leżaku z ciążowym brzuszkiem i książką w ręku, a on gonił po ogrodzie naszego pięknego psa. Ulżyło mi. Odpłynęło ze mnie całe nagromadzone napięcie.

Złapałam go za rękę i zakręciłam biodrami, kwitując zawadiacko:

— Zatem tańczmy.

Okręcił mnie. Przytulając, w tańcu skierował nas w stronę telewizora zawieszonego nad barem. Wyświetlano akurat powtórkę wiadomości. Trochę mnie to zdezorientowało.

Zanurzył twarz w moich włosach, przylgnął ustami do szyi i wyszeptał:

— Więc kręci cię niebezpieczeństwo, podchody i życie w ukryciu?

Zamarłam. Poczułam się, jakbym dostała cios prosto w nos. Na ekranie wyświetlano mnie i Maksa i nie była to reklama szamponu do włosów czy programu „Policjantka szuka męża". Przełknęłam ślinę.

— Dlaczego nie mówiłeś?

— Jak nie mówiłem? Przecież powiedziałem, że byliśmy w telewizji i jesteśmy poszukiwani, ja i ty.

Że jak? W mojej głowie zapaliło się alarmujące światełko.

— A to, co powiedziałeś o nas? — dopytałam niecierpliwie.

— O nas? Nic nie powiedziałem o nas oprócz tego.

Zaczęłam szybko i głęboko oddychać, aż wreszcie oprzytomniałam. Domyśliłam się, że moja uśpiona świadomość przepuściła słowa Maksa przez otaczający nas jazgot i zmiksowała wydobywając z nich nieco inny sens. Mały włos dzielił mnie od kompromitacji.

— A co powiedziałeś?! Mógłbyś to powtórzyć?!

— Zocha! Powiedziałem, że jesteśmy w telewizji, jestem poszukiwany i ty też.

O matkooo! No tak, w końcu Elton wcześniej wyśpiewał mi:

Mutual misunderstanding after the fact. Sensitivity builds a prison in the final act[8].

Przyjęłam kolejny cios. Tym razem prosto w serce. Trzymałam go za dłonie, którymi złapał mnie za biodra. Miałam ochotę wbić w jego skórę paznokcie niczym rozwścieczony kocur. Wwierciłam się w jego zielone oczy, rozważając, jak takie oczy widzą świat. Moje brązowe widziały go zawsze ciemniejszym niż inni mówili mi, że jest. Wciąż powtarzające się w głowie: *And it's no sacrifice, just a simple word*[9], nabrało nowego sensu.

— Co robimy? — zapytał.

Zamotałam się. Dwie tragiczne informacje naraz po trzech lampkach czerwonego wina, to zdecydowanie o dwie informacje za dużo.

— Zocha, co robimy? — odbijało się gdzieś w oddali od mojej emocjonalnej membrany.

Otrząsnęłam się.

---

8 Wzajemne nieporozumienie po fakcie. Na koniec wrażliwość staje się więzieniem.
9 To nie jest żadne poświęcenie. To tylko prostota słowa.

— Co?

— Dawaj jakieś pomysły! Znasz się na tym.

Nieoczekiwanie obok nas pojawiła się miss nastolatek.

— Maks, wychodzimy?

— Wychodzimy? Co?

Nie zakodowałam, co Maks powiedział Ali, w każdym razie zniknęła mi z pola widzenia.

— Zocha! Zocha! Co robimy? — dobijało się do mojej świadomości.

Przebudziłam się, gdy Maks złapał mnie za ramiona i porządnie mną potrząsnął.

— A gdzie jest ten ksiądz? — zapytałam.

— Nie przyszedł. Powinien tu być ponad godzinę temu, straciliśmy poczucie czasu.

— Chodź — machnęłam ręką i poszłam do Roberta.

— Gdzie jest ksiądz Adam? — wykrzyczałam, ledwo przebijając się przez otaczającą nas wrzawę. Zrobiło się cholernie gwarno. Ludzie wstawali, wychodzili, kłębili się przy barze, dopijali w pośpiechu piwo. — Miał tu być ponad godzinę temu — dorzuciłam.

— Ano tak, ale napisał, że może wpadnie później. Zaraz przenosimy się na domówkę do Olka.

— Cholera — zaklęłam po nosem, ale dość wyraźnie.

— Coś się stało? — spytał zaniepokojony.

— Potrzebuję z nim porozmawiać! — wrzasnęłam rozdygotana, nie potrafiąc ukryć emocji.

— Spokojnie, bez ciebie nigdzie się nie ruszam. Z kim ja bym tak zacięcie konwersował?

Nie było się nad czym zastanawiać. Liczyłam, że w towarzystwie wstawionych muzyków będziemy z Maksem w miarę bezpieczni. A nawiasem mówiąc, byłam po prostu mocno skołowana winem i nic nie przychodziło mi do głowy. Do dwudziestej było jeszcze trochę czasu. Szkoda by było odpuścić rozmowę z księdzem, kiedy mieliśmy go prawie pod samym nosem.

Chwyciłam Roberta pod rękę, kiwnęłam głową do Maksa i skierowaliśmy się do wyjścia.

Kiedy oddaliłam się od Maksa, dopadło mnie poczucie wstydu. Znów odrobinę popuściłam sobie lejce i w podskokach pognałam za sercem, zapominając o rozumie. Spoglądałam w stronę Ali, która go zagadywała i gryzłam się w język.

Skuliłam się i naciągnęłam na ramiona marynarkę, którą zarzucił mi Robert.

— Daleko jeszcze? — zapytałam.

— Ty biedny zmarzluszku. Zaraz będziemy.

KRÓLOWA RZEZIMIESZKÓW

Jak miło, że chociaż jeden facet się o mnie troszczył. No i nie kłamał, bo faktycznie po chwili byliśmy na miejscu. Trafiliśmy w sam środek imprezy zorganizowanej w studenckim mieszkaniu, które niczym nie odstawało od stereotypu. Wielki metraż podzielony na kilka niedużych pokoi, pośrodku mieszkania spory salon połączony z kuchnią, tuż obok łazienka i toaleta. Totalny miszmasz stylów. Każdy mebel z innej parafii, nagie żarówki na kablach, regały zawalone książkami, ikeowskie stoliki i masa kolorowych naczyń. Poza tym kryjące zasłony, przygaszone światło i tajemnice wydobywające się z wąskich szczelin niedomkniętych drzwi od pokoi. A że było to mieszkanie muzyków, z głośników niczym gęsty syrop sączyły się nastrojowe nuty sklejające ten klimat w niezwykłą całość.

Po rozeznaniu w terenie poprosiłam zabawnego studenciaka o użyczenie ładowarki. Pełna nieufności ostatecznie zostawiłam moje złote cacko w jednym z pokoi i wróciłam do Roberta. W pomieszczeniu panował potęgowany przez ciemne ściany półmrok rozpraszany jedynie delikatnie kilkoma świecami. Robert uprzejmie ustąpił mi miejsca i tym sposobem schowałam się w kącie, tuż przy zaciemnionym oknie. On przykucnął obok i podał mi drinka. Nie odmówiłam, choć brak w tym było rozsądku i logiki, oprócz chęci dobrego wtopienia się w tłum, który i tak był wystarczająco pijany, aby spostrzec, że ukrywa potencjalnych morderców.

Obserwowałam Maksa ze swojego bezpiecznego półcienia w przekonaniu, że uczynił mnie niewidoczną. Ten podpierał ścianę i, zagadując Alę, sączył piwo z butelki. Moja dłoń niecierpliwie kręciła szklanką z niebezpiecznym trunkiem. Niebezpiecznym szczególnie dla kobiet, bo czytałam gdzieś, że jego destrukcyjny wpływ na urodę udowodniono naukowo. Z tym że ja przecież stałam się brzydka, więc co za różnica.

Upiłam łyk.

— Bardzo dobry drink — zagadałam do Roberta. — Jednocześnie słodki i kwaśny.

— Owszem, taki niepozorny. Ale im bardziej są niepozorne, tym bardziej niebezpieczne. Jest w nim dużo alkoholu. Uważaj, bo łatwo się upić.

To tak jak muchołówka. Niepozorna, słodko kwaśna, a w rzeczywistości trująca.

Ksiądz się nie zjawiał, a czas zdawał się płynąć coraz uciążliwiej. Gdy Ala dobrnęła do meritum swoich starań, obejmując Maksa w romantycznym uścisku, doszłam do wniosku, że dalsza bierność nie popłaci. Nim Maks odsunął ją od piersi, pognałam do mojego telefonu. Odpięłam go od ładowarki, ekran zamigał do mnie radosnym powitaniem, po czym zgasł, a ja zawiesiłam się na miejskim życiu tętniącym za oknem. Pamiętałam, że w kamienicy naprzeciwko mieszka prawniczka dręczona przez męża sadystę, piętro niżej studenci zakochani w marihuanie, a na dzielącym nas chodniku często odsypia właściciel sklepu z pamiątkami, którego pijanego żona nie wpuszcza do domu. Kto by się spodziewał, że ja, ambitna aspirantka, przegonię patologiczną elitę tej ulicy, ukrywając się tu przed policją. Przed oczyma stanęła mi wizja utraty pracy i struchlałam.

W pewnym momencie drzwi zgrzytnęły, klucz zachrobotał i owionął mnie przyjemny zapach. Jego zapach.

— Nic już nie wiem, zgubiłam się, nie pytaj — wymruczałam.

— Nie zapytam, stwierdzę — powiedział, po czym złapał mnie rękoma za biodra i przyciągnął do siebie. Powoli odgarniał mi włosy i spoglądał w oczy, jakby chciał zobaczyć bursztyny, z których są zlepione.

Nie wytrzymałam.

— Ala, Zośka, jeden czort…

— Zośka, proszę cię… — uciął stanowczo.

Wyrwałam się z jego objęć i skupiłam wzrok na jodełkowej podłodze. Zaczęłam nerwowo przechadzać się między kanapą a stojakiem na nuty.

— Dlaczego dałam się w to wciągnąć, zaufałam obcym ludziom. Dlaczego mnie w to wciągnąłeś? — zapytałam pretensjonalnie.

Maks wyraźnie się zdziwił.

— Ja ciebie? Przecież to ty przyszłaś do mieszkania wuja.

— A kto zaciągnął mnie do piwnicy? I kto wcisnął mi te bzdury o relikwiarzu?

— Nie gadaj głupot. Nigdzie cię nie zaciągnąłem. Gdyby nie Antek, pewnie nie doszlibyśmy nawet do zalążka prawdy. Dzięki niemu jesteśmy coraz bliżej...

— Coraz bliżej czego? Katastrofy? — zakrzyczałam go.

— Nie dramatyzuj!

— Ja dramatyzuję? Być może dla ciebie to, co się dzieje, nie ma znaczenia. Jesteś samotnym wilkiem, żyjesz z dnia na dzień. Ja od wielu lat ciężko pracowałam na swój sukces. Praca jest całym moim życiem, nie mam innego! Te wydarzenia mogą je zniszczyć, rozumiesz? Wszystko, co mam, wisi na włosku. Rozumiesz, Maks?

— Tak, bo nie jestem żadnym samotnym wilkiem. Ja też mam życie, na które od dawna pracowałem i też nie uśmiecha mi się siedzieć za niewinność. Za kogo ty mnie masz?

— Nie wiem jak ty — wtrąciłam — ale ja nie mogę się na to zgodzić. Tylko nie wiem...

— Cholera jasna! Ja też nie wiem! — przerwał mi, krzycząc. — Co jest z tobą, ile ja jeszcze muszę się nagadać? Ile jeszcze sygnałów muszę ci wysłać? Nie zauważyłaś, że za tobą szaleję?

Mówiąc to, przyciągnął mnie do siebie. Spojrzał mi w oczy z lwią namiętnością, ujął w dłonie moją twarz i zbliżył spokojnie usta do policzka. Miałam zamiar go powstrzymać, lecz delikatnie dotknął dłońmi mojej szyi, musnął palcami włosy. Rozpłynęłam się. Pocałował mnie z ogromną żarliwością, jakby uwolnił z siebie całe skumulowane pożądanie. Nie zaprotestowałam. Oddałam pocałunek spokojnie i równie namiętnie. Ciało zaczęło mi drżeć, pulsować. Doświadczałam oszałamiającej rozkoszy i pragnęłam jej więcej i więcej. Wstrzymałam oddech, choć serce jednocześnie wyrywało mi się z piersi. Jęknęłam. Straciłam nad sobą kontrolę. Moje palce zaczęły nerwowo rozpinać górne guziki jego lnianej koszuli. Wsunęłam pod nią dłoń i musnęłam tors, a po chwili zabrałam ją i w obawie, że mi ucieknie, wbiłam palce w jego szyję. Wtuliłam w niego swoje ciało i w końcu poczułam się bezpieczna. Ogarnęło mnie dzikie podniecenie. Od szyi po końce palców raził mnie silny dreszcz. Maks podrzucił mnie na biodra i usiadł na kanapie. Zdjęłam z niego koszulę i przycisnęłam piersi do jego torsu. Jego dłonie powędrowały pod moją koszulkę i odważnie rozpięły koronkową bardotkę. Usta zwilżyły moją szyję, musnęły pierś, a gdy zaczęły pulsować wokół brodawek dobiegł nas hałas z holu.

Odlepiłam się od jego ciepłego ciała, on wrzucił na siebie koszulę i wybiegł z pokoju, zostawiając niedosyt i uchylone drzwi. Muzyka w mieszkaniu ucichła i usłyszałam wrzaski, piski, odgłosy przewracanych przedmiotów i tłuczonych naczyń.

W podskokach naciągnęłam na siebie ubrania i złapałam za telefon. Wtedy uświadomiłam sobie, że w mieszkaniu jest niezła zawierucha, a mój plecak z bronią został w salonie. Wyjrzałam do holu i zobaczyłam dantejskie sceny. Kilku mężczyzn okładało się pięściami, a kilku innych nieskutecznie próbowało im przerwać. Wianuszek dziewczyn pochylał się nad opierającym się o szafę chłopaczkiem z rozciętą głową. Tuż obok, nad ich plecami, młody okularnik zbierał ciosy w brzuch od wytatuowanego mięśniaka, którego na pewno wcześniej nie widziałam. Zaraz za nim łysy facet w koszulce klubu piłkarskiego wrzeszczał, że pozabija wszystkich frajerów. Po prostu każdy krzyczał na każdego. Pojęłam, że imprezę zepsuli nieproszeni goście i że za kilka minut pojawi się policja.

Przedarłam się za napakowanym koksem, zatrzymałam za płaczącą Alą i w oddali, tuż obok pieguski nerwowo wystukującej numer w telefonie, dostrzegłam swój plecak. Leżał na podłodze skopany, otwarty, w połowie wciśnięty pod fotel. Nagły skok adrenaliny natychmiast pchnął mnie w jego stronę. Dosłownie odbiłam się od faceta, który stał mi na drodze i doskoczyłam do fotela. Złapałam za szelkę i wsunęłam dłoń do kieszeni, sprawdzając po omacku, czy broń nadal w niej jest. Odetchnęłam z ulgą i podniosłam wzrok w poszukiwaniu Maksa. Był w pokoju naprzeciwko, gdzie zawzięcie łoił łysego koksa. Znienacka w centrum zamieszania znalazło się kilku policjantów, jeszcze mocniej rozjuszając ewidentnie naćpanych nieproszonych gości. Obserwowałam to pole bitwy, skulona na podłodze przy fotelu. Nie mogłam uciekać, bo cała ta ekipa zastawiła mi drogę. Opcję ewakuacji przez balkon wykluczyłam od razu, bo mieszkanie było na czwartym piętrze. Nie pozostało mi nic innego, jak czekać. Zobaczyłam funkcjonariuszy skuwających Maksa w kajdanki. Jeden z nich, a dokładniej ten spoglądający w moją stronę, miał przyjemnie znajomą twarz. To była na szczęście moja ulubiona twarz z patrolówki, twarz Mateusza Sakosy, kumpla ze szkoły policyjnej. Rozpoznałam ten wymowny wzrok, podniosłam się z podłogi i ruszyłam w jego stronę, zachowując kontakt wzrokowy. Gdy się zbliżyłam, porozumiewawczo kiwnął głową w kierunku drzwi. Zorientowałam się, że próbuje mi pomóc i sugeruje ucieczkę. Jego kolega był zbyt zajęty uspokajaniem pijanych wariatów, aby zwrócić na mnie uwagę. Miałam niepowtarzalną szansę. Przeszłam obok Mateusza powoli, jakbyśmy się nie znali, a on spokojnie podążył za mną. Przystanęłam przy drzwiach i zerknęłam w stronę Maksa. Skuty kajdankami, przyciśnięty do ściany, dostrzegł mnie i jak gdyby nigdy nic puścił mi oczko. Przeniosłam wzrok na Matiego, szukając ostatecznej aprobaty, a on ponaglił mnie gestem. Przekonana, że słusznie postępuję, wyślizłam się przez uchylone drzwi i zbiegłam na parter. W ostatniej chwili cofnęłam się z głównych drzwi, bo pod kamienicą zjawił się kolejny radiowóz. Ukryłam się we wnęce prowadzącej do piwnicy. Odczekałam aż policjanci znikną na schodach i przemknęłam niezauważalnie obok pustych samochodów. Odruchowo skierowałam się w stronę centrum. Zawładnął mną stres, przez co prawie nie pamiętam drogi. Wydaje mi się, że biegłam.

Zatrzymałam się w zaciemnionym zaułku na Plantach. Usiadłam na ławce i włączyłam telefon. Zaatakował mnie kilkunastoma nieodebranymi połączeniami od Pabla, komendanta i od moich towarzyszy. Dostałam też kilka SMS-ów w stylu „odbierz telefon", „odbierz

w końcu, to rozkaz" i „natychmiast zgłoś się na komis"
oraz jeden od Antoniego. Pogratulowałam mu na myśl,
jak bardzo musiał się wysilić, żeby wystukać wiadomość
tymi swoimi wielkimi paluchami. Nie stworzył co prawda dzieła sztuki, a i tak czytałam jego słowa z duszą na
ramieniu. Napisał:

„Czekam na Julię i Jacoba pod klubem Czerwona Koronka. Powinniśmy już iść pod kościół Mariacki, ale oni
nie wychodzą. Proszę, przyjdźcie tu, martwię się o nich".

Miałam wrażenie, że moje serce eksploduje. Wybrałam numer do komendanta, ale nie odebrał. Zadzwoniłam do Pabla, również bezskutecznie. Cytując społeczeństwo, policji nigdy nie ma, kiedy jest potrzebna.
Pogubiłam się, nie rozumiałam, dlaczego koledzy po-
zwolili na upublicznienie mojego wizerunku. I jak, do
cholery, ksiądz i Julka trafili do burdelu?! To była tak
irracjonalna mieszanka, że wydawała się niemożliwa.
Tylko, że akurat w tym przypadku nie miałam podstaw,
aby nie wierzyć Antoniemu. Zasadniczo nie miałam
żadnego wyboru. Na Maksa nie mogłam liczyć, moi
święci towarzysze przepadli w agencji towarzyskiej, a ja
pozostałam ich ostatnią deską ratunku. Swoją zresztą
też. Zostałam z tym wszystkim sama, na domiar złego
poszukiwana. Nie potrafiłam zebrać myśli. Usiłowałam
głęboko oddychać, pragnąc choć trochę wyciszyć emocje
i poskromić krążące we krwi procenty. W kółko powtarzałam sobie, że muszę się opanować, skoncentrować
i że na pewno znajdę rozwiązanie. Miałam świadomość,
że nie mam czasu na długą kontemplację, bo Czerwona Koronka to niebezpieczne miejsce. A skoro znaleźli
się w nim moi towarzysze, musiało wydarzyć się coś

niedobrego. Znałam ten klub z niejednej interwencji. Jego właścicielem jest Francuz, bandzior z aspiracjami biznesmena podejrzewany o pranie brudnych pieniędzy i sutenerstwo. Wiele razy był przez policję zatrzymywany, brał udział w niejednym procesie, ale nigdy niczego mu nie udowodniono. Prokuratura traktowała go nadzwyczaj łagodnie. Powoli wpadałam w panikę. Brałam udział w naprawdę trudnych akcjach, lecz ta zdecydowanie przerosła wszystkie moje dotychczasowe doświadczenia. Ponownie wybrałam numer do komendanta, a zaraz później do Pabla, znów bezowocnie. Uznałam, że skoro sama spartaczyłam swoją robotę, to sama spróbuję to naprawić. Ponadto obawiałam się, że szefostwo wcale nie pomoże mi wyratować przyjaciół, a zamiast tego zakuje mnie w kajdanki. Byłam trochę jak zahipnotyzowana. Analizowałam plan działania, reasumowałam dotychczas zdobyte informacje, zderzałam je z faktycznym przebiegiem wydarzeń. W mojej głowie kotłowało się jak w garze czarownicy.

W końcu oprzytomniałam i podjęłam decyzję. Wstałam z ławki i ruszyłam w kierunku klubu. Procenty i świadomość zagrożenia przyjaciół dodały mi odwagi. Nazwałam ich przyjaciółmi, bo w tych okolicznościach wydawali mi się niezwykle bliscy i cenni.

Trapiona myślą, że policjanci się na mnie wypięli, zadecydowałam, że i ja wypnę się na nich. Chcąc zrobić im na złość, wyłączyłam telefon i porzuciłam go w kępie kwiatów. Szłam żwawo, choć na miękkich nogach. Po drodze minęły mnie dwa patrole policji. Przy pierwszym udało mi się wtopić w tłum zgromadzony przed pubem, przy drugim skręciłam w uliczkę z zakazem wjazdu.

CZERWONA KORONKA

Dotarłam pod Czerwoną Koronkę. Jak na porządne piekło przystało, klub mieścił się w piwnicy odrestaurowanej kamienicy. Prowadziły do niego schodki powleczone czerwonym dywanem, a na straży stał sam diabeł. Uroku dodawała też pieszczotliwa nazwa sklepu ze słodyczami usytuowanego piętro wyżej. „Lizaczek" rozbrajał swym prostym przekazem chyba każdego przechodnia. Jakby tego było mało, dwa kolejne piętra kamienicy przeznaczono na kancelarię adwokacką i siedzibę stowarzyszenia jakichś uczonych. Gdyby stanąć w oddali i spojrzeć z perspektywy, można by uzyskać widok niczym z tryptyku Hansa Memlinga *Sąd Ostateczny*, gdzie św. Archanioł Michał rozdziela dusze potępione od błogosławionych na dwie drogi: do piekła i do nieba. Rozejrzałam się porządnie. Na horyzoncie nie było Antoniego. Zadzwoniłam raz, drugi, trzeci. Nie odbierał, podobnie jak Julka i Jacob.

Przełożyłam plecak przez ramię, żeby w razie czego migiem złapać za broń i podeszłam do bramkarza. Wyglądał groźnie. Miał około metra osiemdziesięciu, był postawny, a koszulka opięta na jego bicepsach zdawała się zaraz pęknąć. Pomięta twarz zdradzała, że nieraz porządnie oberwał i nie wróżyła ponadprzeciętnej inteligencji. Nie wiem, co mnie opętało, ale z ogromną pewnością siebie, wcieliłam się w wyimaginowaną postać.

— Cześć, jestem Aśka, koleżanka stąd umówiła mnie w sprawie pracy — zagaiłam odważnie. — Szef kazał, żebym była na dwudziestą.

Diabeł otaksował mnie wzrokiem.

— Cześć, mała. A jak tej twojej koleżance na imię?

— Natalia, wołają na nią Nata.

— OK, wchodzisz, Nata jest przy barze.

Bramkarz odpiął hak czerwonego sznura, odciągnął przesuwne drzwi i wpuścił mnie do piekła.

Otoczył mnie półmrok pogłębiany przez wystrój w odcieniach czerwieni. Pamiętałam ten lokal z interwencji z pierwszych lat służby, dzięki czemu mniej więcej kojarzyłam układ pomieszczeń. Prędko przekonałam się, że nic się nie zmieniło i poszłam w stronę baru. Wybrałam zaciemnione miejsce na końcu długiego blatu. Usiadłam na skórzanym hokerze i u kuso odzianej barmanki zamówiłam trzy butelki wody. Dwie wypiłam duszkiem.

W lokalu panował względny spokój, kilku facetów oglądało wijącą się wokół rury blondynkę. Na mnie spoglądał ochroniarz, którego mały mózg zapewne próbował ogarnąć fakt, że jestem kobietą, a nie napalonym samcem. Przypomniałam sobie twarz ochroniarza, którego tu kiedyś skułam w kajdanki. Pozostało mi mieć nadzieję, że tym razem nie będzie go w pracy. Wodziłam wzrokiem po pomieszczeniu i naszła mnie myśl, jak nisko trzeba upaść, żeby podjąć pracę w takim miejscu. Społeczeństwo nabija się, że policjanci dają się upadlać pracy, która pozbawia ich godności. Co więc można powiedzieć o takim miejscu? Potrząsnęłam głową. Miałam teraz większe problemy, bo nigdzie nie dostrzegłam moich przyjaciół. Uznałam, że gdyby stąd wyszli, to zdążyliby się ze mną skontaktować. Przy założeniu, że nie spotkało ich nic złego, doszłam do wniosku, że zapewne jest jakaś tajemna część tej knajpy.

Opróżniłam do końca butelkę i zagadałam barmankę, wyciągając rękę w jej stronę.

— Jestem Aśka — odezwałam się.

— Nata — odpowiedziała młoda dziewczyna.

— Przyszłam porozmawiać z szefem o pracy, mogłabyś powiedzieć mi gdzie go znajdę?

— Zaprowadzę cię — zaproponowała.

W tej chwili do baru podeszła grupa nowych klientów.

— Wiesz co, będę teraz zajęta, idź tam na wprost — dodała, wskazując na miejsce za sceną dla striptizerek.

— Za kotarą są brązowe drzwi. Zapukaj, ktoś cię wpuści.

Wzięłam wdech i udałam się we wskazane miejsce. Po drodze omiotłam wzrokiem ewentualne skrytki i przejścia do kolejnych pomieszczeń.

Kiedy odsłoniłam rzeczoną kotarę, znalazłam się w niewielkim przedsionku z trojgiem różnych drzwi. Na wprost mnie znajdowały się brązowe, zapewne te wskazane przez Natę, po prawej czerwone, a po lewej białe. Nieoczekiwanie zza czerwonych wyłonił się mężczyzna. Łypnęłam w jego stronę i zauważyłam, że za tym wejściem znajduje się niewielki korytarz. Niestety wrota do piekieł szybko trzasnęły, a mężczyzna znikł za kotarą. Ogarnął mnie strach, że gdzieś tam może być Julia. Przez głowę przeleciały mi czarne myśli, które podsunęły nowy pomysł. A gdyby tak wejść za czerwone drzwi? Nim się namyśliłam, zdecydowano za mnie. Nauczka na przyszłość, by szybciej podejmować decyzje.

Brązowe drzwi uchyliły się i z pomieszczenia wyszedł wystylizowany mężczyzna.

— A ty do kogo? — zapytał.

— Do szefa, jestem umówiona — odparłam z przekonaniem w głosie.

— Zatem zapraszam.

Facet wpuścił mnie do środka i wyszedł. Znalazłam się w pomieszczeniu przypominającym gabinet. Rozejrzałam się i na kanapie pod ścianą zobaczyłam Julkę.

— Matko kochana, Jezus Maria! — przekrzyczałyśmy się wzajemnie i rzuciłyśmy się sobie w objęcia. Miałam do niej mnóstwo pytań.

— Tak się o ciebie martwiłam! Co się stało? Co ty tutaj robisz? — wypytywałam.

Julka wybuchła płaczem. Usadziłam ją i próbowałam uspokoić. — Co się stało? Ktoś cię skrzywdził? Opowiadaj, nie mamy czasu — nalegałam.

— Nie, nie, nikt mnie nie skrzywdził — wyszlochała. — Jacoba pobili! Nie wiem, gdzie go wzięli. Czekam tutaj, żeby to wyjaśnić.

— Dlaczego? Spokojnie, po kolei. Powiedz mi, czy oni wiedzą, że jesteście razem?

— Nie, nie wiedzą — powoli się uspokajała. — Jak się cieszę, że jesteś. Jak nas znalazłaś?

— Antoni do mnie napisał.

— A gdzie on jest?

— Nie wiem. Ty mi powiedz.

— Ja też nie wiem. Miał czekać przed bareeeeem — zaniosła się głośno płaczem.

— Julka, powiedz mi, po co wy w ogóle tutaj przyszliście? O co w tym wszystkim chodzi?

Julka złapała kilka głębszych wdechów, otarła łzy i zaczęła całkiem spokojnie opowiadać.

— W klasztorze sióstr klarysek spędziliśmy mnóstwo czasu. Antoni próbował wyciągnąć jakieś informacje, ale bez skutku. Było już dość późno, kiedy przyszliśmy pod kościół świętego Jana. W drzwiach minęliśmy się z jakimś facetem. W kościele przywitała nas siostra, która stwierdziła, że przed chwilą rozmawiała o relikwiarzu z jakimś mężczyzną. Wybiegliśmy za nim z kościoła i dogoniliśmy go na rogu ulicy. Poszliśmy za nim i doprowadził nas tutaj. Próbowałam się z wami skontaktować. Dzwoniłam z milion razy. Postanowiliśmy, że nie ma na co czekać. Ja z Jacobem weszłam do środka, a Antoni miał czatować na zewnątrz. Jeden z tych facetów wziął mnie za nową striptizerkę, a Jacob zapytał ich o profesorów. Zaczęli go bić, a mnie kazali pójść do szefa. Nie miałam zamiaru, ale zauważyłam mężczyzn prowadzących gdzieś profesora. Znaczy się, tak mi się wydaje, bo wyglądał jak ten pan ze zdjęcia, które Maks pokazał nam w telefonie. Nie wiedziałam, co robić. Chwilę później przyszedł do mnie jakiś facet, dosłownie wepchnął mnie tutaj i kazał na siebie zaczekać. A jak ty tu trafiłaś?

— Później ci opowiem. Teraz musimy znaleźć chłopaków i wydostać się stąd. To cholernie niebezpieczne miejsce.

— A gdzie jest Maks? — dopytała, ocierając łzy.

— Oj, Julcia, cośmy przeżyli, Boże drogi. — Zanurzyłam twarz w dłoniach. — Opowiem ci w skrócie. Ktoś zamordował księdza w zasadzie na naszych oczach i wygląda na to, że jesteśmy podejrzani o morderstwo. Maks został zatrzymany przez policję, a mnie udało się dotrzeć tutaj. Powiedziałam, że przyszłam w sprawie pracy, więc siedzimy tu w tym samym celu. Udawajmy, że się nie znamy i zobaczymy, co z tego wyjdzie. Musimy dostać się do kolejnych pomieszczeń.

Kiedy wyrzuciłam z siebie ostatnie, jakże istotne zdanie, w pokoju pojawił się mężczyzna w dżinsach, cholernie drogiej marynarce i białym T-shircie, spod którego wylewała się opona tłuszczu. Opadł ciężkim ciałem na krzesło, naprężył otłuszczone muskuły i zassał oponę, która od przybrania pozycji siedzącej zrobiła się kilka centymetrów większa. Zanurzył rękę pod biurko, wysunął jedną z szuflad, przejrzał ją, a gdy znalazł to, czego najwyraźniej szukał, spojrzał na nas.

— Nie umawiałem się z wami na tę godzinę, ale skoro już jesteście, to pogadajmy — zabrzmiał niskim, aroganckim głosem. Dobrze znana mi maniera, mająca na celu sprowadzenie rozmówcy do roli ofiary.

Tak, to był nikt inny jak Francuz.

— Ty, jak ci na imię — wskazał na Julkę, zapierając się łokciami o czarny blat biurka, dzięki czemu obrotowe, wyściełane skórą krzesło na kółkach dźwignęło i wcisnęło jego spasiony brzuch pod blat.

— Julia — odpowiedziała.

Coś mi się zdaje, że nie umiałam pohamować mojego zdziwienia i wymownie uniosłam brwi. Chyba nigdy nie spotkałam osoby tak szczerej. Podkreślam szczerej, a nie głupiej, jak dotychczas sądziłam. Teraz Julia wydała mi się zwyczajnie delikatna i naturalna. Tak naprawdę od początku była najszczerszą osobą w naszej grupie.

— OK, Julio. Przez tego idiotę, który sprowokował zamieszanie, nie mogłaś się wykazać. Zaprosiłem cię tutaj dlatego, że polecił cię Miki, mój stary dobry kumpel. I już na oko mogę stwierdzić, że wpisujesz się w gust naszej klienteli. Liczę, że mnie nie zawiedziesz. A ty jak masz na imię? — zwrócił się do mnie.

— Aśka — rzuciłam szybko, analizując w głowie jego ostatnie słowa. Gust klienteli? A jaki może być gust klienteli burdelu? Matko kochana! Gust bzykaczy kobiet za pieniądze. Jeśli można tu mówić o guście, to musi być dno dna.

— OK, Aśka, pokaż się — zarządził i wykonał gest sugerujący, żebym wstała.

Że jak? Ledwo powstrzymywałam agresję. Naprawdę niewiele brakowało, żebym do niego strzeliła. Tym bardziej, że Francuz nie ustępował. Ponownie wykonał dłonią gest nakazujący mi podniesienie pupy z kanapy.

— No pokaż się, wstań, rozbierz się — nalegał tym swoim obrzydliwym, wyniosłym tonem.

Kombinowałam. Nie byłam w stanie tego zrobić. Pozostało mi grać na zwłokę.

— A nie lepiej, jeśli najpierw się przebiorę i pokażę na scenie, co potrafię? Nie lepiej jest dozować emocje? Jestem pewna, że będzie pan zadowolony.

„Będzie pan zadowolony, będzie pan zadowolony", dudniło mi w głowie przez kilka kolejnych sekund.

— Nie zarzekaj się, że jesteś taka dobra. Nie chciałbym się rozczarować.

Naprawdę z trudem opanowałam emocje, ugryzłam się w język i wymamrotałam przez zaciśnięte usta:

— Nie rozczaruje się pan — zapewniłam z lekką ironią, której na szczęście nie zrozumiał.

— No dobrze, a ile macie lat?

Julka, oczywiście, wyrwała się do odpowiedzi jako pierwsza.

— Dwadzieścia pięć — oznajmiła radośnie, jakby jedyna w klasie znała odpowiedź na pytanie zadane przez nauczycielkę.

Ja na poczekaniu przekalkulowałam sprawę i ostatecznie doszłam do wniosku, że powinnam powiedzieć prawdę. Pewnie nikt przy zdrowych zmysłach, patrząc na moją zmęczoną wydarzeniami i alkoholem twarz, nie uwierzyłby w kłamstwo. Nawet taki kretyn.

— Dwadzieścia dziewięć — bąknęłam.

Francuz odsunął krzesło i rozparł się na nim wygodnie, naciągając poły od marynarki na galaretę schowaną pod koszulką.

— OK, ty jesteś trochę za stara — ocenił, wymachując palcem w moją stronę — ale takie też są potrzebne.

To jedno zdanie wystarczyło, aby doprowadzić mnie na skraj wytrzymałości. Miałam nadzieję, że nie będzie ode mnie niczego więcej wymagał, bo cała wrzałam i mogłabym nie opanować emocji. W przeciwieństwie do Julki, która grała wyśmienicie. Choć może wcale nie grała? W końcu sama stwierdziłam, że nie potrafi oszukiwać. Przyznam, że zdążyłam się pogubić. Ułożona wygodnie na skórzanej kanapie, wyprostowała plecy, założyła nogę na nogę i delikatnie stukała palcami po kolanku. Wyglądała jak profesjonalistka.

Francuz wyciągnął z szuflady laptopa, wstał i powiedział, że zaprowadzi nas do garderoby.

Szturchnęłam Julkę, żeby spróbowała jeszcze coś ugrać.

— Ja już tam byłam, zaprowadzę ją — jęknęła prawie niedosłyszalnie.

— Nie chcę żebyście błąkały się tutaj same, chodźcie.

No i to by było tyle z naszego ugrywania. Francuz zaprowadził nas za białe drzwi tuż obok, do garderoby. W tym przedziwnym pokoju było kilka szaf, szafek i całe mnóstwo luster oraz przeróżnych przedmiotów, począwszy od kosmetyków do makijażu, skończywszy na lateksach, pejczach i perukach. „Burleska" krzyczał znad luster czerwony napis, mający zapewne obdarzyć striptizerki choć odrobiną poczucia klasy. Mnie obdarzył niesmakiem i współczuciem wobec tancerek, którym zapewne daleko do Dity von Teese czy Kity Bang Bang. Choć w zasadzie co za różnica. Toż to taka sama prostytucja, okraszona jedynie większym splendorem.

— Jak się przebierzecie, idźcie do Jolki, jest przy barze. Ja za jakiś czas przyjdę na was popatrzeć. Jeśli klienci będą zadowoleni, możecie pójść na kwatery. Rozumiem, że Jolka wytłumaczyła wam zasady? — Nasze miny mówiły, że chyba niekoniecznie. Francuz dodał: — Każdy z chłopaków zna cennik, klient rozlicza się z nimi. Wy dostajecie swoją część pod koniec nocki. Do roboty — zakończył i zamknął za sobą drzwi.

Oczy Julki naraz zrobiły się wielkie i błyszczące, a jej usta zaczęły wypluwać te wszystkie emocje, których nie musiała dłużej powstrzymywać.

— Chcę stąd wyjść! Naprawdę się boję. A jeśli nas zgwałcą albo zamordują?

Sama byłam spanikowana, dlatego zignorowałam jej nadmierne poruszenie, żeby bardziej się nie nakręcać. Otworzyłam pierwszą z brzegu szafę i zaczęłam szukać dla siebie przebrania.

— Spokojnie, Julka — wykrztusiłam, przerzucając kolejne dziwaczne wdzianka. — Raczej nas nie zabiją.

— Jezus Maria, co ty mówisz!

— Dobra, opanuj się. Musimy znaleźć jakieś stroje, dzięki którym łatwiej nam będzie poruszać się po knajpie. Przebierzemy się. Potem zakradniemy się za drzwi naprzeciwko. Sądzę, że tam mogą być Jacob i Antoni. A teraz znajdźmy stroje. Dla mnie taki, w którym będę mogła to schować — pokazałam broń.

Julka pokiwała głową i zabrałyśmy się do przeglądania garderoby.

— A to? — zapytała, rozciągając przed moją twarzą kowbojskie majteczki. — Są frędzle, zasłonią broń.

Szczerze mówiąc, nawet jednego uda bym w te majtki nie wcisnęła. Czy te zboki zatrudniają tu dzieci? No, chyba że skurczyły się w praniu. O matko, mam nadzieję, że te kostiumy są czyste!

— Odpada. Odsłonią wszystko, w trakcie tańca.

— Jak to?

— Liczmy się z taką możliwością. Jeśli dla dobra sprawy będę musiała przez minutę pokręcić tyłkiem, jakoś to przeżyję. Ale tylko przez minutę. Swoją drogą, po co ty tu przyszłaś? Coś ty sobie wyobrażała? Nie potrafię tego zrozumieć.

Julka odwróciła wzrok w stronę szafy, chcąc uniknąć mojego spojrzenia. Zapewne zwyczajnie się zawstydziła.

— I lepiej nie próbuj, bo ja sama nie wiem — wydusiła z siebie i podrzuciła mi strój policjantki.

— Idealny — oceniła.

— Bez żartów. Nie mam aż takiego poczucia autoironii.

— Ale, Zośka, do tego jest kabura. Nikt nie pomyśli, że masz w niej prawdziwą broń.

— W sumie… — Rozwinęłam skąpe majteczki i przypasowałam do piersi staniczek.

— W zasadzie, hm, zdecydowanie nie na mój biust, ale ratują go regulowane ramiączka. Cholernie to groteskowe. Niech się zastanowię… — zawiesiłam się na sekundę. — Broń będę mieć pod ręką, kartkę upchnę do stanika, a odznakę zawieszę na szyi. To ma sens. Julka, jesteś genialna! I naprawdę bardzo się cieszę, że jesteś tu ze mną, cała i zdrowa — oznajmiłam i przytuliłam ją. Naprawdę cieszyłam się, że już nie jestem z tym wszystkim sama, przy czym moje poczucie odpowiedzialności i tak nie rozłożyło się na dwie, bo ja pod wpływem okrutnej wewnętrznej presji zawsze biorę na siebie więcej.

— Niekoniecznie zdrowa — bąknęła Julka.

— Jak to? — Chwyciłam ją lekko za ramiona. — Coś ci zrobili?

— Nie… Zresztą powiem ci później.

— Ale dasz radę?

— Tak — oświadczyła dumnie.

Skoro tak, nie było nad czym się zastanawiać. Julka przebrała się w strój cheerleaderki, ponieważ zakrywał najwięcej ciała. Ja wskoczyłam w cholernie skąpy strój policjantki i, zgodnie z planem, zawiesiłam na szyi odznakę, a w biustonosz wcisnęłam dokumenty i kartkę profesora.

— Lecimy za czerwone drzwi — zarządziłam.

— A jeśli nas przyłapią?

— Zaryzykujmy. Najwyżej udamy, że się zgubiłyśmy.

Julka przytaknęła mi bezgłośnie i zebrałyśmy się do wyjścia. Wtem drzwi się uchyliły. Pojawiła się w nich tandetna kobieta, na moje oko rycząca czterdziestka, z doczepionymi blond włosami, doklejonymi rzęsami i obrzydliwie nadmuchanymi ustami. Na nasz widok uniosła czarne kreski namalowane w miejscu przeznaczonym dla brwi i wystawiła wychudzone udo owinięte sznurkiem od zamszowych szpilek. Skojarzyłam je z lichą peklowaną szyneczką.

— Co wy tutaj robicie? Kto was wpuścił? — zapytała złowrogim tonem, spoglądając na nas podparta o framugę.

Stanęłam przed nią i zdecydowanym tonem powiedziałam:

— Przyszłyśmy w sprawie pracy. Szef kazał nam się tu przebrać.

— A później pójść do Jolki — dodała Julka. Niestety.

— Ja jestem Jolka — skwitowała ostro.

Nie śmiałam wątpić. Funkcję burdelmamy wypisaną miała nie tylko na twarzy.

— Czyli macie tańczyć, tak? — dopytała. Nie uzyskując odpowiedzi, machnęła tylko ręką, żeby iść za nią.

Nie pozostawiła nam wyboru. Cały misterny plan zajrzenia za czerwone drzwi poszedł na marne. Zaprowadziła nas do baru, oparła się o ladę i zaczęła instruktaż.

— Słuchajcie uważnie. Jestem tu menedżerką, prawą ręką szefa. Wszystko zależy ode mnie. Rozdzielam obowiązki, układam grafiki, decyduję o tym kto, kiedy, ile i jak będzie pracował. Mam żelazne zasady. Nie wolno wam romansować z chłopakami z ochrony, bo nie potrzebuję dodatkowego zamieszania. Nie chcę zazdrości o klientów, to jest biznes. Wchodzicie w niego z zimną krwią albo wcale. Musicie być świadome, na co się decydujecie, żebyście mi później nie wyły, że ktoś was do czegoś zmuszał. Jeśli ściągniecie tutaj policję, to was zniszczę. Zamorduję, poćwiartuję, wrzucę do Wisły. — Rzuciła mi nieprzyjemne spojrzenie. — Nie wolno wam opowiadać, co się tu dzieje. Pod żadnym pozorem nie wolno zdradzać danych klientów. Macie udawać, że Koronka nie istnieje. Musicie oddzielać życie prywatne od zawodowego. Jeśli was zatrudnimy, będziecie mogły tu pracować, dopóki się z kimś nie zwiążecie. Co najważniejsze, ja również decyduję o tym, kto i z kim pójdzie na kwatery. Nie wolno wam pójść bez mojej zgody. Mamy klientów bardziej i mniej wymagających…

— A szef powiedział — przerwałam jej, wyczuwając dobry moment na wyłuskanie dla siebie jakiejś alternatywy — że możemy pójść dzisiaj.

— Szef niech mówi, co chce. Bez mojej wiedzy i zgody nie macie prawa. Jasne?!

Skinęłyśmy głowami.

Nabrałam tchu i zerknęłam w stronę mężczyzn śliniących się na widok striptizerek okręconych wokół srebrnej rury. Uczucie obrzydzenia prawdopodobnie dało wyraz na mojej twarzy i Jolka to wychwyciła.

— Co jest, lala? Co się krzywisz? To moje najlepsze tancerki. Jak skończą, wy wchodzicie — obwieściła i wymuszonym ruchem bioder naśladującym seksapil udała się do grupy rozweselonych facetów w garniturach wychylających kieliszki na drugim końcu baru.

Julka skuliła się, zasłaniając ciało. Na pewno wcielała się w rolę, o której nie śniła w najgorszych koszmarach. Pożałowałam i jej, i siebie. Oczekiwanie na katastrofę byłoby nie w moim stylu, zatem zaczęłam szukać rozwiązania. Czacha dymiła mi od pomysłów. Lustrowałam pomieszczenie w poszukiwaniu zaciemnionego kąta, którym mogłybyśmy przemknąć za kotarę. Zapamiętywałam układ pomieszczenia i najróżniejsze detale, żeby w razie potrzeby wiedzieć, jak sobie pomóc. Podpatrywałam też ruchy tancerek. Nie wzywałam wsparcia, bo nie byłam w stanie przewidzieć reakcji komendanta. Istniała możliwość, że zamiast interwencji w sprawie profesorów, doczekam się zakucia mnie w kajdanki. Znalazłam się w patowej sytuacji. Domyślałam się, że jeśli odmówimy występu, to wyrzucą nas z tego burdelu bezpowrotnie.

Kontrolnie spojrzałam na Julkę i znów dopadła mnie ciekawość, jak ta kruszynka wykrzesała z siebie tyle zawziętości i odwagi, żeby tu wejść. Czyżby moje podejrzenia o wyjątkowej relacji z Jacobem właśnie się potwierdzały? Jeśli tak, to chociaż w tym wypadku wykazałam się niezłym instynktem, bo co do oceny Julki na pewno mocno się pomyliłam. Mało przecież powiedzieć, że dotychczas nie mogłam znieść jej towarzystwa. Irytowała mnie całą sobą, począwszy od delikatnego głosu, skończywszy na zachwycie, który wzbudzała u Maksa. Tymczasem nikt inny jak właśnie ta sarenka udowodniła, że jest twarda, a to akurat bardzo w ludziach cenię.

Striptizerki kończyły występ. Zmysłowa muzyka zmieniła ton na nieco drapieżniejszy, a ja nadal niczego nie wykombinowałam. Karma wróciła. Nakłamałam księdzu, że tańczę na rurze, to teraz mam. Moja niewinna ironia przerodziła się w prawdziwą farsę.

Odgarnęłam Julce włosy i szepnęłam jej do ucha:

— Nasza kolej, chodź, jakoś to będzie. Jeśli nie damy rady, to zejdziemy ze sceny.

Zrobiło mi się duszno. Próbowałam się do niej uśmiechnąć, ale stres mnie zablokował. Złapałam ją więc za dłoń i powoli ześliznęłam z krzesła. Odchodząc od baru, wypatrzyłam przygotowującą drinki rudowłosą dziewczynę. Anastazja, bo taki miała pseudonim, była kiedyś świadkiem w sprawie o sutenerstwo. Nie prowadziłam tej sprawy, ale jej problematyczny charakter sprawił, że trafiła do mnie. Wyłącznie ja zniosłam jej wrodzony oportunizm i wyuczoną arogancję, lecz i tak nie zdołałam wyciągnąć od niej nic ważnego dla sprawy. Dowiedziałam się jednak na tyle dużo, żeby chwilowo odciągnąć ją od faceta, który mocno się nad nią znęcał. Całe szczęście, że rudy ogień jej loków nie pozwolił o sobie zapomnieć. Jak i o tym, że pozostał jej dług do spłacenia.

STRIPTIZ

Bez wahania doskoczyłam do baru, przechyliłam się przez ladę i ściszonym głosem wyznałam rudowłosej, że doskonale pamiętam ją, jak i to, że jest mi winna przysługę. Później dodałam, że jeśli nie chce wylecieć w kosmos razem z tym gównianym miejscem, to jak tylko wyjdę na scenę, ma na długo wyłączyć światło w lokalu. Czerwonowłosa jedynie zmarszczyła czoło.

Nie miałam więcej czasu, odlepiłam się od baru, podeszłam do Julki i chwiejnym krokiem zaciągnęłam ją na scenę. Drapieżna muzyka wymusiła na nas spektakularne wejście. Odetchnęłam głęboko i pewnym krokiem dosłownie wskoczyłam na podest. Prawą ręką złapałam za połyskującą, srebrną rurę, odchyliłam głowę i zarzuciłam włosami w stronę Julii, po czym kiwnęłam głową, jakbym chciała ją przedstawić. Julia wypięła lekko pupę i ukłoniła się jak panna z dobrego domu. Mężczyźni zawrzeli, po klubie rozeszły się oklaski i gwizdy.

— *Show time!* — krzyknęłam, chwyciłam oburącz stalową rurę i zaczęłam wić się, wymachując przy tym swoimi długimi włosami tak, aby łaskotały pośladki Julki. Ona z kolei krążyła dookoła mnie, kusząc widownię palcem i naśladując figury cheerleaderek.

Jakoś nam poszło. Przypuszczałam, że strach zawładnął naszymi ciałami do tego stopnia, że rozbuchał wyobraźnię i uruchomił głęboko skrywane pokłady erotyzmu. Opowiadam w liczbie mnogiej, ponieważ byłam przekonana, że Julka też jest dziewicą. Co za ironia losu! Dwie dwudziestokilkuletnie dziewice wijące się na scenie w burdelu! W dodatku, jakkolwiek idiotycznie to brzmi, w celu ratowania mężczyzn. Gdyby jeszcze wczoraj ktoś mi powiedział, że będę robić coś takiego, kazałabym mu popukać się w czoło. To było dla mnie naprawdę okropne przeżycie. Naszła mnie myśl, że byłoby mi łatwiej, gdybym była aktywna seksualnie. A te myśli mocno przeszkadzały mi w tańcu. Spróbowałam więc skupić się na tej paskudnej rurze, ale naszła mnie kolejna genialna myśl, że jest oblepiona bakteriami i nie powinnam jej dotykać. Obrzydzenie odepchnęło mnie na skraj sceny, gdzie z uwagi na bliskość widowni tańczyło mi się jeszcze gorzej. Choć prędzej gibało niż tańczyło, bo to słowo mocno przekłamywało rzeczywistość. W całej tej grotesce pomogły nam nieco stroje, dzięki którym mogłyśmy jakby wczuć się w role. Julka chwilami podskakiwała, jak przed meczem rugby, a ja udawałam, że kieruję ruchem i takie tam inne pierdoły.

Generalnie ten nasz pokaz był okropnie żenujący i wydawało mi się, że trwa w nieskończoność, podczas gdy minęło zaledwie kilka minut. Rudowłosa cholera nie kwapiła się, aby wyłączyć światło, a ja desperacko tej ciemności potrzebowałam, tym bardziej że najwyraźniej przestałyśmy spełniać oczekiwania publiczności, bo napalone samce zaczęły obrzucać nas chamskimi epitetami. Zdecydowałam, że daję nam jeszcze minutę i jeśli ruda nie zgasi światła, to zejdziemy ze sceny, wezwę policję i przywalę jej kilka sierpowych. Oblechy pod sceną tak na nas napierali, że w końcu złapałam Julkę za biodra, spojrzałam jej w oczy i… zapadła kompletna ciemność. Oczywiście zamierzałam jej wyszeptać, że kończymy przedstawienie, ale bezmózgie małpiszony myślały, że mam zamiar ją pocałować.

Kiedy zgasło światło, klienci włączyli latarki w telefonach, ułatwiając mi orientację. Dzięki wcześniejszej obserwacji miejsca bez problemu złapałam rozeznanie. Porwałam zagubioną Julkę ze sceny i zaciągnęłam pod czerwoną kotarę. Serce waliło mi jak oszalałe, a przez głowę przebiegła myśl, że mam szczęście w nieszczęściu, czyli jednak ktoś nade mną czuwa. W przedsionku, za kotarą usłyszałam stłumione głosy kilku osób. Odruchowo odskoczyłam w bok i wciągnęłam Julkę za sobą. Tuż obok nas przewinął się Francuz i kilku innych mężczyzn. Stałyśmy dosłownie na wyciągnięcie ręki, ale w miejscu, które w ciemności uczyniło nas niewidzialnymi. Udało nam się podsłuchać fragment rozmowy.

— Jesteś pewny, że to nie oni?

— Tak, szefie. Młody dostał po mordzie i siedzi ze starym, przed chwilą sprawdzałem. — Bezpieczniki są na zapleczu, za barem.

Wywnioskowałam, że mowa o Jacobie i Antonim, a kiedy się oddalili, wciągnęłam Julkę za kotarę. Uchyliłam czerwone drzwi, upewniłam się, że nikogo nie ma w pobliżu i, ciągnąc ją za sobą, ostrożnie przestąpiłam próg. Znalazłyśmy się w kilkumetrowym korytarzu usłanym drzwiami oświetlonymi kolorowymi lampkami owiniętymi wokół futryn.

— Kraina rozpusty, obrzydliwe miejsce — mamrotała pod nosem Julka.

Ja zaś głowiłam się, za które z tych drzwi powinnam zajrzeć. Czułam się trochę jak gracz teleturnieju „Idź na całość". Wybierasz bramkę, a tu zonk — prostytutka z klientem. Intuicja podpowiadała mi, że warto sprawdzić bramki usytuowane na końcu korytarza. Błyskawicznie, ale całkowicie bezszelestnie przemknęłyśmy pod ostatnie drzwi. Wybrałam bramkę numer pięć, przeżegnałam się, złapałam za klamkę, a drugą ręką ścisnęłam broń. Pchnęłam drzwi, ale nie zastałam za nimi niczego interesującego. Ani zonka, ani wygranej.

Na środku pokoju stało duże łóżko, przy drzwiach niewielki stolik i dwa wyścielane krzesła. Nagrodą pocieszenia za naszą odwagę były dwa satynowe szlafroki ułożone na łóżku. Złapałam je prędko, jeden podałam Julce, a drugi wrzuciłam na siebie.

Zamknęłam pokój i zbliżyłam się do bramki numer cztery, chwyciłam za klamkę — zamknięte. Julka obdarzyła mnie takim spojrzeniem, jakby chciała wykrzyczeć: „Idź na całość!". Nie poszłam, bo nie potrafiłabym bezszelestnie rozwalić zamka. Przystawiłyśmy uszy do drzwi i wychwyciłyśmy odgłosy. Spojrzałyśmy na siebie ze zrozumieniem.

— Klucze na pewno są u szefa — rzuciłam. — Nie mamy czasu. Biegiem!

Bez zbędnych słów ruszyłyśmy ponownie za czerwone drzwi.

— A nie u tego ochroniarza, który mówił o bezpiecznikach? — dopytała Julka.

— Niech to szlag! Masz rację! Na wszelki wypadek sprawdźmy jeszcze u szefa, może będą tam zapasowe.

Byłyśmy tuż pod drzwiami do gabinetu Francuza, kiedy oślepiło nas światło. Natychmiast weszłyśmy do garderoby, a przez kotarę przewinęli się ochroniarze, szef i Jolka. Usłyszałyśmy ją pod drzwiami, uzbroiłyśmy się zatem w znudzone miny i zajęłyśmy krzesełka przy lustrach. Jolka gwałtownie wpadła do pokoju.

— Pieprzone gówniary! Po cholerę tu przylazłyście, na scenę! Ruszać się!

Szczerze mówiąc, miałam nadzieję, że to koniec farsy, a te słowa nie podziałały na mnie zbyt motywująco. Na Julkę zdecydowanie też, bo zamiast ruszyć się z miejsca wpatrywała się w ogromne usta Jolki.

— No ruszać się, gówniary! *Raus!* — powtórzyła z krzykiem.

Raus? Gdzieś to już słyszałam.

Niechętnie podniosłam się z krzesła, kiwnęłam głową do Julki i wyszłyśmy z pokoju. Jolka znowu krzyknęła:

— Na scenę!

Zagryzłam zęby z myślą, że jeszcze nadejdzie godzina, w której to ja na nią krzyknę.

Żwawo i odważnie wkroczyłyśmy na scenę przy erotycznie brzmiących dźwiękach saksofonu. Przeskanowałam wszystkie wpatrzone w nas twarze i zlokalizowałam ochroniarza, który mógł mieć klucze. Jak wiadomo, kilka minut wcześniej prawie się skompromitowałyśmy, dlatego czas grał bardzo ważną rolę. Szepnęłam do Julki, że musimy oskubać tego gościa z kluczy. Szybko też przekonałam się, że wzięła sobie do serca moje słowa, bo skoncentrowała na tym facecie wzrok, równocześnie gestykulując w jego stronę. Wydaje mi się, że pamiętała o zakazie podrywania ochroniarzy i robiła to dwuznacznie, tak aby nie było pewności, czy podrywa ochroniarza, czy faceta siedzącego obok niego. Sam taniec, delikatnie mówiąc, nie szedł nam najlepiej, ale z ręką na sercu dawałyśmy z siebie wszystko. Nie było w tym wybitnej erotyki, nie było też luzu, a maksymalne skupienie. W moim przypadku na ochronie klubu, a dokładnie rozlokowaniu, uzbrojeniu no i rzecz jasna wielkości, jakkolwiek idiotycznie to brzmi. Dzięki skupieniu oderwałam myśli od upokorzenia, które przeżywałam. Bo fakt, że jak zawsze dla dobra sprawy byłam gotowa wiele poświęcić, nie niwelował ogromnego poczucia wstydu. W pewnym momencie w lokalu pojawiło się kilku nowych klientów, powodując spore zamieszanie. Julka wykorzystała ten moment, zeszła ze sceny i udała się w stronę czerwonej kurtyny. Rozpromieniony mężczyzna poszedł za nią. Pomyślałam, że albo oszalała, albo jest niesamowicie odważna.

Miałam tyle szczęścia, że kilka sekund później skończyła się piosenka. Przerwałam występ, podeszłam do Jolki i wyrzuciłam jednym tchem, że potrzebujemy kilku minut przerwy na dopracowanie choreografii. Burdelówa była tak zagadana z barmanką i ewidentnie kasiastym klientem, że tylko kiwnęła głową.

Skoro los sam się do mnie uśmiechnął, bezzwłocznie pognałam na ratunek koleżance. Wpadłam za kurtynę wprost za plecy ochroniarza przyciskającego Julkę do ściany. Pozwalała mu szeptać na ucho sprośne obrzydlistwa i krążyła dłonią wokół kieszeni jego spodni, zapewne w poszukiwaniu kluczy. A to sprytna bestia! O taką przebiegłość jej nie podejrzewałam. Tyle że taka przebiegłość musi iść w parze ze szczęściem. A tego Julka niestety nie miała. Nie mogła podkraść zbokowi kluczy, bo zwyczajnie ich nie miał. Stałam za nimi niezauważona i kombinowałam, jak ich równie niezauważenie ominąć. Problem rozwiązał się sam, a właściwie rozwiązał go ochroniarz, który dosłownie wtłoczył Julkę za czerwone drzwi.

Wówczas ja rzuciłam się na drzwi do gabinetu Francuza i przeleciałam przez nie z impetem, bo, o dziwo, były otwarte. Dopadłam do biurka, wyszarpywałam kolejne szuflady i dygoczącymi dłońmi przetrzepywałam je w poszukiwaniu antidotum na nasze nieszczęście. Udało się! W trzeciej szufladzie leżał pęk niemal identycznych kluczy, oznaczonych jedynie kolorowymi nakładkami. Chwyciłam je mocno, wsunęłam szufladę i nagle usłyszałam głosy za drzwiami. Odruchowo kucnęłam za biurkiem i zamarłam. Sparaliżowała mnie świadomość, że jeśli mnie tu znajdą, to za żadne skarby nie zdołam się wytłumaczyć.

Wytężyłam słuch i czekałam.

— Jedziemy, za pięć minut się zaczyna. Czekają na ciebie, szefie. Garnitur odebrałem z pralni, został w samochodzie.

— Dobra, przebiorę się w drodze.

Drzwi zgrzytnęły. Uratował mnie garnitur. Chwila, to nie drzwi zgrzytnęły, a klucz w zamku. Niedobrze. Czas znowu grał na niekorzyść, tym razem Julki.

Podbiegłam do tych piekielnych wrót i wsunęłam w zamek jedyny klucz bez kolorowej nakładki.

Zamek zareagował i zwrócił mi wolność. Ufff.

Wynurzyłam się z gabinetu, zwęszyłam teren i prześlizgnęłam się za czerwone drzwi. Jednym susem dopadłam do bramki numer cztery i zaczęłam nerwowo przymierzać klucze do zamka. Napięcie wzrastało z każdą kolejną nieudaną próbą. Maksymalnie skupiłam się na celu, a moje zmysły tak się wytężyły, że wyłapywały wszystkie dźwięki z lokalu, co jeszcze mocniej windowało napięcie. Działałam jak maszyna, szłam jak bull terier. Tak! W końcu się udało! Cholerny mały klucz z żółtą nakładką stał się moją przepustką do wygranej w bramce numer cztery. Wsunęłam się do środka, przycisnęłam plecy do drzwi i niecierpliwie szurałam dłonią po ścianie w poszukiwaniu włącznika światła. Pstryknęłam, blask mnie oślepił. Wśród kolorowych plamek między środkami czystości a miotłą kulili się od nagłego światła skrępowani Jacob i Antoni. Upadłam na kolana, jakbym zobaczyła Boga. Zerwałam taśmę z ust księdza i zabrałam się za rozplątywanie sznura owiniętego wokół jego rąk.

— Gdzie jest Maks? Co ty masz na sobie? — Wypytywał.

— Później ci opowiem. Nie ma czasu, Julka jest w tarapatach.

— Dobra — odparł krótko.

Moje słowa uderzyły w niego jak grom z jasnego nieba. Dostał energetycznego kopniaka, rozwiązał sznur oplatający nogi i pomógł mi oswobodzić Antoniego. Obaj byli poobijani, ale Jacob w porównaniu z doktorem był w doskonałej formie. Antoni miał problem z koordynacją ruchów, wstawał powoli, podpierając się na kolanach i rękach. Jacob pomógł mu stanąć na nogi i odczekaliśmy kilka sekund, aby złapał równowagę. Ponaglałam ich, upychając w kieszeniach peniuarka sznury, którymi byli skrępowani.

— Jak chcesz się stąd wydostać? — zapytał Jacob.

— Tak jak tu weszłam, na czuja. Jest tutaj profesor Jan?

— Wywieźli go jakąś godzinę temu — oznajmił roztrzęsionym głosem. — A gdzie jest Julka?

— W którymś z tych pokoi, z ochroniarzem, który się do niej dobiera — ogłosiłam, przeładowując broń.

— Co?! — krzyknął Jacob, a oczy rozbłysły mu dzikim blaskiem. Popatrzył na mojego glocka i kiwnął głową, jakby dał mi nieme przyzwolenie.

Wyprowadziłam nas z pokoju i szłam za szmerem rozchodzącym się po korytarzu. Przystanęłam przy kolejnych drzwiach, kiedy z bramki numer dwa dobiegł nas wrzask Julki. Nie zawahałam się ani sekundy. Brawurowo wpadłam do pokoju, mierząc z broni na oślep. Ochroniarz siedział Julce na biodrach, przyciskając ją do łóżka i nawet nie zorientował się, że ktoś próbuje mu przeszkodzić. Wycelowałam w niego, a zza pleców wyskoczył mi Jacob. Kazałam mu się zatrzymać. Puściłam soczystą wiązankę do ochroniarza.

— Złaź z niej i łapska do góry! Nie odpuszczę ci napalony, obleśny gnoju!

Facet uniósł ręce i zaczął krzyczeć, ale uspokoiłam go glockiem. Podejrzewam zresztą, że cokolwiek by nie krzyczał, te wyciszone ściany i hałastra pod sceną wszystko zagłuszą.

Jacob zepchnął go z Julki, podniósł ją z łóżka i stanął obok mnie. Podałam mu klucze i kazałam sprawdzić, który pasuje do zamka. Znów mieliśmy szczęście. Pasował pierwszy, który przymierzył. Wyciągnęłam z kieszeni sznury, którymi jeszcze przed chwilą skrępowani byli Jacob i Antoni. Rzuciłam je Jacobowi i kazałam związać ochroniarza, który wtedy zerwał się z łóżka i wrzasnął. Opamiętał się, kiedy wycelowałam mu w klejnoty.

— No i co teraz? — zapytałam, kiwając w jego stronę głową. — Karma wraca.

Jacob z Julką związali go, a usta zakneblowali mu poszewką, owijając ją wokół głowy. Zarządziłam odwrót. Jacob zamknął drzwi, a ja poprowadziłam nas pod czerwoną kotarę. Wychyliłam lekko głowę. Klub zapełnił się gośćmi, a mówiąc moim językiem napalonymi samcami. Byczki z ochrony rozpełzły się po kątach, utrudniając mi ewakuację. Dwóch ochroniarzy zagadywało barmanki, jeden kręcił się pod sceną, a ostatni pilnował grupki klientów usadowionych na kanapie. Jolka owinęła swoje mizerne szynki wokół barowego hokera i, popijając drinka, rozmawiała przez telefon. Nigdzie nie dostrzegłam szefa, czyli zapewne zgodnie z podsłuchaną rozmową opuścił ten przybytek. Niestety, gdzieś z tyłu głowy tłukła mi się myśl, że równie dobrze może siedzieć w gabinecie za naszymi plecami.

Tak czy siak nie wyglądało to dobrze.

KAROCA

— Musimy dostać się na Wawel — usłyszałam od Jacoba. — Podsłuchałem, że zabrali tam profesorów na jakieś spotkanie.

Świetnie! Jeszcze tego brakowało.

— Jakoś trzeba odwrócić ich uwagę — powiedziałam.

— Będę improwizować. Wyjdę pierwsza, a wy chwilę za mną. Będę raźnie szła w kierunku wyjścia. Jeżeli ochrona się zorientuje i będą próbowali nas zatrzymać, użyję broni. Liczę na to, że nie będzie jednak takiej potrzeby. Jestem przebrana, więc klienci wezmą to za żart, powstrzymując w ten sposób koksiarzy. Wybaczcie, nie mam innego pomysłu, musimy pójść na żywioł i liczyć na łut szczęścia.

Moi towarzysze przytaknęli niechętnie i wymieniliśmy się intensywnym, mrocznym spojrzeniem. Jacob podtrzymywał pod rękę Antoniego i z niepokojem spoglądał na Julkę. Czułam się za nich odpowiedzialna i cholernie zdeterminowana. Pewnym krokiem ruszyłam za kotarę, a oni tuż za mną. Początkowo nikt nie zwrócił na nas uwagi, ale nieubłaganie zbliżałam się do wyjścia, co wiązało się z minięciem ochrony. Szłam, jak zapowiedziałam, wbijając wilcze spojrzenie w schody prowadzące w górę, do wyjścia. Naprawdę liczyłam, że przedostanę się tam bez wzbudzania sensacji. Nawet może i by mi się udało, ale gdy byłam już u podnóża schodów, a przyjaciele tuż za mną, ochroniarz zorientował się, że coś jest nie tak.

Wstał z kanapy i skierował się w naszą stronę. Nie pozostawił mi wyboru. Wyciągnęłam moje cacuszko i wymierzyłam mu prosto w krocze. Facet zatrzymał się i krzyknął do kumpli zgromadzonych pod barem, ale wszechobecny gwar skutecznie go zagłuszył. Klienci zaczęli rżeć, kiedy mój szlafrok rozwiązał się i ukazał strój policjantki. Wyglądali na przekonanych, że to element jakiejś erotycznej zabawy. Wykorzystałam ten moment, przystanęłam i przepuściłam przyjaciół na schody.

Zostaliśmy na polu bitwy sami, ja i moja spluwa. Niewysoki, umięśniony mężczyzna stał około półtora metra ode mnie, wystarczająco blisko, aby słyszeć co mówię.

— Jeżeli pójdziesz za mną rozwalę ci klientów — rzuciłam złowrogo.

Naprawdę liczyłam, że się nie ruszy.

— Zośka, strzelaj! — usłyszałam.

Spojrzałam przez ramię i zobaczyłam u szczytu schodów Jacoba kulącego się przed ciosami bramkarza. Strzeliłam ostrzegawczo i zerwałam się w ich stronę. Facet odskoczył i wówczas Jacob pchnął go, a ten sturlał się po schodach, wprost na mnie. Prędko pochwyciłam przytwierdzoną do ściany barierkę, podkuliłam nogi i doskoczyłam do niewielkiej wnęki na półpiętrze. Kiedy mnie minął, zerknęłam za plecy i zobaczyłam, jak goniący mnie ochroniarz, usuwa się na widok kolegi.

Natychmiast wyprułam do góry i po chwili wydostałam się z piekła. Bez namysłu wskazałam na knajpę wprost przed nami. Miałam świadomość, że pieszo za daleko nie uciekniemy. Z wnętrza knajpy zobaczyłam przez witrynę, jak z Koronki wybiega stado wkurzonych facetów.

Wpadłam za bar i, machając przewieszoną przez szyję odznaką, zwróciłam się do zakolczykowanej barmanki:

— Komenda Miejska Policji, gdzie jest zaplecze?!

Wystraszona młoda dziewczyna z kruczoczarnymi włosami i kolczykiem w nosie wskazała palcem na wnękę za plecami. Przepuściłam towarzyszy.

— Nie było nas tu, rozumiesz? — rzuciłam do czarnej.

Kiwnęła głową.

Bez problemów znalazłam tylne wyjście, otworzyłam drzwi i wbiegłam wprost pod... końskie kopyta. Tak jakby los podstawił mi taksówkę. Koń wierzgnął przednimi kopytami i zatrzepotał pióropuszem. Dorożkarka namiętnie mnie zbluzgała. Zlekceważyłam ją, wpakowałam przyjaciół do karocy, po czym upchnęłam się obok wyfioczonej starszej kobiety.

— Wieź nas na Wawel — krzyknęłam do zdezorientowanej dorożkarki. — To akcja policyjna! Ruszaj! No ruszaj, do cholery! — zdzierałam gardło.

W końcu wymierzyłam do niej z broni i zamachnęłam się odznaką. Kobieta strzeliła lejcami, konie targnęły dorożką i pognaliśmy po krakowskich kocich łbach niczym zaczarowana karoca. Jeszcze jedno jej cmoknięcie, a pewnie ulecielibyśmy w powietrze.

Odwróciłam się, żeby mieć ogląd sytuacji. Na szczęście nie zarejestrowałam koksów z Koronki. Odrobię się uspokoiłam. Dosłownie odrobinę.

Rozpędzone konie dociągnęły już dorożkę pod zamek. Rzuciłam do kierującej nią kobiety:

— Niech pani zadzwoni na komisariat pierwszy i powie, że Zofia Sokolnicka wzywa wsparcie na Wawel. W te pędy! Są tutaj złodzieje razem z profesorami. Niech przyjadą tu z zatrzymanym Maksem Wojnickim. W pani ostatnia nadzieja — zmotywowałam ją.

Dorożkarka skinęła głową, a ja skierowałam się w stronę Bramy Bernardyńskiej.

Brama była otwarta, a w dodatku niestrzeżona. Zamiast się ucieszyć, przeraziłam się. To, że nie uraczyłam strażnika, nie oznaczało, że go nie było.

Wzgórze było puste.

Zatrzymałam się w połowie drogi i na sekundę zawiesiłam wzrok nad Wisłą. Była ciepła noc, miasto migotało kolorowymi światełkami, zakochani studenci przechadzali się wzdłuż bulwarów. Zakochani, ach, tak jak ja i Maks. To zdecydowanie zbyt dobry czas, żeby ginąć.

Odwróciłam się do reszty. Jacob posadził Antoniego na krawężniku, Julka usiadła obok niego.

— Słyszałem rozmowę szefa z jakimś Romkiem — powiedział Jacob. — Mówił, że do północy muszą załatwić Wawel.

— Myślisz, że to tutaj jest ten prawdziwy relikwiarz i że chcą go zwinąć? — podpytałam.

— Całkiem możliwe. A gdzie jest Maks?

— Oj, Jacob — zaczęłam, nerwowo łapiąc wdech. — My też, delikatnie mówiąc, mieliśmy sporo przygód. Ktoś zamordował księdza, gdy byliśmy w kościele świętej Barbary. Najwyraźniej podejrzenie padło na nas, bo jesteśmy poszukiwani przez policję. W gruncie rzeczy już tylko ja jestem poszukiwana, bo Maksa zatrzymali.

Jacob złapał się za głowę i nerwowo przeczesywał bujną czuprynę.

— Jak? — wydusił z siebie cicho.

— To długa historia, nie czas na nią.

— Nie mogę w to uwierzyć! To jakiś koszmar! Kim w ogóle jest ten człowiek, ten cały Francuz? Dlaczego porwał Jana?

— Nie krzycz — upomniałam go. — Francuz jest właścicielem klubu. Od lat podejrzewany jest o pranie brudnych pieniędzy. A co on ma wspólnego z relikwiarzem? Nie mam pojęcia. To raczej tutejszy „biznesmen" z aspiracjami niż morderca.

Oboje odruchowo spojrzeliśmy na Antoniego. Ledwo zipał i nie wyglądał na skorego do rozmowy.

— Nie mamy czasu na rozpaczanie, musimy dostać się do zamku. Liczę na to, że ich tam znajdziemy i to prędzej, niż oni znajdą to, czego szukają. Jeżeli dyżurny uwierzy dorożkarce, to pomoc wkrótce dotrze. — Przykucnęłam i zwróciłam się do doktora: — Sądzę, że pan, doktorze, powinien tutaj zostać.

— Wykluczone — zaoponował. — Wiem zbyt dużo.

— Zbyt dużo? To znaczy?

— Zośka, nie męcz go teraz — upomniał mnie Jacob.

— Racja, to nie najlepszy moment. Ale ty, doktorze, zostajesz tutaj. Spowolnisz nas. Poza tym to naprawdę niebezpieczne, a ty ledwo chodzisz.

— Trudno, muszę tam być, dzieci. Ja was w to wciągnąłem i ja was z tego wyciągnę. Bez mojej wiedzy nie dacie rady. Ruszajmy.

Antoni pewnie miał rację, ale obawiałam się, że jego zła kondycja zaważy na całej akcji. Jednocześnie drylowała mnie myśl, że byłby w razie czego dobrą kartą przetargową. W końcu jest jedynym świadkiem, a na dodatek doktorem historii sztuki.

— Chwila — Zatrzymałam się — Uściślijmy podstawowe fakty. Apoloniusz, który porwał profesorów, to jednak Francuz, właściciel burdelu. Wpadliście na jego człowieka przy okazji sprawdzania kościoła. Wcześniej jakiś facet zabił księdza w innym kościele. A żeby tego było mało, ktoś zwinął z zamku relikwiarz, lecz nie nasz, znaczy się wasz. A na dokładeczkę Francuz przytargał profesorów do zamku. Bajecznie. — Wyrzucając z siebie te słowa, lepiej je zrozumiałam. Znowu. Mowa to taki cudowny dar. — Doktorze, rozumie pan coś z tego? — zapytałam.

Antoni nie podniósł nawet wzroku. Pozwalał, aby Julka wycierała chusteczką jego zakrwawioną skroń. Jacob jedynie wzruszył ramionami.

— Doktorze, nie było was na Kazimierzu, prawda?

Antoni podniósł na mnie nieprzytomne spojrzenie i uśmiechnął się niemrawo.

— Doktorze?! — powtórzyłam wysokim tonem.

Dyszał ciężko, jakby próbował udowodnić mi, że nie jest w najlepszej formie.

— Zaufaj mi — powiedział cicho. — Oni naprawdę zostali porwani.

Naprawdę to ja nie miałam czasu, żeby się nad tym zastanawiać.

Ruszyłam. Minęliśmy Basztę Złodziejską i skierowaliśmy się w stronę dziedzińca. Szłam pierwsza, a tuż za mną Julka i Antoni wsparty na ramieniu Jacoba. Kiedy mijaliśmy katedrę, Jacob przeżegnał się i szeptem rozpoczął modlitwę. Nawet przez myśl mi nie przeszło, żeby zwrócić mu uwagę. Sama potrzebowałam duchowego wsparcia i też wyszeptałam pod nosem prośbę do niebios.

HAPPENING

Brama Berrecciego była otwarta. I pusta.

„Jeśli Bóg z nami, kto przeciw nam?", głosił łaciński napis na portalu. Naszła mnie myśl, że skoro jest z nami ksiądz, to i Bóg z nami jest.

Ostrożnie weszłam pomiędzy mury. Spojrzałam w oko kamery taksujące mnie z sufitu i dumnym krokiem podążyłam przed siebie. Doszłam do dziedzińca arkadowego, skąd gestem przywołałam towarzyszy. Rozejrzałam się i zamarłam. Ażurowe krużganki otaczające rozległy dziedziniec rzucały na niego ciepłe, żółte światło, tworząc tajemnicze półcienie. Półkoliste arkady wsparte na wolno stojących kolumnach tworzyły bajkową scenerię, która pobudzała wyobraźnię. Z wnętrz wydobywały się podniosłe dźwięki.

To zdecydowanie była impreza, o którą było tyle szumu na komisie. Tydzień wcześniej wpłynęło do nas pismo z wojewódzkiej z informacją o konieczności zabezpieczenia uroczystości, na którą zaproszono elitę intelektualną z kraju i z zagranicy. W założeniu impreza miała trwać cały dzień i składać się z wykładów, debat i koncertu. Wydało mi się dziwne, że Jureczek o tym nie wspomniał. Po chwili uzmysłowiłam sobie, że w ciągu dnia, kiedy zamek odwiedzają turyści, pierwsza część odbywała się zapewne w centrum wystawowo-konferencyjnym. Profesorowie i doktorzy mogli swobodnie debatować, podczas gdy kasa biletowa wypełniała się banknotami turystów. Tym sposobem i wilk syty, i owca cała. Dlatego też Jureczek nie zaprzątał sobie tym głowy. Zrobił swoje i przekazał sprawę komu trzeba.

Wieczorem, gdy zamknięto wystawy dla turystów, drugą część imprezy przeniesiono na zamek. Docierające do nas dźwięki skrzypiec i wiolonczeli wydobywały się z komnat na piętrze, sugerując, że mimo późnej godziny jakaś część imprezy nadal trwa.

Kiedy zdecydowałam się wkroczyć na dziedziniec, moje rozbiegane oczy wyłapały dwóch mężczyzn ze straży zamkowej. Wyszli z klatki schodowej Poselskiej i zatrzymali się na zewnętrznych schodach. Domyśliłam się, że wyszli na dymka. Zaczęłam kombinować, jak dostać się do zamku. Nie pamiętałam dokładnie rozkładu wnętrz, za to doskonale zapamiętałam, że zarówno wejścia, jak i wystawy są dobrze strzeżone. O ile nic się nie zmieniło od moich ostatnich odwiedzin, klatki schodowe Poselska i Senatorska nie były zabezpieczone bramką antyterrorystyczną, ale wejście do apartamentu wielkorządcy krakowskiego, owszem. Z tej ostatniej opcji zrezygnowałam więc na wstępie. Poza tym nie znałam żadnych tajnych zamkowych przejść, które niewątpliwie musiały się tam znajdować. Pożałowałam, że po ambitnej kłótni komendantów ostatecznie odstąpiono od angażowania policji w zabezpieczenie imprezy. Kto by pomyślał, że policyjny honor tak dobitnie utrudni mi działanie.

Zbierałam myśli. Przyjętą wcześniej koncepcję wtopienia się w tłum mogłam już sobie darować z uwagi na tandetny satynowy szlafroczek, który raczej nikogo by nie przekonał. Musiałam kombinować i to na tyle sprawnie, aby czujne oko kamery nie wychwyciło niczego podejrzanego. To znaczy, żeby nie wychwyciło niczego przedwcześnie, bo to, że wychwyci, było akurat oczywiste. Wychyliłam się i natychmiast schowałam głowę, bo w drzwiach klatki schodowej Senatorskiej pojawił się kolejny strażnik. Na szczęście przymknął drzwi i schował się do środka. Zerknęłam znów na jego kolegów, którzy kręcili się we wschodniej części budynku.

Kiedy ja tak kontemplowałam przykurczona, obserwując dziedziniec, moi towarzysze mocno się niecierpliwili.

— Zosieńko, mam pomysł — wyszeptał Antoni.

No tak, Antoni! Przecież miałam ze sobą nie tylko księdza, ale też doktora sztuki! „Dzięki ci, Panie Boże!", pomyślałam.

Nachyliłam się w jego stronę i nadstawiłam uszu.

— Moi przyjaciele biorą udział w tej konferencji. Wiem, bo sam byłem na nią zaproszony. Od lat udzielam się przy pracach konserwatorskich na zamku, a tej właśnie tematyki między innymi dotyczy konferencja.

— Byłeś, doktorze?

— Poniekąd nadal jestem.

— A masz przy sobie zaproszenie?

— Nie, lecz nie szkodzi. Na pewno jestem na liście.

— Świetnie, co dalej?

Antoni zamyślił się, a moja twarz stężała w napięciu. Chciałam już ruszyć z miejsca.

— Jacob jest w koloratce — nadmienił Antoni — czym wzbudza respekt. Wy wyglądacie prędzej jak aktorki albo hostessy.

— Yhm, chyba erotyczne — odgryzłam się, choć w zasadzie to dogryzłam samej sobie.

— Nie przesadzaj — upomniał mnie Jacob. — Moda jest przedziwna. Nawet w konfesjonale często widuję dziewczyny ubrane skromniej niż wy w tej chwili. Mam na myśli ilość materiału.

Westchnęłam. Jakoś nie potrafiłam wyobrazić sobie, że ochrona wpuści do zamku nas wszystkich. Nie widziałam natomiast innego rozwiązania. Nie było najmniejszego sensu w skradaniu się jak na polowaniu, bo zamek jest tak naszpikowany kamerami, że wzbudzilibyśmy jeszcze większe zainteresowanie.

Boże drogi, co za pech. Gdybym była normalnie ubrana nie mielibyśmy problemów. Mogłabym machnąć odznaką... A nie, nie mogłabym. W końcu jestem poszukiwana przez policję! Świetnie. Brakowało mi tylko tego, żeby ochrona zamku mnie rozpoznała.

Strażnicy zdążyli dopalić papierosy i wrócili do środka.

— Chodźcie — zarządził Antoni i dumnie wkroczył na dziedziniec.

Zawahałam się. Naszła mnie myśl, czy nie lepiej powiedzieć im prawdę.

Moi towarzysze kroczyli już w stronę wejścia. Nie pozostało mi nic innego, jak dołączyć do tej gry światła i cieni. W końcu zawsze mogło być gorzej. Na przykład mogłabym być całkiem naga.

Podeszliśmy do drzwi klatki schodowej Poselskiej, którą wprowadza się turystów do komnat wystawy „Prywatne Apartamenty Królewskie". Zauważyłam kobietę w garsonce, natomiast nie widziałam strażników. Cofnęłam się i powiedziałam do reszty, że musimy jakoś odwrócić jej uwagę, bo na pewno nie wpuści nas wszystkich.

— Wezmę to na siebie — zaproponował Antoni. — Powiem, że jestem gościem i wyszedłem na chwilę, bo rozbolało mnie serce. Bilet i resztę rzeczy zostawiłem w środku. Zwabię ją na zewnątrz, a wtedy wejdziecie. Co o tym sądzicie?

Julka i Jacob wzruszyli ramionami.

— Nic to nie da — zaopiniowałam. — Drzwi wejściowe do komnat są, o ile dobrze pamiętam, zabezpieczone czytnikiem kart. Musimy przekonać ją, żeby wpuściła nas wszystkich, albo żeby oddała nam swoją kartę. Nie ma innego wyjścia.

Antoni potaknął i znów bez najmniejszych oporów wszedł po schodach.

Pani Ewa, przewodnik zamkowy, jak się okazało znajoma doktora, nie miała wątpliwości co do konieczności jego uczestnictwa w wydarzeniu. Na nasz widok trochę się skrzywiła, ale Antoni przekonał ją, że dziewczyny są jego studentkami, a ksiądz Jacob to ważny gość z włoskiego klasztoru, który przybył na konferencję w celu udzielenia jednej z ostatnich prelekcji. Uwierzyła nam. Czyli jednak Bóg był z nami.

Weszliśmy klatką schodową Poselską do sali Świty. Pani Ewa nakazała nam zameldować się u ochrony w tak zwanej „gęsiej szyi" i przejść do sali Kolumnowej. Poinformowała nas, że odbywa się tam jedna z trzech części debaty. Kolejne żywe dyskusje połączone z niewielkim koncertem odbywały się piętro wyżej, w sali Senatorskiej.

Ewa zatrzymała się w drzwiach sali Świty i odprowadziła nas wzrokiem do sieni. Kiedy zniknęliśmy jej z pola widzenia i Antoni zorientował się, że jednak nie ma tam nikogo z ochrony, wprowadził nas do wieży Duńskiej.

Dawno nie odwiedzałam Wawelu i choć nie wystroiłam się na tę wizytę zbyt elegancko, to i tak zdawało mi się, że wnętrza biją nam pokłony. Jest coś takiego jak swoista magia tego zamku. Łatwo ją wyczuć, trudno wytłumaczyć.

Odpłynęłam do alternatywnej rzeczywistości, gdzie na pewno było nam lepiej. Celowo użyłam słowa nam, bo skoro ja nasiąkłam magią tego miejsca, nietrudno się domyślić, jak przesiąkli nią moi przyjaciele. Gdyby ta magia lała się kolorową farbą, to oni spływaliby nią od czubka głowy po końce palców. No dobra, ja też. Klimat zamku pogrążonego w ciemnościach oszukał nasze przeciążone umysły. Przyznam, że nawet nieco mnie uspokoił i zamiast skupić się na naszej misji, utonęłam w przepięknych werdiurach Zygmunta II Augusta i arrasach ukazujących sceny polowania. Ciekawe, kim ja w tej chwili byłam? Myśliwym czy zwierzyną? Ujęły mnie osiemnastowieczne holenderskie fajanse i barokowe szafy, które przypomniały mi meble z mieszkania profesora. Profesor, to on był przyczyną wszystkich zdarzeń. Profesor i relikwiarz, mieszanka wybuchowa. Do końca życia zapamiętam, jaki to niebezpieczny związek. W sieni wieży Duńskiej przeczytałam na szesnastowiecznych portalach łacińskie sentencje: „TENDIT IN ARDUA VIRTUS" oraz „VELIS QUOD POSSIS", czyli „Cnota dąży do rzeczy trudnych" i „Chciej, co możesz". I znów w samo sedno. Moja cnota, rzecz święta, do jakże trudnych rzeczy mnie pchnęła. Bo mówiłam już, że jestem…? Tak, tak mówiłam, pewnie nieraz. Nie żebym lubiła się tym chwalić. Wprost przeciwnie. Po prostu często wydaje mi się to przyczyną wielu dziwnych zdarzeń, co zresztą potwierdziło szesnastowieczne myślenie. Cóż mi pozostało, z całą moją cnotliwością, w seksownym stroju striptizerki, nie dość, że chciałam, to również mogłam. Podążyłam zatem dalej ku rzeczom trudnym.

Otwarte drzwi poprowadziły nas do zachodniej części północnego skrzydła zamku. Sala Saska z porcelaną miśnieńską totalnie mnie oczarowała. Jeśli nie wspominałam jeszcze, że mam bzika na punkcie porcelany, to pewnie dlatego, że póki co niewiele działo się w moim mieszkaniu. Napomknę tylko, że w kuchni mam całą półkę zapełnioną pokaźną kolekcją filiżanek. Każda jest z innej parafii, żebym miała w czym wybierać.

Kiedy nasyciłam oczy, przystanęłam, wychyliłam głowę w stronę komnaty ze srebrem prowadzącej do sali Kolumnowej, skąd dobiegał nas kobiecy głos. Julka i Jacob podążyli za mną. Widoczny fragment sali wydawał się wystarczający do oceny sytuacji. Młoda kobieta stała mniej więcej pośrodku pomieszczenia i wygłaszała przemowę do eleganckiego audytorium liczącego około dwudziestu osób. Tuż za nią przy zabytkowych stołach zasiadała, jak na moje oko, jakaś komisja. Kobieta zakończyła właśnie swoją wypowiedź i nagrodzona oklaskami zajęła miejsce za jednym ze stołów. Zastąpił ją starszy mężczyzna, który rozpoczął swoje przemówienie niewymuszonym żartem, po czym przeszedł do monologu pełnego anegdot na temat życia króla Stanisława Augusta Poniatowskiego. Oprócz jego głosu po komnatach zamku rozchodziły się delikatne dźwięki instrumentów. Znowu odleciałam i śmiem za to winić alkohol, zmęczenie i stres. Trwało to raptem kilka sekund i nie zdążyłam jeszcze dobrze wpaść w ramiona Maksymiliana, kiedy z letargu wyrwały mnie gromkie brawa rozbrzmiewające na sali.

— Julka, Jacob — zawołałam, odwracając się w ich stronę.

Widok mocno mnie zaskoczył. Julka płakała wtulona w Jacoba, który uspokajał ją z miną zbitego psa.

Zerknęłam na doktora i wydaje mi się, że w jego twarzy odbiło się moje własne zdziwienie.

— Co się dzieje? — zapytałam.

— Kocham Julkę, zrobię dla niej wszystko. Pomogę jej wygrać z chorobą.

Osłupiałam. Absolutnie nie spodziewałam się takiego melodramatu. A już na pewno nie w takim momencie.

— Jakie kocham? — wyrzuciłam oburzonym szeptem.

— Poznałeś ją kilka godzin temu?! I z jaką chorobą? O czym ty mówisz?

— Julka jest poważnie chora — wyjęczał, po czym zamilkł i ucałował ją w policzki.

Nie wiedziałam, śmiać się czy płakać. Moje podejrzenia o rodzącym się romansie właśnie zyskały potwierdzenie. I to był niewątpliwy powód do dumy. Niestety potwierdzenie zyskały również słowa Maksa, który nawrzucał mi, że klasyfikowanie ludzi przychodzi mi z nadzwyczajną lekkością. A to nie było zbyt przyjemne. Faktycznie oceniałam ludzi na podstawie siły, arogancji i odwagi, co raczej nie stawiało mnie w najlepszym świetle. Zażenowała mnie moja własna postawa. Szarpały mną dziwne uczucia.

Zmorę milczenia przerwała sama Julka, która ocierając oczy, wygłosiła heroicznie:

— Nie poddam się! Chcę udowodnić, jak wiele mogę z siebie dać. Rozwiążemy tę zagadkę i dzięki temu będę silniejsza, a potem wygram z tą chorobą!

Odniosłam wrażenie, że gram w taniej polskiej produkcji. Tak zresztą byłoby dla wszystkich lepiej.

Zadumałam się i odruchowo oparłam o jeden ze słupków odgradzających wystawę. Powiązany czerwonym sznurkiem srebrny kawałek rurki przewrócił się w stronę francuskiego kredensu, a ja razem z nim. Momentalnie zawył alarm. Piskliwy, głośny, uparty. Podskoczyłam, poprawiłam szlafrok i dumnym krokiem ruszyłam w głąb sali Kolumnowej. Antoni próbował mnie zatrzymać, ale było już za późno. Widownia zgromadzona na uroczystości zerkała z trwogą w naszą stronę. Ich miny, gdy wkroczyliśmy na środek sali, były straszne.

Czułam się jak w snach o gołym tyłku, z których budzę się z krzykiem. Nieraz roztrząsałam, skąd się biorą i czy jestem jedyną osobą na świecie, której śni się to tak często. Te koszmary są zazwyczaj krótkie i kiepskie. Jestem w centrum miasta, na zatłoczonej ulicy pełnej znajomych i obcych mi osób. Maszeruję pewna siebie i nagle orientuję się, że mam goły tyłek. Wszyscy zaczynają rżeć, a ja nie mam się czym zakryć. Koszmar! W sennikach podają, że taki sen symbolizuje niewinność, rozterki moralne, poczucie niższości i wolę zmian. W zasadzie pierwsze i ostatnie nawet by się zgadzało. Z ręką na sercu, nie przypuszczałam, że mój najgorszy koszmar kiedyś się spełni. A jednak. Zgorszyłam elitę intelektualną naszego kraju krótkim, różowym peniuarkiem ledwo zakrywającym pośladki. Pewnie pomyśleli o mnie najgorsze rzeczy. O mnie, prawie trzydziestoletniej dziewicy, poświęcającej swój honor dla ratowania sztuki. Jaki ten świat jest niesprawiedliwy. Już nigdy nie podążę za stereotypem.

Zbliżyliśmy się do środka sali, skupiając uwagę publiczności. Stało się dla mnie oczywiste, że nie zdołam wymknąć się bez konsekwencji. Tylko jedno wytłumaczenie przyszło mi do głowy: happening. Marna próba odwrócenia uwagi, lecz lepsza taka niż żadna. Zatrzymałam się przed sędziwą, dobrze ubraną widownią i swobodnie, ze stoickim spokojem rozpoczęłam autoprezentację.

— Szanowni państwo, bierzecie udział w niepowtarzalnym happeningu. Jako niedoceniani, niewysłuchani artyści staramy się zwrócić uwagę społeczeństwa na problem uprzedmiotowienia kobiet w świecie sztuki. Przygotowaliśmy na tę okoliczność krótki występ, ale wygląda na to, że pomyliliśmy sale, za co bardzo państwa przepraszam.

Uśmiechnęłam się najszerzej, jak potrafiłam. Powiodłam wzrokiem po przednim rzędzie widzów i zgrabnie zgięłam się wpół w groteskowym ukłonie. W życiu nie widziałam na żywo tylu zdziwionych i oburzonych twarzy. Lepiej niż po wyborach parlamentarnych. Nie było na co czekać. Szybkim krokiem podeszłam do drzwi prowadzących na schody klatki Senatorskiej. Na szczęście były otwarte. Opuściliśmy salę przy akompaniamencie szeptów. Musieliśmy jak najszybciej sprawdzić drugą część zamku, zanim dopadnie nas ochrona. Pokonując po dwa schody naraz, wbiegliśmy na kolejne piętro, wprost na koncert w sali Senatorskiej.

I znów powtórka z rozrywki. Niegdyś w tej sali obradował senat i podejmowano gości, dziś przed widownią stawiły się dwie, ekstrawaganckie damy, uczony i ich szanowny kapelan.

Tutaj też skąpe odzienie nie mogło ujść uwadze eleganckich panów usadowionych na miękkich krzesełkach.

Widownia była równie liczna jak ta poprzednia. Liczyła około dwudziestu osób, plus około dziesięciu muzyków, co bardzo mnie przytłoczyło. Za dużo występów jak na jeden wieczór i dwa małe tyłki. Albo jeden mały, bo mój to był raczej średni. Całe szczęście, że muzycy nie przerwali koncertu i chociaż tutaj nie musieliśmy się tłumaczyć. Przemknęliśmy boczkiem na tyły i ruszyliśmy za plecami widowni, która i tak odwracała głowy w naszą stronę. Obsługa koncertu śledziła nas wzrokiem, szepcząc między sobą. Gonieni wrogim spojrzeniem, prędko przemknęliśmy przez sień za salą Senatorską. Byliśmy mniej więcej na wysokości sali Pod Orłem, gdy usłyszeliśmy krzyk obsługi, żeby nas zatrzymać. Biegliśmy niczym sprinterzy w kierunku klatki schodowej Poselskiej. Zbiegliśmy nią na dziedziniec arkadowy, gdzie Jacob zatrzymał nas, wyciągając ręce. Podążyłam za jego wzrokiem wbitym w północno-wschodni narożnik zamku i coś mi mignęło.

— Oni są w zbrojowni! Widziałem faceta z klubu! — rozemocjonował się.

— Też właśnie widziałam — odparłam. — Idziemy za nimi, bo tam jest również skarbiec.

— I co dalej? — usłyszałam załamany głos Julki.

— Dowiemy się na miejscu. Pomoc powinna dotrzeć niebawem — stwierdziłam z niepewnością w głosie.

— Ja zostanę tutaj — ogłosił Antoni. — Odciągnę uwagę strażników.

Kiwnęłam głową. Julka mrugnęła akceptująco oczyma i odważnie poszła ze mną, ramię w ramię. Jacob jak zwykle obstawiał tyły. Wejście do sal wystawy „Skarbiec Koronny" i „Zbrojownia" było otwarte. Nie było jednak nikogo z obsługi ani ochrony. Uznałam, że Francuz musiał jakoś zdobyć klucze. Weszliśmy do sporej sieni. Po lewej stronie mieliśmy kilka schodków w górę do skarbca, kilka schodków w dół do piwnic, a na prawo były dwie sale z ekspozycją broni. Stanęłam przed wielką taflą szkła, za którą wyeksponowano broń drzewcową i miecze. Ogólnie mówiąc, najróżniejsze ogromne szpikulce, które zapewne wysłały na tamten świat niejednego wojaka.

Zbliżyłam się do szklanej ściany i nadstawiłam uszu. Wtem zorientowałam się, że coraz głośniejszy dźwięk wydobywa się z ulokowanych za nią pomieszczeń wystawowych, i wciągnęłam przyjaciół do pierwszej sali skarbca zwanej salą Kazimierza Wielkiego. Przystanęliśmy na chwilę za grubym filarem pośrodku pomieszczenia. Pomieszczenie zdobiły gabloty zapełnione drogocennymi przedmiotami: precjozami, klejnotami, orderami, pucharami i całą masą innych wartościowych rzeczy. Pomyślałam, że to idealne miejsce na kryjówkę relikwiarza.

— Tutaj może być to, czego szukamy — wyszeptałam.

Zrozumiawszy, że mężczyźni zbliżają się do skarbca, dosłownie pchnęłam swoich towarzyszy do sali wieży Zygmunta III, gdzie przykucnęliśmy w kącie. Nie widzieliśmy stamtąd nikogo, musieliśmy zatem mocniej nadstawić uszu.

Usłyszeliśmy niski, wzburzony, znajomy głos.

— Czas nam się kończy, do cholery!

— A ja mówiłem, że to nie jest takie proste — odpowiedział mu stonowany, pewny siebie, ciepły ton.

— Nie piernicz, dziadu! Masz swój ostatni kwadrans. Wracamy do Sali Kolumnowej.

— Trochę szacunku, panie szefie.

— Niech cię szlag! — krzyknął zirytowany pan szef.

Mężczyźni opuścili skarbiec.

— Dzięki Bogu! Profesor żyje! — ucieszył się Jacob, lecz ja nie byłam tak optymistycznie nastawiona.

— Tak, jeszcze przez kwadrans — zauważyłam. — Musimy pójść za nimi, a szuka nas cały zamek. A, sorry, mnie szuka policja w całym kraju.

— Nic nie wymyślimy. Trzeba pójść na żywioł — stwierdziła Julka.

— Że jak? — spytałam.

Julka na żywioł? Jakby nie patrzeć, od kiedy ją poznałam, cały czas szła na żywioł. Tylko jakoś mi to do niej nie pasowało. A moja mina chyba dosadnie to wyraziła.

— No co? — zapytała. — Przecież to twoje słowa. Masz lepszy pomysł?

— Nie, nie mam — odparłam zszokowana.

Fuknęłam i odruchowo złapałam się za kark. Musiałam chwilę pomyśleć. Po chwili zebrałam słowa.

— Szanuję twoje zaangażowanie i rozumiem, że ten zapał jest wynikiem choroby i że ryzyko jest ci teraz obojętne, ale wierz mi, masz przed sobą całe życie. Jak ty się w ogóle czujesz?

— Powinniśmy, nie powinniśmy… Co to w ogóle za gadka? — zaczęła cicho, ale wyraźnie. — To słowo „powinno" powinno się wymazać ze słownika. Bóg obdarzył człowieka wolną wolą po to, aby mógł decydować, co jest dla niego istotne. Każdy niech sam narzuca sobie schematy, wedle których będzie postępował. Nikt nie może wejść w moją skórę ani odczuwać świata poprzez pryzmat moich emocji. Nikt nie zrozumie mojego umysłu ani uczuć. Nikt nie pozna mojego bagażu doświadczeń, dlatego nikt nie powinien mi sugerować, co wyjdzie mi na dobre, a co nie. Nie chcę więc słuchać, co powinnam, a czego nie!

Zaskoczyła mnie, zdumiała i nie umiałam odgadnąć, czy to emocjonalny efekt choroby, czy prawdziwy charakter Julki, którego nie zdążyłam jeszcze dobrze poznać. Tak czy owak, trudno by było nie zgodzić się z jej słowami.

— Masz rację, cieszę się, że ktoś w końcu powiedział to za mnie. Jeśli czujesz się na siłach, to do boju — podsumowałam.

Wymieniliśmy się porozumiewawczym spojrzeniem i wyszliśmy ze skarbca.

Ku mojemu zdziwieniu nikt tam na nas nie czekał. Spodziewałam się uzbrojonej straży, tymczasem na schodach prowadzących na klatkę schodową Poselską dojrzałam Antoniego, który popalał cygarety ze strażnikami. Bez wątpienia ratował nam tyłki, ponieważ chcąc dostać się do drugiej klatki schodowej, przez chwilę byliśmy jak na widelcu. Dzięki doktorowi niezauważeni przemknęliśmy pod arkadami, po kolei przeskakując od kolumny do kolumny. Pomogły nam też rusztowania konserwatorów osłonięte jakimś półprzezroczystym materiałem, który w ciemnościach też sporo maskował. Przedostaliśmy się ponownie na klatkę schodową Senatorską i wbiegliśmy na piętro. Tam na drodze stanęła nam kobieta. Żarty z obsługą właśnie się skończyły. Rozwiązałam pasek od ekstrawaganckiego peniuarka, chwyciłam za odznakę i przysuwając ją kobiecie pod nos wyrecytowałam mój ulubiony wierszyk:

— Komenda Miejska Policji w Krakowie, aspirant Sokolnicka. W sali Kolumnowej znajdują się przestępcy, proszę ewakuować zamek i skierować tu policję.

Zerwałam jej z szyi kartę czipową i zawiesiłam obok odznaki. Kobieta bez słowa i chwili namysłu złapała za krótkofalówkę i zniknęła na schodach. Sięgnęłam dłonią pod satynową podomkę. Wyciągnęłam i przeładowałam broń, a następnie powoli przysunęłam się do drzwi.

— Poczekajcie tutaj — zarządziłam i wsunęłam się do pomieszczenia.

W sali nadal toczyła się debata. Był prelegent i kilkanaście osób na widowni. Na szczęście mówiący mnie zignorował, przez co uniknęłam spojrzeń słuchaczy. Podparłam ścianę i rozejrzałam się po pomieszczeniu. Zerknęłam w otwarte drzwi do sali Saskiej i dojrzałam profesorów w towarzystwie kobiety i prawdopodobnie Francuza.

Zamotałam się. Wsparcie nie docierało, a kwadrans, który dostał profesor, niedługo mijał. Nie potrafiłam wykombinować, jak wkroczyć do akcji. Przeszkadzała mi pełna sala i kobieta, której nie mogłam bezsensownie narazić na niebezpieczeństwo. Cichutko wyszłam z powrotem do sieni klatki schodowej.

— Szlag by to trafił. Francuz jest z profesorami i jakąś kobietą w sali Saskiej. Nie wiem, jak ich podejść — wyszeptałam do Jacoba i Julki.

— Może przejdziemy krużgankami i zaskoczymy ich od tyłu? — zaproponowała Julka wskazując uchylone drzwi.

— Jaką masz pewność, że w kolejnych salach drzwi też będą otwarte?

— Nie mam żadnej pewności, ale pamiętam, że w komnacie z porcelaną miśnieńską było wyjście na krużganki. Tak jak i w sieni przed wieżą Duńską.

— Cóż za niesamowita pamięć — docięłam jej, zupełnie niepotrzebnie.

— Zwróciły moją uwagę, kiedy szliśmy tamtędy z Antonim. Zdaje mi się, że większość z nich była uchylona. Zaraz to sprawdzę — dopowiedziała, po czym odważnie wyskoczyła na ten cudny ganek.

Wyszliśmy za nią.

Jacob wyraźnie się zdenerwował, oparł głowę o ścianę i złapał się za serce. Bezwiednie zerknął na mnie i wymamrotał pod nosem:

— Oszalałem z miłości do tej kobiety, a zaraz oszaleję ze strachu. Miałaś rację. Ona ryzykuje, bo myśli, że przegra z chorobą, a chce wykazać się dla innych, bojąc się uczucia zmarnowanego życia.

Odjęło mi mowę. Znowu. Od kilkunastu minut moi nowi przyjaciele sprawiali, że co chwila odbierało mi mowę, a to w moim przypadku niezwykłe. W myślach ciągle winszowałam sobie, że jestem wyśmienitym detektywem, skoro od razu wyczułam ten romans. Niestety do tej myśli przyczepiła się ta druga cholera, że coś jest nie tak z moim podejściem do ludzi, skoro na wstępie oceniłam Julkę, upychając ją w ścisłych ramach niepochlebnego wyobrażenia. Całe szczęście Julka wyrwała mnie z tych przemyśleń, machając do nas z północnowschodniego narożnika.

— Jacob, jest Julka. Idziesz pierwszy — powiedziałam.

Romeo od razu pobiegł do ukochanej.

Weszliśmy do sieni przed sypialnią króla i jak na złość w tym właśnie momencie umilkł koncert. Jeden z dwóch koksiarzy Francuza zauważył mnie i powiedział coś do szefa. Ten wyciągnął broń, pochwycił profesora

Jana i, grożąc jak się domyśliłam, Kazimierzowi, zaczął wycofywać się na klatkę schodową. Ludzie w popłochu opuścili salę. Profesorowie wraz z Francuzem i jednym z jego koksów zniknęli na schodach. Na polu walki pozostał ostatni samuraj trzymający na muszce młodą kobietę. Wymierzyłam do niego i wydarłam się, aby ją puścił, lecz on nieubłaganie cofał się w stronę schodów. Mierzyłam do niego zacięcie, stąpając powoli. Napięcie spięło mi mięśnie i szłam na ugiętych, rozdygotanych nogach. Nagle za plecami przeciwnika zobaczyłam Jacoba. Zbliżał się do tego rosłego faceta z mosiężną szkatułą w rękach. Serce dosłownie podskoczyło mi do gardła. Wychodziłam z siebie, żeby przeciwnik tego nie zauważył. Co jak co, ale takiej dewastacji mojej spektakularnej akcji absolutnie się nie spodziewałam.

— Rzuć do mnie broń, inaczej ją rozwalę — krzyczał rozwścieczony mięśniak.

Powoli przykucnęłam, przyłożyłam mojego glocka do podłogi i, nie zdejmując z niego dłoni, podniosłam wzrok. Wtem mięśniak odwrócił się do Jacoba i w mgnieniu oka postrzelił go w bok. Mosiężna szkatuła uderzyła o parkiet. Ksiądz upadł obok. Natychmiast wstałam, trzymając broń w gotowości. Zakładniczka oswobodziła się z uścisku i podbiegła do mnie, unikając postrzału. Strzeliłam. Kula nawet go nie drasnęła. Przy drugim strzale oberwał w udo. Zaciągnęłam dziewczyny za ścianę i w ferworze emocji wydarłam się, aby biegły krużgankiem na klatkę schodową Poselską we wschodnim narożniku. Zraniony napastnik ruszył w moją stronę, powłócząc nogą i oddając przy tym strzał za strzałem. Bezcenny siedemnastowieczny obraz z pokorą zebrał za mnie kilka kulek. Wybiegłyśmy na taras i po chwili dziewczyny zniknęły mi z oczu.

Odwróciłam się, wypatrując przeciwnika. Po drodze mignęła mi znajoma postać. W bramie Berrecciego zobaczyłam dwóch policjantów i Maksa. Celując ponownie do mięśniaka, zobaczyłam przez okno sieni Julkę biegnącą z powrotem do sali Kolumnowej. Domyśliłam się, że pędzi na ratunek Jacobowi. Policjant krzyknął do napastnika i oddał strzał ostrzegawczy. Skuliłam się za wnęką balkonu, przenosząc uwagę mięśniaka na policjantów. Strzelił w ich stronę kilka razy. Po chwili usłyszałam huk ciała powalonego na podłogę. Wychyliłam się i upewniłam, że mnie nie dopadnie. Leżał przytomny i wył z bólu. Spoglądał w moją stronę, kręcąc się jak dżdżownica i nieprzerwanie trzymając mnie na muszce. Przebiegłam krużgankiem do sieni klatki Poselskiej i zbiegłam na parter, mijając po drodze ostatnie ewakuowane osoby. Goście gromadzili się w bramie, skąd obsługa zamku kierowała ich w stronę katedry.

Roztrzęsiona i zdyszana wpadłam na dziedziniec arkadowy i mocno się zdziwiłam.

PASOWANIE

— Jak to? Gdzie reszta? Gdzie są kryminalni? Gdzie antyterroryści? Gdzie oni są do cholery? — wrzeszczałam rozhisteryzowana.

Jeden z policjantów próbował coś powiedzieć, ale go uprzedziłam.

— Nie ma czasu! — wrzasnęłam.

Policjant zagrzmiał do krótkofalówki, a ja w tym czasie starałam się jakoś sensownie wyrzucić z siebie natłok myśli, które siedziały mi w głowie.

— Słuchajcie, musicie mi zaufać...

— Wezwałem wsparcie i karetkę. O co tu chodzi? — przerwał mi zdenerwowany posterunkowy.

— Zgłosiła się do nas kobieta — zaczął drugi policjant — twierdząca, że kazałaś jej wezwać wsparcie i zabrać tego gościa z dołka.

— Nikogo nie zabiliśmy! — krzyknęłam rozemocjonowana.

Sierżant skrzywił się dziwacznie.

— A kto tak twierdzi?

Przeniosłam wzrok na Maksa i zorientowałam się, że on już wszystko wie.

— Poszukiwaliśmy was jako świadków. To dziennikarze nakręcili sprawę, i nikt nie przedstawiał was w roli podejrzanych.

Innymi słowy w pieprzonym harmidrze piwnicy błędnie zinterpretowaliśmy komunikat wiadomości. Sierżant chciał jeszcze coś powiedzieć, a ja, nie mogąc się doczekać aż zamilknie, ponaglająco gestykulowałam dłonią. Ponadto trzęsłam się i sapałam.

Dobiegła do nas straż zamkowa z informacją, że Francuz jest w skarbcu. Jeden ze strażników przyznał, że dał się zagadać ludziom Francuza, a chwilę później zorientował się, że zaginęła mu karta czipowa. Tym sposobem Francuz pogrążył sam siebie, ponieważ cała straż ruszyła, aby tę sprawę wyjaśnić, otwierając nam drogę do zamku.

Strażnicy podali mi klucz do skarbca i zbrojowni, i zobligowali się obstawić alternatywne wyjścia.

— Została mi jedna kula w magazynku, dajcie zapasowy — wyrzuciłam z siebie jednym tchem, jakbym zaraz miała osunąć się na podłogę.

Sierżant podał mi magazynek, przeładowałam i dodałam:

— Chłopcy, musimy tam wejść! Ja dowodzę.

— Gustowny szlafroczek, kochanie. Jesteś przeseksowna — usłyszałam od Maksa.

W tym samym czasie po wzgórzu poniósł się sygnał karetki, który przypomniał mi o Jacobie.

— Maks, Jezus Maria, Maks! Na drugim piętrze jest postrzelony Jacob!

Posterunkowy ponowił wezwanie do dyżurnego i poinformował o sytuacji. Maks złapał mnie za ramiona i potrząsnął mną, krzycząc:

— Gdzie? Gdzie?! Mów, jak tam dotrzeć!

Wskazałam ręką na schody klatki Senatorskiej:

— Tamtędy będzie bezpiecznie!

Maks podbiegł do ratowników.

— Na drugie piętro, później w lewo — zawołałam głośno, gdy biegli przez dziedziniec.

Nie było sensu dłużej przeciągać sprawy.

— Dobra, chłopcy, wchodzimy — zarządziłam.

Spodziewałam się odmowy i wyszydzenia, tymczasem koledzy poszli za mną bez mrugnięcia okiem.

Ściskaliśmy w dłoniach nasze cacuszka z nadzieją, że nie będziemy musieli ich użyć. No, przynajmniej ja miałam taką nadzieję. Zatrzymałam się przy wejściu do skarbca. Posterunkowy ustawił się tuż za mną, a aspirant naprzeciwko. Przekręciłam klucz, uchyliłam lekko drzwi, odczekałam chwilę i pociągnęłam je pokazowo.

Kolejno wślizgnęliśmy się do środka, nasłuchując stłumionych szeptów.

— Niech to szlag, są w piwnicach — zaklęłam pod nosem.

— Co jest, szefowo? — zapytał aspirat.

— Co robimy? — dopytał posterunkowy.

— Wchodzimy — odparłam bez wahania i zakradłam się w głąb pomieszczenia. — Nie znam... — wypsnęło mi się.

— Nie znasz układu piwnic? — spytał posterunkowy.

— W takim wypadku nie podejmujemy akcji. To bez sensu, trzeba zaczekać na wsparcie — rzucił aspirat.

— Spokojnie, chłopcy, nic takiego nie powiedziałam. Znam tu rozkład wszystkich pomieszczeń. Wiem, co gdzie jest — dodałam pewnie, choć trochę skłamałam, bo pamiętałam tylko tyle, ile wcześniej widziałam.

— Ja biorę na siebie Francuza, wy ochroniarzy.

— Nie wątpię — rzucił posterunkowy.

— Co? — zapytałam, a on gapił się na mnie z zalotnym uśmieszkiem.

— Szefowo, zawsze mi się podobałaś, ale tym strojem przebiłaś samą siebie.

A to dobre!

— Dzięki, Maćku, musiałam udawać prostytutkę. Masz ciekawy gust.

Krótko i treściwie zgasiłam jego płomienną zaczepkę. Posterunkowy przewrócił oczyma, a aspirat zaniósł się śmiechem. Wiedziałam już, że gdy pojawi się wsparcie, będę skompromitowana.

Przekręciłam klucz.

— Wchodzimy — zarządziłam i wprowadziłam nas w sień z taflą ze szkła.

— Cóż za ironia — westchnął aspirant.

— Jaka ironia?

— Ostateczne rozdanie wśród zabytkowej broni.

— W razie czego mamy dodatkowy oręż — dorzucił posterunkowy.

— Skupcie się — upomniałam ich, uświadamiając sobie, że najwyraźniej nie zdają sobie sprawy z niebezpieczeństwa. Wkurzało mnie, że narażam kolejne niezwiązane ze sprawą osoby. Usprawiedliwiałam się, że oni przynajmniej wiedzieli, na co się piszą, taki zawód.

Męski głos prowadził mnie w głąb. Zrobiłam szybkie oględziny. Francuz był w piwnicach zbrojowni. Dźwięki narastały. Skupiłam uwagę, powoli zeszłam po schodach prowadzących do pierwszego z trzech pomieszczeń. Posłałam kolegów za masywny filar pośrodku sali, a sama przykucnęłam pod podestem półpiętra schodów.

Nie minęła chwila, kiedy Francuz z ochroną przeszli przez pomieszczenie i wyprowadzali profesorów do sieni. Zorientowałam się, że facet zamykający korowód wypatrzył mnie między stopniami. Wychyliłam się spod podestu, a napastnik kopniakiem przewrócił mnie na podłogę. Mocno walnęłam, a zanim się zerwałam, on przeskakiwał już metalową barierkę. W ostatniej chwili przeturlałam się po podłodze, unikając tego, żeby z całym impetem spadł na mnie. Posterunkowy natychmiast go obezwładnił. Doskoczyłam do jego spluwy, kopnęłam ją w stronę aspiranta i krzyknęłam, aby go pilnował. Posterunkowemu kazałam pójść za mną. Intuicyjnie wybiegłam na parter. Zanim zdążyłam rozeznać się w sytuacji, oszołomił mnie donośny ryk alarmu. Tuż przede mną przebiegł profesor Wojnicki z mieczem w dłoni. Wbiegł za taflę szkła, do sal z ekspozycją broni. Był w takim szoku, że w ogóle mnie nie zauważył. Wskazałam Maćkowi, żeby go dogonił. Jak na złość, kiedy znikł mi z oczu, naprzeciw mnie pojawił się Francuz. Zdyszany, wściekły, głodny zemsty. Z lewej ręki ciekła mu krew, z prawej mierzył do mnie. Instynkt pchnął mnie do pomieszczenia zapełnionego zbrojami. I wtedy właśnie, pierwszy raz w życiu ten instynkt mnie zawiódł. Gdy tylko przekroczyłam próg pomieszczenia, a oczy obiegły wszystkie cztery ściany, do mózgu dotarł pierwszy sygnał o niebezpieczeństwie. Roztargniony umysł odrzucił go i ponownie zmusił oczy do pracy. Po trzecim skanie pomieszczenia zorientowałam się, że to ślepy zaułek. Ostatecznie jakiś odruch pchnął mnie w stronę okna przysłoniętego husarską zbroją. Tak jakbym mogła rozwalić grubą, matową szybkę wielkości mojego tyłka, przez którą i tak nie miałabym szans się przecisnąć. Przerażona zerwałam ze ściany metalową szesnastowieczną tarczę jeździecką, zsunęłam ze sobą trzy zbroje, wbiegłam na nachyloną okienną wnękę i przykucnęłam, zakrywając się tarczą.

Francuz dumnym, powolnym krokiem wszedł do sali.

— No już dobrze, koteczku, nie masz najmniejszych szans. Wyjdź, niech no na ciebie spojrzę.

Brzmiał dumnie i idiotycznie zarazem.

— Niedoczekanie twoje! — krzyknęłam.

Wystawiłam za tarczę koniuszek lufy i strzeliłam w jego stronę.

Cwaniak osunął się i pędząca kula świsnęła tuż przy ręce wysokiego blondyna. Gdy Francuz nacisnął na spust, Maks złapał go za szyję i podciął mu kolana tak, że jego kula trafiła w sam środek husarskiej zbroi, za którą się chowałam. Do końca życia będę wychwalać husarię. Nie mam pojęcia, z jakiego superżelastwa robili te zbroje, ale musiały być doprawdy niemal niezniszczalne, skoro po tylu latach potrafiły jeszcze kogoś ochronić.

Podbiegłam do Maksa, wcisnęłam broń Francuza za majtki i widząc, że żołnierz świetnie sobie radzi, wybiegłam z pomieszczenia. Byłam dopiero w połowie drogi do sukcesu, bowiem jeszcze jeden koksiarz nadal pałętał się gdzieś w pobliżu. Tuż za taflą szkła wpadłam na nieziemsko zestresowanego posterunkowego, który wskazał mi profesora. Wysłałam go do Maksa i wpadłam do sali z bronią.

Wśród czterech ścian obwieszonych gablotami zapełnionymi strzelbami i muszkietami, łysy mięśniak ściskał za szyję profesora, grożąc przyłożoną do skroni lufą. Jakby tego było mało, profesor dzierżył w dłoni jeden z najcenniejszych zabytków polskiej kultury.

Pomyślałam, że jeśli zaraz go nie odłoży, to będziemy sławni.

SPOWIEDŹ

Zobaczyłam w oczach bandziora diabelski błysk determinacji, która pcha ludzi do najgorszych czynów.

Czyli to nie koniec. Nie będzie łatwo. Długa droga przede mną do szczęśliwego zakończenia, które pozwoli mi rzucić się w końcu w ramiona upragnionego mężczyzny. Czy cały świat stanął przeciwko mnie? Pewnie mnóstwo kobiet spędza ten wieczór w ramionach ukochanego. Dlaczego nie ja? Dlaczego akurat mnie wiecznie coś musi przeszkadzać? Dlaczego akurat na mojej drodze do szczęścia stoi łysy, wytatuowany, spocony i zasapany kretyn? Swoją drogą, skąd Francuz wziął tych wszystkich mężczyzn? Wyglądali, jakby wyszli z jednej linii produkcyjnej. I miałam ich wszystkich serdecznie dość.

Prychnęłam, wyciągnęłam zza majteczek spluwę Francuza i z obu rąk wymierzyłam do napastnika. Było mi już naprawdę wszystko jedno jak idiotycznie wyglądam.

— My mamy twojego szefa, a ty masz profesora. Wymieńmy się — zaproponowałam.

Sądziłam, że to całkiem dobra propozycja, lecz temu idiocie warga nawet nie drgnęła. Idiocie? A gdyby nadać mu jakąś słodką ksywkę, która umili sytuację? Może Misiek? Albo Goryl? Nie, to zbyt ujmujące wobec tych mądrych zwierząt. A może… Omiotłam go ciekawskim spojrzeniem. Matko kochana! Ten facet nawet z niczym mi się nie kojarzył. A tak po prawdzie, z czym przyjemnym mógłby kojarzyć się spocony pakers w obcisłym T-shircie? Pakers? To się w ogóle z czymś rymuje?!

— Jeśli zagwarantujesz mi, że stąd wyjdę — powiedział w końcu pakers. Krakers? Pakers, krakers?

— A dlaczego miałbyś nie wyjść — zagaiłam pytaniem na pytanie. — Nikogo więcej tu nie ma, wymienimy się.

Krakers pomógł, wyluzowałam się. Niewielkie ciasteczko spełniło swoje zadanie. W końcu to przyjemne, kruche i słone ciasteczko, na tyle duże, żeby się nasycić, i na tyle małe, aby nie znienawidzić go za kalorie.

Nim zdążyłam zagwarantować Krakersowi wolność, do pomieszczenia wpadł ciężko zdyszany Maks. Czy ja przed chwilą powiedziałam, że nikogo więcej tu nie ma?

— Maks, synu, co ty tu robisz? — wykrztusił Jan.

— Dobre pytanie, wujku.

— Cisza! — wrzasnął Krakers.

— Sam się zamknij! — odkrzyknęłam. — Gdzie jest Francuz? — zapytałam Maksa.

— Francuz? — dopytał.

— Ten, który do mnie strzelał.

— Skuliśmy go z posterunkowym. Pilnuje go.

— OK, w takim razie to już naprawdę wszyscy — stwierdziłam. — To jak… — zaczęłam pytanie do Krakersa, ale w sali zjawili się Antoni z Kazimierzem.

A czegóż ja się mogłam spodziewać? Nie pierwszy raz w tym dniu ktoś spierdzielił moją widowiskową akcję. Odechciało mi się. Gestem ręki przekazałam Maksowi rolę mówcy.

— Puść Jana, a my oddamy ci szefa, Szczerbiec i umożliwimy ucieczkę.

— A po co mu Szczerbiec? — zapytał Kazimierz.

— A wam — dopytał Maks — odnaleźliście relikwiarz?

— A mieliśmy go szukać? — zdziwił się Kazimierz.

— Ooo, świetnie! Robi się ciekawie — powiedziałam.

— Skąd wy o tym wiecie? — wyrwał się Jan.

— Jak to skąd, wujku — odpowiedział mu Maks. — Od Antoniego. Wszystko nam wyjaśnił.

— Ja was strasznie przepraszam… — wystękał Antoni.

— Gdzie jest Francuz?! — krzyknął Krakers, drżącą ręką nieustannie dociskając lufę do skroni profesora.

Matko kochana! Byłam ogłupiona i wściekła.

— To po co wam w końcu ten Szczerbiec? — zapytałam Krakersa.

— Bierz miecz i puść wujka! — wrzasnął Maks.

— Na chuj mi miecz?! — warknął tamten.

— W takim razie wyprowadzę cię stąd, tylko odłóż broń.

— Nie! — krzyknął.

Wydawało się, że liczy, że coś jeszcze ugra. — Puśćcie Francuza i mówcie, gdzie jest relikwiarz! — dodał.

Maks był mocno poirytowany.

— Gdzie jest relikwiarz? — zapytałam Kazimierza.

— Nie wiem — odpowiedział.

— O co tu, do cholery, chodzi?! — krzyknęłam.

— Oni nie szukali relikwiarza, to bujda — mruknął Antoni.

— Cooo? Więc skąd to całe zamieszanie? Po co wam profesorowie?! — zwróciłam się do Krakersa.

— Mówili, że wiedzą, gdzie jest relikwiarz!

— Aha. Świetnie. To jak to w końcu jest?

— Mówiliśmy, że nie wiemy, że trzeba szukać — odezwał się Kazimierz.

— W co wy się, do cholery, wplątaliście?! — ryknął Maks.

— W gówno! — odpowiedział mu Krakers.

Jakże trafna odpowiedź z tych niepozornych ust. Osłabłam. Oparłam się plecami o ścianę, podałam mojego glocka Maksowi, a broń Francuza opuściłam. Kręciło mi się w głowie. Napastnik wytrzeszczał oczy z niedowierzaniem. Maks też nie mógł uwierzyć w to, co widzi.

Taksował mnie spojrzeniem, próbując zasugerować, abym się nie wygłupiała, bo sytuacja naprawdę temu nie sprzyja. Z tym że nie bardzo mogłam się ruszyć.

— Antoni, mógłbyś nam to wyjaśnić? — poprosiłam grzecznie.

Doktorek nie zamierzał jednak udzielić odpowiedzi. Był rozemocjonowany, blady. Schylił głowę i milczał, pewnie szukając dobrego wytłumaczenia.

— Czy ktoś mi w końcu wyjaśni, o co tutaj chodzi?! — wydarł się Maks. A że nikt nie zechciał mu odpowiedzieć, ponowił swoją prośbę. — O co tu chodzi?! Co to ma być do cholery?! Kim są ci ludzie?!

— Wybaczcie — wykrztusił z siebie Antoni.

— Antek, coś ty im naopowiadał? — dołożył mu Kazimierz.

— Chciałem dobrze — zaczął.

— Dobrze?! — przerwałam mu wrzaskiem. — Dobrymi chęciami piekło jest wybrukowane! Wiedziałam, że to bujda! A ty co powiesz? — burknęłam do Maksa, który spurpurowiał ze złości. Oddychał głośno i nieregularnie, serce waliło mu jak szalone, żuchwa zacisnęła się, a ciało dygotało z nerwów.

— Wujku, powiedz nam prawdę, o co tu chodz?i! Co my tu robimy, do cholery?!

Niestety, Jan nie bardzo mógł mówić, w końcu bandyta przykładał mu lufę do skroni. Ochłonęłam odrobinę i zauważyłam wędrujące po pomieszczeniu światła. Wpadały przez okna wychodzące na dziedziniec. Wycofałam się powoli do tyłu pod drzwi. Przekręciłam w zamku klucz i ścisnęłam go w dłoni. Z drugiej ponownie wymierzyłam do napastnika.

— Mam tego dość. Jestem zmęczona i nie chce mi się tu dłużej siedzieć, lecz nikt stąd nie wyjdzie, dopóki nie dowiemy się całej prawdy! Niech pan kontynuuje. I proszę nie kłamać — huknęłam do zdezorientowanego Kazimierza i asekuracyjnie przeniosłam wzrok na napastnika.

Pocił się i stękał. Był zauważalnie rozkojarzony i skołowany. Przeczuwałam, że on też nie wie, co robić. Musiałam wymyślić na niego jakąś taktykę.

— Gadaj albo rozwalę was wszystkich! — krzyknął do doktora.

— Zamknij się! — warknęłam na niego. — I tak pewnie nie wyjdziemy stąd bez szwanku. Jeśli ty strzelisz do niego, to ja strzelę do ciebie! — ostrzegłam i zaklęłam głośno. — Czego chcesz? Chcesz stąd wyjść? Chcesz relikwiarz? Ja też. Tak się niefortunnie składa, że jedynie oni — wskazałam spluwą na doktorków — wiedzą, gdzie on jest. Niech nam chociaż powiedzą, gdzie szukać tych zabytków. Jakoś z tego wszystkiego wybrniemy, a później kto pierwszy, ten lepszy.

Przyznaję, to było głupie. Ale wyglądało, że Krakers to łyknął.

— Wytłumaczcie nam wszystko — powiedziałam do Kazimierza. — Czego szukaliście?

— Niczego — odpowiedział. — Mieli nas z kimś tutaj skonfrontować. Nie powiedzieli nam nic więcej.

— A Szczerbiec?

— Jan celowo podpuścił Francuza, aby otworzył gablotę, żeby obejrzeć z bliska miecz. Kiedy przekręcił klucz, Jan pchnął go na ekspozycję, a ten rozbił szybę i uruchomił alarm. Chcieliśmy ściągnąć tutaj policję.

Co za kuriozum. Zaklęłam soczyście, zaśmiałam się pod nosem i zwróciłam się ponownie do Krakersa.

— Wysłaliście kogoś do Gdańska? Kto nas tam prześladował?

— Nie wiem nic o żadnym Gdańsku! Milcz idiotko! Wymyśl, jak mnie stąd wydostać!

— Doktorze — zwróciłam się do Antoniego — mówiłeś, że Apoloniusz, czyli jak mniemam Francuz, mówił po niemiecku. Dobrze pamiętam?

— Musiałem zyskać wiarygodność w waszych oczach…

Prychnęłam i natychmiast ostrzegłam Krakersa, który mocniej ścisnął Jana przedramieniem:

— Odłóż tę broń naiwniaku.

Nie zareagował, a ja jakby zobojętniałam. Znowu opuściłam spluwę, oparłam się o ścianę i zwróciłam się do Maksa:

— Rozumiesz coś z tego?

— Co ty robisz?! — ryknął na mnie.

Był totalnie skupiony i totalnie seksowny. Pot spływał mu po całym ciele, a oczy szkliły się jak diamenty. Miałam nadzieję, że mnie zrozumie. W końcu miał być moją drugą połówką. Porozumienie dusz i te sprawy.

Machnęłam ręką.

— A wszystko mi już jedno — powiedziałam i osunęłam się na podłogę. Przykucnęłam pod ścianą i przetarłam oczy. Pakers zdawał się nie dowierzać w to, co widział. Maks to uchwycił, dzięki czemu zrozumiał moją taktykę.

— Zosiu, myślałem, że między nami zaiskrzyło — oświadczył.

— A nie? — odpowiedziałam bez zastanowienia.

— Nie wiem. Myślę, że ci wstyd, że cię rozpracowałem.

Podniosłam wzrok i wymieniliśmy się płomiennymi spojrzeniami. Zaparłam się o ścianę i wstałam.

— Ty pieprzony egoisto — syknęłam, machając mu bronią przed nosem. — Chciałeś mnie upokorzyć!

— Chciałem sprawdzić, czy faktycznie jesteś taka oporna, czy tylko udajesz — podjudzał mnie, kątem oka łypiąc na Krakersa. Czekałam, aż ruszy.

— Cholerny dupek! — wrzasnęłam i szturchnęłam go w ramię.

On pchnął mnie lekko w stronę ściany, a ja jego mocniej w kierunku napastnika. Ten mimowolnie oderwał broń od skroni Wojnickiego i wymierzył w nas. Maks wyłapał ten moment, doskoczył do niego, złapał za spluwę, pociągnął za rękę, a w tym samym momencie profesor pchnął go, przez co obaj gruchnęli na posadzkę. Odskoczyłam z pola rażenia, a profesorowie dopadli do napastnika. Maks wyrwał mu broń i zaczęli okładać się pięściami. Próbowałam za tym nadążyć i przyznaję, że nie było łatwo. Tłukli się jak opętani. Wystraszyłam się, kiedy Antoni oberwał w głowę, ale nawet trochę mu się należało. Na wszelki wypadek wymierzyłam do niech ponownie. Kiedy po chwili moi herosi obezwładnili Krakersa, opuściłam spluwę i znów opadłam na ścianę. Maks usiadł mu okrakiem na plecach i mocno go przytrzymywał. Krzyczał na mnie, bym w końcu otworzyła drzwi, ale ja nie byłam jeszcze gotowa.

— Zośka! Otwieraj te drzwi, na co ty czekasz, do cholery?! — powtarzał bez przerwy.

Spoglądałam na niego nerwowo. Kręciłam się w miejscu, przestępowałam z nogi na nogę i łapałam się za głowę, odgarniałam włosy, przecierałam czoło i oczy. Miałam pewność, że po wyjściu zostaniemy obezwładnieni, odwiezieni na komendę i zatrzymani do wyjaśnienia sprawy. Czyli nie dowiemy się prawdy, bo jak nieraz zdążyłam się przekonać, zeznania które zbierze policja, często mają niewiele wspólnego z rzeczywistością. I chyba właśnie przez to całkowicie wyłączyłam zdrowy rozsądek.

„Uspokój się i otwórz te drzwi", słyszałam w kółko.

— Zaraz — burknęłam. — Antoni, okłamałeś nas?

— Tak — odpowiedział.

Maks wytrzeszczył na niego swoje piękne, zielone oczy.

— Po co? — zapytał.

— Wstydziłem się powiedzieć prawdę, a nie miałem gdzie szukać pomocy.

— Wstydziłeś? Ile ty masz lat, doktorze? Bądźmy poważni. Nie zamierzam was wypuścić, dopóki nie usłyszę prawdy — zakomunikowałam.

Antoni nadal nie wydawał się skory do zwierzeń. Klęcząc, przytrzymywał kolanami napastnika, a jego twarz purpurowiała. Zapewne nie tylko on, ale i jego przyjaciele pragnęli jak najszybciej opuścić to pomieszczenie. Byli widocznie wycieńczeni. Było mi ich żal, ale wcale nie miałam zamiaru im odpuszczać. Czułam się oszukana i domagałam się szczerości.

— No opowiadaj, doktorze, jak to było?!

Antoni był najmocniej zmęczony. Dyszał głośno, a jego mętne oczy błądziły pomiędzy mną a Maksem. Dupki z Koronki musiały go mocno poobijać.

— Doktorze, wszyscy niecierpliwie czekamy na pańskie wyznanie. Wcześniej nikt stąd nie wyjdzie.

Antoni chyba zrozumiał, bo pokiwał głową i zaczął.

— W takim razie zacznę od początku. Znam pewnego młodego policjanta, który z kolei zna moje nawyki. Wie, że w ciepłe dni sporo czasu spędzam w okolicach rynku. Uznał, że mogę być dobrym obserwatorem i poprosił mnie o pomoc. Chciał, żebym zwrócił uwagę na podejrzane osoby, w związku z kradzieżami relikwiarzy. To było chwilę przed spotkaniem z chłopakami. Później przyjechał Janek, spotkaliśmy się i tak jak opowiadałem, poszliśmy na piwo. Po jakimś czasie postanowiliśmy zmienić lokal i ruszyliśmy do naszej knajpy z czasów uniwersyteckich na spotkanie z Kazkiem i Frankiem. Przechadzając się uliczkami wokół rynku, byliśmy nieustannie nagabywani przez młode kobiety nachalnie zapraszające nas do lokali o wątpliwym uroku. Rzecz jasna nie byliśmy zainteresowani, lecz to niczego nie zmieniało. W pewnym momencie Janek stanął osłupiały i powiedział, że do klubu, obok którego przechodziliśmy, weszła jego studentka. Był zrozpaczony, że tak młodziutka kobieta tak marnuje sobie życie.

— To prawda, profesorze? — zapytałam.

Jan i Kazimierz przytaknęli.

— Zatem, doktorze, proszę kontyn…

— Dość tego! — wrzasnął Maks. — W tej chwili oddaj mi klucz!

— A w życiu! — odkrzyknęłam.

Moja pewność siebie wynikała ze świadomości, że mogę sobie na nią pozwolić. Byłam w uprzywilejowanej sytuacji. Wcale nie dlatego, że miałam ten klucz, a dlatego, że Maks nie mógł mi go odebrać. Musiałby puścić napastnika, a tego by nie zrobił, bo profesorowie nie zdołaliby go sami utrzymać.

— Proszę kontynuować — powtórzyłam.

— Zatem kiedy Jan się zatrzymał — ciągnął dalej — przystanęliśmy obok niego. Wysłuchał nagabującej go dziewczyny i pognał do lokalu, w którym zniknęła studentka. Myślał, że jak za nią pójdzie, to przemówi jej do rozsądku. Zniknął nam z oczu, więc pognaliśmy za nim. Gdy zeszliśmy po schodkach, znaleźliśmy się w obrzydliwej agencji towarzyskiej. Wnętrze było czerwone, pełne luster i półnagich kobiet. Coś okropnego. Co ja będę mówił, Zosiu, sama widziałaś.

— Cooo? — zdziwienie Maksa rozniosło się po pomieszczeniu. — Byłaś w burdelu?!

— Maksiu, ona nas stamtąd uratowała. Nas, to znaczy mnie, Julkę i Jacoba.

— Co wyście tam robili?!

— Ratowaliśmy chłopaków.

— Maks, tobie najbardziej zależało na czasie! — wtrąciłam. — Pozwól mu mówić.

Mój przyszły kochanek niedowierzał. Gapił się na moje pół nagie ciało, wyrażając mimiką burzę, która rozhulała się w jego głowie. Coś mi się zdaje, że dopiero teraz dotarło do niego, w co ja jestem ubrana. Nie mam pojęcia, co on zobaczył tymi swoimi pięknymi ślepiami wyobraźni, ale musiało to być coś równie kontrowersyjnego jak moje kuse majtki, bo kompletnie się zawiesił.

— Ta dziewczyna — kontynuował Antoni — za którą przyszliśmy, przepadła i Jan poprosił, byśmy chwilę z nim zostali i poczekali, aż się pokaże. Naprawdę nie wiem, na co myśmy liczyli. Może nasze męskie umysły zaślepiła jakaś żądza? Nie potrafię tego logicznie wytłumaczyć. Zajęliśmy stolik w pobliżu baru. Dziewczyna długo się nie pojawiała, a nas nieustannie nagabywały kelnerki. Zamówiliśmy niewielką ilość alkoholu i zagadaliśmy się. Janek zdradził nam cel swojej podróży. Wyjął z nesesera kartki i zaczął opowiadać o relikwiarzu. Tak jak mówiłem, zadzwonił do niego tajemniczy Apoloniusz, który twierdził, że jest w posiadaniu naszego pacyfikału. Długo debatowaliśmy nad sensem tego spotkania. Zorientowaliśmy się, że to może być zwyczajne oszustwo, bo każdy ma dostęp do opisu tego przedmiotu. W trakcie naszej zaciętej konwersacji Franek udał się do toalety. Wracając, trącił dziewczynę niosącą tacę pełną drinków. Zaraz zjawiło się przy nim dwóch młodych mężczyzn, a my w oka mgnieniu wyrwaliśmy się w jego obronie. W międzyczasie Janek wypatrzył swoją studentkę, zawołał ją, nie reagowała, więc podszedł do niej i zaczął zagadywać. Dziewczyna zlekceważyła go, odwróciła się na pięcie, lecz on nie ustępował. Poszedł za nią za bar, czym zainteresował jakiegoś mężczyznę. My zdążyliśmy przesiąść się w inne miejsce. Zajęliśmy okrągłą sofę dzieloną pośrodku niewysokim oparciem. Janek wrócił i usiadł obok Kazka, a ja zaciekawiłem się rozmową prowadzoną za naszymi plecami. Szturchnąłem Franka i razem nadstawiliśmy uszu. Młodzi mężczyźni siedzący plecami do nas rozmawiali o księdzu z kościoła świętej Barbary. Skojarzyłem tę wymianę zdań ze sprawą, o której poinformował mnie mój znajomy policjant. Niestety zorientowali się, że podsłuchujemy i dosiedli się do naszego stolika. Kartki Janka ze szkicem i opisem relikwiarza leżały obok szklanek. Jeden z tych mężczyzn od razu się nimi zainteresował. Zapytał nas, skąd to mamy i po co nam to. Powiedzieliśmy prawdę, że to rodzinna pamiątka. Na co on zapytał, po co tu przyszliśmy i czy ktoś nas przysłał. Zaprzeczyliśmy i powiedzieliśmy, że chcieliśmy zamienić kilka słów z tą dziewczyną, namówić ją na lepszą pracę. Tym sposobem rozpętaliśmy piekło. Ci mężczyźni stwierdzili, że nie darują nam kolejnego wybryku i że musimy się jakoś zrekompensować. Chcieliśmy zapłacić i wyjść, lecz doszło do szarpaniny. Jeden z osiłków uderzył Kazka pięścią tak mocno, że ten przewrócił się na stolik. Zrobiło się niesamowite zamieszanie. Janek próbował przeprosić, a ja z Frankiem zaczęliśmy ich wyzywać i straszyć. Jak łatwo się domyślić, nie spodobało się to im, rozwścieczyliśmy ich jeszcze bardziej. Wszyscy zaczęliśmy się szarpać. Podbiegło do nas jeszcze kilku innych mężczyzn. Nie mieliśmy żadnych szans. W pewnym momencie pojawił się ich szef. Jego obecność na chwilę uspokoiła zamieszanie. Wkurzył się, że płoszymy mu klientów, i uznał, że powinniśmy zapłacić za straty. Kazał nam oddać wszystkie cenne przedmioty i pieniądze. Tyle że my nie mieliśmy za bardzo czego oddawać. Wtedy on dostrzegł na podłodze pod swoimi stopami kartkę z wizerunkiem relikwiarza. Podniósł ją i zapytał, co to jest. Janek powtórzył, że nic cennego, rodzinna pamiątka. Na co ten cały, jak go nazywają, Francuz, stwierdził, że w takim razie inaczej się z nami rozliczy. Porozumiał się na stronie z jednym z mężczyzn i po chwili kazał nas gdzieś wywieźć. — Antoni zamilkł.

— Zatem… Prędzej, doktorze. Kontynuuj, nie mamy zbyt wiele czasu — ponagliłam go.

— Tak więc później było tylko gorzej — ciągnął. — A było dokładnie tak — zaczął książkową niemal relację. Franio bardzo się wystraszył i krzyknął, że jeśli nas puszczą, oddamy im relikwiarz.

— A macie ten relikwiarz? — zapytał szef.

— Nie mamy.

— To gadaj, jak go odszukać — rozkazał.

Franio mocno się zmieszał, więc Janek postanowił go wyratować.

— Trzeba odnaleźć wskazówki w czterech krakowskich kościołach i rozszyfrować napis z rewersu. Doprowadzi nas to do miejsca jego ukrycia.

— Skąd o tym wiecie? — zapytał.

— Czekaj, czekaj — przerwałam mu. — Jak to w końcu jest z legendą o tych kościołach? Są w nich wskazówki, czy to też jest bujda?

Antoni, korzystając z chwili spokoju, podparł się na kolanie i odpoczywał.

— Nie wiem, to jedynie domysły. Podobno miejsce ukrycia zabytków zakodowane zostało w symbolice. Nie wiadomo, o co dokładnie chodzi.

— Dobrze, doktorze, dalej.

Doktor mocno zaciągnął się powietrzem i kontynuował.

— Jak już mówiłem, ten facet zapytał, skąd o tym wiemy. Janek odpowiedział mu, że z przekazu od przodków i że to nasza rodzinna pamiątka.

— Jaja sobie ze mnie robisz? — zapytał szef. — Dawać z nimi do auta — nakazał przytrzymującym nas mężczyznom.

— Nie, nie, zaczekajcie! To nie tak — krzyczał Franek. — To wielka tajemnica! W relikwiarzu schowany jest dokument, który opisuje miejsce, gdzie ukryte tą bardzo wartościowe dzieła sztuki.

Szef gestem ręki zatrzymał ochroniarzy. Podszedł do Franka i podminowany zapytał:

— Kpisz ze mnie, stary idioto?

— Nie kpię, to prawda. Wszyscy jesteśmy naukowcami, znamy się na tym.

Szef zadumał się przez chwilę.

— To trochę dla mnie popracujecie — stwierdził.

Później rozkazał zapakować nas do samochodów. Ochroniarze próbowali nas wyprowadzić. Znów zrobiło się zamieszanie. Ja i Kazek wyrwaliśmy się im. Franek stał między kanapą a stolikiem, więc nie był przytrzymywany. Wtem chwycił jedną z kartek i schował ją do walizki. Złapał bagaże Kazka, przeskoczył przez kanapę i pognał w stronę wyjścia. Ja z Kazkiem ruszyliśmy za nim, a Janek stał w bezruchu, nie miał najmniejszych szans. Intensywnie się szarpaliśmy i kiedy wyrwałem się temu, który próbował mnie obezwładnić, przewróciłem się na ochroniarza, szarpiącego się z Frankiem. Wówczas on się uwolnił i uciekliśmy im. Ale tylko do schodów, bo przy wyjściu zatrzymał nas ochroniarz. A później było tak, jak mówiłem. Zapakowali nas do samochodów, mnie i Franiowi udało się uciec. Resztę już znacie, nie będę się ponownie chwalił moim alkoholizmem.

— Po co? —spytał z irytacją Maks. — Po co was porwali? Kto to był i dlaczego uwierzył obcym ludziom w coś takiego? W dodatku Jan specjalizuje się w literaturze, a nie w sztuce.

— Właścicielowi tego przybytku — odpowiedział Jan — było chyba wszystko jedno, czym się zajmujemy, bo wielokrotnie powtarzaliśmy z Kazkiem, że nie znamy się na sztuce.

— Chwileczkę — wcięłam się. — Przecież panowie nie szukali relikwiarza.

— Faktycznie, nie szukaliśmy — odpowiedział Kazimierz.

— Więc po co was więzili? — dociekałam.

— Mieliśmy się z kimś spotkać w tej sprawie.

— A o czym rozmawialiście z Francuzem w skarbcu? Podsłuchaliśmy was i wywnioskowaliśmy z rozmowy, że czegoś szukacie.

— Podpuściliśmy Francuza, że tam może być rzeczony relikwiarz. Zależało nam, aby go tam zwabić i zniszczyć ekspozycję Szczerbca i jak najszybciej ściągnąć policję.

— Wujku, a kim jest człowiek, który zwabił cię do Krakowa? — zapytał Maks.

— Nie wiem, nie spotkałem się z nim — odpowiedział.

— Ano tak, nie było żadnego spotkania z Apoloniuszem i żadnego porwania z Kazimierza — skomentowałam.

— Nie było — odezwał się Antoni.

— O, ludzie! Apoloniusz przepadł i nie wiemy ani kim jest, ani czego chciał, ani czy faktycznie jest w posiadaniu relikwiarza?

Doktorzy wydawali się być skruszeni. Maks pokręcił głową, fuknął jakieś przekleństwo i spuścił wzrok. Mocno się wkurzył i po chwili rzucił głośno:

— To jakaś farsa!

— Zaraz farsa — zaczął coś przebąkiwać cichym, złamanym głosem Antoni.

Jednak zagłuszył go donośny, rozsierdzony głos Maksa.

— Antoni, przyznałeś, że wiedziałeś o kradzieżach relikwiarzy, dlaczego nam nie powiedziałeś? Milczałeś nawet wtedy, gdy Zośka się przyznała.

— Ten policjant wymagał ode mnie poufności. Liczył na mnie, nie mogłem się wygadać.

Maks rzucił mu wściekłe spojrzenie.

— Nawet w obliczu takiego zagrożenia?

Antoni nie odpowiedział. Nastąpiło kilka długich sekund stresującej ciszy. Wszyscy byliśmy spięci, zdenerwowali i zmęczeni. Nie wytrzymałam.

— Jeszcze jedno — powiedziałam. — Wy naprawdę jesteście potomkami jakiegoś bractwa?

— Zośka, do cholery — syczał Maks.

— Cicho! Nie przerywaj, muszę to usłyszeć! — ucięłam.

— Ten facet się wierci, nie mogę go utrzymać!

— No już!

— Jesteśmy! — krzyknęli Jan z Kazimierzem.

— Dżizas — wyjąkałam. — Czyli ktoś ściągnął Jana do Krakowa, później wpadliście w ręce lokalnego mafioza, który więził was, aby skonfrontować z nie wiadomo kim i nie wiadomo po co. I nie szukaliście relikwiarza, a my jak idioci biegaliśmy po kościołach. I po co? I dlaczego w takim razie ktoś zabił księdza?

— Dlatego, że nie miałem pojęcia, gdzie ich szukać — odpowiedział Antoni.

— Że jak?

— Podsunąłem wam pomysł wypytania księży, chcąc pójść tropem Jana. Podejrzewałem, że będzie tam węszyć, bo powiedzieliśmy Francuzowi, że w kościołach są wskazówki. Nie miałem innego pomysłu. Naprawdę łudziłem się, że w ten sposób do niego dotrzemy.

— A nie mogłeś od razu powiedzieć, że mamy szukać w burdelu? Tak bardzo się wstydziłeś?

— Nie! — oburzył się. — Nie pomyślałem, że oni tam pracują. Kazali nas wyprowadzić i wsadzili w samochody. Nie przypuszczałem, że to ich lokal!

— A co z tym księdzem?

— W Koronce podsłuchałem, że chcą go nastraszyć, więc pewnie to oni go zabili.

— Dlaczego? — dociekałam.

— Nie wiem!

— A kto na nas polował w Gdańsku?!

Profesorowie pokręcili głowami.

— Te, Krakersik, a tobie na pewno nic o tym nie wiadomo? Pakers, gościu! Mówię do ciebie!

— Nie — jęknął facet.

— Zośka!

Kiwnęłam głową, a zaraz potem podparłam się na rękach i podniosłam tyłek. Przekręciłam klucz, rzuciłam broń, odskoczyłam od drzwi i przykleiłam się brzuchem do podłogi. Do pomieszczenia wpadła ekipa uzbrojonych policjantów i obezwładniła nas wszystkich.

Zostaliśmy bezlitośnie wyprowadzeni do okratowanych pojazdów, gdzie po chwili nas oswobodzono, a napastników odizolowano. Prędko okazało się, że pomieszczenia są monitorowane i przez kilkanaście ostatnich minut byliśmy na bieżąco podglądani i podsłuchiwani. Całe szczęście, bo inaczej miałabym przesrane. I to tak konkretnie.

Zostaliśmy z Maksem uwolnieni i ruszyliśmy do karetki, gdzie udzielano pomocy Jacobowi.

— Julka! Co z nim, co z moim bratem! — pojękiwał z rozpaczą, prując w jej stronę.

Julka rzuciła się w jego ramiona i przeokropnie szlochała. Nie zrozumieliśmy, co powiedziała.

Karetka odjechała nam sprzed nosa, a Julka wyrwała się z ramion Maksa i pobiegła do następnej, która też zaraz ruszyła.

Zauważyłam, że policja pakuje profesorów do radiowozów. Podeszliśmy do nich.

— Pozwól mi z nimi porozmawiać — zagadnęłam znajomego funkcjonariusza

— Jedziemy na komisariat, szkoda czasu — odpowiedział.

Na twarzy miał wypisane zmęczenie. Głupio mi było dodatkowo go obciążać.

— Dwie minutki, bardzo cię proszę.

Policjant przymknął wymownie oczy i wsiadł do radiowozu.

Jan, Kazimierz i Antoni stanęli naprzeciw mnie, a za chwilę dołączył do nas Maks.

— Teraz, panowie, szczera prawda. Jak to jest z tym bractwem? — zapytałam poważnym tonem.

— Naprawdę jesteśmy potomkami członków bractwa — odparł Jan. — Relikwiarz prawdopodobnie istnieje, a co do związanej z nim historii, nie wiadomo, czy jest prawdziwa.

— A z kim miał się pan spotkać? — dopytałam.

— Nie wiem. Zadzwonił do mnie człowiek, który przedstawił się jako Apoloniusz i twierdził, że jest w posiadaniu relikwiarza. Termin już przepadł.

— A gdzie uwięził was Francuz?

Jan wyraźnie się zmieszał.

— W jakimś domu poza Krakowem, do którego zawieźli nas z zasłoniętymi oczami. Rozmawiał z nami, zaproponował wolność za współpracę. Co mieliśmy zrobić?

— Powiedzcie nam jeszcze, panowie, czy naprawdę nie wiecie, kto strzelał do nas w Gdańsku i kto zabił księdza?

Mężczyźni pokręcili głowami.

— Naprawdę ktoś do was strzelał? — dopytał Jan.

— Dużo by opowiadać. W wielkim skrócie dwóch mężczyzn obserwowało pańskie mieszkanie i ewidentnie na nas polowali.

— Wcale się nie dziwię. Któżby nie chciał zapolować na tak ładną i wojowniczą niewiastę — zażartował.

Maks zarechotał, a ja uniosłam brwi.

— Ach, wszystko jasne… To u was rodzinne.

— Co? — zapytał Maks.

— Już ty dobrze wiesz co.

Jan obdarzył mnie zalotnym uśmiechem. Wyjątkowo zalotnym jak na swój wiek. Naprawdę mają to w genach.

— A czy ja cię znam, młoda damo? — zapytał.

— Uczęszczałam na pańskie gościnne wykłady w Krakowie.

— Aha. Tak, całkiem możliwe.

— Niech pan mi powie…

— Kochanie, dość tego przesłuchania — przerwał mi Maks.

Kochanie? Gdybym mogła uśmiechnąć się na papierze, pewnie bym to zrobiła, żeby pokazać, jak szeroko rozdziawiłam wtedy usta. Pierwszy raz w życiu ktoś użył wobec mnie tego słowa w odpowiednim kontekście.

— A gdzie jest nasz Franio? — zaciekawił się Kazimierz.

— No właśnie? — dorzucił Jan.

I to by było tyle z przyjemnych uczuć. To zdecydowanie nie był odpowiedni moment na przekazanie tak traumatycznej wiadomości.

— Opowiem panom wszystko na komisariacie. Pojedziecie pierwsi, my zaraz za wami.

Jan przytaknął i razem z kolegami wsiadł do radiowozu, który po chwili odjechał.

Wozy policyjne powoli się rozjeżdżały, a plac zamkowy pustoszał.

Skuliłam się w sobie z wzrokiem wbitym w ziemię. Ktoś zarzucił mi na ramiona kurtkę. Złapałam ją za kołnierz i zerknęłam kto. Pablo był po cywilnemu, uśmiechał się i kręcił głową.

— Zrobiłaś tym strojem furorę. Ale zarzuć coś, bo pani aspirant nie wypada — zaszydził.

— A ty jak zwykle tryskasz dowcipem — odcięłam się. Uniósł tylko brwi.

— Liczyłam na ciebie.

— Robiłem, co mogłem. Jednak przyznaję, przez myśl mi nie przeszło, że poleziesz do burdelu.

— Wystawiliście mnie — fuknęłam.

— Nieprawda. Sama się wystawiłaś.

— Dzwoniłam, nie odbieraliście.

— Oj, Zocha... Coś ty się tak nakręciła? Powiedz lepiej, jak ty w ogóle znalazłaś mojego Antona?

— Co? — zdziwiłam się.

— Moją supertajną wtyczkę. Nie odbierzesz mi go tak łatwo — naigrywał się.

W końcu sytuacja się rozjaśniła.

— A widzisz, zaskoczę cię, bo tak się składa, że to on znalazł mnie. A w ogóle to złapaliście jakichkolwiek złodziei relikwiarzy?

— Jeszcze nie... Ciężka sprawa.

— A co z Francuzem? Uwięzienie profesora sugeruje, że musi coś o tym wiedzieć.

— Pewnie tak. Ale ty sobie tym głowy nie zawracaj. Będziesz miała teraz większe problemy. Coś ty tam narozrabiała w tym burdelu, to głowa mała. Lepiej przygotuj sobie dobre usprawiedliwienie. Ja spadam, zaraz będziemy was przesłuchiwać. Jedziecie ze mną na komis?

— Tak.

— Zatem daj mi chwilę, zamienię jeszcze dwa słowa z Jędrkiem i spadamy.

Ja mam się tłumaczyć? Dobre sobie.

Pablo oddalił się, a mnie jakby zabetonowało w miejscu. Powoli opadały ze mnie emocje i poczułam obezwładniające zmęczenie. Miałam zawroty głowy, mdliło mnie i telepało z zimna. Błądziłam wzrokiem, nie mogąc złapać myśli. Stałam przed bramą Berrecciego, pomiędzy specjalnymi radiowozami a wozem antyterrorystów i niewielką grupą policjantów. Dokładnie obok Maksa, lecz byłam tak rozkojarzona, że nie zwracałam na niego uwagi. On był równie mocno zagubiony. W końcu mimowolnie spojrzeliśmy na funkcjonariuszy prowadzących Francuza pomiędzy wozami. On też nas dostrzegł i skuty kajdanami przeciągnął palcem po szyi, sugerując zemstę. Kretyn. Zniesmaczył mnie na zakończenie. Odwróciłam wzrok i głośno wypuściłam z ust powietrze. Miałam za sobą najdłuższy i najaktywniejszy dzień w życiu. Wydawało mi się, że zaraz się przewrócę. Kątem oka dojrzałam fotoreporterów próbujących dostać się jak najbliżej centrum wydarzeń.

Na miękkich nogach podeszłam do radiowozu, podparłam się rękami o dach i położyłam na nich głowę. Maks poszedł za mną, objął mnie i powiedział spokojnie:

— Już po wszystkim. Chapeau bas! Wracajmy do domu.

— Razem? — upewniłam się, podnosząc wzrok.

— Razem — odpowiedział.

— Chcę być tylko z tobą.

CZĘŚĆ II — PODRÓŻ BEZ MAPY

Zawładnęła mną pustych słów pustynia.
Hektary liter, z których nic nie wyrośnie.
Trudzę się, przemierzając wydmy,
A gorący ból wtapia mnie w pustynne słowa.

ROMEO I JULIA

Czternaście godzin gadania, odpowiadania na pytania i składania wyjaśnień. Piętnasty dzień z rzędu. Połowa komendy zaangażowana w sprawę. Setki pytań współpracowników, cała masa nieprzyjemnych spojrzeń i szeptów niejednokrotnie cichnących na mój widok. Równie wiele słów wsparcia i gratulacji. Papierowy medal za odwagę posklejany przez kolegów z wydziału, zawieszenie w obowiązkach i postępowanie dyscyplinarne. Jeden wielki paradoks.

Przyznaję, że kiedy przekraczałam uprawnienia, liczyłam się z konsekwencjami, przy czym liczyłam również na zrozumienie. Ale zrozumieniem za bardzo się nie wykazano. Teraz respektowano wyłącznie stanowcze elementy ustawy. Brano pod uwagę głównie fakt, że żaden z moich czynów nie był poleceniem służbowym. Na dodatek nie informowałam szefostwa o swoich zamiarach, w związku z czym w zasadzie z nikim ani odrobinę nie mogę podzielić się odpowiedzialnością. Komendant miejski nie docenił moich starań i stwierdził tylko, że nie dał mi przyzwolenia na akcję, bo była to specyficzna, oparta wyłącznie na domniemaniach sytuacja kształtowana pod wpływem niespodziewanych okoliczności. Czyli dokładnie taka jak wszystkie niemal policyjne interwencje. Muszę natomiast przyznać, że mimo powyższego, moi komendanci wstawili się za mną, oczywiście w granicach zdrowego rozsądku. Najważniejsze, że oprócz władz zamkowych, które domagają się od komendy zadośćuczynienia za naruszony przeze mnie kredens i uszkodzoną husarską zbroję, nikt nie zechciał dodatkowo mnie pozwać. Nie będę się przed wami rozwodzić na temat mojego postępowania i prawnych konsekwencji całej tej sprawy, bo nie to jest istotą mojej opowieści. Ponadto zamiast coś wyjaśnić, niepotrzebnie dodatkowo tylko bym wszystko skomplikowała. Nadmienię jedynie, że nadzór nad sprawą objęła komenda wojewódzka i w kolejnych tygodniach specjalni wysłannicy proroka maltretowali mnie po kilkanaście godzin dziennie. Rzecz jasna nie tylko mnie, ale też profesorów, Maksa i Julkę. No i Francuza oraz jego koleżków, ale to już jest osobny temat.

Był to dla mnie dziwny czas. Spektakularne akcje w Gdańsku i na Wawelu zrobiły ze mnie gwiazdę z pierwszych stron gazet. Zdjęcie, na którym wystrojona w różowy peniuarek opieram się o radiowóz i nienawistnym wzrokiem spoglądam w stronę Francuza, stało się hitem Internetu. Nie było w ojczyźnie osoby, która przynajmniej raz nie usłyszała o walecznej policjantce i nieustraszonym żołnierzu. Nasza historia zauroczyła cały kraj. Na szczęście ludzie szybko zapomnieli. Tylko na domowym, krakowskim podwórku konsekwencje tej sprawy zatopiły się w rodzimym smogu, nie mogąc z biegiem czasu ulecieć.

Kolejne dni mijały jak większość poprzednich dni mojego życia, od przesłuchania do przesłuchania, z tą różnicą, że tym razem to ja mówiłam. I choć z każdym kolejnym dniem czułam się coraz bardziej pokrzywdzona, to jednak nie byłam największą ofiarą zbioru absurdalnych sytuacji.

Zważając na sytuację Maksa, można nawet pokusić się o stwierdzenie, że znajdowałam się w bardzo komfortowych warunkach. Zostałam zawieszona w obowiązkach, lecz nie poszłam za kratki, mimo że dopuściłam się dużo gorszych nadużyć od niego, chociażby wielokrotnie używając broni służbowej. Tymczasem to Maks był podejrzany o przyczynienie się do śmierci bandziora, którego na krużgankach postrzelił posterunkowy. Sytuacja z jego udziałem była mocno niejasna. Monitoring niby zarejestrował dokładnie całe zdarzenie, kiedy Maks pochyla się nad tym rannym mężczyzną i próbuje go opatrzyć, a ten zadaje mu cios i w efekcie szamotaniny nagle opada z sił. Nie było jednak jasne, czy śmierć nastąpiła w wyniku postrzału, czy była skutkiem uderzenia Maksa. Dziwna sprawa. Biegli sądowi mieli to rozstrzygnąć po dokonaniu szczegółowej analizy kartotek lekarskich bandziora, który był przewlekle chory i nadużywał nie tylko leków, ale też alkoholu i narkotyków. Nie pasowało mi to i byłam wręcz przekonana, że trzymają Maksa z innych powodów, których nikt nie chciał mi wyjawić. Po interwencji wojewódzkiej koledzy skutecznie odsunęli mnie od sprawy i nie byli już tacy skorzy do rozmów. Maks został zatrzymany i przekazany żandarmerii wojskowej. A ja tęskniłam za nim jak szalona i codziennie przychodziłam do jednostki uskrzydlona jak nastoletnia trzpiotka. Ani razu mnie nie wpuścili, ale wciąż próbowałam nieskrępowana szeptami ani głupim gadaniem. Pierwszy raz w życiu miałam gdzieś opinię innych. Liczyła się wyłącznie moja miłość i moi przyjaciele. A wzięło mnie naprawdę na zabój. Już zawsze będę pamiętać dzień, kiedy jeszcze po zatrzymaniu na czterdzieści osiem godzin siedział w komendzie. Udało mi się przekonać kumpli, żeby wpuścili mnie do niego na kilka sekund. Wtedy właśnie wyznał mi miłość. W celi, na zimnej metalowej ławce, w towarzystwie czterech pseudokibiców, którzy wyryczeli nam stadionową piosenkę o miłości, oczywiście do klubu piłkarskiego. Śmiałam się do łez i cieszyłam jak dziecko. Nie zważałam na nic. To był, mówiąc bez żenady, najpiękniejszy dzień mojego życia, a dotychczas raczej wegetacji, bo dopiero wtedy poczułam, że żyję. Niestety ktoś na mnie doniósł, bo następnego dnia koledzy nie chcieli mnie wpuścić. Narobiłam rabanu i ostatecznie odebrano mi przepustkę i wyrzucono z komendy na zbity pysk. Miałam wstęp wyłącznie na wezwanie i moje romansowanie zostało na pewien czas zawieszone. W dodatku przesłuchania traciły na intensywności, a w związku z tym moja doba wydłużyła się o wiele godzin, których wcześniej nie miałam. Musiałam więc nauczyć się dobrze je pożytkować.

Wspomniałam o przyjaciołach. To właśnie im poświęcałam ten czas. Jacob zacięcie walczył o powrót do zdrowia i o Julkę. Gdy oprzytomniał, po stokroć wyznał jej miłość i… oświadczył się. Sama kupiłam pierścionek zaręczynowy, który później przeszmuglowałam do szpitala, aby mógł go wsunąć na jej szczuplutki palec. Julka zemdlała z wrażenia i ostatecznie wylądowała na łóżku obok ukochanego. Uczestniczyłam w tym przełomowym wydarzeniu razem z Kaśką i profesorami. Wszyscy wzruszyliśmy się do łez i, aby to uczcić, wyszłyśmy z przyjaciółką do sklepu po szampana i tort. Pod naszą nieobecność zjawiła się kościelna delegacja, która zastała zakochanych trzymających się za rączki i patrzących sobie prosto w oczy. Wyobraźcie sobie nasze miny na ich widok. Wracamy z Kaśką do Jacoba takie rozpromienione, z tortem, kwiatami i szampanem, a tu zastajemy delegację z kurii, która odprawia modły nad naszymi narzeczonymi. Kaśka wymruczała pod nosem coś w stylu „Houston, mamy problem" i odruchowo zrobiła dwa kroki w tył. Złapałam ją za kieckę i wciągnęłam do środka.

— Ja nie wiem, czy jestem na to gotowa — bąknęła.

Prędko okazało się księża poinformowani przez Jacoba o jego decyzji, postanowili o rozpoczęciu procedury przeniesienia go do stanu świeckiego. On się oczywiście tym wcale nie przejął, bo przecież zdecydował się na życie u boku Julki. Ich miłość zdawała się być nadzwyczajna, jakby naprawdę byli sobie przeznaczeni. Wspierałam ich w miarę swoich możliwości. Odwiedzałam Jacoba codziennie i za każdym razem nie mogłam wyjść z podziwu, jaka u niego jest chęć do życia. Nawet lekarze wychwalali jego ekspresową rekonwalescencję, śmiejąc się, że miłość leczy lepiej niż leki. Julka całe dnie spędzała przy jego szpitalnym łóżku, sama będąc mocno wyczerpaną. Przyznam, że z rozrzewnieniem przyglądałam się jej wytrwałości, a z biegiem czasu stała się dla mnie wzorem partnerki i wielką inspiracją. Było mi głupio, że na początku naszej znajomości tak pochopnie i błędnie ją oceniłam. Teraz poruszała mnie jej delikatność, empatia i fantazja, które znów chwilami czyniły z niej odrealnioną postać niczym z baśni. Imponowała mi też jej odwaga, która pozwalała jej odnaleźć się w realnym świecie. Bywały dni, kiedy zatracałyśmy się w rozmowach o życiu, miłości, nauce i o wielu innych sprawach, spędzając ze sobą długie godziny. Generalnie para ta wypełniła przyjacielską pustkę w moim życiu. Pokochałam ich i trudno mi było pogodzić się z faktem, że tak dobrych i wyjątkowych ludzi życie zmusiło do przejścia przez piekło choroby.

Któregoś dnia postanowiłyśmy z Kaśką zorganizować dla nich pomoc. Zaangażowałyśmy naszych rodziców, znajomych i profesorów, którzy mocno poczuwali się do odpowiedzialności za zaistniałą sytuację. Byłam pozytywnie zaskoczona ich aktywnym zaangażowaniem, szczególnie w sprawie Julki. Wykazali się pomysłowością, organizując składki na uczelniach, oraz szlachetnością i hojnością, kiedy sprzedawali swoje prywatne kolekcje. Wspólnymi siłami zebraliśmy pieniądze na jej leczenie. Ponadto profesor Wojnicki uruchomił swoje kontakty i załatwił innowacyjną terapię w Szwajcarii, a mnie udało się namówić ją na wyjazd. Mimo to myślę, że największą empatią z nas wszystkich wykazała się Kaśka. Najlepszym tego przykładem jest jej reakcja na widok Julki słaniającej się przy łóżku ukochanego. Już na drugi dzień przywiozła do szpitala wygodny, rozkładany fotel. A że nie było łatwo wnieść go na oddział, przekupiła wejściówkami do teatru połowę personelu szpitala.

Później na oczach całego oddziału z nieskrywaną radością umieściła go przy łóżku Jacoba. Muszę się jednak przyznać, że pomimo zacieśnienia więzów z profesorami jako jedyna miałam problem z zaakceptowaniem Antoniego i średnio znosiłam jego towarzystwo. Raz po raz czyniłam mu wyrzuty, bo wciąż nie pozbyłam się myśli, że gdyby na początku był wobec nas szczery, sprawy potoczyłyby się inaczej i pewnie nie musielibyśmy codziennie gromadzić się przy łóżku Jacoba. Na szczęście przyjaciele wykazywali się wobec mnie cierpliwością i ignorowali nasze niesnaski.

Podczas gdy ja tak zacięcie walczyłam o zdrowie Jacoba i Julki, Francuz i jego koleżkowie siedzieli w areszcie śledczym. Pewnego dnia komendant ściągnął mnie na komis, aby przedstawić zebrane fakty. Przy okazji uprzedził mnie, żebym nie kusiła losu zostawaniem w Krakowie i zasugerował przeprowadzkę. Stwierdził, że chociaż Francuz nie zagraża mi bezpośrednio, to jednak ma znajomości, które istotnie wpływają na moje bezpieczeństwo. Tyle że ja, jak zwykle, wiedziałam swoje i nie uważałam, aby ten kretyn mógł mi zagrażać.

Ale od początku. Po pierwsze, po prawie miesięcznych przesłuchaniach poznałam kilka faktów. Należałoby zacząć od tego, że Francuz nie przyznał się do znajomości z jakimkolwiek Apoloniuszem ani żadnym innym historykiem czy kolekcjonerem, który miałby mu zlecić kradzieże relikwiarzy czy uwięzienie profesorów. Początkowo zeznał razem ze swoimi ludźmi, że zgłosili się do nich obcy im mężczyźni, którzy suto zapłacili za zastraszenie księdza z kościoła świętej Barbary. Panowie nie śmieliby odmówić tak intratnego zlecenia, wzięli więc kasę i wybrali się do duchownego. Ten rzekomo wygadał się, że był świadkiem kradzieży w swoim kościele i poinformował, że nie ma zamiaru zostawić tego faktu dla siebie. Ludzie Francuza postraszyli go w odpowiedni sposób i przekonani, że odwalili kawał dobrej roboty, wrócili do Koronki. Lokal ten zresztą określili jako superhiperlegalny klub ze striptizem, który, broń Boże, nigdy nie miał nic wspólnego z prostytucją. À apropos Boga, podobno nawet jakiś ksiądz pobłogosławił ten klub z okazji otwarcia. Nie wiem, kogo Francuz ubrał w sutannę, ale ma na to dowody w postaci zdjęć.

Wracając do tematu, Francuz nie zdążył jeszcze poinformować swoich zleceniodawców o wykonaniu zadania, kiedy w jego boskim klubie zjawili się nasi profesorowie. Jego zeznania potwierdziły opowieść Antoniego, tę drugą rzecz jasna. On zaś tłumaczył się z ich uwięzienia w ten sposób, że kiedy zobaczył u nich rysunek z opisem relikwiarza i dowiedział się o całej tej historii, przejmując się tymi kradzieżami, wziął profesorów za złodziei. Żeby nikt nie miał wątpliwości, początkowo twierdził, że uwięził ich po to, aby skonfrontować ich z księdzem, który był świadkiem kradzieży. Może nawet zostałby samozwańczym obrońcą sztuki i trafił na okładkę jakiegoś durnego magazynu, gdyby nie jeden z jego koleżków. Mam na myśli tego, który uśmiercił księdza, a po kilku tygodniach w celi wystraszył się konsekwencji i sypnął. Fakt, że pozbawił księdza życia przypadkiem, gdy pchnął go, a ten niefortunnie upadł, nie zmieniał tego, że nadal był w beznadziejnej sytuacji. Wyśpiewał, że faceci, którzy zlecili im to zadanie, to złodzieje relikwiarzy, którzy dokonali wszystkich kradzieży, włącznie z tą z zamku. Na dodatek stwierdził, że Francuz kazał mu zastraszyć świętej pamięci duchownego i chciał doprowadzić do konfrontacji profesorów z jakąś szychą. Sądzę, że nic nie mogło bardziej skłonić Francuza do zwierzeń przed śledczymi. No chyba że po miesiącu w celi doświadczył depresji i postanowił w ten sposób szukać pomocy. Wspominam o tym nieprzypadkowo, ponieważ — o ile mi wiadomo — regularnie teraz śmiga do psychoanalityka.

Daj mu Boże jak najlepiej, bo kiedy w końcu wyjdzie z pierdla, to będzie miał większe problemy, dlatego że ostatecznie trochę podratował swój tyłek, wsypując złodziei. A oni, choć wyglądają bardzo niepozornie, mają podobno niezłe układy. Póki co czekają na wyrok tak jak i on. Byłoby ciekawie, jeśliby dostali wspólną celę. Niestety to raczej niemożliwe. Francuz ostatecznie jest sądzony za przetrzymywanie profesorów, akcję na Wawelu, posiadanie narkotyków, które policja znalazła w Koronce, i za nielegalne posiadanie broni. A złodzieje prędko zostali złapani i przyznali się do winy. Stwierdzili, że kradli relikwiarze, aby je sprzedać na Zachodzie, przy czym nie sypnęli komu. Przypuszczam, że kryją kogoś, kto jeszcze o sobie przypomni.

Jakby nie patrzeć, wydaje się, że wszyscy winni zostali zatrzymani, czyli policja sprawę niedługo zamknie, mimo że nadal wiele kwestii pozostaje nierozwiązanych. Nie dowiedzieliśmy się, po co tak naprawdę Francuz przetrzymywał profesorów i zabrał ich na Wawel, kto zlecał kradzieże, kim jest Apoloniusz i czy faktycznie jest w posiadaniu relikwiarza, a przede wszystkim, jaki miał z tym wszystkim związek. A wracając do tego wątku, trzeba przyznać, że los dosadnie zakpił z naszych staruszków. Umówili się na spotkanie w sprawie relikwiarza i przez niego właśnie zostali uwięzieni. Przy okazji nadmienię, że nie odnaleźliśmy pacyfikału. Sprawdziliśmy dokładnie wszystkie cztery kościoły i nie znaleźliśmy w nich żadnych wskazówek. Szukaliśmy też na Wawelu, konsultowaliśmy się z historykami, wszystko nadaremnie. Początkowo nie potrafiłam przestać się nad tym rozwodzić. Nieustannie szukałam związku, zamęczałam kolegów niby gotowymi rozwiązaniami, ale na szczęście dla nich po jakimś czasie przestałam zawracać sobie tym głowę, miałam lepsze zajęcia.

Zapomniałabym wspomnieć, że podczas tej naszej całej akcji mieliśmy niesamowite szczęście. Pomijając te wszystkie wydarzenia, które zaszły w Krakowie. Kiedy bowiem wylatywaliśmy z Gdańska, to tak naprawdę udało nam się zrobić to w ostatniej chwili. Okazało się, że po tym, co narobiliśmy na rynku, szukała nas cała gdańska policja. Wyobrażacie sobie? A my w błogiej nieświadomości odlecieliśmy do Krakowa. Dowiedziałam się o tym, kiedy trafiliśmy na komendę. Od razu wypytałam, kim są ci cholerni faceci, którzy na nas polowali. Okazało się jednak, że te cyborgi wykaraskały się i zwiały policji sprzed nosa. Nikt ich nie rozpoznał. Podobno nie istnieją w policyjnych kartotekach, a ich spluwy wyciągnięte z wody nie były legalne. Do dzisiaj nie wiadomo, kim byli zarówno ci, którzy obserwowali mieszkanie, jak i ci, którzy nas śledzili. No może nie nas, a Maksa, ale to przecież mój ukochany. Jesteśmy teraz jak jeden umysł, jedno serce, a z utęsknieniem czekam, kiedy w końcu też i jedno ciało. Zagalopowałam się. Wracając zatem do tematu, nie miałam zamiaru opuszczać Krakowa, bo doświadczenie i intuicja podpowiadały mi, że nie powinnam za mocno przejmować się chęcią zemsty. Francuz siedział w areszcie razem ze swoim koksem — mordercą, przez co prędko stał się niewypłacalny. A że wierność swoich chłopców zbudował na sowitych wynagrodzeniach, wątpliwe było, aby któryś z nich zechciał czysto honorowo pomścić jego krzywdę, tym bardziej że w takiej branży panowie świetnie sobie radzą i raczej nie pozostają bezrobotni zbyt długo. Myślę, że lepiej im było pozostać w cieniu i niepotrzebnie nie wystawiać się na ryzyko. Większą kasę zarabiają, robiąc swoje po cichu. Zresztą, nawet gdyby jednak zechcieli się mścić, to oprócz mnie było całe gros ludzi, którzy zeznawali przeciwko tej szajce. Przykładowo świadek z kościoła świętej Barbary, który po zdarzeniu wezwał policję i zeznał, że widział całe zajście, bo polerował akurat jeden z bocznych ołtarzy. Tak więc mogłam jedynie obawiać się chęci zemsty za śmierć ochroniarza, ale to przecież nie ja go zabiłam. Sam się dobił. Wciąż czekałam jednak na potwierdzenie tego faktu przez biegłych. I wciąż nie dawało mi spokoju, że trzymają Maksa tak długo. A on, mimo że nie było go przy mnie na co dzień, bardzo mnie wspierał i pomógł mi przebrnąć jakoś przez tę sytuację. Moja znajomość procedur i odpowiednich ludzi też nieco mi to ułatwiła, choć nie pomogła przyspieszyć postępowania ani oczyścić mnie z większości zarzutów. Najtrudniej było mi wytłumaczyć się z niesubordynacji i użycia broni, tak naprawdę z tego właśnie powodu miałam największe kłopoty. Na szczęście wszystkie moje najgorsze wybryki zostały zarejestrowane przez monitoringi, które potwierdzały konieczność obrony własnej. Gdyby nie one, pisałabym te słowa zapewne zza krat. Co ciekawe, w całej tej sytuacji nie pomogły też znajomości mojego ojca, choć dobrze wiem, że połowa komendy myśli odwrotnie.

Z każdym kolejnym dniem oswajałam się z możliwością utraty pracy, przy czym byłam gotowa na nowe życie z ukochanym bez względu na to, czy w mundurze, czy bez. Nigdy nie spodziewałam się, że kiedyś to powiem, ale było mi już wszystko jedno. Odnalazłam nowy sens życia. Miłość dawała mi pewny grunt pod nogami, uwolniła od cudzych opinii, od błahostek rosnących do rangi problemów, obudziła we mnie szereg emocji, które uczyniły codzienność przyjemniejszą. Przekonałam się, że jest ona motorem świata, napędem ludzkości, że jest nam potrzebna do życia jak powietrze, wszystkiemu nadaje sens i pomaga czerpać radość z drobiazgów. Dlatego warto na nią czekać, tak jak ja.

GOŁĄBECZKI

Upierdliwy ryk dzwonka postawił mnie do pionu. Cały pokój zdawał się wirować w rytm tej tandetnej melodii. Wrzuciłam na siebie szlafrok i zaspanym krokiem doczołgałam się do drzwi. Odgarnęłam włosy, przekręciłam zamek, po czym zostałam gwałtownie wepchnięta do mieszkania. Maks złapał mnie za biodra, podrzucił na tors i namiętnie uściskał. Oszalałam z radości. Wtuliłam się w niego i pozwoliłam zanieść się z powrotem do sypialni. Daliśmy się ponieść namiętności, totalnie zatracając się w sobie. Nadrabialiśmy stracony czas, naprzemiennie kochając się i zasypiając. Nieprzerwanie trzymaliśmy się za ręce, jakbyśmy się bali, że cokolwiek może nas jeszcze rozłączyć. Mój świat na chwilę zatrzymał się w miejscu. Liczyła się wyłącznie ta chwila i to uczucie.

Jeszcze tego samego dnia ukochany zaproponował mi wspólne życie.

Siedziałam na dywanie, naga, otulona kocem i jadłam kolorowe kanapki, które dla nas przygotował.

— Po dzisiejszym dniu czuję niedosyt — zaczął, wodząc po mnie wzrokiem.

Parsknęłam śmiechem, podkładając asekuracyjnie dłoń pod osuwające się z chleba pomidory.

— Jesteś niewyżyty! — wybełkotałam, przeżuwając.

— Jak po takim maratonie seksualnym można jeszcze czuć niedosyt?

— A czymże jest jeden dzień? Chcę cię więcej — odpowiedział, uśmiechnął się i przysunął do mnie.

Rzuciłam mu podejrzliwe spojrzenie.

— I co masz zamiar z tym zrobić? — wymamrotałam.

Objął mnie i ucałował czule w obojczyk, z którego zsunął się koc. Ponownie przykrył mi ramię.

— Być z tobą — wyszeptał mi do ucha.

Nie śmiałabym zaprotestować. Odwróciłam się i nakarmiłam go swoją kanapką. Rozsadzało mnie szczęście. W końcu i ja mogłam powiedzieć, że jestem najszczęśliwszą kobietą na świecie. Chciałam, aby te wspólne chwile trwały wiecznie, chciałam tak sprzeczać się z nim i godzić w nieskończoność.

Kilka dni później, o świcie, telefon zerwał nas na równe nogi. Zebrałam się w try miga i po kilkunastu minutach czekałam w sekretariacie na komendanta. Krążyłam nerwowo między drzwiami a biurkiem Madzi, młodej, ślicznej sekretarki.

— Usiądź i wyluzuj — wyśpiewała mi miękkim głosem, akompaniując zgrabnymi paluszkami na zużytej klawiaturze.

Łatwo powiedzieć. Niecierpliwiłam się i próbowałam skupić myśli na czymkolwiek innym niż moje postępowanie.

— Mówił coś? A może coś słyszałaś? — zagadnęłam.

Madzia przecząco pokręciła głową.

— Pogodą ducha, to on dziś nie tryska. Od rana nie wyściubił nosa z gabinetu. Nawet po kawę nie wyszedł.

Nerwy spięły mnie jeszcze bardziej, mroczki przeleciały mi przed oczyma i dopadłam krzesła. Ledwo co posadziłam tyłek, drzwi od gabinetu uchyliły się, a ja odruchowo wzdrygnęłam się, jakbym zobaczyła ducha. Szef zawołał mnie do środka. Ciężkim krokiem ruszyłam jak na ścięcie.

— Dzień dobry, moja piękna — powiedział, obejmując mnie po ojcowsku.

Nabrałam powietrza i zamilkłam. Ścisnął mnie mocniej i na chwilę zatrzymał wzrok na mojej strapionej twarzy.

— Wstałaś dzisiaj lewą nogą, czy tak bardzo się denerwujesz? — dopytał i skrzywił się zabawnie. — Spokojnie, twoja sprawa jeszcze w toku. Siadaj i poczęstuj się. — Podsunął mi talerzyk z ciastkami. — Mariolka sama piekła, są przepyszne.

Uleciało ze mnie powietrze, zabierając przy okazji największe napięcie. Obawiałam się najgorszego, a tymczasem szef wtajemniczył mnie co nieco w aktualny bieg wydarzeń. Zaczął od tego, że prokurator postawił Francuzowi kolejne zarzuty, tym razem związane z prowadzeniem Czerwonej Koronki. Później ponowił swoje ostrzeżenie i przez następnych kilkanaście minut namawiał mnie, abym wyjechała z Krakowa. No i na tym koniec, nie dowiedziałam się niczego istotnego. Tak jakby nie mógł powiedzieć mi tego wszystkiego przez telefon.

Zaraz po powrocie do domu sprzedałam newsy Maksowi. Mój ukochany uznał, że nie ma sensu marnować czasu i zaproponował wyjazd do Gdańska. Bez wahania przyjęłam jego zaproszenie.

Jeszcze tego samego dnia wsiedliśmy do pociągu i w nocy byliśmy na miejscu. Zatrzymaliśmy się w mieszkaniu Jana, którego nie było w mieście, bo ostatnimi czasy nieustannie krążył po Polsce. Nie zwierzał się nam ze swoich zajęć. Przypuszczaliśmy, że odnawia dawne uczelniane kontakty. Mieliśmy więc mieszkanie wyłącznie dla siebie i mogliśmy szaleć na całego — latać na golasa, kochać się w każdej pozycji, na każdym stole albo spać całymi dniami. Oczywiście żartuję, lecz gdyby świat spłonął, a ta kamienica ostałaby się jako jedyna, nie miałabym nic przeciwko. W zasadzie to wpadliśmy do mieszkania, zostawiliśmy bagaże i ruszyliśmy na rynek. Byłam niesamowicie spragniona tego miasta. Chciałam w końcu nacieszyć się nim jak turysta.

Maks zatrzymał mnie na klatce schodowej.

— Kiedy cię pierwszy raz ujrzałem — zaczął — po-
czułem, jakby strzelił we mnie piorun. Wyglądałaś na
bardzo zmęczoną, ale też zdeterminowaną i podekscy-
towaną.

Uśmiechnęłam się jak dzierlatka. Wziął mnie na ręce
i wyniósł z kamienicy.

— Nie musisz nic mówić, kochanie — dodał. —
Wiem, że chcesz mi powiedzieć, że jestem kochany,
mądry, przystojny i że na mój widok odjęło ci mowę.

Zaniosłam się śmiechem. Tak, wiem, to do mnie niepodobne, ale zrozumiałam jego żart. Od kiedy bowiem
wyznaliśmy sobie miłość, cynizm i sarkazm zelżały
w naszych dialogach. Czarny humor mocno mi wypło-
wiał, pewnie od tego jaskrawego słońca, a uszczypliwości
przenieśliśmy do sypialni w znaczeniu dosłownym. Nasze cięte języki zalały się kolorowym lukrem i zamiast
ciąć, zaczęły ociekać słodyczą. Otworzyliśmy się na siebie i spijaliśmy sobie z dzióbków. Wydawało mi się, że
przy nim dojrzewam, dorośleję, choć na co dzień byłam
słodką trzpiotką. Zachwycałam się wszystkim dookoła,
jakbym spadła z jakiejś innej, brzydszej planety. A Maksa
uwielbiałam… dosłownie za wszystko: za miłość, szacunek, inteligencję, odwagę, i wiele innych cech, które
co dnia powiększały moje morze miłości. Byliśmy nie-
rozłączni, spędzaliśmy razem każdy dzień i każdą noc,
ciesząc się sobą i beztroskim czasem.

Żyłam jak w bajce. Codziennie odwiedzaliśmy mu-
zea, wylegiwaliśmy się na plaży, rozkoszowaliśmy się
pysznym jedzeniem, chodziliśmy na spektakle, do kina,
a wieczorami bywaliśmy w klimatycznych knajpkach.
Moja wyobraźnia niespełnionej poetki zapłonęła w tym

mieście. Pokochałam starówkę, uwielbiałam odkrywać ją nocą, kiedy rozgrzana od naporu turystów studziła się w oczekiwaniu kolejnych ciekawskich stóp. Wchodziłam wówczas do świata wyobraźni, wciągałam do niego Maksa i razem przenosiliśmy się w czasie. Błąkaliśmy się w tę i we w tę. Przysiadaliśmy na krawężnikach i godzinami dyskutowaliśmy o historycznym życiu gdańszczan. Często zresztą zatracaliśmy się w dyskusjach, zasypiając potem byle gdzie wtuleni w siebie. Usiłowałam wchłonąć tych chwil jak najwięcej, przesiąknąć nimi, ociekać szczęściem. Po tylu latach zabieganego, samotnego życia w końcu byłam beztroska, zachwycona światem, wolna, a zarazem zajęta i totalnie oderwana od szarej rzeczywistości. Doświadczałam uczuć, o których wcześniej wstydziłam się marzyć, a Maks nie szczędził mi czułości, stawiał mnie na piedestale, szanował, dbał o mnie, rozpieszczał.

Pewnego wieczoru wtulaliśmy się w siebie na plaży, popijaliśmy czerwone wino i zachwycaliśmy się falami bijącymi o brzeg. On delikatnie złapał moją dłoń, pogładził ją i przyłożył do swoich ust. Pocałował. Był lekko spięty, zamyślony. Cierpliwie czekałam, aż wydusi z siebie jakieś słowa. W końcu, nie odrywając oczu od wzburzonego morza, zaczął mówić spokojnym, ściszonym głosem:

— Będę przy tobie, bez względu na wszystko. Kiedy poukładają się twoje sprawy w Krakowie, zdecydujesz, gdzie zamieszkamy. Jest mi to obojętne, byle byśmy byli razem.

Ach, jak mogłabym go nie kochać.

— Zdecydujemy wspólnie — odpowiedziałam.

— Tak, kochanie. — Uśmiechnął się, pocałował mnie czule

— Myślę, że powinniśmy wziąć ślub — dodał.

Dosłownie mnie zatkało. Przez chwilę patrzyłam na niego z niedowierzaniem.

— Kocham cię, nie ma na co czekać — dopowiedział i wsunął mi na palec pierścionek.

— Wyjdziesz za mnie?

— Tak — wykrztusiłam z siebie.

Chwilę później emocje lekko opadły i całą noc spędziliśmy na plaży rozmarzeni, snując plany na przyszłe wspólne życie.

SPEKTAKL

Dni beztroski trwały, a ja wciąż czekałam na decyzję góry. Był sierpień, piątkowy wieczór, w który zaplanowaliśmy wyjście do teatru. Szykowaliśmy się, kiedy zadzwonił jego telefon. Odebrał przy mnie, po czym przepadł w gabinecie za ścianą. Ja w tym czasie ubrałam się, niezdarnie przypudrowałam nos, doczytałam rozdział książki, a gdy po piętnastu minutach nie wracał, z zegarkiem w ręku usiadłam w fotelu. Mieliśmy wyjść sporo przed czasem, aby ominąć zatłoczony rynek i spokojnie dotrzeć na spektakl. Minuty mijały, a mój narzeczony rozgadał się w najlepsze. Po kolejnych pięciu nie wytrzymałam, zapukałam do drzwi gabinetu, uchyliłam je i rzuciłam krótko, żeby się pospieszył. Zbył mnie potaknięciem, ale wkrótce skończył rozmowę i wyszliśmy.

Mocno ekscytowałam się tym spektaklem. Mieliśmy świetne miejsca na *Romea i Julię* w znakomitej obsadzie. Był ciepły, letni wieczór po upalnym, intensywnym dniu. Chodniki zdawały się parować, a kamienice kłaniać znużone. Na ulice wylał się tłum wypoczętych turystów spragnionych nowych wrażeń. Zbierali się w grupy, przystawali, aby podziwiać ulicznych artystów, wypełniali ogródki przy knajpach. Zmęczone miasto wrzało ich głosem, żyło rytmem setek rozbawionych serc. Przyzwyczaiłam się do tego gwaru, który początkowo mnie męczył. Teraz traktowałam go jak objaw zdrowia, jak głośne serce miasta, które daje do zrozumienia, że żyje. Czułam się jak u siebie i dosłownie kipiałam z radości. Szłam obok Maksa, kołysząc biodrami w zmysłowej sukience. Ukochany wyjątkowo mocno ściskał mnie za rękę i wyłapałam, że uśmiecha się jedynie wówczas, kiedy na niego spoglądam. Wydawał się podenerwowany i zatroskany. Mrużył oczy, spoglądał pod nogi i nie tryskał radością tak jak zazwyczaj. Coś było nie tak. Zaatakowałam go, kiedy spóźnieni przechodziliśmy przez środek rynku.

— Kochanie, co się dzieje? — wyszeptałam. — Nie cieszysz się na dzisiejszy wieczór?

Maks zareagował błyskawicznie. Zamknął mi usta pocałunkiem i, wskazując na dających popis połykaczy ognia, stwierdził, że wszystko w porządku. Użył mojej broni, czyli próbował odciągnąć moją uwagę. I tylko mocniej mnie zmartwił. Resztę drogi zagadywał mnie, opowiadając o historii rynku, a na spektaklu całkowicie odpłynął. Znałam go na tyle, aby spodziewać się po nim emocjonalnych reakcji w trakcie występu. Tymczasem nic nie zrobiło na nim większego wrażenia, jakby oderwał się myślami i poszybował w inne miejsce.

Kiedy opuszczaliśmy teatr, jego telefon znów zadzwonił. Przeprosił, że musi odebrać i oddalił się do wyjścia. Poszłam do toalety, poprawiłam włosy i dumnym krokiem wyszłam za nim na zewnątrz. Spostrzegłam, że schował się w cieniu czarnego budynku, gdzie nerwowo kręcił się w miejscu. Stanęłam w oddali i zaczęłam analizować jego postawę, a właściwie sylwetkę. Nie pozwolił na siebie czekać, zaraz do mnie dołączył i beznamiętnie ucałował moją dłoń. Poprosiłam go o wyjawienie prawdy. Bez wahania wytłumaczył mi, że jego znajomy ma problemy i poprosił go o niezwłoczne spotkanie. Przeprosił mnie, wyraził głębokie zakłopotanie i zapytał, czy jestem na niego zła. Oczywiście, że nie byłam. Jak mogłabym złościć się na mojego cukiereczka. Uśmiechnęłam się, pokręciłam przecząco głową, ujęłam go pod rękę i pozwoliłam odprowadzić się do domu. Uprzedził mnie jeszcze, że nie wróci na noc, ponownie przeprosił i obiecał wynagrodzić stracony wieczór.

Gdy wyszedł, wskoczyłam w piżamę, ułożyłam się wygodnie na zabytkowej sofie, zaświeciłam lampkę z abażurem i otworzyłam kupioną niedawno książkę o historii Gdańska. Po pewnym czasie złapałam się, że przewracam kolejne strony, nie mając zielonego pojęcia, co przeczytałam. Dręczona złymi przeczuciami gwałtownie zerwałam się z sofy i zaczęłam krążyć wokół stołu. To całe roztargnienie Maksa było pierwszą taką sytuacją w naszym wspólnym życiu. Był to więc swego rodzaju sprawdzian dla nas obojga. Bardzo liczyłam na jego szczerość i równie mocno obawiałam się kłopotów. A że mój ukochany zdawał się być z natury otwarty i ekspresyjny, jego spięcie potęgowało moje zmartwienie. Na szczęście zadzwonił, nim całkiem się rozdygotałam. Uspokoił mnie, że wszystko u niego w porządku i potwierdził, że wróci dopiero nad ranem. Doszłam do wniosku, że jestem stuknięta, a moje obawy są bezpodstawne i wynikają zapewne z braku doświadczenia w relacjach damsko-męskich. Zasnęłam, rozkoszując się myślą o kolejnym dniu z ukochanym.

Ujrzałam go tuż po przebudzeniu. Siedział na krześle wysuniętym na środek pokoju i przyglądał mi się w skupieniu.

— Cześć, kochanie, jak twój przyjaciel? Wszystko w porządku? — zapytałam zaspanym głosem.

— Dzień dobry, piękna — odpowiedział i przeniósł się na skraj sofy.

Przez chwilę milczał, omiatając wzrokiem moje ciało. Oddychał głośno i ciężko, splatał w koszyczek roztrzęsione dłonie. W końcu podniosłam się i pogładziłam go po policzku. Ścisnął mnie za ręce.

— Wiesz, że jesteś dla mnie wszystkim? Kocham cię i nie wyobrażam sobie życia bez ciebie. Jesteś moim szczęściem. Chcę spędzić z tobą życie. Jednak nie odzyskam spokoju, póki nie wyjaśnię pewnych spraw. Muszę wyjechać na jakiś czas.

W głowie niemrawo zapaliło mi się to czerwone światło, o którym zdążyłam już dawno zapomnieć.

— Żartujesz? — zapytałam.

Bardzo chciałabym, żeby żartował, ale pokręcił przecząco głową. W mój bezpieczny, stabilny i pełen szczęścia świat właśnie przywalił meteoryt.

— Mówiłeś mi, że jesteś ze mną szczery, że powiedziałeś mi o sobie wszystko — wypiszczałam przez zaciśnięte gardło.

— Tak. Wybacz mi, ale naprawdę nie mogę ci powiedzieć, o co chodzi.

Moje oczy wypełniły się łzami, które zasłoniły jego obraz. Po chwili trysnęły niczym wodospad i spłynęły do ust, racząc mnie słonym smakiem porażki. Siliłam się, aby wyprzeć rzeczywistość. Unosiłam sztucznie kąciki ust, zmuszając się do uśmiechu.

— Powiedz mi, o co chodzi — wyszlochałam.

— Kochanie, muszę wyjechać. Nie wiem na jak długo, na miesiąc, pół roku, rok. Nie mogę powiedzieć ci, o co chodzi. Opowiem po powrocie. Proszę obiecaj mi, że będziesz na mnie czekać.

Te słowa były dla mnie jak policzek. Puls gwałtownie mi przyspieszył, a serce rozerwało się na milion kawałków. Gruchnęłam takim szlochem, że ledwo łapałam powietrze. Maks starał się ocierać mi łzy.

— Ja mam obiecać tobie? — wydukałam. — Ty mi obiecaj, że wrócisz — dodałam i ponownie zaniosłam się płaczem. — A najlepiej nigdzie nie jedź! Gdzie ty w ogóle chcesz jechać?!

— Kotku, nie płacz. Tak mi przykro. Obiecuję, że wrócę najszybciej, jak będę mógł. Przez jakiś czas nie będę mógł się z tobą kontaktować.

Nie potrafiłam zebrać myśli, a tym bardziej wydusić z siebie sensownego zdania. Zanosiłam się od płaczu i tuliłam do niego, jakbym liczyła, że cofnie swoją decyzję.

— Kocham cię — wyrwało mi się — Będę czekać. Kiedy wyjedziesz?

Maks ścisnął mnie mocniej.

— Powinienem jak najszybciej. — Łzy spłynęły mu po policzkach. — Nie biorę nic. Muszę najpierw dostać się do jednostki. Trzymam kciuki za ciebie i wierzę w to, że niedługo wrócisz do pracy. Obiecuję, że zrobię co w mojej mocy, aby wrócić do ciebie jak najprędzej. Możesz tu zostać, ile zechcesz. Powiedz wujowi o wszystkim. Odezwę się, kiedy będę mógł. Kocham cię — zakończył. Ucałował mnie, uściskał, wstał, zatrzymał się jeszcze na środku pokoju. — Kocham cię — powtórzył i wyszedł.

Nawet nie drgnęłam. Mętnymi oczyma wpatrywałam się w miejsce, gdzie jeszcze przed chwilą stał. A później tak po prostu wyszedł. Zostawił mnie. Jak to się stało, że mój ukochany, idealny mężczyzna okazał się wyzutym z emocji dupkiem? Mój świat zszarzał w sekundzie. Byłam w szoku. Nie mam pojęcia, ile trwała ta hipnoza, lecz kiedy minęła, wpadłam w histerię. Płakałam ze wszystkich sił. Odchodziłam od zmysłów, szlochałam, kwiliłam, jęczałam, zanosiłam się płaczem, krzyczałam. Zsunęłam się na podłogę i zwinęłam się w kłębek. Potem usiadłam, zapaliłam papierosa wujka, zadzwoniłam do Kaśki i wybełkotałam rozpaczliwie wszystko, co leżało mi na sercu.

Ocknęłam się, ponownie leżąc na podłodze, zmarznięta i obolała. Zegar wybił osiemnastą. Wstałam, rozejrzałam się po pokoju i stwierdziłam, że emocjonalnie nie podołam wyzwaniu pozostania tu kolejnych dni. Czułam się struta. Złapałam za telefon i przewertowałam rozkład odjazdów pociągów. Postanowiłam wrócić do Krakowa nazajutrz z samego rana. Napełniłam kieliszek winem i zabrałam się za pakowanie. Niestety, rzeczy Maksa leżały wszędzie, utrudniając mi skupienie myśli. Łapczywie porwałam jego koszulę i wtuliłam się w nią, łkając wniebogłosy. Jego zapach przywodził na myśl spokój i poczucie bezpieczeństwa, co w zderzeniu z rzeczywistością było trudne do wytrzymania. Myślę, że gdyby nie Kaśka, która nieustępliwie do mnie wydzwaniała, wyłabym do księżyca całą noc.

— Martwię się o ciebie — usłyszałam w słuchawce.

— Dam radę — skłamałam chłodno. — Nie takie dramaty przechodziłam.

— Nie piernicz. Nigdy wcześniej nie byłaś w związku.

I co z tego?! Typowy argument zamężnych koleżanek! Rozsierdziła mnie jeszcze mocniej.

— A ty nigdy nie widziałaś rozdartego na kawałki ludzkiego ciała czy pobitego do nieprzytomności dziecka — odgryzłam się.

— Jesteś pijana?

— Nie! Jestem zrozpaczona. I naprawdę nie jestem w stanie rozmawiać. Odezwę się jutro — zakończyłam rozmowę.

Wróciłam do koszuli ukochanego.

Nazajutrz wstałam jeszcze przed świtem, nie wiedząc czemu. Wypaliłam jeszcze jednego papierosa i na chwilę usiadłam przy stole. Zatrzymałam wzrok na pianinie, które kiedyś zaintrygowało mnie w tym mieszkaniu najbardziej. Zdawało mi się, że słyszę, jak wygrywa dramatyczną melodię. Zaczęłam okręcać wokół palca pierścionek zaręczynowy. W końcu zdjęłam go i odłożyłam na stół. Wahałam się. Długo. Poczucie złamanego serca i odrzucenia wzięło górę. Zgasiłam papierosa, wstrzymałam oddech i, zaciskając zęby, wybiegłam z mieszkania. Przemierzałam rynek szybkim krokiem, targając za sobą walizkę i ocierając łzy. Jeszcze poprzedniego dnia szłam tą samą ulicą, wtulając się w ukochanego. Kochana, bezpieczna i szczęśliwa.

ODJAZD

Zatrzymałam się przed przejściem dla pieszych na wprost dworca kolejowego. Zegar wskazywał punktualnie dwunastą. Dokładnie tak samo jak kilka miesięcy wcześniej, gdy trzymając w ręku notatkę z interwencji, postanowiłam zaangażować się we własne śledztwo i tak jak wtedy, gdy przyjechałam tu po raz pierwszy. Emocje dosłownie szarpały moim ciałem. Stres tak mocno ścisnął mi żołądek, że wypierał wypitą rano kawę, drażniąc gardło okropną zgagą. Serce waliło jak oszalałe i nie potrafiłam uspokoić go ani głębokimi wdechami, ani chwilą odpoczynku. A już najmniej potrafiłam zapanować nad umysłem. Setki wspomnień, myśli, pytań atakowało mnie jednocześnie, malując przed oczami przeróżne obrazy.

So you're leaving, in the morning, on the early train[10].
Rozbrzmiało w mojej głowie nieoczekiwanie. Nie wiem, kiedy zorientowałam się, że to jednak w sklepie za moimi

---

10 Tak więc wyjeżdżasz rano, porannym pociągiem.

plecami Phil Collins w piosence *Can't stop loving you*. Zielone, szybciej, błagam, zielone!

Cause I can't stop loving you[11]. Tak! Zaświecił się zielony ludzik. Ruszyłam.

No, I can't stop loving you. No, I won't stop loving you. Why should I[12]. Ciągnęło się za mną niczym śmierdząca, gęsta smuga. *Why*?! *Why*?!

Znalazłam się po drugiej stronie ulicy, gdzie gwar zagłuszył ten przytłaczający akompaniament. Weszłam na dworzec, stanęłam na końcu długiej kolejki. Phil przykleił się do mnie i usilnie nie chciał przestać mnie kochać. *We took a taxi to the station, not a word was said*[13]. Kilka kroków dalej zostałby zagłuszony przez szum torów. Ale nie tutaj. Kolejka ani drgnęła, kasjerka wymieniała rolkę w kasie, nie miała wydać. Stałam, stałam, a Phil strzelał do mnie słowami, dziurawił mnie na wylot. Kuliłam się w sobie.

Feeling humble, heard the rumble, on the railway track. And when I hear the whistle blow. I walk away and you won't know, that I'll be crying. Because I can't stop loving you. No, I can't stop loving you. No, I won't stop loving you. Why should I[14].

Why?! *Why*?! Cofnęłam się w czasie. Widziałam siebie pędzącą pierwszy raz na Straganiarską. Zobaczyłam Maksa. Obraz jego twarzy ujrzanej po raz pierwszy za-

---

11 Ponieważ nie mogę przestać cię kochać.
12 Nie, nie mogę przestać cię kochać. Nie, nie przestanę cię kochać. Dlaczego miałbym to zrobić?
13 Zamówiliśmy taksówkę na dworzec. Nie padło nawet słowo.
14 Czuję upokorzenie, słyszę dudnienie torów kolejowych. Słyszę gwizd. Odejdę, a ty nie będziesz wiedzieć, że będę płakać. Ponieważ nie mogę przestać cię kochać.

padł mi głęboko w pamięci. Na tyle głęboko, że ocknęłam się dopiero, gdy jakiś pijaczyna szarpał mnie za szelki od plecaka. Wyrwałam mu je z rąk i ruszyłam na peron. Czekało mnie osiem katorżniczych godzin bezczynnego siedzenia w towarzystwie własnych myśli, bez możliwości rzucenia się na podłogę i wycia jak wilk do księżyca. Zajęłam swoje miejsce w pustym przedziale, wrzuciłam na półkę walizkę i opadłam na fotel. Nie minęło pięć minut, pociąg nie zdążył jeszcze ruszyć, a do przedziału dosiadła się para zakochanych nastolatków, młode małżeństwo i starszy pan. Zerknęłam w ich stronę, wykrztusiłam z siebie: „Dzień dobry", zaplotłam ręce na piersiach i ze wszystkich sił wstrzymałam napływające do oczu łzy. Wzbraniałam się, aby nie pęknąć, bo nie zniosłabym spojrzeń, pytań i pociesz. Świadomość podróży w tak pogodnym i uroczym towarzystwie totalnie mnie dobiła. Przez całą drogę próbowałam czytać książkę, ale co chwila przysypiałam. Kiedy pociąg zatrzymał się w Krakowie, wyskoczyłam z niego jak z procy i pognałam w stronę rynku niczym dziecko w ramiona ukochanej matki. Wbiegłam na ulicę Floriańską i rozbeczałam się ze wszystkich sił. Nic mnie nie już nie krępowało. Mogłam płakać, skomleć, wycierać nos rękawem z przekonaniem, że Kraków wszystko mi wybaczy.

JESIENNY LIŚĆ

Zrobiło się chłodno i ponuro. Nie tylko w moim sercu, ogólnie. Pora roku przyprawiała niebo o coraz więcej łez, a mnie razem z nim. Liście na drzewach przybrały złotawy odcień i spadały tak jak i ja co chwila emocjonalnie upadałam. Zaczęła się jesień. Książkowy czas na rozpaczanie. Co drugi człowiek czuje się zmęczony, co trzeci traci chęć do życia, a co czwarty pogrąża się w depresji. Nie byłam żadną z tych osób, a wszystkimi po trochu.

— Nie przejmuj się, całe życie przed tobą. Nie warto marnować czasu na rozpaczanie — przekonywała mnie Kaśka.

Jakby mi było mało frustracji, perorowała bujając w modnym wózku radosnego malucha, wystrojona w złotą kolię, którą mąż podarował jej na kolejną rocznicę ślubu.

— Sądzę, że zbyt pochopnie zerwałaś zaręczyny — pouczała mnie. — Choć tak naprawdę ciężko nazwać to zerwaniem, bo przecież on nic o tym nie wie. Aaa, aaa, malutki, śpij, śpij — bujała wózek, dociekając pobudek, które mną kierowały.

Spoglądałam na nią i nerwowo skubałam paznokcie, udając, że nie irytuje mnie jej niezrozumienie.

— Zostawił mnie, zniknął, nie zaufał na tyle, by wytłumaczyć swoją decyzję. Zachował się jak egoista, nie przemyślał, jak wielką zrobi mi krzywdę.

Kaśka prychnęła i przewróciła oczyma.

— Wyolbrzymiasz. Najwyraźniej nie mógł. Czemu nie potrafisz mu zaufać?

— On nie zaufał mnie, a ja mam ufać jemu? A może on uciekł do innej i zwyczajnie nie miał odwagi, by wyznać mi prawdę?

Przyjaciółka popukała się w czoło.

— Tu się puknij, wariatko! — wrzasnęła, omal nie budząc dziecka. — Związek to sztuka kompromisu!

— Ładny mi kompromis! Mogłybyśmy mówić o kompromisie, gdyby zdobył się na szczerość i wyznał mi, o co chodzi. A ty nie rób mi wyrzutów, bo wpędzasz mnie w poczucie winy — wymruczałam.

Kaśka miała dość moich gorzkich żalów. Nieustannie próbowała uświadomić mi możliwość pomyłki, tłumacząc, że z jej perspektywy cała ta sytuacja nie wygląda tak dramatycznie. Wszystkie jej tłumaczenia, wywody, kalkulacje za i przeciw nie robiły na mnie żadnego wrażenia. Trwałam przy swoim zdaniu, tak więc w końcu odpuściła. Stwierdziła, że wpadłam w matnię własnych emocji i uczuć i że obmyśli plan, jak mnie z tego wyciągnąć. Zanim wyszła rzuciła mi jeszcze:

— Weź się w garść, bo ci życie ucieknie, zanim się spostrzeżesz.

Uciekało, codziennie. A słowa przyjaciółki puchły mi w uszach i absolutnie nie miałam ochoty stosować się do jej pouczeń. Zaczęłam potakiwać jej z wymuszonym uśmiechem, choć gorycz targała mną niczym choroba. I tak za każdym razem, gdy doświadczałam szczęścia innych. Unikałam wszelkich kontaktów, a podczas tych wymuszonych ukrywałam swoje cierpienie. Wstydziłam się go, bo było kwintesencją mojej porażki. Było wyłącznie moje i wydawało mi się, że mam prawo przeżywać je tak, jak chcę. Z tym że nie tyle chciałam, co nie potrafiłam inaczej niż całą sobą. Bez przerwy rozmyślałam o Maksie. Na wpół nienawidziłam go, a na wpół kochałam. Negatywne emocje przytłoczyły mnie i wzięły górę nad całą resztą. Wciąż go pragnęłam, a zarazem miałam do niego ogromny żal. Czułam się upokorzona, skrzywdzona. Co gorsza, bezsilność, której nie cierpiałam najbardziej na świecie, uderzyła we mnie ze zdwojoną siłą. Najgorsze z możliwych uczuć, które poznałam po stracie mamy. Parszywe, bo zrodzone z sytuacji, na którą nie ma się wpływu, nieuniknione i niepokonane jak śmierć. Kiedy się pojawia, to już z tobą zostaje i albo się z nim pogodzisz i będziesz żyć dalej, albo odrzucisz je i zapętlisz się w sobie. Bo ileż można oszukiwać samego siebie, a nie da się wydrzeć z siebie miłości tak jak i nie da się do niej zmusić.

PRÓBA

Mówi się, że zmiana fryzury wróży u kobiety istotną zmianę w jej życiu. Któregoś dnia bez większego namysłu poszłam do fryzjera i bez żadnych obaw czy wyrzutów sumienia kazałam delikatnie rozjaśnić sobie włosy i ściąć je do ramion. Klientki salonu spoglądały z niedowierzaniem, szepcząc, że trzeba być niespełna rozumu, aby pozbywać się tak zadbanych włosów. Na szczęście fryzjerka była wierna zasadzie „klient nasz pan" i nie miała z tym problemu. Pewnym ruchem ścięła moją długą kitę, po czym wyrównała końce. Zachęcona nieoczekiwanym poczuciem lekkości, poszłam za ciosem, i zażyczyłam sobie jeszcze grzywkę. Po cięciu fryzjerka zabrała się za farbowanie i po godzinie obskoczyła mnie z lusterkiem w ręku, prezentując każdą stronę nowej fryzury. Skinęłam głową z aprobatą, a wychodząc z salonu przejrzałam się jeszcze we wszystkich lustrach. „Nowa ja", powiedziałam do siebie bez emocji.

Od fryzjera pognałam prosto do sklepu obuwniczego. Zawsze ciekawiło mnie, jak to jest chodzić w damskich butach. Tak, damskich, bo te, które nosiłam, to były raczej uniseks. Na wiosnę zakładałam płaskie półbuty lub markowe sportowe, latem koniecznie mięciutkie sandałki, jesienią — sztyblety, a zimą, rzecz jasna, wyściełane futerkiem trzewiki. Nie znoszę balerinek, bo nie dość, że są niewygodne, to jeszcze trzeba do nich zakładać obrzydliwe elastyczne skarpetki, w których śmierdnie, marznie i poci się stopa. Naprawdę do tej pory myślałam, że nie ma wygodnych damskich butów. Jak się okazało w czółenkach, które przymierzyłam, poczułam się wyśmienicie. Tak jak i w botkach na szpilce i w kozaczkach na słupku. I gdyby nie minął sezon na sandałki, z wielką chęcią kupiłabym takie z ekstrawaganckim, wijącym się wokół kostki paseczkiem. Kilkanaście minut przymierzałam wszystkie możliwe fasony. Nie żeby któreś mi nie pasowały, próbowałam dosłownie nacieszyć się wszystkimi. W każdej kolejnej parze widziałam w lustrze inną, nową siebie. I choć robiłam to bez większej radości, to jednak z ekscytacją, że w tych nowych butach wkroczę w nowe życie. Z tą samą nadzieją mierzyłam krótkie kolorowe sukienki, obcisłe wydekoltowane bluzki i modną, zmysłową bieliznę. Kupiłam kilka rzeczy z przekonaniem, że dadzą mi nowe życie.

Przez chwilę nawet czułam się jak gwiazda, lecz kiedy tylko przestąpiłam próg mieszkania, wszystkie te rzeczy wylądowały na podłodze, ja zaś ceremonialnie klapnęłam na kanapę i wybuchłam płaczem jak wulkan podczas erupcji. Wyłam głośno, długo i nieprzerwanie. Naciągniętym rękawem swetra wycierałam nos, dławiąc się łzami. Patrzyłam na te wszystkie rzeczy rzucone na środek pokoju i stwierdziłam, że po tylu trudnych latach tak właśnie wyglądają owoce mojej pracy. Kilkanaście nowych ciuchów i kilka par butów, tyle osiągnęłam. Tyle pozostało z moich wysiłków, zmagań z samą sobą, nieprzespanych nocy i setek godzin spędzonych na komisariacie. Tyle pozostało po interwencjach, przez które serce stawało mi w gardle, po zgonach, po których wymiotowałam godzinami, po pijakach, których zbierałam z chodnika, dzieciach z patologicznych rodzin, oszustach świecących oczyma i po wielu innych, którzy byli całym moim światem. Tyle pozostało po marzeniach o lepszym świecie i po wizjach przyszłości, w których widziałam siebie jako spełnioną zawodowo żonę i matkę. Tylko tyle i aż tyle. Teraz marzyłam jedynie o tym, aby się pozbierać, poukładać w głowie te wszystkie myśli i ruszyć dalej. Naiwnie liczyłam, że choć trochę pomogą mi w tym te nowe ubrania, że odnajdę w nich nową siebie. Nic bardziej mylnego. Jeszcze bardziej nie byłam sobą.

SPRĘŻYNA

Minął miesiąc od mojego powrotu do Krakowa. Zdążyłam w tym czasie całkowicie pogrążyć się w rozpaczy.

Każdy dzień zaczynałam tak samo. Wstawałam sporo przed świtem, zaparzałam kawę, siadałam przy oknie i, popijając gorzki wywar, wpatrywałam się w mroczny świat. W moich oczach był taki nawet wówczas, gdy świeciło słońce. Wolałam deszcz. Chronił moją odmienność. Koił poczucie winy. Mogliśmy razem do woli marnować czas. Po kawie niekiedy wmuszałam w siebie śniadanie, a później błąkałam się po mieszkaniu w poszukiwaniu pretekstu, żeby w nim pozostać.

Tęskniłam za Maksem w każdej sekundzie każdego dnia. Fizycznie, emocjonalnie, intelektualnie i jakkolwiek się dało. Tęskniłam za jego miłością, wsparciem, troskliwością, humorem, ciętym językiem, za wszystkim. Pragnęłam jego muskularnego ciała, siły, wszechobecnych, nieposkromionych dłoni, płomiennych oczu i sprężystych ust. Tęskniłam za każdą jego komórką, za widokiem, głosem i zapachem. A z tęsknoty bolało mnie wszystko. Bolała mnie dusza i każda najmniejsza część ciała. Ból dławił mnie w gardle, ściskał w dołku, dusił w płucach. Bolały mnie oczy piekące od łez, a z każdym wspomnieniem ciało przeszywał silny, sięgający w głąb całej mnie prąd, powodując dreszcze, drżenie kończyn i w końcu coś jakby paraliż. Ciało doznawało blokady i trwałam tak, z każdą sekundą coraz mocniej zatapiając się w bólu. Często wpadałam w ten trans, odrywając się całkowicie od realnego świata. Zwykle ból tak silnie spinał moje ciało, że zwijałam się w kłębek i zastygłam tak odrętwiała, nawet nie starając się wyzwolić. Każda bowiem najmniejsza próba rozprostowania się, sprawiała mi tak silny ból, jakby ktoś rozciągał moje ciało na madejowym łożu. Automatycznie więc kuliłam się i wracałam do stanu wyjściowego. Bywało, że trwałam tak całymi dniami. Kiedy udało mi wyrwać się na chwilę z amoku, sięgałam po alkohol, który wlewałam w siebie jak wodę. Chwilę potem czułam się jednak jeszcze gorzej. Targały mną wyrzuty sumienia, nierzadko wpadałam w histerię, rzucając się na podłogę i wijąc po niej niczym wąż albo krzywiąc się jak rażona prądem. Uspokajałam się, gdy ciało rozluźniały procenty. Wycieńczona zasypiałam wówczas w miejscu, w którym leżałam. Budziłam się równie przygnębiona, obolała i rozkojarzona. Słabłam, wiotczałam. Nie piłam co prawda dużo, za to regularnie. Przyzwyczaiłam się do bólu i wydawało mi się, że mój stan jest nie do pokonania. Niby miałam jeszcze świadomość, że nie powinno tak być, ale nie próbowałam tego zmienić. Liczyłam, że któregoś dnia ból sam ustąpi.

Wszystkie dni wyglądały jednak podobnie. Jedynie w niektóre wieczory, kiedy spodziewałam się Kaśki z dostawą jedzenia, najpierw uspokajałam się procentami, a później zmuszałam do odgrywania przed nią przedstawienia. Przyjaciółka podejrzewała, że zbyt często uciekam w alkohol i przestała mi go przynosić. Pogrążona w gonitwie własnego życia nie zorientowała się, że zaopatruję się pod osłoną nocy.

STUDNIA

Od jakiegoś czasu Kaśka upierała się, że zawiezie mnie do lekarza. Martwiła się o mnie i chciała poradzić coś na doskwierający mi ból brzucha. Lekceważyłam ją i przekonywałam, że to stres jest przyczyną moich dolegliwości. Kilka razy udało mi się zbyć ją zmyślanymi odpowiedziami, a właściwie kłamstwami w stylu „mam inne plany", „to nieleczona choroba z dzieciństwa" i takie tam inne. Ustąpiłam dopiero po setnym straszeniu najdziwniejszymi chorobami. Umówiłyśmy się na piątek i kiedy tuż po siódmej zadzwonił mój telefon, byłam przekonana, że to właśnie przyjaciółka próbuje zwlec mnie z łóżka. Wizyty w gabinetach lekarskich nie należą do moich ulubionych, spojrzałam więc niechętnie na ekran telefonu. Tego co zobaczyłam, absolutnie się nie spodziewałam. Mój złoty mądrala wyświetlił napis: „Komendant". Na początku nie wierzyłam własnym oczom, lecz zajarzyłam, że mam zbyt „mądry" telefon, aby mógł się pomylić. Załopotało mi serce i z ekscytacją przesunęłam zieloną słuchawkę.

— Dzień dobry, Zosieńko — zagrzmiał czule swoim mocnym głosem.

— Dzień dobry, komendancie — odpowiedziałam.

— Słuchaj, masz dzisiaj czas, żeby wpaść na komendę?

— Oczywiście, komendancie! Jestem do dyspozycji!

— W takim razie czekamy na ciebie. Przyjedź za dwie godziny. W cywilkach. Pogadamy z szefem na luzie.

— Tak jest!

Zobaczyłam światełko w tunelu. Pierwszy raz od wielu dni naszła mnie chęć do życia. Uwierzyłam, że w końcu los się do mnie uśmiechnie i lada dzień wrócę do pracy. Zamierzałam ponownie rzucić się w wir obowiązków i odciąć w ten sposób od nachalnych wspomnień.

Zaczęłam się szykować. Wygrzebałam z szafy lepsze ciuchy i stanęłam przed lustrem. Zaniemówiłam. Nie mogłam się nadziwić, kogo ja z siebie zrobiłam. Ze zdrowej, jurnej ślicznotki stałam się mizerną chorowitką. Mój tragiczny wygląd sprawiał, że byłam na przegranej pozycji. Musiałam jakoś nadrobić zaniedbania. Biegałam po mieszkaniu jak poparzona, jednocześnie piłując paznokcie i prasując spodnie. Nie zastanawiałam się zbytnio nad tym, co robię, myślami byłam bowiem już w pracy.

Na komendzie stawiłam się przed czasem. Susem pokonałam schody na pierwsze piętro, zameldowałam się u sekretarki i z biegu wpadłam do sali konferencyjnej. Komendant wskazał mi miejsce przy okrągłym stole, a sam spoczął naprzeciwko, obok reszty szefostwa. Zorientowałam się, że zasiadłam przed komisją, która zaraz wyda na mnie wyrok. Przebiegłam oczyma po tych trzech królach i zatrzymałam je na Piotrowiczu. Miał ponurą minę i tkwił wzrokiem gdzieś pośrodku stołu. Wywnioskowałam, że coś jest nie tak. Serce zaczęło walić mi jak szalone, dostałam dreszczy i oblałam się potem jak gówniara na maturze. Na domiar złego trzęsły mi się ręce i na myśl, że mój strach jest widoczny, zrobiło mi się niedobrze.

— Pani Zofio — zaczął pierwszy, potocznie zwany Hardym. — Spotkaliśmy się dzisiaj, aby przygotować panią do oficjalnego spotkania, z udziałem komendanta wojewódzkiego. Wówczas odczytamy protokół z postępowania dyscyplinarnego. A teraz przejdę do rzeczy. Jest pani inteligentną osobą i zapewne zdaje sobie pani sprawę z czynów, których się dopuściła. Wszyscy tutaj — zerknął w stronę kolegów — jesteśmy dumni z pani postawy. Zarówno ja, jak i panowie komendanci uważamy, że może pani służyć za przykład odwagi… a zarazem głupoty. Jest pani młoda, pracowita i skupiona na celu. Zrobiła pani dużo dobrego, doprowadziła niebezpiecznych przestępców przed sąd. Niestety nie zmienia to faktu, że zachowała się pani nieodpowiednio do zajmowanego stanowiska służbowego. Podjęła pani wiele ryzykownych i niemądrych decyzji. Istotnie przekroczyła pani swoje uprawnienia, naraziła na niebezpieczeństwo

szereg postronnych osób i powinna być pani sądzo-
na ze stopy cywilnej. Tylko dzięki naszej interwencji
udało się tego uniknąć. Nie wolno nam gloryfikować
zachowania niezgodnego z kodeksem postępowania
funkcjonariusza, przy czym nie uważamy, że powinniśmy panią jakkolwiek karać. Problem polega na tym, że
sprawa została mocno nagłośniona, zainteresowali się
nią dziennikarze i Komenda Główna Policji. A oni są
wyjątkowo wrażliwi i szczególnie piętnują celebryckie
wybryki, które narażają dobre imię formacji i ostatecznie w pewien sposób szkalują nas w oczach obywateli.
W związku z tą nieumiejętnie przeprowadzoną, jed-
noosobową akcją zarzucono nam szereg uchybień. Jak
doskonale pani wie, przede wszystkim bierność wobec
działań szajki Francuza do tego stopnia, że policjantka
samodzielnie stanęła w obronie przyjaciół. I w oczach
społeczeństwa to pani jest bohaterką, a policja nieudol-
nym organem. W raporcie ujęto, że zgodnie artykułem
132 ustęp 3 Ustawy o Policji naruszyła pani dyscyplinę
służbową… — W tym momencie Hardy przeszedł do
wyliczania paragrafów, które naruszyłam. A właściwie
złamałam, zdeptałam, zmiażdżyłam, podpaliłam i wy-
strzeliłam w kosmos. Naciągał tym swoim chrypliwym
głosem struny mojej wytrzymałości, wyliczając błędy,
które od kilku tygodni męczyły mnie co dnia. Głędził
o tym jak bardzo zaniechałam czynności służbowych
albo wykonałam je w sposób nieprawidłowy, jak bardzo
ich wszystkich oszukałam i tym podobne pierdoły. Byłam z tym tak wspaniale oswojona, że nawet przestałam
się denerwować i zaczęłam przysypiać. Ocknęłam się,
kiedy zawibrował głosem:

— To i wiele innych nadużyć z pani strony zaważyło na decyzji góry. Uznano panią za winną, w związku z czym zostanie pani ukarana wydaleniem ze służby. Nie przyjęliśmy tej decyzji i po wielu spotkaniach ostatecznie wypracowaliśmy kompromis. Proponujemy rok przerwy, póki toczy się sprawa w sądzie z pani udziałem. Przy okazji proszę pamiętać, że w najbliższym czasie otrzyma pani wezwanie. Witold został poinstruowany, jak panią przygotować na rozprawę, aby nie wywołać niechcący niepotrzebnej sensacji. Po naszym spotkaniu umówicie się na rozmowę w tej sprawie. Wracając do meritum, póki co oficjalnie zwolnimy panią z zajmowanego stanowiska, a gdy sprawa ucichnie, postara się pani o ponowne przyjęcie do służby. Złoży pani podanie, przejdzie stosowne postępowanie kwalifikacyjne, a my przemyślimy, na jakim stanowisku panią zatrudnić. Góra uważa, że nie możemy utrzymać pani w służbie, bo bylibyśmy niekompetentni w oczach społeczeństwa. My jesteśmy zgodni co do tego, że chcemy widzieć tu panią ponownie. — Hardy odwrócił głowę w stronę Piotrowicza. — Myślę, że Witold również akceptuje naszą decyzję, walczył o panią do upadłego.

Resztki światła, które wpadały jeszcze przed chwilą do tej czarnej dziury, w której się znalazłam, zostały właśnie przysłonięte ciężkim, betonowym wiekiem. Nie potrafiłam wykrztusić z siebie ani słowa. Nieprzytomnie zerknęłam na swojego szefa.

— Wykorzystałem wszystkie możliwości, więcej nie mogę. Bardzo mi przykro, jesteś moją najlepszą policjantką… — urwał myśl i przyjrzał mi się. — Nie wiem, jak cię pocieszyć. Długo dyskutowaliśmy o tej sprawie z komendantem, ale decyzja góry jest nieodwołalna. Tak medialnej sprawy nie da się zamieść pod dywan.

Zamilkł.

Mnie też odjęło mowę. Ogromna sala konferencyjna wypełniła się grobową niemal ciszą. Gapiłam się na szefa przez firankę z łez. Byłam zdruzgotana. Miałam świadomość, z czym wiąże się roczne zwolnienie, rozumiałam, że mogę już nigdy nie wrócić. To całe dumnie brzmiące postępowanie kwalifikacyjne jest furtką, którą mogą zamknąć mi przed nosem z byle powodu. Poczułam się kompletnie bezwartościowa, zbędna, jakbym straciła tożsamość. Chwilę jeszcze pomilczałam i w końcu pękłam. Zobojętniałam na swój wygląd i ich opinię. Wpadłam w totalną histerię. Piotrowicz objął mnie po ojcowsku i próbował pocieszyć. Mówił coś o przeznaczeniu, szansie na nowe życie i o tym, że zasługuję na więcej niż praca w policji. Nie słuchałam. Skupiłam się na swojej tragedii. On jednak nie ustępował. Wspominał o rozliczeniu, zdaniu stanowiska pracy i innych nic nieznaczących bzdurach. Doprowadził mnie tym na skraj wytrzymałości. W pewnym momencie bezceremonialnie poderwałam się z krzesła, skinęłam głową i przy nawoływaniach i chrząknięciach wybiegłam z gabinetu. Na korytarzu zaczepiło mnie kilka osób. Nie zatrzymałam się, nie podniosłam nawet wzroku.

DIAGNOZA

Obudziłam się dokładnie o piętnastej, a w zasadzie to obudziła mnie Kaśka, stosując wszelkie możliwe środki. Dzwoniła jednocześnie do drzwi i na telefon. Najpierw udawałam, że nie słyszę, po piątej minucie nie wytrzymałam i wpuściłam ją do mieszkania.

— Powinnam dorobić sobie klucze — grzmiała od progu. — Co ty wyprawiasz?! Jesteś w totalnej rozsypce! Ogarnij się, bo za chwilę wychodzimy!

Kiedy ona wymyślała, jak mnie skarcić, zdążyłam ostentacyjnie wymaszerować do sypialni i zniknąć pod kołdrą. Przyjaciółka poszła za mną, usiadła na skraju łóżka i nerwowo szarpała mnie za stopę.

— To świetny termin. Natrudziłam się, żeby go załatwić — zaczynała wzbierać niczym tsunami. — Doceń to, do cholery! Zośka… Ta ginekolożka ma naprawdę napięty grafik. Jesteś tak uparta, że aż boli. Nie rób mi wstydu! — zakończyła głośno i zdecydowanie.

Nie reagowałam, odkryła mnie i zobaczyła zapłakaną twarz. Odwróciłam głowę i wbiłam ją w poduszkę.

— Zwolnili mnie — wyjęczałam głośno, choć pierze stłumiło mój płacz. — Nie jestem już policjantką! — wywrzeszczałam i zaczęłam drzeć się w poduszkę na całe gardło.

Kaśka ucichła. Dokonałam czegoś niemożliwego. Objęła mnie i pozwoliła się wypłakać. O nic nie zapytała. Ostatecznie siłą perswazji wyrażoną jak zwykle, wybieraniem numeru do mojego taty, zmusiła mnie do wyjścia z domu i osobiście zawiozła do lekarza.

Przyjechałyśmy na umówioną godzinę, unikając kolejki. Tego dnia wszystko było szybkie. Również wstępna diagnoza — cysta, podejrzenie policystycznych jajników i endometriozy. Lekarka wręczyła mi skierowanie do szpitala, nakazując jak najszybszą wizytę i przestrzegając, że szpital może mnie nie przyjąć z uwagi na trudną sytuację w służbie zdrowia. A to ciekawostka. Jakby w naszym kraju kiedykolwiek nie było trudnej sytuacji w służbie zdrowia i w ogóle w jakiejkolwiek innej służbie. Oj, wydaje mi się, że słowo służba w najbliższym czasie nie będzie należeć do moich ulubionych.

Lekarka poleciła mi, abym po szpitalu ponownie się do niej zgłosiła. Tylko przytaknęłam, o nic nie zapytałam. Otrzymałam drugi wyrok tego samego dnia. Czy mogło być gorzej? Kiedy usłyszałam „do widzenia", ledwo zebrałam się z krzesła i na miękkich nogach wyszłam z gabinetu. Łamiącym się głosem wyrzuciłam do Kaśki kilka słów o diagnozie, a ona zabrała mnie z powrotem do samochodu. Kwadrans później pakowałam torbę do szpitala. Przyjaciółka odstawiła mnie na izbę przyjęć i z ciężkim sercem wróciła do dzieci.

W samotności, z nadstawionym policzkiem czekałam na kolejne ciosy od życia. Pierwszy dostałam już w poczekalni, gdzie spędziłam sześć godzin. Zdążyłam w tym czasie totalnie pogrążyć się w marazmie. Strach dopadł mnie dopiero, gdy nadeszła moja kolej. Ku wielkiemu zaskoczeniu moment grozy nie trwał długo. Po tylu godzinach czekania, lekarz poświęcił mi całe pięć minut, z czego przez cztery zapisywał kartę pacjenta. Przepisał środki przeciwbólowe i jednoznacznie stwierdził, że „pacjentka do leczenia ambulatoryjnego, polecam prowadzenie przez lekarza specjalistę i ustalenie terminu wizyty na oddziale endokrynologicznym". Spodziewałam się bardziej wyszukanej diagnozy, z tym że w zasadzie nie powinnam być zaskoczona. Tego dnia nic nie działo się wedle mojego życzenia. Opuściłam szpital w try miga, nie fatygując się do recepcji po ustalenie terminu wizyty u specjalisty.

Na zewnątrz przywitał mnie deszcz z zawieruchą. Nie było to najprzyjemniejsze powitanie, zwłaszcza że po inne pacjentki przyjechali mężowie. Dodam, że o wiele ode mnie młodsze pacjentki. Dlaczego to cholerne staropanieństwo odzywa się zawsze w najmniej odpowiednich momentach? Wiatr zawiał chyba z siłą huraganu, kierując wprost we mnie deszcz, a ja nie miałam nawet kaptura. Naprędce wygrzebałam z torby pierwszą z brzegu rzecz i owinęłam ją wokół głowy. Jak na złość był to akurat ręcznik. O, ironio, moje ty drugie imię. Wykończona, ledwo zipiąc, jakoś doczłapałam na przystanek. Wsiadłam w pierwszy autobus. Posadziłam zmizerniały tyłek na plastikowym fotelu, na którym jakiś zakochany idiota wyrył serduszko z imieniem ukochanej. Odwróciłam wzrok w stronę skropionego deszczem okna i zalałam się łzami. Obserwowałam jak brudne kropelki deszczu rozcierane na szybie przez napór powietrza giną w brudzie uszczelki. Dawało mi to dziwne ukojenie. Gdzieś z tyłu mojej głowy tłukła się myśl, że każda łza ma swój koniec, każdą prędzej czy później rozwieje wiatr albo zwyczajnie zatopi się ona w brudzie wszelakich trosk.

Wyłam przez całą drogę, czyli dobrą godzinę, bo oczywiście trafiłam na linię, która miała akurat kurs objazdowy. Zdążyłam w tym czasie podsumować moje cholerne dwadzieścia dziewięć lat. Wnioski były takie, że zmarnowałam najpiękniejsze lata swojego życia. Nie spełniłam się w miłości, nie doczekałam się potomstwa, domu z ogródkiem ani nawet czworonoga. Przez tyle lat nie miałam się czym cieszyć ani nie umiałam się cieszyć. Nie miałam szczęścia do ludzi ani do pieniędzy, skupiłam się zatem na jedynym, co wydawało mi się, że mam i co pozornie mnie uszczęśliwiało — na pracy. Nawet nie wiem, kiedy całkowicie się w niej zatraciłam. Teraz i tak nie miało to już żadnego znaczenia. Wniosek jest jednoznaczny, zamiast miłości, oddałam się pracy, a w zamian dostałam po gębie i zostałam sama. A nie, sorry, nie tak całkiem sama. Zostały ze mną frustracja, długi, paskudne wspomnienia i kilka chorób zawodowych. Zostało mi też kilka cech i nawyków, którymi nawet nie można się pochwalić. Bo co wzniosłego jest w pracoholizmie, pedantyzmie, zawziętości czy nieufności? Jeśliby te cechy trafiły na odpowiedni grunt, jeszcze może coś ładnego by z nich wykiełkowało. Ale nie trafiły. Trafiły na mnie i wyrosły z nich chwasty, które tak gęsto zarosły moje życie, że nie potrafię ich wyplewić. Pracoholizm i niecierpliwość wzmagają poczucie nicości i pustki, pedantyzm potęguje nieustanne wyliczanie własnych błędów. Nieufność doprowadziła do sytuacji, w której ludzie stali się dla mnie całkowicie zbędni. Jest też skrupulatność, o której wcześniej zapomniałam. To ona nakazuje mi nieustannie analizować przeszłość, a wtóruje jej zawziętość, która nie pozwala sobie pomóc. I to by było tyle, po wielu latach wyrzeczeń i nieprzerwanej gonitwy nie wiadomo za czym. Oprócz powyższych, niczego więcej nie osiągnęłam i niczego się nie dorobiłam. Ani mieszkania, ani samochodu, nie mówiąc już o prawie do emerytury. Jak więc nie pytać samej siebie, w imię czego to wszystko? Na co mi to było?

Wysiadłam z autobusu i szłam przemarznięta do szpiku kości i przemoknięta do suchej nitki. Jakby mi było mało, mijający mnie kierowcy z radością serwowali mi dodatkowe strugi wody. Moja frustracja wybuchła. Rozsypałam się na części, przysiadłam na ławce i zemdlałam. Kiedy się ocknęłam, w głowie miałam jedną myśl, że przez tyle lat nie dorobiłam się samochodu. Co gorsza, nie stać mnie było nawet na taksówkę. Ręcznik na głowie całkowicie mi przemókł, wymieniłam go więc na bluzę i wstałam. Myśli mi wirowały wokół znajomych, którzy dorobili się fajnych bryk, pracując w zawodach biernych społecznie. Ja harowałam codziennie dla dobra ludzi, którzy teraz z takim rozmachem ochlapują mnie wodą. Poświęciłam im lata swojej młodości, a w zmian dostanę zapalenia płuc. Tyle zostało z mojej wielkiej misji. Przypomniały mi się słowa pewnego mądrego kapłana, że człowiek pozostaje młody, dopóki ma jakiś cel. I tak nagle stałam się stara. Szłam półprzytomna, z ciężką torbą, a deszcz zmywał ze mnie reszki mojej emocjonalnej godności. Ból ściskał mnie z całą swoją mocą, tak że z każdym krokiem coraz bardziej się pochylałam. Miałam ochotę paść twarzą w kałużę i więcej się nie ruszyć. Może ktoś by mnie podniósł, może by się o mnie potknął, a może leżałabym tak, dopóki sępy nie wydziobałyby mi oczu. Było mi bez różnicy, wszystko straciło znaczenie. Pragnęłam jedynie pozbyć się bólu i poczuć ciepło.

Czułam za to odrazę do siebie i całego świata. Znienawidziłam innych za perfidne wykorzystanie mojej naiwności, a siebie za naiwną ufność. Niepojęte stały się dla mnie wszystkie minione lata, moje wyimaginowane szczęście. Wiele w życiu mnie ominęło, ale wcale nie dlatego, że sfiksowałam na punkcie pracy. Owszem, sfiksowałam, lecz właśnie dlatego, że nie potrafiłam się odnaleźć w otaczającym mnie świecie. Praca stała się moją odskocznią, zatraciłam się w niej, bo zabijała pustkę. Z tym że było to błędne koło. Zapomniałam, że radość przynoszą mi letnie zachody słońca i jesienne korony drzew. Zapomniałam, jak bardzo lubię górskie wycieczki i jaką wartość wnoszą do życia spotkania z bliskimi. Zapomniałam, jakie ciepło i spokój rodzą w sercu uśmiechnięte oczy mojego ojca. Zapomniałam to wszystko i wiele więcej. Później nie miałam już żadnych chęci, aby pamiętać. Potrafiłam jedynie realizować kolejne zawodowe zadania, które uciszały wszystkie inne pragnienia. W głębi duszy pragnęłam jednak miłości, choć nigdy się do tego nie przyznawałam, nawet sama przed sobą. W zasadzie szczególnie sama przed sobą. Uważałam to za objaw słabości, za poszukiwanie dowartościowania w kimś innym. A przecież tak zbudowani są ludzie. Każdy potrzebuje miłości, zrozumienia, wsparcia. Każdy chce być dla kogoś całym światem. I nie ma w tym nic ujmującego, wręcz przeciwnie.

Co więcej, nie ma kobiet, które nie chcą być kochane. Nie ma też takich, które lubią być samotne. A jeżeli są takie, które tak twierdzą, to ja im nie wierzę. I nie wierzę już nawet samej sobie. Bo przecież jestem samotna. Wbrew mojemu dotychczasowemu przekonaniu nie jestem singielką, jestem samotna. A samotność jest trudna, jakkolwiek infantylnie to brzmi. Świat dostosowany jest do par, a ludzkie umysły zaprogramowane są na związki. Doświadczenie pozwoliło mi ustalić na ten temat nieprzyjemne wnioski. Pozwólcie, że się nimi podzielę. Nie dlatego, że potrzebuję to z siebie wyrzucić, ale żeby obudzić waszą czujność.

Po pierwsze, jako samotna kobieta stracisz zajęte przyjaciółki, koleżanki, znajome, znajome znajomych i tak dalej. Czyli, jeśli jesteś mniej więcej w moim wieku, zniknie z twojego życia większość z nich. To najgorszy ze wszystkich skutków samotności, bo unaocznia, jak bardzo my — kobiety — jesteśmy niesolidarne. Ba, jest on dowodem na to, że jesteśmy dla siebie największymi wrogami! Dlaczego? Dlatego, że zajęta kobieta nie pozwoli, aby na jej terenie panoszyła się inna samica. Nieważne, że dotychczas byłyście przyjaciółkami, a jej facet jest według ciebie najbardziej odpychający na świecie. Liczy się fakt, że ty możesz spodobać się jemu. Dlatego będziesz powoli odsuwana, wykluczana i to w taki sposób, żebyś czuła się winna. No bo w końcu czyja to wina, że nie masz faceta, jeśli nie twoja? Już koleżanki świetnie cię uświadomią. Zacznie się od tekstów w stylu „ty tego nie zrozumiesz", „pogadamy, jak znajdziesz faceta", „a co ty możesz wiedzieć o związkach?", „kiedyś zrozumiesz, jak to jest" i tym podobnych bredni. Uściślając — wyłącznie one — te doświadczone i udręczone, wiedzą co mówią. A jeśli do tego dojdzie temat dzieci, których ty nie masz, dowiesz się, że nie tyle nie macie o czym rozmawiać, co jesteś jedynie uciążliwą słuchaczką albo, co gorsza, uciążliwą ślicznotką bez obowiązków. I wcale nie musisz wyglądać jak miss, liczy się, jak one wyglądają, a raczej to, jak się czują oraz jak uwielbiają narzekać na dodatkowe kilogramy, cellulit i rozstępy, którym winna jest ciąża. Ty też masz cellulit? A taki tam cellulit, phi! W ciąży dowiesz się, co to prawdziwy cellulit! Reasumując, niczego nie rozumiesz, bo jesteś nudna, ładna i stajesz się zagrożeniem, zbędnym balastem, który trzeba wyeliminować. A jak do tego dołożyć jeszcze dziewictwo, to okazuje się że w ogóle nie masz prawa życia na tej planecie. Oczywiście nikt nie powie ci tego oficjalnie. Po prostu będziesz wychodzić ze wspólnych spotkań tak udręczona, że po jakimś czasie sama zrezygnujesz z kolejnych.

Po drugie, będziesz narażona na perwersyjne zaloty mężczyzn. Jest to moim zdaniem drugi, równie podły skutek z racji tego, że nieraz postawi cię w dwuznacznej, niekomfortowej sytuacji, z której trudno ci będzie wybrnąć. Bo wiecie, jeśli kobieta jest w związku, faceci hamują się wobec niej z głupimi tekstami, ponieważ zwyczajnie nie chcą oberwać w gębę. W dodatku zajęta kobieta jest szanowana już z racji samego faktu posiadania, który czyni ją porządną, wierną i tym podobne. Nieszczęsne samotnice są zaś z góry skazane na potępienie. Większość mężczyzn będzie zdania, że skoro nie masz u boku mężczyzny, to albo lubisz przelotny seks i nie interesują cię stałe związki — czyli jesteś puszczalska i można cię zaliczyć, albo coś z tobą nie tak — czyli nadajesz się wyłącznie do zaliczenia. Ponieważ mężczyźni nie lubią się ograniczać, a co za tym idzie, trzymać języka za zębami, będziesz więc na każdym kroku sprośnie nagabywana. Dramat. Może wam się wydawać, że rozwiązanie takiego problemu jest dość oczywiste i proste — wystarczyłoby strzelić jegomościa w pysk i po sprawie. Nic bardziej mylnego, bo jeśli nie daj Bóg tym chamskim zalotnikiem jest twój szef, któryś ze współpracowników, wykładowców czy ktokolwiek inny, z kim jeszcze przez jakiś czas będziesz mieć do czynienia, sprawa mocno się komplikuje. Jak wyjść z tego z klasą? Pewnie, że można dosadnie zbyć gościa, nie używając przy tym ani jednego przekleństwa, niemniej jednak perspektywa zemsty z jego strony najprawdopodobniej skutecznie cię powstrzyma. Każda z nas musi znaleźć swój złoty środek. Ja znalazłam sposób na kąśliwe uwagi moich kolegów z pracy, ale wcale nie przyszło mi to łatwo i szybko.

Skutkiem tych wszystkich dokuczliwych zjawisk towarzyszących samotności jest konieczność epatowania ponadprzeciętnym heroizmem. Tak, musisz być, mówiąc wprost, cholernie twarda. Przede wszystkim po to, żeby znieść to wszystko, ale też dlatego, aby po prostu radzić sobie z codziennością. Najprawdopodobniej setki razy zdarzy ci się, że ktoś cię wkurzy, że poczujesz się brzydka, stara, głupia, sama nie wiem, co jeszcze. Wystarczy, że będziesz miała gorszy dzień, w pracy ktoś podłoży ci świnię, ktoś inny obgada i jeszcze w czymś niechcący się pomylisz. Do tego dojdzie to, że w drodze powrotnej ucieknie ci autobus albo strąbi cię idiota w wypasionej furze albo, co gorsza, twój samochód się zepsuje. Jeśli nie masz ojca czy sąsiada superbohatera, ani przyjaciółki, która ma ojca mechanika, to nikt nie zechce słuchać twoich lamentów. W najbliższym warsztacie zedrą z ciebie, bo jesteś „babą, która się nie zna", można więc cię naciągnąć. No dobra, nawet jeśli się znasz i wykłócisz się o swoje, efekt i tak będzie pogłębiony — znów strzępisz sobie nerwy.

A jeśli do tego wszystkiego jeszcze masz okres i marzysz jedynie o tym by paść na łóżko, to dopiero będzie żart. W domu nie zastaniesz mężczyzny, który dowartościuje cię słowem. Zastaniesz cieknący kran, zepsutą pralkę, brudne talerze i pustą lodówkę, czyli życie, któremu będziesz musiała podołać sama. Wspomnę jeszcze, że jeśli jesteś matką, to masz przerąbane do kwadratu, bo wówczas absolutnie nie możesz sobie pofolgować, paść i wyryczeć się, jak Pan Bóg przykazał. Bo masz dziecko. Niewinne i słodkie, któremu nie chcesz serwować tego, co sama przeżywasz.

Poza tym wszystkim jest jeszcze cała masa innych nieprzyjemności, z którymi będziesz się mierzyć na co dzień. Dajmy, że zechcesz rzucić swoje przykre, codzienne życie i wyjechać na urlop. Obyś zarabiała jak najwięcej, bo jeśli cienko przędziesz, to najpierw stracisz cały dzień na obdzwanianie wszystkich możliwych hoteli w poszukiwaniu jednoosobowego pokoju, a ostatecznie i tak wylądujesz w dwójce i przepłacisz. Możesz też dostać zaproszenie na ślub znajomych, których jakimś cudem jeszcze zachowałaś. Jeżeli pójdziesz sama, a zapewne tak zrobisz, to choćbyś nie wiem, jak uprzedzała, i tak najprawdopodobniej zostawią obok ciebie wolne miejsce przy stole. W efekcie przez całą noc będziesz słuchać tekstów w stylu: „Co? Nie przyszedł?", „Nie przejmuj się, ty też kiedyś wyjdziesz za mąż", „Jeszcze się taki znajdzie" albo ulubione przez nich „Każda potwora znajdzie swego amatora". I oby nikt nie poprosił cię do tańca albo do weselnych zabaw. Będziesz musiała zatańczyć z czyimś mężem, ojcem, bratem i znów będziesz powodem czyjegoś nieszczęścia.

Konkludując, samotność można porównać do zamkniętego domina. Jeśli jesteś samotna, to inne kobiety chętnie pomogą ci w tym, byś była jeszcze bardziej samotna, a na dodatek czuła się temu winna i tym udręczona. W ten sposób prędko powrócisz do punktu wyjścia. Trudno się z tego wyrwać, lecz podobno da się. Tak mówi mi Kaśka, jedyna bliska mi kobieta, która spełnia role przyjaciółki, koleżanki i siostry, a w ogóle to wszystkie te, które wnoszą teraz jakąś wartość do mojego życia.

WSPOMAGACZE

Każdego dnia było tak samo. Budziłam się przedwcześnie, błąkałam się po mieszkaniu, jadłam z przymusu i próbowałam zrobić cokolwiek sensownego. Bezskutecznie, bo wspomnienia dosłownie wychodziły z każdego kąta, pozbawiając mnie resztek zdrowego rozsądku. Chwilami proste czynności stawały się wyzwaniem. Wszystkie cechy tak starannie pielęgnowane przez ostatnie lata poległy w walce z początkującą depresją. Odczuwałam niewytłumaczalny niepokój, lęk, ból i drażliwość. Nie wiedziałam, gdzie popełniłam błąd. Przecież dawałam z siebie wszystko. Nie znajdowałam dla siebie żadnego usprawiedliwienia. Dręczyłam się, wpędzałam w poczucie winy, karciłam. Straciłam poczucie własnej wartości. Zwyczajnie nie potrafiłam żyć, a co gorsza, nie rozumiałam, że wpadłam w wir psychozy. Wmawiałam sobie, że apatia i poczucie beznadziejności są objawem chwilowego spadku formy. Przez myśl mi nie przeszło, żeby poprosić o pomoc specjalistę, poszukać nowej pracy czy w ogóle wyjść do ludzi.

Kaśka dostrzegała problem, lecz nie zdawała sobie sprawy z jego powagi. Postanowiła przywrócić mnie do życia swoimi sprawdzonymi trikami na zły nastrój. Zdecydowała zarazić mnie czymś, co nazywała kobiecością. Zaczęła od podsyłania mi przez portal społecznościowy linków do artykułów o kobiecej tematyce. Mnożyłam je w przeglądarce, tworząc setki zakładek, których ostatecznie nigdy nie otworzyłam. Trzymałam je do momentu, w którym przeglądarka całkowicie się zapchała i trzeba było wyczyścić pamięć. Przyjaciółka prędko to wywęszyła i postanowiła bezpośrednio zmusić mnie do działania. Wymyśliła kobiece wieczorki. Mało powiedzieć, że nie byłam tym zachwycona. Kaśka wpadała do mnie codziennie, a co jakiś czas przynosiła torbę nowych kosmetyków do przetestowania. Najpierw wcielała się z rolę handlowca, prezentując ich magiczne właściwości, a później zostawiała mi te wszystkie maseczki, peelingi i balsamy, aby mieć pretekst do odwiedzin następnego dnia. Wtedy sprawdzała, czy choć trochę ubyło ich z tubek i saszetek.

Ponadto cierpliwie uczyła mnie sztuki makijażu. Tłumaczyła, do czego służy róż, a do czego bronzer, jak nakłada się fluid. Pokazywała, jak używać zalotki, co kłaść pod cienie, aby się nie ważyły, a także którą kredką podkreślać oczy. Wszystkie te zabiegi nie przyniosły pożądanych efektów. Wymyśliła więc, że zorganizuje mi wieczór filmowy.

Któregoś dnia wpadła ze swoim laptopem i zestawem filmów przygodowych, jedynego gatunku, który mnie

nie dobijał. Dla pokrzepienia przyniosła też dwa litry lodów i wielką paczkę chipsów. Z tym że na mnie te przekąski nie zrobiły żadnego wrażenia. Kompletnie nie miałam apetytu. Powiem więcej, na widok Kaśki zajadającej się lodami, zrobiło mi się przykro. Nawet w tak prozaicznej czynności jak objadanie się śmieciowym jedzeniem nie potrafiłam dorównać moim koleżankom. A w zasadzie jednej koleżance, bo przecież więcej ich nie miałam. Już wcześniej nikt nie chciał się ze mną przyjaźnić, to co dopiero teraz. Przez ostatnie lata prowadziłam zdrowy tryb życia. Pilnowałam diety, jadłam wyłącznie odżywcze posiłki, trenowałam do upadłego, byłam okazem zdrowia. A kiedy w końcu było mi wszystko jedno, kiedy chciałam przeżyć swój smutek tak jak kobiety na amerykańskich filmach, wybeczeć się przy romansie, zużyć przy tym tonę chusteczek, wpakować w biodra litr oleju palmowego z cukrem i obudzić się nazajutrz w swojej nowej, radosnej odsłonie, to po prostu nie umiałam. Mój żołądek był małą ściśniętą kuleczką, która ledwo przyjmowała płyny. Nieustannie chciało mi się tylko jarać i chlać. Wiem, że nie brzmi to zbyt lotnie, ale nie ma się co oszukiwać. Psychicznie byłam wrakiem i było mi wszystko jedno, jak się wyrażam. I tak straciłam swoją kobiecość i młodość. W związku z powyższym zobojętniałam na wszystko i wszystkich. I znów zaczęłam być cyniczna i sarkastyczna.

Emocjonalna podróż w głąb siebie dała mi do myślenia. Stwierdziłam, że miłość jednak nie jest motorem napędowym świata, a destrukcyjnym płomieniem palącym ludzkość. W końcu najróżniejsze odmiany miłości decydowały o losach milionów ludzi, wzniecały wojny i powodowały cierpienie. A czy ja mówiłam kiedyś o wsparciu, dowartościowaniu i wielu innych bzdurach, które rzekomo dała mi miłość? Nie pamiętam tego zbyt dobrze, lecz jeśli tak, to teraz żałuję tych słów. Dobrze wiem, że wówczas byłam przekonana, że tak właśnie jest. Dziś wydaje mi się, że mój ówczesny zachwyt był ułudą, mrzonką, wytworem wyobraźni, że tak bardzo pragnęłam miłości, iż sama wmówiłam sobie, że moja miłość jest idealna. Ale nie była. Jasne, że chciałabym być kochana, że potrzebuję miłości, jak każdy. Tylko potrzebuję takiej szczerej, prawdziwej i trwającej wiecznie. To, co mnie spotkało, było jedynie namiastką szczęścia, które teraz odbija mi się emocjonalną czkawką.

Zazdrościłam Kaśce luzu, który pozwalał jej na wchłonięcie połowy pudełka lodów karmelowych polanych sosem czekoladowym. Moja jedyna przyjaciółka w ogóle stała się dla mnie wzorem do naśladowania. Pierwszy raz spojrzałam na nią w ten sposób. Co prawda zawsze uważałam ją za fantastyczną kobietę, ale nigdy wcześniej nie próbowałam się z nią porównywać. Zwyczajnie nie chciałam być taka jak ona. Byłyśmy różne i to było cudowne. Nie będę się nad tym rozwodzić, bo wiele razy o tym wspominałam. W każdym razie równowaga, o której tyle się nagadałam, została zachwiana, przeze mnie rzecz jasna. To Kaśka podtrzymywała naszą relację, bo ja nie potrafiłam w żaden sposób jej dopełnić. Zaczęłam jej zazdrościć. Wszystkiego. Tego, że jest szczęśliwa, zaradna, zdyscyplinowana kiedy trzeba, a jednocześnie wyluzowana i bierze z życia co najlepsze. Spełnia się jako żona i matka. Ma fajnego, pracowitego męża, który z równie mocnym zaangażowaniem podnosi ciężary, co zasuwa na mopie, gotując przy tym zupki. Dzieci ma zdrowe, śliczne i nawet grzeczne. W dodatku Kaśka dzięki pewności siebie i odwadze odnosi sukcesy w pracy, będąc przy tym niesamowicie ponętną i zadbaną kobietą. I mimo że ma doklejone rzęsy i paznokcie, to w moich oczach niczego jej nie ujmują. Choć od zawsze utożsamiam takie zabiegi raczej z próżnością i głupotą, to Kaśce za żadne skarby nie mogłabym przypisać tych cech. Co więcej, jej oczy nie wyglądają na chore, a mąż nie skarży się na zadrapania. Kaśka zaś wygląda pięknie. Nieraz przemknęło mi przez myśl, że gdybym kilka lat temu nie zrezygnowała całkiem z towarzystwa swoich znajomych i nie zaszyła się w szkole policyjnej, może byłabym taka jak ona — ustatkowana, szczęśliwa, kochana i pełna optymizmu.

GOŚĆ

Pewnego piątkowego popołudnia Kaśka zamiast z nowym kosmetykiem, wpadła do mnie z obiadem na wynos. Przełożyła jedzenie na talerz i podsunęła mi go prosto pod nos.

— *Voilà*, kurczak z warzywami i pieczonymi ziemniakami, żebyś miała solidną podkładkę na wieczór — zakomunikowała uradowana. — Smacznego.

— Żeby mi się lepiej spało? — dopytałam sarkastycznie.

— Też, z tym że najpierw piło, a później spało. Bo wiesz, zapomniałam ci ostatnio powiedzieć, że dzisiaj w klubie Girls Toys spotykają się lejdiski ze szkoły. Powiedziałam, że przyjdziesz ze mną.

— Nie ma mowy — oznajmiłam stanowczo i, gryząc się w język, aby nie urazić przyjaciółki, dodałam dyplomatycznie: — Girls Toys? Strasznie pretensjonalna nazwa.

— Dlaczego? — udała zaskoczenie

— Bo założę się, że moich zabawek tam nie znajdę — bąknęłam. — Nie ma mowy i koniec tematu!

— Nie piernicz! — zaśmiała się. — Będzie fajnie. Rozerwiesz się, powygłupiasz, odetchniesz trochę. Musisz wychodzić do ludzi, bo mi zdziadziejesz.

— Prędzej zbabkuję. Niczego nie muszę, a tym bardziej słuchać przechwałek moich koleżanek ze szkoły, jakie to są szczęśliwe, jakie mają piękne, mądre dzieci i eleganckie mieszkania na strzeżonych osiedlach.

Kaśka odchyliła głowę w geście zażenowania.

— Nie przesadzaj — wybąkała z dezaprobatą w głosie.

— Nie pójdę. — oświadczyłam zdecydowanie. — Nie przekonasz mnie za żadne skarby!

Zirytowałam się i wyszłam do sypialni, gdzie zagrzebałam się w pościeli. Przyjaciółka wpadła na łóżko i, szarpiąc za kołdrę, nie dawała za wygraną.

— Założymy się, że pójdziesz?! — zaintonowała prześmiewczo. — Jeśli nie pójdziesz, doniosę na ciebie… tacie.

Wynurzyłam twarz spod poduszki i zrobiłam oczy kota ze Shreka.

— Nie zrobisz mi tego, bo nie jesteś donosicielką — próbowałam ją podejść. — Nie mogę go narażać na niepotrzebny stres.

Kaśka zaśmiała się teatralnie.

— Taaa, stres, nie rozśmieszaj mnie. Powiem mu wszystko i zobaczysz, że przez cały weekend będzie ci suszył głowę! Albo przyjedzie i zabierze cię na moralizatorski spacer, później na moralizatorski obiad, a na koniec na moralizatorską kolację!

— Kaśka, cholera jasna! Tak nie można! On ma słabe serce!

Serce, sercem, ja po prostu obawiałam się scenariusza, który przedstawiła przed chwilą. Bo ojciec jest wspaniały i zawsze bardzo martwi się o swoją córcię. Za bardzo. Kiedy więc w moim życiu coś się nie układa, zjawia się bez zapowiedzi i tłumaczy, tłumaczy i jeszcze raz tłumaczy… Mówi zawsze mądrze, sensownie i ma przy tym sto, a nawet więcej procent racji. I choć kocham go najbardziej na świecie, doceniam jego troskliwość to jednak boję się tego spotkania bardziej niż babskich plotek. Cholernie chciałabym wygadać się tacie, przytulić i uspokoić w jego objęciach, ale wiem, że nie byłabym w stanie sprostać jego oczekiwaniom. Wiem, że nie pozbieram się, co na pewno mi doradzi, że nie zacznę jeszcze raz wszystkiego od nowa, bo to nie ten czas, jeszcze nie ten. A nie mogłabym zrobić nic gorszego niż zawieść najukochańszego ojca. To jedyna prawdziwa i wartościowa relacja, która mi została. Bo Kaśka, to Kaśka… Wiadomo.

— Zobaczysz, zrobię to, bez wahania. Dzwonię! — oznajmiła, wymachując mi przed twarzą telefonem.

— Nie! — krzyknęłam i wyrwałam jej go z ręki. — Nie możesz mi tego zrobić! Pójdę, pójdę na to pieprzone spotkanie!

Kaśka usiadła na skraju łóżka, poprawiła sukienkę i zarządziła:

— No... Wskakuj w kieckę... Nie, najpierw się umyj, wydepiluj nogi, nałóż odżywkę, maseczkę, podmaluj oko, a ja wpadnę za trzy godziny. Bądź gotowa.

„Nałóż maseczkę", powtórzyłam do siebie, zamykając za szantażystką drzwi. Nie lepiej byłoby powiedzieć, żebym schowała godność do kieszeni, nałożyła maskę, uzbroiła się w cierpliwość i odegrała przedstawienie?

Wygrzebałam z dna szafy moje jedyne trzy kiecki, rzuciłam je na łóżko i stwierdziłam, że żadna z nich nie kojarzy mi się najlepiej. Chociaż jedna rzecz łączyła mnie z przeciętnymi kobietami — nie miałam się w co ubrać. Wydałam z siebie odgłos rozpaczy i runęłam na rozłożone na łóżku sukienki.

Przeleżałam oczywiście za długo i wstałam oczywiście za późno, aby wykonać te wszystkie czynności z przepisu Kaśki na superseksi wygląd. Wzięłam więc szybki prysznic, umyłam włosy i, naciągając na siebie dżinsy, popędziłam do drzwi, żeby uspokoić nieposkromiony, okropny dźwięk dzwonka. Stojąc w progu w niedopiętych spodniach i sportowym biustonoszu, poczułam się odrobinę skrępowana. Spodziewałam się Kaśki, a nie podstarzałego, cynicznego właściciela mieszkania. Nie lubiłam go, bo był wredny, opryskliwy i zdzierał ze mnie co miesiąc horrendalną kwotę. Gdyby to on prezentował mi mieszkanie podczas spotkania w sprawie wynajmu, w życiu nie podpisałabym z nim umowy. Tymczasem jego siostra Łucja, poprzednia właścicielka, to była złota kobieta, nietuzinkowa osobowość, utalentowana artystka malarka, sympatyczna, ugodowa, pomocna i uczciwa. W dodatku z niebanalnym gustem, co wyraźnie mi imponowało. Bez jakichkolwiek obaw wynajęłam od niej mieszkanie, a potem wyremontowałam i urządziłam według swojej wizji. Łucja nie dość, że nie oponowała, to jeszcze wpadała niekiedy z ciastkiem pogadać o literaturze. Niestety, rok temu zmarła na zawał. Zapewne przez niezliczoną ilość papierosów, które wypalała w trakcie tworzenia kolejnych obrazów. Podejrzewałam ją też o częste popijanie, ale nie odważyłam się przyjąć tego do świadomości. Darzyłam ją zbyt wielką sympatią. Jej brata Zbigniewa utożsamiam natomiast z najgorszymi cechami i podejrzewam o niecne występki.

Nie ucieszyłam się więc na jego widok i wyłącznie z wymuszonej grzeczności wpuściłam go do środka.

— Trochę tu u pani nabałaganione — orzekł z odrazą, łypiąc z przedpokoju na wszystkie kąty.

Wzięłam głęboki oddech i zaczęłam uprzątać stolik w salonie.

— Ależ pan spostrzegawczy. No nic nie umknie pańskiej uwadze.

Zbigniew ciężkim krokiem przeniósł swoje ponad stu kilogramowe ciało do salonu. Usiadł na wyściełanej aksamitem sofie, przysiadając mi spasionym udem rękaw bluzki. Strzelił kośćmi w palcach u dłoni, po czym wykonał obrzydliwie maniaryczny gest, wskazując w stronę kuchni.

— Nie zaproponuje mi pani czegoś do picia? — zapytał zuchwale.

— Mam tylko czarną kawę — wysyczałam zęby.

— Poproszę z cukrem — oświadczył bez wahania.

„I może z odrobiną cyjanku", dopowiedziałam w myślach.

— Przecież powiedziałam, że mam tylko kawę.

— Ależ pani jest niesympatyczna. A ja tu do pani przychodzę z interesem, propozycją — uśmiechnął się i dolną wargą zwilżył wąsa.

Fuj! Ten odpychający facet obrzydzał mnie ponad miarę, a może nawet ponad skalę wszelkich skal miary obrzydzenia. Nie byłam w stanie patrzeć, jak pulchnymi jak serdelki palcami ściska miękkie obicie mojej sofy.

— Zatem do rzeczy, panie Zbigniewie — próbowałam go ponaglić.

— Widzi pani, pani Zofio, z racji trudnej sytuacji na rynku jestem zmuszony podnieść pani odstępne za wynajem o co najmniej pięćdziesiąt procent. Jeżeli nie przyjmie pani mojej propozycji, będę zmuszony wypowiedzieć umowę w trybie natychmiastowym.

Struchlałam. Dotychczas wydawało mi się, że na niczym mi już nie zależy, że gorzej być już nie może, a jednak. Od dawna tkwiłam w czarnej dziurze, stojąc na skraju emocjonalnej przepaści. Zbigniew pchnął mnie w tę przepaść. Odebrał mi mieszkanie, bo nawet ono nie było moje. Nie było, a i tak zainwestowałam w nie taką kwotę, jakbym miała zostać w nim do końca życia. Wymieniłam wszystko, począwszy od glazury w łazience przez gniazdka, podłogi, rury, a skończywszy na domofonie. Kaśka od początku mówiła mi, że to nierozsądne, a ojciec ostrzegał, abym nie dała się wykorzystać. Tymczasem Łucja obiecała mi nie tylko stały czynsz, lecz też możliwość wykupu po zaniżonej cenie. I zaczęłyśmy nawet sporządzać stosowne dokumenty, tyle że nie zdążyłyśmy, bo Łucja zmarła. No kto by przypuszczał, że pięćdziesięcioletnią kobietę o radosnym sercu wykończy zawał?

Cóż więc miałam powiedzieć, znów świat mi się walił. Nie dopilnowałam wszystkiego na czas i teraz Zbigniew wyrzuci mnie na zbity pysk, przywłaszczając sobie całość tego, co włożyłam w mieszkanie, czyli pieniędzy i serca. Jedynie tego brakowało mi do pełni katastrofy. Milczałam bezradnie, czekając, aż wyjdzie i będę mogła wybuchnąć płaczem. Absolutnie nie byłoby mnie teraz stać na taki czynsz, nie wspominając, że całkowicie mijałoby się to z celem. Wciąż jeszcze spłacam kredyt zaciągnięty na studia i remont, z niezmienną perspektywą na kolejnych kilka lat.

— Nic pani nie mówi, czyli rozumiem, pani Zofio, że w grę wchodzi jedynie druga opcja. Zatem ma pani miesiąc na spakowanie rzeczy i wyprowadzkę — stwierdził oschle.

— Jaki procent mojego wkładu w mieszkanie chce mi pan zwrócić? — zapytałam desperacko.

— Pani wkładu? — powtórzył i zaśmiał się. — Nie interesuje mnie pani wkład. Nie chcę go, urządzę to gniazdko po swojemu.

— Czyli rozumiem, że rury mam zabrać ze sobą?

— A niech pani bierze. Tylko proszę zamontować poprzednie. Siostra zapewne nie wynajęła mieszkania bez rur.

Miałam go dość. Efektownie wskazałam ręką w stronę wyjścia.

— Żegnam pana i pańską arogancję. Mam nadzieję, że nie do zobaczenia.

Zbigniew pokręcił żałośnie głową, musnął jeszcze pulchnym palcem moją nieskazitelną sofę i powoli, bez słowa udał się do przedpokoju. Tam oparł się o framugę i, stojąc do mnie plecami, dodał:

— Ma pani miesiąc, od dziś — rzucił, po czym trzasnął za sobą drzwiami.

Bez zastanowienia pognałam po torebkę. Miałam w niej cudowne pigułki uspokajające, które mąż Kaśki dał mi, gdy nie patrzyła. Zawahałam się chwilę, czy powinnam je łykać, mając w planach wieczór zakrapiany alkoholem. Ostatecznie uznałam jednak, że przecież i tak nie chce mi się żyć, czyli co za różnica. Połknęłam dwie pastylki szczęścia, usiadłam na środku przedpokoju i wpatrywałam się w każdy zakamarek tego pięknego mieszkania. Serce pękało mi z żalu i nie mogłam się doczekać, kiedy tabletki zaczną działać. W dodatku nieuchronnie zbliżała się godzina, na którą zapowiedziała się Kaśka, a naprawdę nie miałam ochoty rozmawiać z nią o wydarzeniach sprzed chwili.

LEJDISKI

Przyjaciółka stawiła się jak zwykle punktualnie. I jak zwykle zrugała mnie od progu.

— Miałaś być gotowa!

— Przecież jestem — stwierdziłam.

Zmierzyła mnie z góry do dołu i ostentacyjnie złapała się za głowę.

— Nie pójdziesz tak, przebieraj się — zarządziła.

— Nie mam zamiaru — zaoponowałam beznamiętnie.

— Ależ owszem, masz! — Wskazała palcem na telefon. — Mam wybrany numer! I nie zawaham się go użyć!

Nie pozostało mi nic innego, jak wskoczyć w małą czarną. Niechętnie wsunęłam też czarne botki na obcasach, na których w istocie nie umiałam chodzić, i dokonałam prezentacji.

— No piękna stylizacja. W sam raz na pogrzeb — skomentowała.

— Czyli pasuje. W końcu mam ogólną życiową żałobę.

Lokal, do którego zabrała mnie przyjaciółka, był niedaleko, niemniej jednak w butach na obcasach spacer ten był dla mnie prawie jak wyprawa na Mount Everest. Jeśli dotychczas miałabym wyznaczyć jakąś część ciała, która mnie nie bolała, byłyby to właśnie stopy. Po tej wyprawie dołączyły do zaszczytnego grona cierpiących. Przez całą drogę Kaśka poganiała mnie i krzyczała, że jesteśmy spóźnione, jakby miało to cokolwiek zmienić. W dodatku mentalnie dobijała mnie stukotem swoich markowych szpilek. Nie z zazdrości, a dlatego że ja ledwo kuśtykałam za nią w połowę niższych, tańszych i podobno wygodniejszych. Przez trzydzieści lat nie nauczyłam się chodzić na obcasach. Dobrze, że zażyłam te tabletki, bo na pewno nigdzie bym nie doszła.

— To tam — oznajmiła w końcu, wskazując żarzący się, kolorowy szyld zawieszony nad drzwiami w kolorze fuksji.

Niech będzie, bylebym usiadła, zanim moje łydki całkowicie zesztywnieją i spłoną. Zmieniłam zdanie, kiedy uchyliłyśmy drzwi.

— O matko! Co za kicz! Lejdiski nie mają gustu — wypaliłam.

Zdaje się, że nie byłam najmilsza. Kaśka nie skomentowała, skontrowała tylko pełnym politowania spojrzeniem, dając mi do zrozumienia, żebym nie zrzędziła, bo ratuje mi dupę. Zatargała mnie do białej „loży" na drugim końcu pomieszczenia, czyli do zaułka, z którego nie było ucieczki. Nie było też okna, w kierunku którego można by skierować oczy zmęczone udawaniem zainteresowania. A że nie było okna, to i nie było naturalnego światła. Jedynie sztuczne lampki obwieszone plastikową imitacją kryształków. Paskudztwo! Dokładnie tak wyobrażałam sobie to miejsce. Było nowoczesne, w stylu glamour, poza tym ciasne, jasne od sztucznego oświetlenia, kolorowe i książkowo celebryckie, a mówiąc dosadniej, sztuczne, pozbawione charakteru, duszy i stylu, takie przerysowane z katalogu i cukierkowo obrzydliwe. Nie uświadczysz tu intymnych zakątków, w których można się schować, nie ma w menu czystej whisky ani możliwości wyboru piwa. Za to jest długa lista kolorowych drinków o przedziwnych nazwach, które kłują w oczy z ogromnego kolorowego menu zawieszonego nad barem. Najbardziej zaintrygowały mnie Spokój, Katastrofa i Ex. Spokój, bo bardzo potrzebowałam go, aby wytrwać w tym miejscu jeszcze jakiś czas. Katastrofa jest akurat tak oczywista, że nie trzeba tłumaczyć. No i Ex, czyli jeden ze sprawców tej cholernej katastrofy. Przystanęłam w kącie i rozejrzałam się po klienteli. Kilkanaście przestylizowanych trzydziestek i drugie tyle takich samych studentek. À propos studentów na myśl nasunęła mi się popularna studencka maksyma dotycząca egzaminów. Troszkę ją przerobiłam i też wyszło mi cztery zet — zapić, zapić, jeszcze raz zapić, a potem zapomnieć, wszystko i o wszystkim. Zapomnieć o całym moim życiu i o tym cholernym spotkaniu.

Kaśka obcałowała powietrze wokół przypudrowanych policzków koleżanek, aby przypadkiem niechcący nie ubrudzić ich szminką. Ja w tym czasie przepchnęłam się do kąta plastikowego stołu i zajęłam miejsce na narożniku w formie pikowanego białego pufa wysadzanego kryształkami. Czy naprawdę te lejdiski nie mogły spotkać się w jakiejś normalnej knajpie, gdzie w spokoju można posadzić tyłek na wysiedzianej kanapie barowej bez obaw, że przyklei się do niego oczojebny kryształek? Albo chociaż w takiej, gdzie jest zwyczajne menu. Mam na myśli takie, w którym są drinki ze zwykłym, a nie dietetycznym sokiem, a na zagrychę orzeszki albo kanapka, a nie tak jak tu — sałatka czy granola.

Koleżanki… — no, jak zwał, tak zwał, niech będą koleżanki — niezbyt się mną zainteresowały. Na powitanie wzięły Kaśkę w krzyżowy ogień pytań o dzieci, pracę, najmodniejsze kiecki, świeżo doklejone rzęsy *et cetera*. Dzięki temu jakby o mnie zapomniały i było mi z tym bardzo dobrze. Oglądałam je w milczeniu, próbując zrozumieć, o czym mówią.

Na pierwszy strzał poszły sztuczne rzęsy. Sztuczne, bo żadna z dziewczyn nie wyglądała z nimi naturalnie. Co więcej, według mnie były one cholernie drogie i całkowicie zbędne. Śmiem wyrażać taką opinię, bo mam w tym temacie pewne doświadczenie. Wiem, że wydaje się to nieprawdopodobne, a jednak. Otóż nastał kiedyś w moim życiu taki dzień, w którym przegrałam z Kaśką pewien zakład i za karę musiałam zgodzić się na zabieg przedłużania rzęs. Nie obyło się bez sprzeczki, ale jako osoba honorowa nie mogłabym nie dotrzymać słowa.

Z wielkim oporem poddałam się temu zabiegowi, a kiedy po wszystkim spojrzałam w lustro, stwierdziłam, że wyglądam jak transwestyta. Podobno uraziłam kosmetyczkę i Kaśka zmuszała mnie do przeprosin. Nie uważałam, żebym miała za co przepraszać, więc nie przeprosiłam. Później było tylko gorzej. Oczy mi spuchły, były zaczerwienione, cholernie piekły i swędziały. Zanim dostałam się do lekarza, zdążyłam pozbyć się połowy tych sztucznych rzęs, włącznie z moimi. Zamiast stać się hollywoodzką pięknością, skończyłam z uczuleniem, zapaleniem spojówek i nagą powieką. Kaśka stwierdziła, że to karma za tego transwestytę. Kiedy jednak dopadło ją lekkie poczucie winy, jakby w ramach zadośćuczynienia sprawiła mi drogą odżywkę na porost tych trzech marnych włosków, które mi zostały. Jak się później okazało, to dopiero był zły pomysł. Faktycznie urosły mi rzęsy i to tak bujne, że nie mogąc znaleźć dla siebie miejsca, jedna z nich usadowiła się pod powieką. A to poskutkowało dalszym ciągiem niefortunnych zdarzeń. W tym momencie przerwę tę opowieść, bo jej dalsza część nie należy do najprzyjemniejszych chwil mojego życia. Mało więc powiedzieć, że uprzedziłam się do doklejanych włosków. Nigdy mi się nie podobały, a po tym doświadczeniu całkowicie znienawidziłam kobiece upiększacze i nie miałam absolutnie żadnego zamiaru cokolwiek z tym robić. Słuchając sobie o superdrogich kępkach z futer norek, lisów czy wiewiórek, nawet nie wgłębiałam się, jakie to cholernie pazerne i głupie, a jaki to dochodowy biznes. Szczególnie zaintrygowały mnie rzęsy z ptasich piór, które uznałam za totalny odjazd świata próżności. A skoro nikt ze mną nie rozmawiał, wymyśliłam sobie zabawę, w której nagrodą miał być kolejny drink. Polegała ona na odgadnięciu, jakie futerka lejdiski mają doklejone. Niestety, zanim zdążyłam się domyślić, dziewczyny wykrzyczały to głośno, jedna przez drugą.

Od tematu rzęs przeszły do fryzur. Wówczas zrobiło się niebezpiecznie, bo Kaśka postanowiła wprowadzić mnie do rozmowy.

— Zośka jest totalną wariatką! Wiecie, jakie ona miała włosy? Do pasa! I naturalne! Dzięki temu fajnie chwycił jej kolor. Zośka, opowiedz im — zwróciła się do mnie, ściągając na mnie wzrok wszystkich lejdisek.

— Co mam opowiedzieć? — wydukałam skrępowana.

— No jak ci ścięła te włosy! Jak je wycieniowała!

— Fryzjerka ścięła mi włosy i wycieniowała, co tu opowiadać? — ucięłam pytająco.

Jeszcze przez chwilę czułam na sobie wzrok wygłodniałych piranii, ale na szczęście któraś z nich rzuciła, że jej nowy podkład jest troszkę za ciemny, więc wzięła go ze sobą, bo na pewno którejś podpasuje. Wyciągnęła go z torby, postawiła na stole i po chwili krążył z rąk do rąk, skupiając uwagę lejdisek. Trochę to dziwne, że podkład stał się ciekawszy ode mnie, ale z drugiej strony, sama się prosiłam. Żeby więc nie było, że nie podjęłam żadnej próby, spróbowałam jeszcze zagaić na bliższe mi tematy.

— A co myślicie o nowej ustawie dotyczącej dofinansowania dla rodzin? — zaczęłam. — Ten temat dotyczy was wszystkich. Co sądzicie o poprawkach do ustawy?

Wydają się nie mniej kontrowersyjnie niż propozycja nowego prawa aborcyjnego.

Lejdiski nie podjęły jednak tematu, bo były zbyt zajęte rozsmarowywaniem na nadgarstkach nietuzinkowego koloru. Tylko Monika spróbowała zrzucić na Kaśkę obowiązek podjęcia tej rozmowy.

— Ty, Kaśka, pewnie wiesz na ten temat najwięcej, co nie? Chyba bierzesz od państwa na dwójkę, co?

Kaśka wytrzeszczyła oczy i zignorowała pytanie. Ja potraktowałam je jako przytyk i zapaliłam się, żeby stanąć w obronie przyjaciółki, lecz wyszeptała mi do ucha, że nie warto, bo Monika jest manipulantką. Jakby to ująć, dla mnie wszystkie lejdiski były potencjalnymi manipulantkami.

Po chwili Kaśka została wciągnięta w rozmowę o maskach do włosów, a ja — całkowicie zlekceważona. Patrzyłam na ten teatrzyk lalek, próbując jak najprędzej się upić, byle nie za bardzo, aby nie osądziły, że mam problem z alkoholem. Nie żebym przejmowała się ich zdaniem, po prostu nie chciałam przynieść Kaśce większego wstydu. Pompatycznie dokończyłam Katastrofę. Został mi do zaliczenia jeszcze Ex. I może dobrze, bo zaczynałam czuć się niebezpiecznie przyjemnie. Magiczne tabletki uspokajające zapite drinkiem zdziałały cuda. Przy Exie całkowicie mnie wyłączyły i przeniosły mój umysł w alternatywny świat, w którym miałam znowu dwadzieścia lat i planowałam życie od nowa. Siedziałam na kamiennym białym balkonie włoskiej willi. Wędrowałam wzrokiem po falach błękitnego morza, po spiczastych, soczyście zielonych cyprysach, po kobietach w kapeluszach z ogromnym rondem przytrzymujących targane przez wiatr sukienki. Dookoła mnie wił się bluszcz pełen małych romantycznych kwiatów, a przy mojej kawie przysiadł kolorowy motyl. Ot taka chwila romantycznego odprężenia wyrwana spośród gwarnego tłumu.

Tak mi było przyjemnie, że Kaśka, aby wybudzić mnie z amoku, chyba ze wszystkich sił szarpała mnie za rękę.

— Natka zaraz przyjdzie! Słyszysz? Natka przyjdzie!

— Co Natka? Jaka Natka? Natka sratka, makatka, kratka, serwatka...

— Zośka, co z tobą? Martwisz mnie. Za dużo wypiłaś? Przecież sączysz jeszcze Exa! Może to wina wyczerpania organizmu?

Błądziłam po niej mętnym wzrokiem, przysięgając sobie, że za cholerę nie przyznam się do zeżarcia jakichś tajemniczych piguł.

— Zośka? Zośka Sokolnicka? — usłyszałam znajomy, piskliwy głos.

Podniosłam wzrok i ogarnęło mnie przedziwne uczucie. Przeczucie podpowiadało mi, że skądś znam tę wysoką, wychudzoną blondynkę z ogromnym uśmiechem wymalowanym na równie ogromnych, modnych ostatnio ustach. Wyglądała trochę jak Natalia Kornickiewicz, ale ona się tak nie ubierała. Nie ubierała! Cholera jasna! Ale może teraz się ubiera! Niestety. To była ona. W stu procentach ona. Wciśnięta w zamszowe, szare muszkieterki, beżową obcisłą sukienkę z ogromnym dekoltem odsłaniającym wielkie, przypominające piłki piersi. Jasne ubrania wcale nie tuszowały przeraźliwie szczupłej sylwetki. Tylko jej mi brakowało. Nienawidziłam tego chudego tyłka, który tyle mi w życiu namieszał.

Namieszał to mało powiedziane, ona uprzykrzyła mi nastoletnie życie. Udawała moją przyjaciółkę, a za plecami ukradła mi ukochanego chłopaka! A ja nie byłam w liceum tak odważna jak dzisiaj. Miałam co prawda mniej lat, ale za to trochę więcej kilogramów i pryszczy. Od pierwszej klasy liceum byłyśmy z Natką jak papużki nierozłączki. Zwierzałyśmy się sobie ze wszystkiego i razem przeżywałyśmy każde nowe doświadczenie. Wiadomo, jak to nastolatki. Całym sensem mojego życia był w owym czasie Krystian, szef szkolnych łobuzów. A że ja łobuziarą nie byłam, to też nie było mi po drodze do jego serca. Nie potrafiłam zwyczajnie go zagadać, obmyślałam więc setki scenariuszy, aranżowałam spotkania, przygotowywałam tematy rozmów. A kiedy przyszło co do czego, nie potrafiłam wystarczająco zadziornie i intrygująco poprowadzić rozmowy. Spinałam się i paliłam papierosa za papierosem, licząc, że chociaż tym mu zaimponuję. Pewnie wspominałam już, że nigdy nie paliłam? Nadal tak myślę, bo tak naprawdę paleniem nie można było tego nazwać. Naturalnie Krystek wyczuł moje spięcie, lecz mimo to chyba polubił mnie za te starania, bo w końcu się ze mną umówił. Nie żeby tak oficjalnie, zaprosił mnie po prostu na imprezę. I coś się tam nawet poprzytulaliśmy i mnie wydawało się, że złowiłam przyszłego męża. Nic bardziej mylnego. Już następnego dnia przykleiła się do niego Nacia. No i tak z nim została aż do końca liceum. Jakby mi było mało upokorzeń, obnosiła się swą zdobyczą. Do końca życia nie zapomnę, jak się z nim mizdrzyła w każdym kącie szkolnego korytarza. Na domiar złego przed Krystianem udawała moją przyjaciółkę, a kiedy przestałam się do niej odzywać, obarczyła mnie winą za rozpad przyjaźni. Do dzisiaj nie rozumiem, dlaczego tak uprzykrzała mi życie. Pewnie teraz nie powinno mnie to ruszać, a jednak ruszało. Może jestem pamiętliwa, lecz uważam, że takich nastoletnich występków się nie zapomina. Nigdy! A tak swoją drogą, to ta właśnie Natka była dla mnie inspiracją, gdy wchodziłam kiedyś do Czerwonej Koronki. Dlatego też, gdy przy barze poznałam kolejną Nacię, jakoś mnie to nie zdziwiło, z całym szacunkiem dla wszystkich posiadaczek tego ładnego imienia. Pomyślałam wówczas jednak, że to pewnie imienna klątwa, bo i Kornickiewicz ćwiczyła kiedyś pool dance. A później wyrwała się do Anglii, gdzie złapała na ten chudy tyłek jakiegoś majętnego Anglika, który zafundował jej dwie nowe piłki i kolejną wątpliwą przyjemność w postaci napuchniętych ust. W oczach lejdisek Natka była jednak kimś. Miała bogatego męża, mieszkała w pałacu, jeździła jaguarem i stać ją było na ubrania najlepszych marek. Natychmiast obrzuciły ją milionem pytań o ciuchy, które przywiozła im tym razem. Najwyraźniej Nacia żyła w takim przepychu, że mogła rozdawać szmaty warte tysiące. Tego dnia okazała się nie tyle zmanierowaną, wyuzdaną modliszką, co przede wszystkim moją traumą z przeszłości, moim gwoździem do trumny.

— Ale się zmieniłaś — rzuciła do mnie, nie ściągając uśmiechu ze spuchniętych ust.

— Och, Nateczko, na pewno mniej niż ty! — zripostowałam z radością. No właśnie, z radością. Nacia o dziwo wprawiła mnie w dobry humor. Tabletki też już robiły swoje i cała ta mieszanka pozwoliła mi na nieskrępowane wyrażanie opinii

— Siadaj, proszę. — Odsunęłam się, robiąc jej miejsce. Ona jednak wybrała inne, pomiędzy lejdiskami, dokładnie na wprost mnie. I byłoby całkiem spokojnie, gdyby nie wlepiła we mnie natrętnego spojrzenia zdradzającego jej niepochlebne myśli. Ja zaś nie byłabym sobą, gdybym ją zignorowała. Zawzięcie odpierałam te wzrokowe ataki i tak od spojrzenia do spojrzenia powoli głowa mi nabrzmiewała jak balon. Dopiłam Exa i miałam zabierać się po kolejnego drinka, kiedy uniosła pogardliwie brwi i obdarzyła mnie szyderczym uśmiechem.

— Słyszałam, że się przekwalifikowałaś? Czym się zajmujesz? — rzuciła głośno i ceremonialnie.

Lejdiski przycichły, aby nie przeszkadzać swojej „szefowej" i wbiły we mnie przeszywające spojrzenia.

— Tak, rzuciłam poprzednią pracę — oznajmiłam dumnie. — Za bardzo mnie ograniczała. Teraz jestem prywatnym detektywem. — Kaśka zakrztusiła się z wrażenia i kopnęła mnie w stopę. Z tym że ja absolutnie nie miałam zamiaru odpuszczać. — Wychodzę na tym o niebo lepiej i mogę zarządzać swoim czasem — kontynuowałam. — A ty co osiągnęłaś zawodowo? — Przyznaję, że usiłowałam dopierniczyć jej z wielką pompą. Tyle, że Natka nie miała ochoty zbierać ode mnie batów.

— Jestem prezesem kilku firm: informatycznej, konsultingowej, deweloperskiej i PR-owskiej. Mamy siedziby w całej Anglii, więc zarządzam łącznie ponad dwoma tysiącami pracowników.

— Ooo, PR-owskiej! Widzę, że wstrzeliłaś się idealnie w swój klimat, znasz się na tym jak nikt inny! Wspaniale, że tak się tam rozwinęłaś. Pewnie ukończyłaś

Oxford, skoro stworzyłaś tak potężny biznes. Pamiętam, że jeszcze nie tak dawno kręciłaś się na rurze, a tu proszę.

— Nie ukończyłam żadnej uczelni, jestem po prostu nieprzeciętnie inteligentna. Poza tym po co robić studia, skoro można od razu zarabiać pieniądze.

Do cholery! Robić to można na drutach.

— A to studia kończy się tylko dla pieniędzy? A nie dla rozwoju intelektualnego i osobowościowego?

— Jestem wystarczająco rozwinięta intelektualnie i mam silną osobowość, nie potrzebuję studiów. De facto gardzę biedakami po humanistycznych kierunkach, to takie żałosne. A jak się zarobi pieniądze, to można się rozwijać na wiele sposobów.

Tym wywodem Natka tak obficie podpaliła mi emocjonalny lont, że aż podskakiwałam na pufie, nie martwiąc się już, czy przypadkiem nie przykleił mi się do tyłka któryś z tych kiczowatych kryształków. Udawałam, że się uśmiecham, ale w myślach obrzucałam ją najgorszymi obelgami. Miałam dziką ochotę przebić pazurami jej napompowane balony, a ponieważ mój lont nieustannie się palił, ta myśl przejęła nade mną kontrolę i wypsnęło mi się kilka niepotrzebnych uwag.

— No tak, nie da się ukryć, że się rozwinęłaś, szczególnie na klatce piersiowej.

Kaśka zrobiła kwaśną minę i nadepnęła mnie szpilą od kozaczków, próbując wyhamować tę dyskusję. Ale co tam kozaczek Kaśki, kiedy ja płonęłam ochotą pozbawienia Natusi wszystkich sztuczności.

— Jesteś hipokrytką. Na pewno też byś sobie zrobiła, jakbyś miała kasę — odgryzła się głośno i wyraźnie.

— Taaa, jaaasne, na pewno. I na pewno też nie będzie mnie stać, bo nie jestem łatwą zdzirą lecącą na kasę starych dziadów — wyrzuciłam z siebie jednym tchem. Wybuchłam bez poczucia winy. W końcu sama podpaliła lont. Naprawdę nie powinna mnie winić. Lejdiski zamurowało. Wyłupiły na mnie te swoje wielkie, rzęsiste oczy i… po chwili się zaczęło. Krzyczały na mnie jedna przez drugą, że jestem głupia, pusta, że nie mam prawa oceniać Natalki, że mogłabym jej buty czyścić, choć w zasadzie to nawet jej do pięt nie dorastam i takie tam inne farmazony. Biedna Kaśka próbowała mnie jeszcze jakoś bronić, ale bez wsparcia — poległa. Ja w pewnym momencie całkowicie wyłączyłam słuch na te ameby umysłowe i maksymalnie skupiłam się na rywalce. Wbiłam w nią diabelski wzrok i krzyknęłam tak głośno, że przekrzyczałam lejdiski:

— Mało ci, cholerna flądro? Męża też komuś odbiłaś?

— Odbiłabym też tobie, ale sam od ciebie uciekł! A sorry, on nawet nie był mężem. A Krystka ci nie odbiłam! On cię w ogóle nie chciał! Nabijał się z ciebie i całował się z tobą, żeby później z ciebie zakpić. Nie wiesz nawet, jaki mieliśmy z tego ubaw.

Wybuchłam ponownie. Rozwścieczona łupnęłam w stół i wyskoczyłam ze swojego kącika, trącając obcasem szklanki po drinkach.

— Mało ci? Ty pieprzona zdziro! — wydzierałam się, próbując przedrzeć się przez hamujące mnie lejdiski.

— Dostaniesz nauczkę! — wrzeszczałam, aż w końcu przebiłam się między stertą pufów, pochwyciłam ją za sukienkę i bez problemów podniosłam z krzesła. Przyciągnęłam jej twarz do swojej i wykrzyczałam:

— Zaraz rozwalę ci ten pieprzony plastik!

Lejdiski rzuciły się na mnie z ogromnym wrzaskiem i wszelkimi sposobami próbowały mnie od niej odciągnąć. Monika ciągnęła mnie za biodra, Marta za ręce i sukienkę, któraś za włosy, a kolejne dwie za nogi. A ja, starając się im wyszarpnąć, targałam Natkę za wszystko, czego zdołałam dosięgnąć. Głównie za dekolt od sukienki. W końcu Kaśka wepchnęła się pomiędzy nie i też próbowała mnie uspokoić.

— Przestań, puść ją, narobisz nam problemów! — wrzeszczała. — Puść ją! Bo jeszcze cię zamkną! Zośka!

— Dzwonię na policję — krzyczała jedna z lejdisek.

W knajpie zrobiło się zamieszanie, podbiegły do nas barmanki, a reszta kobiet patrzyła z zaciekawieniem. Trzęsłam się z nerwów, ściskając fragment dekoltu tej przebrzydle drogiej kiecki i absolutnie nie miałam zamiaru go puścić. Kaśka nieprzerwanie krzyczała mi prosto do ucha:

— Zośka, puść ją! Naprawdę cię zamkną!

— To będę miała gdzie mieszkać, bo już nie mam mieszkania! — odszczeknęłam się w ferworze.

Kaśka jakby nie zrozumiała i dalej próbowała mnie uspokoić.

— Zośka! Dostaniesz wyrok! — ostrzegała. Tylko że na mnie nie robiło to naprawdę żadnego wrażenia. Byłam totalnie nabuzowana, pozbawiona świadomości i zdesperowana. Straciłam wszystko oprócz godności, musiałam więc o nią walczyć!

— Dzwonię do twojego ojca! — oznajmiła stanowczo, przykładając do ucha telefon.

Przez to ostatecznie nie przywaliłam Natce sierpowego, a już się zamachnęłam. Przyjaciółka wytargała mnie z tego kotła, zerwała płaszcze z wieszaka i wręcz wypchnęła mnie z lokalu przy akompaniamencie dobiegających zza naszych pleców krzyków lejdisek. I znowu mnie poganiała.

— Szybciej, zanim przyjedzie policja.

— Super! Stęskniłam się!

Przyjaciółka była na mnie wściekła. Rozgoryczona kręciła głową i unikała mojego spojrzenia.

— Strasznie mnie wkurzyłaś — powtarzała pod nosem. — Idziemy do ciebie — oznajmiła, prawie biegnąc w stronę rynku i ciągnąc mnie za rękaw. Naprawdę obawiała się interwencji patrolu.

— Nie do mnie, a do Zbigniewa — poprawiłam ją.

— Jakiego Zbigniewa? Co ty gadasz?

— Prawdę. Mieszkanie jest Zbigniewa — wybełkotałam.

Kaśka machnęła bezradnie ręką.

— Kurde, upiłaś się jak bela. Przecież on ci je wynajmuje.

— Jeszcze przez miesiąc.

— Jak to? — łypnęła na mnie podejrzliwie.

— Był u mnie, zanim przyszłaś. Wyrzucił mnie. — Kaśka dojrzała, że w moich oczach zbierają się łzy. Zatrzymała się i złapała mnie za ręce.

— Nienawidzę tej suki! Zabrała mi Krystka — wyjąkałam, ściskając powieki, spod których znów popłynęły strumienie.

Stałyśmy pośrodku rynku. Przyjaciółka objęła mnie i mocno przycisnęła do siebie. Skupiłam wzrok na jednej z knajpek za jej plecami i, łykając gorzkie łzy, wykrztusiłam jeszcze:

— Tam mi powiedział...

Kaśka obejrzała się i zarządziła odwrót. Odprowadziła mnie do mieszkania i zostawiła skuloną pod kocem. Chciała ze mną zostać, z tym że ja nie życzyłam sobie towarzystwa. Przepłakałam całą noc, a nad ranem wreszcie zasnęłam.

WENA

Nazajutrz wstałam z moralnym kacem. Nie ze względu na Natkę, bo ona na zawsze pozostanie dla mnie nikim, a z uwagi na Kaśkę. Nie zamierzałam przynieść jej wstydu przed koleżankami. Nie lubiłam lejdisek, ale ona owszem, więc powinnam to uszanować. Odchrząknęłam i złapałam za telefon. Miałam zamiar zadzwonić, ale wysłałam jej tylko SMS, w którym się pokajałam. Zwlokłam się z łóżka i z trudem przeszłam do kuchni. Czułam się przesadnie osłabiona i coś mi podpowiadało, że nie przez wczorajszy alkohol, a z niedożywienia. Zrobiłam sobie mocną herbatę i wzięłam prysznic. Gdy wyszłam rozgrzana kąpielą z łazienki, ze zdwojoną siłą uderzył we mnie chłód, który przedtem był tylko przyjemnym orzeźwieniem dla ciężkiej głowy. Było to dość dziwne, zważywszy, że w Internecie już w zeszłym miesiącu oficjalnie rozpoczęto sezon na ciepły koc i ciastka korzenne maczane w herbacie z imbirem. Grzejnik w zbigniewowym salonie był jednak zimny jak lód, pomimo że ustawiłam go na najwyższą temperaturę. Wściekłam się, że to efekt zamierzonego działania Zbigniewa, a nie miałam ochoty się z nim kłócić. Wskoczyłam w dwa dresy i trzy pary skarpetek i ręce ogrzałam kubkiem gorącym od napoju. Pomyślałam nawet o jakimś śniadaniu, z tym że na myśleniu się skończyło. Dopiłam herbatę i poprawiłam szklaneczką whisky, która ululała mnie i zasnęłam jak dziecko.

Późnym wieczorem obudził mnie SMS od Jacoba, który przyszedł kilka sekund po dziesiątej wiadomości od Kaśki panikującej, że jej nie odpisuję. Ewidentnie nie czuła się dobrze z faktem, że dzień wcześniej zostawiła mnie samą w tak złym stanie. Odpisałam jej więc w pierwszej kolejności, a później odczytałam resztę wiadomości.

„Ciao bella, co u ciebie? — pisał Jacob. — Głęboko wierzę w to, że wszystko dobrze. Julka nabiera sił, nawet trochę przytyła. Terapia przebiega pomyślnie i lekarz daje nam nadzieję, że za niedługo wrócimy do Polski. Wpadniesz do nas?"

Gapiłam się w te słowa z totalną pustką w głowie. Nie potrafiłam podjąć decyzji o spotkaniu, bo wszystkie znaki na niebie i ziemi podpowiadały mi, że będzie to dla mnie zbyt bolesne. Jak podejrzewacie, nie wykombinowałam niczego satysfakcjonującego i odłożyłam ten problem na później. W zamian zabrałam się za czytanie biografii polskich pisarzy. Lubiłam je, bo wśród przeróżnych życiorysów odnajdywałam zawsze jakąś cząstkę siebie. Rozbudziłam wyobraźnię tak mocno, że zaczęłam znów pisać wiersze.

I tak minęło mi kilka kolejnych dni. Całkowicie oderwałam się od rzeczywistości, spałam, jadłam to co podrzucała mi Kaśka, czytałam i pisałam. I tak w kółko aż do kolejnej środy, kiedy zadzwonił Jacob. Od tygodnia unikałam jego telefonów, nie odbierałam, nie oddzwaniałam. Nie potrafiłam podjąć decyzji o spotkaniu, no i wciąż nie powiedziałam mu o zwolnieniu z pracy. Nie kwapiłam się obarczać go swoimi problemami, ponieważ naprawdę bałam się, że będzie próbował mi pomóc. A ja absolutnie nie potrzebowałam już niczyjej pomocy. Na samą myśl, że miałabym się znowu komuś tłumaczyć i udawać, że akceptuję pocieszenie, robiło mi się niedobrze. Wolałam sama radzić sobie ze swoimi problemami, a i tak miałam na głowie Kaśkę.

W końcu ze ściśniętym gardłem odebrałam telefon. Głos Jacoba brzmiał bardzo radośnie, zdawał się być spokojny i szczęśliwy.

— *Ciao bella! Come stai? Siamo su consultazione… Scusa, scusa*, Zosia… wybacz, zagalopowałem się. Jak się masz? Jesteśmy teraz na konsultacji u doktora Harszcza. Jutro wracamy do Krakowa. Zapraszam cię do nas na piątek. Mamy ci tyle do opowiedzenia. Przez ostatni tydzień sporo się działo. Julka ma bardzo dobre wyniki i coraz lepiej się czuje. Jestem taki szczęśliwy. Przepraszam, rozgadałem się… Co u ciebie?

U mnie? Dobre pytanie.

— Nic nowego — odpowiedziałam.

— A jak sprawa? Opowiadaj.

— Opowiem wam w piątek — ucięłam krótko.

Tymczasem Jacob ani myślał odpuszczać. Maglował mnie dalej.

— Ależ proszę, zdradź cokolwiek. Francuziki dostali kolejne zarzuty? Kiedy rozprawa?

— Nic mi o tym nie wiadomo. Ostatnio niewiele mi mówią — wystękałam smętnie. — Powinniście dostać wezwanie na styczeń.

— To to dostaliśmy. Mniejsza o to. Mów co u ciebie, kochana.

— Jacob pogadamy w piątek — bąknęłam.

— OK. Będziemy mieli o czym rozmawiać, bo mam informacje o Maksie.

Zagotowało mi się w brzuchu i zabrakło tchu.

— Jak to? Dzwonił do ciebie?

— Nie, nie dzwonił, to dość skomplikowane. Opowiem ci w piątek.

— Nie chcę o nim słuchać — odpowiedziałam stanowczo.

— Zośka... *Mi sorprendi...* Zaskakujesz mnie. — Zamilkł na chwilę. — Co ty opowiadasz?

— Nie chcę o nim słuchać ani nie chcę go znać. Zostawił mnie!

— *Di cosa stai parlando!* O czym ty mówisz?

— Taka prawda — przerwałam mu. — Zostawił mnie. Ma mnie gdzieś, więc nie chcę go znać!

— Nie mów tak!

— Dobra, nieważne. Jacob, pogadamy, jak się spotkamy.

— OK, dobrze. Widzę, że mamy sporo do nadrobienia...

No to zabłysnęłam. Wyszło, jakim jestem gburem. Co gorsza, zamiast się uspokoić, mega się nabuzowałam.

Odłożyłam telefon, dolałam sobie whisky i poszłam testować najnowszą dostawę kosmetyków od Kaśki.

Otworzyłam kosmetyczkę, a pośrodku uśmiechnęło się do mnie różowe pudełeczko z plastrami do depilacji. Jak to mówią, najfajniejszy jest pierwszy raz. Ten jednak nie był. Zwątpiłam po dwóch pociągnięciach plastra, uznając karanie samej siebie za idiotyczny pomysł. Z wydepilowanym w połowie bikini wróciłam do łóżka. Pewnie w innych okolicznościach nigdy bym sobie na to nie pozwoliła, z tym że teraz i tak nikt nie będzie mnie oglądał.

Tym sposobem znów znalazłam się w najbezpieczniejszym miejscu na świecie. Kocham spać i to ponad miarę, choć niekiedy mnie to przeraża. Mówi się, że sny są odbiciem ludzkiej duszy. Są zatem uwolnione z kajdan świadomości, mogą swobodnie hasać w umyśle, a mój mocno odreagowywał w trakcie snu. Najczęściej męczyły mnie chimery niefortunnie posklejane z urywków różnych oderwanych od siebie wspomnień. Zdarzały się też koszmary, w których przenosiłam się w czasie, wracając do punktu, gdy Maks zostawił mnie w mieszkaniu wuja. Najbardziej zaś lubiłam te senne marzenia, w których byłam znów zwyczajnie szczęśliwa. Najczęściej stan euforii trwał jeszcze chwilę po przebudzeniu, co pomagało mi podnieść się z łóżka. Jak wiecie, te sny były też mocno okupione cierpieniem, bo rzeczywistość prędko atakuje i to ze zdwojoną siłą.

Nim zasnęłam, zapisałam kilka słów w notatniku na wiersze. „Wypłowiałam, pozostałam plamą rozrzedzonej wody".

W ciągu kilku kolejnych dni Kaśka uparcie próbowała zrobić ze mnie prawdziwą kobietę. Tak jakby czegoś mi brakowało… Dręczona wizją spotkania z Julką i Jacobem dałam się przekonać, że warto doprowadzić się chociaż do jako takiego stanu. W końcu Jacob zasugerował, że ma z Maksem jakiś kontakt, a bardzo nie chciałam, aby przekazał mu, że źle wyglądam. Jeszcze w środę wieczorem przyjaciółka przytargała do mnie torbę jedzenia i całkiem nową trzydziestodwucalową plazmę. Co do tego byłam najmniej przekonana, zatem Kaśka znów zachęciła mnie wybranym numerem do taty. Potem przegrzebała całe zbigniewowe mieszkanie w poszukiwaniu jakiegokolwiek stolika, na którym mogłaby ten telewizor ustawić. Koniec końców spoczął na stercie książek, dokładnie na wprost sofy. Bez problemu podłączyła kable — tak, wiem, potrafi wszystko, jak to prawdziwa matka Polka — i z ogromną radością prezentowała mi kolejne kanały. Zrobiła nawet listę programów jej zdaniem niezbędnych mojej psychice. Wypisała stacje i godziny emisji, po czym zagroziła, że przepyta mnie dokładnie ze wszystkich. Wyjątkowo szybko się ze mną pożegnała, bo rozchorował się jej syn, a na jutro zapowiedzieli się teściowie.

Dopiero co zostałam sama i wlałam do kielicha czerwony trunek, gdy zadzwonił tato. Przybrałam rozweselony ton głosu i starałam się zapewnić go, że wszystko u mnie jak najlepiej. Zdecydowanie mi nie poszło.

— Córciu, mimo wszystko jestem zaniepokojony — wyznał z rozżaleniem w głosie. — Czy ty mnie przypadkiem nie okłamujesz?

— Tato, proszę cię! Jak możesz tak mówić! Wszystko u mnie jak najlepiej. — Aż mnie serce zakłuło od tego kłamstwa.

— Córciu, ja cię znam. Wiem, że na pewno bardzo przeżywasz tego chłopaka. A jeszcze ta sprawa w sądzie i ta cała żałosna dyscyplinarka. Starego nie okłamiesz. Ja wiem, że jesteś twarda tak jak twoja matka. Jesteś też jednak emocjonalnie krucha po mnie. Genom nie zaprzeczysz.

Dlaczego, do cholery, nie jestem taka mądra jak mój ojciec? Aż mi się łezka w oku zakręciła. Nie miałam najmniejszej ochoty go okłamywać, przy czym nie potrafiłam się bez tego obejść.

— Tato… Faktycznie nie jestem z kamienia, ale radzę sobie. Nie zaprzątaj sobie mną głowy. Powiedz lepiej, jak twoje badania? — tak w swoim odczuciu zbiłam go z tropu i prędko doprowadziłam do zakończenia rozmowy.

Aby uśmierzyć poczucie winy, łyknęłam wina i włączyłam telewizor. Kaśkowa lista programów uśmiechnęła się do mnie szyderczo. Nie bardzo wiedziałam, czego mogę się po nich spodziewać. Wyidealizowany, nadęty i pusty świat telewizji zawsze wydawał mi się niegodny mojej uwagi. Kliknęłam pierwszy program z listy, akurat się zaczynał. Prędko wywnioskowałam, że nie będzie to nic mądrego i pstryknęłam dalej. Trafiłam na program o równie ambitnej treści co poprzedni, znowu pstryknęłam. Był to już ostatni program, który nadawano o tej porze. W życiu bym nie zgadła, że Kaśka ma tak niewysublimowane poczucie humoru, żeby zmuszać mnie do oglądania rezydencji gwiazd. Jeśli naprawdę ten program miał mnie podbudować, to z którąś z nas coś jest nie tak. Wróciłam do pierwszego kanału, z myślą, jakie to przykre, że chcąc obejrzeć w telewizji coś w miarę mądrego częściej niż raz w tygodniu, trzeba wykupić drogi pakiet dodatkowych kanałów. Pogapiłam się przez chwilę na lalki w stylu Naci, wysłuchałam ich niezwykłych życiowych problemów i odpuściłam. Z telewizji bije przerażająca próżność, pazerność, pustka i głupota. Ale cóż zrobić, nie mój problem. A może właśnie to Kaśka chciała mi uzmysłowić? Że są większe problemy niż moje. Ciekawy sposób. Lepiej byłoby spisać mi listę programów o Rwandzie albo Eswatini, ale przecież mam tylko podstawowy pakiet kanałów. Zrozumiałam przekaz. Program na szczęście się skończył i ku mojemu zadowoleniu, na ekranie wyświetlił się całkiem przystojny i miły kucharz. Czyli jednak czasem coś sensownego w tej telewizji puszczają. À propos sensowności, nie jadłam jeszcze niczego sensownego, prędko przypomniałam więc sobie, że mam coś takiego jak żołądek. Zwlokłam się z kanapy i zrobiłam szybki przegląd produktów. Nie było ich zbyt wiele, ale rodziły nadzieję, że uda się z nich coś wyczarować. Z zapałem zabrałam się za pieczenie kurczaka i obieranie marchewek. Do tego naszła mnie wena i co chwila odrywałam się od gotowania. Napisałam dwa wiersze i upiekłam podsuszonego, ciemnoskórego kurczaka z rozgotowanym ryżem i musem marchewkowym, a właściwie marchewkową papką. Aby dodać odrobinę ekstrawagancji i elegancji temu posiłkowi, popiłam kolację sporą lampką czerwonego wina. A później jeszcze drugą i trzecią, zapisując przy tym kolejne kartki notesu z wierszami. Wpadłam w trans i w natchnieniu tworzyłam do upadłego.

INTERWENCJA

Nazajutrz, jak już nieraz, obudził mnie dzwonek do drzwi.

Wkurzyłam się, że ktoś nie pozwala mi dośnić. „Nie wstaję, ktokolwiek to jest. Niech spada", zadecydowałam, przewracając się na drugi bok. Ktoś za drzwiami nie zamierzał jednak odpuścić i wytrwale drażnił mnie tym obrzydliwym dźwiękiem. Ja również szłam w zaparte, naciągnęłam na głowę koc i udawałam, że nie słyszę. Po jakimś czasie dźwięk zamilkł, a ja dumna z wygranej wystawiłam nos na zewnątrz. Po minucie rozdzwonił się telefon, który położyłam wcześniej tuż przy twarzy. Dzwonił tato.

— Cześć, tato. Co się stało, że dzwonisz tak wcześnie? — zapytałam przyjemnym głosem.

— Ty mi powiedz, córeczko?

— Nie rozumiem — udałam zdziwienie.

— Stoję przed twoimi drzwiami. Wiem, że jesteś w domu. Otwórz, proszę.

O matko kochana, ten upierdliwiec od dzwonka to mój własny ojciec! Zerwałam się, aby mu otworzyć.

— Ależ mnie zaskoczyłeś! Nie spodziewałam się. Nie poszłam dzisiaj do pracy, bo kiepsko się czuję. Bierze mnie przeziębienie, czy coś. Wiesz, drapanie w gardle, katar, ból głowy.

Tato odłożył podróżną torbę, usiadł na niej i powiedział:

— Nie kłam, dziecko. Nie musisz przede mną udawać. Nikt nie zna cię lepiej niż ja. A ja wszystko wiem.

— Powiedzieli ci — zająknęłam się. — Piotrowicz ci powiedział?

— Nikt mi nic nie powiedział. Znam cię i domyśliłem się.

Zdjął płaszcz i odwiesił go, a ja podałam mu kapcie dla gości i wbiegłam przed nim do salonu, aby choć trochę ogarnąć bałagan. W mieszkaniu nadal unosił się swąd przypalonego mięsa. Pozbierałam brudne naczynia i zaczęłam wynosić je do zabałaganionej kuchni. Poszedł tam za mną, przystanął przy blacie, rozejrzał się, westchnął i bez słowa zaczął myć naczynia.

— Co robisz, tato! Zostaw, proszę, ja posprzątam! — Wyrywałam mu z ręki gąbkę.

Złapał za leżącą przy zlewie ściereczkę i dalej niewzruszenie szorował szklanki.

— Pozwól sobie pomóc — powiedział spokojnie.

Milczałam zażenowana i zawstydzona. Nie ma się co oszukiwać, unikałam go, nie tylko dlatego, że nie chciałam go martwić. Mówiąc szczerze, ciężko było mi pokonać dumę i przyznać się do porażki, przede wszystkim przed sobą. Zawsze uważałam, że obciążanie bliskich problemami jest nieodpowiedzialne. Na samą myśl, że tato mógłby zadręczać się z mojego powodu, dopadały mnie obrzydliwe wyrzuty sumienia. Poza tym nie było powodu, aby go martwić. Co z tego, że stałam na krawędzi przepaści, a moja własna psychika pchała mnie w otchłań?

Tato też zamilkł i bez słowa sprzątaliśmy mieszkanie. Później zaparzyłam kawę i usiedliśmy na sofie. Wskazał na telewizor ustawiony na stercie książek.

— Cóż za kreatywność.

Spojrzeliśmy na siebie z uśmiechem. Złapał mnie za dłoń.

— Zamieniam się w słuch.

Jego zatroskane oczy dały mi do zrozumienia, że to koniec wykrętów. Głaskał mnie po dłoni i cierpliwie czekał. Krępowałam się, jakbym miała się przyznać do jedynki z matematyki. Schyliłam głowę, skupiłam wzrok gdzieś w próżni i zaczęłam:

— Od dawna nosiłam się z zamiarem, żeby ci powiedzieć. Przepraszam. Nie potrafiłam...

Daruję sobie rozwijanie tej sceny. Wszystko, z czego zwierzyłam się ojcu, zostało opisane wcześniej. Kiedy wyrzuciłam z siebie, co mi leżało na sercu, tato ścisnął mocniej moją dłoń. Po policzkach spłynęły mi pierwsze łzy.

— Świat mi się zawalił i nie umiem żyć — wykrztusiłam z trudem i całkowicie zalałam się łzami.

Ojciec objął mnie i mocno przytulił. Delikatnie oparł mnie o poduszki i zaczął głaskać po głowie. Jak przed laty, gdy jako jedenastoletnia dziewczynka poobijałam się przy upadku z roweru. Nie zdawałam sobie sprawy, jak bardzo tego potrzebowałam. Znów poczułam się bezpieczna. Mogłam się w końcu szczerze wybeczeć, bez poczucia winy i wstydu. I tak też zrobiłam. Kiedy po kilkunastu minutach płaczu trochę się wyciszyłam, tato sam zdobył się na wyznanie.

— Pomogę ci, jak będę mógł. Wiem, że nie jestem jak mama. Mniej jest we mnie czułości, zaradności i pomysłowości, ale za ciebie oddałbym życie. Jesteś dla mnie sensem istnienia, wszystkim, co mam, wszystkim, co mnie uszczęśliwia. Serce mi pęka, gdy patrzę w twe rozżalone oczy. Zrobię wszystko, wszystko, aby ci pomóc. Bo dla mnie tylko ty się liczysz. Twoje szczęście jest moim.

Po cóż miałbym żyć, wiedząc, że nie jesteś szczęśliwa?
Mam do siebie żal, bo poniekąd trochę to moja wina.
Powinienem być bardziej stanowczy w kwestii twojego
zawodu. Widziałem, jak żyjesz, i czułem, że nie powinno
tak być. Od lat uważałem, że się przepracowujesz, że
za bardzo poświęcasz się pracy i za słabo reagowałem.
Wydawało mi się, że nie powinienem aż tak ingerować
w twoje życie. Myliłem się. Mama nigdy by na to nie pozwoliła. Wiem, bo zrobiła dokładnie tak samo, gdy byłaś
malutka. A później, gdy już dorosłaś, niczego bardziej
nie żałowała niż straconego czasu. Dlatego zrezygnowała
z pracy i tak aktywnie zaangażowaliśmy się w twoje życie. Mama usilnie chciała nadrobić stracony czas. Późno
się opamiętaliśmy i to wcale nie sami z siebie, a przez
chorobę mamy. Może z tobą jest tak samo? Może życie
potraktowało cię w ten sposób z tego samego powodu?
Sama powtarzasz, że nic w życiu nie dzieje się bez przy-
czyny. Zaniedbałaś siebie, więc organizm się upomniał.
To najwyższy czas, aby zacząć od nowa. Zainwestuję
wszystkie swoje środki i siły, żeby cię wyleczyć. Nie tylko fizycznie, lecz aby uzdrowić też twoją duszę, skarbie.
Nie przejmuj się Zbigniewem. Ja wiem, jak wiele serca
i pieniędzy włożyłaś w to mieszkanie. Wiem, że jeszcze
długo masz spłacać ten kredyt. Wspólnie jakoś damy
radę. Pieniądze naprawdę nie są w życiu najważniejsze.
A uważam, że jesteś tak kreatywna, iż wszędzie będziesz
w stanie odtworzyć te magiczne wnętrza i zbudować sobie swój świat. Tak w ogóle to przyjechałbym do ciebie
wcześniej, jednak zatrzymały mnie pewne sprawy. Bo
widzisz, tak się składa, że kupiłem dom.

Tato powiedział wiele ciepłych słów i zasypał mnie tyloma informacjami, że najpierw trudno było mi zdecydować, od czego zacząć. Ostatnie zdanie zdecydowanie przyćmiło jednak całą jego wcześniejszą wypowiedź. Otworzyłam mocno oczy, a ojciec nabrał w płuca powietrza.

— Nieraz chciałem ci o tym powiedzieć, ale trochę obawiałem się twojej reakcji. Myślałem, że mnie wyśmiejesz, że na starość zachciało mi się nowego życia. W tych okolicznościach dojrzałem do tego, żeby się nie wstydzić. Dom jest pod Krakowem, mam nadzieję, że zechcesz w nim ze mną zamieszkać, przynajmniej do momentu, kiedy nie staniesz na nogi. Później poszukamy ci nowego gniazdka.

— Jak to kupiłeś dom? Za co?

— Sprzedałem mieszkanie i kilka wartościowych rzeczy. Trochę odłożyłem, a trochę już miałem, jeszcze z ubezpieczenia mamy. Szczerze powiedziawszy, to miały być pieniądze na spłatę twojego kredytu. Na to jeszcze dozbieram. Wziąłem też małą pożyczkę, żeby starczyło na remont. Ten domek nie był drogi. Jest nieduży i w dobrym stanie.

Wzdrygnęłam się. Doskonale pamiętałam zgłoszenia osób oszukanych przy zakupie domu.

— Tato… Jesteś pewny, że ktoś cię nie oszukał?

— Zosieńko, wszystko sprawdziłem. Dom ma niewiele ponad osiemdziesiąt metrów kwadratowych. Myślę, że wystarczy dla nas obojga. Oczywiście, jeśli zechcesz ze mną zamieszkać. Póki co trzeba go wyremontować. Będę zaszczycony, jeśli urządzisz go razem ze mną. Nie mam wielkiego budżetu, ale powinno wystarczyć. Mam nadzieję sporo zrobić sam. Umówiłem się z szefem, że będę brał zlecenia trzy dni w tygodniu. Tak żeby mieć czas dla ciebie i na remont.

— Naturalnie, że z tobą zamieszkam!

Pierwszy raz od bardzo dawna naprawdę się ucieszyłam. Ojciec ratował mi życie. Rzuciłam mu się na szyję, a on nieśmiało zapytał:

— A jak długo będę mógł tutaj z tobą zostać? Do kiedy musisz opuścić mieszkanie? Będziemy musieli zorganizować przeprowadzkę.

— Mam… — odwróciłam wzrok w poszukiwania kalendarza — trzy dni.

— W takim razie zaraz musimy brać się do roboty. Akurat wziąłem tydzień wolnego. Dobrze wiem, że chcesz być sama i że choć mi tego nie powiesz, wolałabyś, żeby mnie tu nie było, bo mogłabyś płakać i spać całymi dniami. Przykro mi, ale uważam, że to zbyt długo już trwa. Nie będę cię do niczego zmuszał, jedynie postaram się zarazić cię życiem.

Tato jak zwykle trafił w samo sedno. Uwielbiam go za tę jego życiową mądrość. I za szacunek do drugiego człowieka. Swoją drogą to niezwykłe, że mężczyzna tak stanowczy, konkretny, o twardych poglądach jest zarazem tak szalenie empatyczny. Niebywałe i cudowne. Nie mogłabym nie być z niego dumna.

— A jakie masz plany na dzisiaj? — zapytał retorycznie.

— Na dzisiaj nie mam planów… Jutro wieczorem idę na kolację do Jacoba i Julki. W zeszłym tygodniu wrócili ze Szwajcarii. Julka podobno dobrze się czuje i ma świetne rokowania. Jacob radośnie ze mną rozmawiał.

— Ale ty nie chcesz tam pójść?

— Chcę…

— Wiem, słońce, że nie chcesz.

— Tato… Jak ty mnie znasz. Wiesz, że chciałabym się z nimi zobaczyć, tęsknię za Julką, ale… przy nich wszystkie wspomnienia, wszystkie chwile wracają jak bumerang. Kiedy Jacob mnie zapraszał, zasugerował, że ma od Maksa jakieś wieści, dlatego boję się tego spotkania. Co więcej, oni są szczęśliwi, cholernie wręcz szczęśliwi, a ja jestem cholernie nieszczęśliwa i nie potrafię przeżywać tego ich szczęścia tak, jakbym chciała i jak powinnam. Nie chcę ranić ich ani siebie, nie chcę być hipokrytką. Dobrze wiem, że prawdziwych przyjaciół poznaje się po tym, jak znoszą twoje szczęście. Kibicuję im i chciałabym cieszyć się ich miłością, a tak ciężko to znoszę. Tak mi z tym źle. Życie mnie przerosło. — Zaniosłam się płaczem.

Tato z trwogą wpatrywał się w moją przygnębioną, ściśniętą z bólu twarz i w geście współczucia gorliwie ściskał mi dłonie.

— W ogóle nie wychodzisz? — zapytał nieśmiało.

— Nie wychodzę — zaczęłam, szlochając. — Nie mam ochoty oglądać innych ludzi. Chcę się schować przed światem, czuję się skrzywdzona. Wiem, jak bardzo pretensjonalnie to zabrzmi, w jak bardzo złym świetle mnie stawia, ale mam żal do wszystkich, którym dobrze się układa. Mam żal do siebie, mam żal do chłopaków z pracy, że przestali mnie wspierać, że manipulowali mną, żebym więcej pracowała. Podjudzali mnie, dawali nadzieję, że mogę sporo osiągnąć, wmawiali, że jestem wyjątkowa, że jeśli będę zawzięcie zasuwać, zdobędę możliwość wpływu na działalność policji. Pomagałam im, zastępowałam w pracy, zawsze mogli na mnie liczyć. Żarliwie mnie żegnali, a kiedy zniknęłam im z oczu, przestali interesować się moim losem. Ja nie wiem… Czyżby to było tak, że jak ktoś mierzy wyżej, a mu nie wyjdzie, to innych to cieszy?

— Taka ludzka natura, córciu.

— Teraz wiem, tato…

— A tak swoją drogą… bardzo schudłaś. Zdecydowanie za bardzo. Coś czuję, że kiepsko się odżywiasz i że przestałaś trenować.

— Tak. Nie jestem w stanie ruszyć się z łóżka. Mam wrażenie, że zwiotczały mi mięśnie.

— Wiesz przecież, jak sport ulecza, pozwala odreagować, wyrzucić z siebie wszystkie złe emocje…

— Wiem, tato — weszłam mu w słowo. — Dojdę do tego etapu, ale jeszcze nie teraz. Jestem zmęczona. Po tylu latach harówy, chcę po prostu odpocząć.

— A ja czuję się winny, że nie próbowałem mocniej na ciebie wpłynąć.

Suszyło mnie od tego szlochania, złapałam więc za szklankę z wodą i duszkiem wypiłam wszystko. Olśniło mnie, że to jednak kac.

— Nie obwiniaj się — odpowiedziałam.

— Ty, dziecko, też. Może powinienem był dać ci receptę na życie, sam nie wiem. Natomiast wiem, że na pewno los doprowadził cię do tego etapu nieprzypadkowo. Naprawdę uważam, że to, co cię teraz spotkało, jest przestrogą, która ma zwrócić twoją uwagę. Ma ci to dać do zrozumienia, że powinnaś żyć inaczej. To zwrot w twoim życiu. Przywykłaś do poprzedniego, więc łatwo ci nie będzie, aczkolwiek wierz mi, przed tobą same dobre chwile. Znajdziesz zajęcie, które sprawi ci radość, pozwoli się realizować i spełniać marzenia. Poznasz nowych ludzi i znajdziesz prawdziwą miłość. Otwórz się na świat, nie zamykaj się na niego jak dotychczas.

— Co ja bym bez ciebie zrobiła? Kocham cię, tato — wyjąkałam, wtulając się w jego silne ramiona.

Głaskał mnie po głowie, dopóki nie zasnęłam. Wtedy delikatnie ułożył mnie na kanapie, okrył kocem i zabrał się za przygotowanie obiadu, który nakładał właśnie na talerze, kiedy się przebudziłam. Zjedliśmy razem, przy stole. Był to dla mnie pierwszy porządny obiad od kilku tygodni. Później usiedliśmy przed telewizorem, ale zamiast oglądać, nieprzerwanie dyskutowaliśmy. Kiedy strawiłam posiłek, postanowiłam… pobiegać. Ojciec niezmiernie się ucieszył i udał się do pokoju gościnnego na odpoczynek. Ja, zanim wyszłam, przewróciłam wszystkie pokoje w poszukiwaniu odtwarzacza mp3. Znalazłam jeden, trochę zajechany, dość stary, bo jeszcze na baterie. Ale działał. Wzięłam go i pomimo deszczu ruszyłam na miasto. Dawno nie biegałam, dlatego po trzystu metrach piekło mnie już w gardle, a po kilometrze płuca zdawały się palić żywym ogniem. Przystawałam co kawałek, uspokajając oddech. Po trzecim kilometrze dostałam zastrzyk energii. Dotarłam do osiedla domków jednorodzinnych, gdzie ze łzami w oczach zaglądałam przez okna do rozpalonych światłem wnętrz. Widziałam krzątające się tam osoby, a wyobraźnia tkała mi obraz szczęśliwych rodzin. Z zazdrością oglądałam przydomowe ogródki. Zawsze marzyłam o takim. Gapiłam się na obszczekujące mnie psiaki. Odtwarzacz mp3 trochę chaotycznie skakał między piosenkami. Jak na złość zaciął się na folderze

„Rocky", z którego korzystałam kiedyś podczas treningów. Może to głupie, ale muzyka z tego filmu mocno mnie motywowała. Liczyłam, że i tym razem pobudzi mnie chociażby intro, a tu wprost przeciwnie — włączył się Robert Tepper i jego *No easy way out* — kawałek towarzyszący rozterkom Rocky'ego po śmierci Apolla. *Some things are worth fighting for, some feelings never die. I'm not askin' for another chance. I just wanna know why?*[15] Tekst dudnił mi w uszach jak ostatni krzyk. *Whyyyy*?! Walczyłam z nim, lecz nie ustępował. Zaciął się na amen. *There's no easy way out, there's no shortcut home. There's no easy way out. Givin' in can't be wrong*[16].

Rozbeczałam się na całe gardło. Biegłam w cieniu gasnących latarni, krztusząc się deszczem spływającym mi do ust. Znienacka na ogrodzenie wypasionej willi rzucił się owczarek, który przestraszył mnie do tego stopnia, że odskoczyłam na ulicę, wprost na maskę jakiegoś suva. Uderzyłam głową o szybę, przeturlałam się po masce i spadłam na betonową jezdnię. Kierowca wybiegł z samochodu i film mi się urwał.

ANIELSKI ORSZAK

Pamiętam, że poraziło mnie światło. I że zadałam sobie pytanie — czyżby to to światło o którym tyle się mówi? To, na które czeka się całe życie? Dopiero wówczas, gdy

---

15 O niektóre rzeczy warto walczyć, niektóre uczucia nigdy nie umierają. Nie pytam o kolejną szansę. Chcę tylko wiedzieć dlaczego.

16 Nie ma łatwego wyjścia, nie ma skrótu do domu. Nie ma łatwego wyjścia. Poddanie się nie może być złe.

obraz lekko się wyostrzył i mniej więcej gdzieś pośrodku tej jasnej poświaty pojawiła się niewielka jarzeniówka, dotarło do mnie, że to jednak nie żadne boskie światło. I nagle poczułam ból, pulsujący w skroniach i rozdzierający w brzuchu. Przymknęłam oczy, a przez głowę przewędrowała mi myśl, że po ich ponownym otwarciu może lepiej byłoby zobaczyć blask anielskiej aureoli. Zaryzykowałam. W białej mgle objawili się tato i Kaśka. Podobno przed śmiercią widzimy sceny z naszego życia i bliskie nam osoby. Czyżbym w swoim trzydziestoletnim życiu dorobiła się jedynie dwojga bliskich? No cóż, na to wygląda.

— Jarzysz, mała? — kilka kolorowych paznokci mignęło mi przed oczyma.

— Panie Janku, ona jeszcze nie kontaktuje.

— Zosiu, córuniu, słyszysz nas?

— Halo, Zośka! Tu ziemia!

Nabrałam powietrza. Ucisk w klatce piersiowej zmartwił mnie bardziej niż zawroty głowy.

— Co mi jest? — wyjąkałam.

Tato uśmiechnął się, pogłaskał moją dłoń i zapowietrzył się, jakby miał zaraz dmuchnąć w puzon.

— Córciu, miałaś wypadek — oznajmił spokojnie i troskliwie, sugerując, że powinnam spodziewać się co najwyżej zdartego kolana. — Dzięki Bogu miałaś też wiele szczęścia. Jesteś mocno poturbowana, masz zwichniętą kostkę, poobijane żebra i wstrząs mózgu. Byłaś operowana, bo pękła cysta, którą miałaś na jajniku. Lekarze mówią, że szybko wrócisz do pełni zdrowia.

Słowa taty nieco mnie uspokoiły, choć nie uśpiły mojej czujności. Wyrecytował mi frazę, którą najwyraźniej powtarzał od kilku godzin, zresztą bardzo ładną i miłą, przy czym trochę przypominającą sceny z amerykańskich filmów, gdzie zazwyczaj takim wstępem uspokaja się pacjenta. Kiedy zostaje on potem sam, orientuje się, że coś jest nie tak, podnosi kołdrę, a bliscy na korytarzu ocierają łzy w odpowiedzi na krzyk i na myśl o właśnie odkrytej amputacji. Zapobiegawczo zerknęłam więc w stronę nóg i rąk, wysiliłam się by nimi poruszyć i tępy ból uświadomił mi, że wszystko jest na miejscu. Już prawie się uspokoiłam, kiedy zorientowałam się, że oczy, usta i nos to jedyne części mojej twarzy nieowinięte bandażem. Tutaj nie mogłam pozwolić sobie na snucie domysłów.

— Co z moją twarzą?

— Wszystko dobrze, kochanie. Masz tylko kilka zadrapań — usłyszałam od taty.

Kaśka wygrzebała z torebki lustereczko i podstawiła mi je pod nos. Roztrzęsionymi palcami rozchyliłam bandaże. Kilka niewielkich zadrapań i jedna większa szrama na policzku. Nie było źle, bo obawiałam się czegoś gorszego. Zerknęłam na przyjaciółkę pytająco.

— Nie martw się — uspokajała. — Rozmawiałam z lekarzami i powiedzieli mi, w jakie kremy mam cię zaopatrzyć, żebyś nie miała blizn. — Wyciągnęła z torebki małe pudełeczko. — Zaraz rozpoczniemy terapię upiększającą — dodała i uśmiechnęła się perliście.

Jak dobrze, że jest ktoś, kto chce o mnie dbać. Dwoje ludzi przez trzydzieści lat to jednak dobry wynik. Liczy się jakość, a nie ilość. Mimo wszystko wciąż nie byłam spokojna. Rozrywający ból w dole brzucha przypomniał mi o kobiecych problemach.

— A co z tymi sprawami? Mogę wstać? Mogę korzystać z toalety? Będę mogła mieć dzieci?

Tato spuścił wzrok i coś dziwnie zamamrotał.

— Zaraz zawołam panią pielęgniarkę i ona ci wszystko wytłumaczy.

Zestresował mnie na maksa. Wrzasnęłam z przerażeniem, przyciągając uwagę osób krążących po szpitalnym korytarzu.

— Co tam ze mną w środku?! Coś mi wycieli?

Przyjaciółka zorientowała się, że tato nie czuje się na siłach podjąć taką rozmowę i przejęła za niego obowiązek udzielenia odpowiedzi.

— Wycieli ci tylko ten torbiel. A co do płodności to lekarz powiedział, że nie można przesądzać ani tracić nadziei. Musisz bardzo o siebie dbać. Poza tym doszyli ci trzecią nogę, żebyś mogła szybciej biegać i obiecali wszczepić z tyłu głowy dodatkową parę oczu — zażartowała, bardzo zresztą w moim stylu.

Zaśmiałam się, lecz zaraz zamilkłam na widok taty, który jakby nie zrozumiał żartu. Wydaje mi się, że był tak zaniepokojony, że nic nie byłoby w stanie go rozbawić.

— Zosiu — zaczął z trwogą — załatwię wszelkie formalności dotyczące mieszkania. W przeprowadzce pomogą nam Jacob, Julka i profesorowie. Moi znajomi też się zadeklarowali.

— Zadzwoniłam też do kilku twoich kolegów z pracy, niech się wykażą — dodała Kaśka.

Zmieszałam się. Najchętniej zamknęłabym się przed światem i nikomu nie mówiła o tym, co się stało. Niestety sytuacja, w której się znalazłam, nie dawała mi możliwości wyboru. Pozytywny aspekt był taki, że miałam tych dwoje aniołów, którzy chcieli się mną zaopiekować. Moja bezradność sprawiła, że całkowicie zdałam się na nich. Dziwne uczucie. Pierwszy raz w życiu znalazłam się w sytuacji, kiedy decydowanie o sobie przekazałam w cudze ręce.

Po krótkiej wymianie zdań obok mnie pojawiła się pielęgniarka, która przedstawiła przewidywany okres i sposób rekonwalescencji. Obiecałam stosować się do zaleceń, między innymi do tego, że będę mało gadać i dużo spać. Z tego też względu niedługo później pożegnałam swoje anioły. Wiedziałam, że ojciec najchętniej nie odchodziłby od mojego łóżka na krok i podejrzewałam, że od kilku godzin żyje w strachu. Ogarnęło mnie lekkie poczucie winy. W końcu wciągnęłam go w spiralę konsekwencji moich błędnych decyzji, choć bardzo próbowałam tego uniknąć.

Mieszanka emocji i leków trochę mnie pobudziła i nie miałam ochoty spać. A może przez ostatnich kilka dni zwyczajnie wyspałam się na zapas? Wzięłam do ręki jedną z książek, które przyniosła Kaśka. Przebiegłam wzrokiem pierwszą linijkę, później drugą i trzecią, ale coś mi nie pasowało. Obraz był przedziwnie niespójny. Usprawiedliwiłam to zmęczeniem i czytałam dalej. Pochłonęłam kilka kartek, jednak nie dawało mi to spokoju. Przymykałam i przysłaniałam najpierw prawe, a później lewe oko. Wpadłam w panikę i przerażonym, piskliwym głosem wydarłam się, wołając pielęgniarkę. Nie wiem, kto mocniej się wystraszył, ja czy ona, ponieważ była u mnie po kilku sekundach. Machnęłam jej przed nosem roztrzęsioną, wiotką ręką i wykrzyczałam, o co chodzi. Na koniec dodałam, że pewnie ślepnę i że lepiej będzie, jeśli od razu powiedzą mi prawdę. Za dużo się w życiu naczekałam i to co najgorsze chcę wiedzieć od razu. Drobna przemiła blondynka w białym kitlu zerknęła mi w oczy i zniknęła bez słowa. Wzięłam pod uwagę dwie opcje: albo wystraszyłam ją i uciekła, albo poszła po lekarza. Tak czy siak znowu zostałam sama z parą niedowidzących oczu i przyznam, że bałam się jak nigdy przedtem. Snułam wizje, jak ślepnę i tracę resztki kontaktu ze światem. Los już dawno cisnął mnie na ziemię i nieustannie kopał. Wszystko co najgorsze wydawało mi się możliwe. Raz jeszcze podniosłam kołdrę i dokładnie się obejrzałam. Upewniłam się, że mam dwie ręce, dwie nogi i wmówiłam sobie, że pampers między nimi o niczym złym nie świadczy. Uspokoiłam się dosłownie na sekundę, bo zaraz mój umysł został nagle poruszony, jakby ktoś ukuł go szpilką. Cholera jasna! Przecież ja nie widzę, jak należy! Może te ręce i nogi to tylko ułuda, a tak naprawdę wcale ich już nie mam?!

I wówczas pojawiła się ta myśl. Co byłoby gorsze, utrata nogi, ręki czy wzroku? Wszystkie te wizje był równie straszne. Na szczęście prędko obok mnie stanął wysoki błękitnooki lekarz, który przeprowadził wstępne oględziny. Zlecił pielęgniarce specjalistyczne prześwietlenia i całą listę innych skomplikowanych badań. Generalnie nakazał natychmiastowe działanie, co nie wróżyło niczego dobrego. Zaraz po jego wyjściu pielęgniarka zabrała mnie na badania. Tak minął mi cały wieczór. Nie miałam nawet jak powiadomić mojego brodatego anioła stróża. Cały ten czas bardzo się bałam. Nieustannie zadręczałam się, że pewnie w wyniku wypadku w mojej

głowie powstał jakiś zakrzep, który uciska nerw wzrokowy, i stąd to bezzwłoczne działanie ze strony personelu
szpitala albo że przy upadku zanieczyściłam oko i pewnie lekarze oczyszczą je i zakleją, robiąc ze mnie pirata.
Kiedy przyzwyczaiłam się do mojej pociętej twarzy bez
oka, pielęgniarka odwiozła mnie do łóżka. Przyznam,
że po tylu godzinach udręki nie miałam siły zastanawiać
się, co powiedzieć tacie. Zasnęłam błyskawicznie.

Salowa obudziła mnie rano, tuż przed obchodem.
Doktor w asyście specjalistów z innych oddziałów pokrótce wytłumaczył mi złożoność problemów, z którymi
zmagał się mój organizm. Uparcie przekonywał, że nie
mam żadnego krwiaka czy też guza oraz że w wyniku
wypadku doznałam nadwyrężenia nerwów wzrokowych
i kilku innych uszkodzeń, które wpłynęły na jakość widzenia. Po stokroć zapewniał mnie, że nie dolega mi nic
groźnego i że za kilka miesięcy powinnam poddać się
zabiegowi, który przywróci mi sokoli wzrok.

— A co przez ten czas?

— Sprawi sobie pani modne okulary — usłyszałam
od młodej asystentki w brylach na pół twarzy.

Przyznam, że choć wizja noszenia okularów nie była
najprzyjemniejsza, to spadł mi z serca ogromny ciężar.
Zadzwoniłam w końcu do moich aniołów i poprosiłam
o umówienie wizyty u optyka.

Kolejne dni zdawały się ciągnąć w nieskończoność.
Godziny bezczynnego leżenia w towarzystwie wyłącznie
własnych myśli i ze świadomością totalnej beznadziei
okazały się nie lada wyzwaniem. Tak jak i brak alkoholu,
który prędko zaczął mnie uwierać. Uzmysłowiłam sobie,
że nadszedł ostatni moment, aby się z nim pożegnać.

Jeszcze w pierwszym dniu po odzyskaniu świadomości wydawało mi się, że męcząca mnie od kilku tygodni depresja osiągnęła falę kulminacyjną. Ku mojemu zdziwieniu ta fala powiodła mnie w zupełnie innym kierunku, niż się tego spodziewałam. Poprzednie tygodnie zmarnowałam dobrowolnie. Nieprzymuszenie poddałam się gorzkim myślom i pozwoliłam sobie na tak silne emocjonalne pofolgowanie. A mogłam wszystko, byłam bowiem fizycznie sprawna i miałam możliwość wyboru. Szkoda, że dorosłam do tego, leżąc przykuta do łóżka wśród czterech ponurych ścian szpitala. Oświecenie przyszło niespodziewanie.

Było wczesne popołudnie, wpatrywałam się tępo w spektakl za oknem. Natura grała melodramat, bijąc o zmarzniętą ziemię rozpędzonym deszczem, z którym walczyły targane przez wiatr zgniłe liście. I o dziwo wcale nie trapiła mnie myśl o beznadziejności przemijania, a bardziej przyziemna, jak ja tę bierność przez następnych kilkanaście dni wytrzymam. Całe życie gnałam, co prawda nie do końca wiedząc dokąd i po co, nigdy jednak mnie ta niewiedza nie zatrzymała. Kilka ostatnich tygodni było, jak sądziłam, przymusowym wyhamowaniem po upadku. A co będzie dalej? Według logiki albo podniosę się i będę powoli stawiać kolejne kroki, albo poddam się, zalegnę na ścieżce życia i pozwolę się zadeptać. Zakładając, że zdecyduję się na tę pierwszą opcję, to i tak będzie dopiero początek walki z samą sobą. Bo jak się człowiek przewróci, to zanim wstanie mija zazwyczaj trochę czasu. A kiedy stanie on już na nogi, musi jeszcze złapać równowagę i obrać jakiś kierunek.

Póki co leżałam, mogąc jedynie marzyć i planować. A przez poprzednie tygodnie należałam się wystarczająco, aby mieć poczucie straconego czasu. Dopadła mnie ta cholerna przewrotność życia. Kiedy mogłam, to nie chciałam, a kiedy nie mogłam się ruszyć, to stwierdziłam, że jednak bardzo chcę żyć. Pewnie tak działa mechanizm obronny ludzkiej psychiki.

Nie miałam wyboru. Pogodziłam się z sytuacją i założyłam, że jakoś przeleżę tę rekonwalescencję. Następnie wstanę, otrząsnę się, rozejrzę. Lecz co dalej? Dokąd pójdę? Jak po tylu latach jazdy bez trzymanki zwolnię tempo? Czym się zajmę? Domyślałam się, że raczej nie wrócę do zawodu. Zastanawiało mnie, jak to jest żyć, nie rzucając się co dnia na głęboką wodę. Jak to jest obudzić się rano, założyć sukienkę, a nie mundur i pójść do normalnej pracy? No właśnie… pójść do normalnej pracy, czyli jakiej? Może takiej, w której nie trzeba obawiać się, że zza drzwi, do których pukasz, wyskoczy z nożem pijany sadysta? Mocno męczyła mnie myśl, jak po tylu latach odnajdę się na rynku pracy. Czy w ogóle dam radę odnaleźć się w jakimkolwiek innym zawodzie? No i co tak właściwie chciałabym robić? Coś mi świtało, że kiedyś chciałam być wolną duszą, dziennikarką podróżującą po świecie, poznającą nietuzinkowych ludzi. Chciałam czerpać inspirację i być inspiracją. Chciałam mieć codziennie możliwość wyboru i bez żadnej presji decydować o tym, na co poświęcę swój cenny czas. Tylko czy nie jest już za późno? Kiedyś byłam otwarta na świat i ludzi, wyluzowana, mniej zorganizowana i spontaniczna. Przez ostatnie lata wypielęgnowałam całą grządkę całkiem przeciwstawnych cech, zatem spełnianie młodzieńczych marzeń wydało mi się szaleństwem. Poza tym taki zwrot w życiu nie następuje z dnia na dzień. Czy znajdę czas, aby zmienić myślenie? Zadawałam sobie te i setki innych pytań, nieświadomie będąc w rozumowaniu o wiele dalej niż jeszcze kilka dni wcześniej.

LEŻAKOWANIE

Minęło trochę czasu od kiedy trafiłam do szpitala. Zaczęłam wstawać z łóżka, samodzielnie się kąpać i jeść. Lekarze mówili, że jestem silna i błyskawicznie dochodzę do zdrowia. Polubiłam ich i nawet ten szpital. Był duży, czysty i niedawno odnowiony, w związku z czym sprawiał o wiele lepsze wrażenie niż większość tego typu polskich placówek. Nie było w nim co prawda jak w domu, ale ja na tę chwilę przecież nie miałam domu. No i karmiono mnie zadziwiająco dobrze. Dawno nie jadłam tak dobrych bułek z dżemem czy żółtym serem. Kaśka twierdziła, że mój apetyt to świadectwo powrotu do zdrowia i że wypadek pozwolił mi odzyskać smak wypaczony ostatnio alkoholem i depresją.

Któregoś popołudnia, kiedy przekręcałam się nerwowo z boku na bok, nie potrafiąc znaleźć wygodnej pozycji do kolacji, usłyszałam znajomy głos.

— Ciao bella. Wpadliśmy z kilkoma pachnidełkami, aby odrobinkę osłodzić i rozjaśnić ci ten szary, szpitalny świat.

Powoli przekręciłam policzki wypchane bułką z dżemem w stronę drzwi. W progu stał Jacob z ogromnym bukietem kolorowych kwiatów zasłaniających połowę jego ciała. Podniosłam się lekko na łóżku, odgarnęłam włosy i szybko przeżułam. Defiladowym krokiem podszedł do łóżka. Kiedy się zbliżył, dostrzegłam za nim maleńką postać.

— Julka! — wrzasnęłam z radości, trzęsąc całym łóżkiem, które niezablokowane wyjechało prawie na środek pokoju.

Jacob ukłonił się i podał mi przepiękny bukiet, a Julka rzuciła mi się na szyję. Nie potrafiłam się powstrzymać i nasze uściski trwały dość długo. Pożałowałam, że nie przyjechali wcześniej, ale przecież sama im tego zabroniłam. Nie chciałam, żeby oglądali mnie bez twarzy i w pampersie.

— Bardzo dziękuję wam za pomoc przy przeprowadzce. Tata wszystko mi powiedział, jesteście niezastąpieni.

— Daj spokój — odezwała się Julka. — Niezastąpiona to jest Kaśka. Ja nie wiem, jak ona ogarnia rodzinę, pracę…

— I mnie — weszłam jej w słowo.

— Naprawdę ma głowę na karku.

— Ona jest szefową jakich mało — stwierdził Jacob i zaśmiał się. — Tak samo jak ty, kochana — zwrócił się do mnie. — Na pewno prędko odzyskasz siły.

— Dokładnie, tak jak ja — poparła go Julka. — Skoro ja dałam radę, to o ciebie nie trzeba się martwić. Nie znam nikogo silniejszego niż ty. A co wobec ciebie planują lekarze?

Nikogo silniejszego niż ja? Nie powiem, zrobiło mi się przyjemnie.

— Mam zaplanowany termin kolejnego zabiegu. Oczywiście nie będzie hop-siup, najpierw muszę się do niego przygotować, czyli podleczyć się, najeść odpowiednich pigułeczek, dać ciału czas na regenerację. Efekt zabiegu w dużej mierze będzie zależał od mojego stanu zdrowia.

Julka ścisnęła mnie za dłoń.

— A jakie mogą być powikłania?

— Dość konkretne, bo mogę mieć spore problemy z zajściem w ciążę... No ale... — zająknęłam się przez chwilę — póki co, ciąża mi nie grozi.

— Jak to? — zdziwił się Jacob.

— A no tak to...

— Zośka — upomniał mnie.

— No co, taka prawda.

— Maks...

— Nie chcę o nim słuchać — krzyknęłam i machnęłam ręką, ucinając dyskusję.

— To nie tak.

— Nie! Nie! Nie! Błagam!

— To w zasadzie nie on...

— Wszystko to on!

Jacob nabrał w usta powietrza i powoli je wypuszczał, nie odrywając wzroku od podłogi. Julka stanęła na wysokości zadania i ochrzaniła go w moim imieniu.

— Zostaw ją. Ingerujesz w jej uczucia. To jej życie, jej decyzje. Skoro Zośka nie chce o nim słyszeć, to się zamknij.

— Dokładnie — potwierdziłam. — Uszanujcie moją wolę i nie wtrącajcie się, bardzo was proszę. Rozdrapywanie tej rany jest dla mnie zbyt bolesne.

Jacob nadal milczał. Teraz Julka przejęła inicjatywę.

— W takim razie poruszmy inny trudny dla nas temat.

— Nie stresuj mnie.

— Daj spokój. Chodzi o to, że w Polsce nie mamy życia. Nasza miłość wykluczyła nas ze społeczności. Jacob ma problemy ze znalezieniem sensownej pracy, bo nikt nie chce zatrudnić byłego księdza z doświadczeniem w specyficznej obsłudze klienta.

Jacob chrząknął i niespodziewanie przerwał milczenie.

— Jesteśmy wyrzutkami, bo odważyliśmy się kochać. Dzięki Bogu mam we Włoszech wspaniałych przyjaciół i rodzinę. Zaproponowali nam pomoc i nierozsądnie by było z niej nie skorzystać.

Pomyślałam, że naprawdę mi ich szkoda i że stracę przyjaciół.

— To już postanowione? — upewniłam się.

— Tak — odpowiedzieli wspólnie.

— Zostawicie mnie tu samą...

— Wybacz nam, Zosiu, przepraszamy — zaczął Jacob.

— Za dwa tygodnie musimy być we Włoszech. Mam nagraną posadę na uniwersytecie, nierozsądnie byłoby jej nie przyjąć. Musimy z czegoś żyć.

— Rozumiem. Tak tylko powiedziałam...

— Poradzisz sobie. Masz wspaniałego ojca, Kaśkę, profesorów. Będziemy przyjeżdżać, wy przyjedziecie do nas.

Taaa jasne, zawsze tak się mówi, a koniec końców ludzie o sobie zapominają.

— Ciężko będzie namówić tatę.

— Nie jego miałem na myśli.

Wkurzył mnie. Julkę chyba też, bo obie zmroziłyśmy go spojrzeniem i wyraźnie się zmieszał. Przeciągnął palcami po ustach jakby zasuwał zamek i odwrócił wzrok.

— Opowiedzcie mi o tych włoskich przyjaciołach — zagaiłam. — Opowiedzcie o miejscu, gdzie będziecie mieszkać, o tamtejszych zwyczajach. — Zaciekawili mnie, a skoro też mam zaczynać nowe życie, to czemu nie we Włoszech?

Jacob momentalnie się rozpromienił.

— O ho ho! Zapowiada się dłuższe posiedzenie, *mia madre* to jest kobieta nie do zdarcia taka jak ty... *la mia famiglia, unica...*

I tak kolejne dwie godziny minęły mi w mgnieniu oka. Przeniosłam się w myślach na słoneczne wybrzeże Calabrii. Z żalem pożegnałam przyjaciół, których wzajemne uwielbienie mogłabym podziwiać do końca świata i o jeden dzień dłużej. Pozytywnie natchniona pogrążyłam się w marzeniach. Wyobraźnia ponownie przeniosła mnie na rozpalony gorącym słońcem balkon starodawnej willi, o którym nieraz marzyłam. Zasiadłam tam przy sztaludze i, mrużąc oczy, rozkoszowałam się widokiem morza zlewającego się z lądem. Ciekawe skąd ta sztaluga, przecież nigdy, pomimo usilnych starań, nie nauczyłam się malować. Może warto ponownie spróbować? Takich pomysłów przewinęło się przez moją głowę setki, o ile nie tysiące. Tak samo jak i myśli, czy nie skorzystać z uprzejmości moich przyjaciół i nie przenieść się do Włoch. Zachwycał mnie ten pomysł. We Włoszech pewnie byłabym Sophią. Już samo imię zobowiązuje do czucia się gwiazdą!

Pobyt w szpitalu stał się dla mnie swego rodzaju próbą, detoksem, terapią. Nieprzerwanie kontemplowałam nad swoim losem, nad sobą. Z dnia na dzień nabierałam przekonania, że albo ten tam na górze albo jakaś energia kosmiczna czy cokolwiek, co według ludzi ma wpływ na nasze życie, postanawia dać mi ostatnią szansę. A że z natury jestem uparta jak osioł, to walnęło mnie z przytupem, żebym na pewno się ocknęła i nie miała wątpliwości. Wypadek zasiał we mnie ziarenko samoświadomości i w końcu doszłam do wniosku, że w ostatnich tygodniach przebrnęłam przez kryzys tożsamości i że najwyższy czas całkowicie przewartościować swój światopogląd. Przez całe dorosłe życie sądziłam, że złapałam odpowiedni trop, że jestem na odpowiedniej drodze do spełnienia. Na szczęście w porę się ocknęłam. I choć nie jest łatwo to przyznać, dopiero po trzydziestu latach dojrzałam do faktu, że droga, którą podążałam, powinna być celem samym w sobie. Nie zamierzałam dłużej węszyć za tropem do szczęścia. Zapragnęłam codziennie budzić się szczęśliwa.

Sama powtarzam, że nic w życiu nie dzieje się przez przypadek. Po wielu latach martwego życia naraz zasmakowałam miłości, szczęścia, pożądania, zazdrości, euforii, cierpienia, rozczarowania, strachu, bólu, nicości, beznadziejności, aby dojść do momentu, kiedy mam czystą kartę i możliwość ułożenia wszystkiego na nowo. Przy czym mam też ten niezmiernie ważny bagaż doświadczeń. Może zwyczajnie miałam przeżyć to wszystko, aby dojrzeć do tego, jak powinnam żyć? Może zawód policjantki był rozbiegiem do dalszej życiowej trasy? Ogromna szpula nici pytań wciąż oplatała mój umysł. I pomimo że nie znałam odpowiedzi na żadne z nich i nie potrafiłam wyobrazić sobie przyszłości, opuścił mnie niepokój, a jego miejsce zajęły ciekawość i ekscytacja. Zaczęła kiełkować we mnie świadomość drugiej szansy i starałam się podlewać to ziarenko.

POŻEGNANIE

Tato odebrał mnie ze szpitala. Od rana nakręcałam się naszym nowym domem i nie mogłam doczekać się, aby go obejrzeć. Ojciec wychwycił moje pozytywne nastawienie i zaproponował wizytę u optyka. W drodze do mieszkania Zbigniewa zatrzymał się przy salonie i dopasowałam sobie okulary. Równie duże i ekstrawaganckie co te, które przeraziły mnie na nosie asystentki w szpitalu. Wróciłam w nich do samochodu dumna jak paw. Satysfakcjonowała mnie myśl, że już nie muszę się przejmować, że mój nietuzinkowy gust nie spełni oczekiwań komendanta. Kiedy ruszyliśmy, tato najwyraźniej uznał, że jestem gotowa, aby przedstawić mi aktualny stan wydarzeń.

— Córciu, w twoim mieszkaniu zostało dosłownie kilka drobnych rzeczy. Całą resztę przewieźliśmy do domu. Wiem, że będzie ci ciężko pożegnać się z tym miejscem. Proszę, przygotuj się psychicznie.

Próg mieszkania przekroczyłam z gulą w gardle. Zatrzymałam się w przedpokoju, omiotłam spojrzeniem puste pokoje i poczułam ulgę. Minął żal zmarnowanych pieniędzy i niezwykłego klimatu, który udało mi się tu stworzyć. Podczas pobytu w szpitalu doszłam do wniosku, że bardzo chcę wyrwać się z tego mieszkania. Wiązałam z nim wiele wspomnień, bo przez kilka lat było moją oazą, ale ostatnio skumulowało się tu zbyt dużo negatywnej energii, która mogłaby nadal mnie przytłaczać. A przecież nie chciałam zmarnować optymizmu, który we mnie wciąż wzrastał. Myśl o nowym życiu ekscytowała mnie tak bardzo, że bez większej refleksji obiegłam pokoje i prędko spakowałam pozostałe rzeczy. Po godzinie zjawił się właściciel, a samo zdanie mieszkania zajęło nam dosłownie kilka minut. Zbigniew wiedział, że nie ma prawa do niczego się przyczepić, a my, że nie mamy prawa niczego wymagać. Prędko zakończyliśmy sprawę, a wtedy stanął w progu i zasugerował wyjście. Ostatni rzut oka na mieszkanie przywołał wspomnienie, jak wtulona w narzeczonego zasypiam w łóżku z baldachimem. Zamknęłam oczy, musnęłam dłonią ścianę i, szepcząc „Żegnaj", zaczęłam nowe życie.

BLIŹNIAKI

Nowy dom taty znajdował się na tyle blisko Krakowa, aby w pół godziny dotrzeć do niego samochodem i na tyle daleko, żeby nie wracać codziennie do negatywnych wspomnień. Tato zatrzymał samochód przed bramą niedużego domku o starej bryle i sielskiej estetyce. Dom był po prostu uroczy. Szczególnie w zderzeniu z identycznym sąsiednim domem, przy którym ktoś nieźle się napracował, lecz w mojej ocenie z beznadziejnym skutkiem. Był on odnowiony, stał na obłożonej łupkiem podmurówce, miał siwą fasadę z drewnianymi elementami i podniesioną górę, równającą dach. Nasz nowy sąsiad otoczył swój ogród metalowym ogrodzeniem, które obsadził szpalerem bukszpanów tworzących zwarty parkan mający zapewne chronić jego prywatność. Przez uchyloną furtkę dostrzegłam fragment idealnie przyciętej trawy i ścieżkę prowadzącą do drzwi głównych. Wyłożono ją równiutką mysią kostką, a wokół nasadzono idealnie przycięte krzewy. Najwyraźniej ktoś uprościł ten ogród, aby nie musieć się przy nim zbytnio wysilać. Na tle tego nowoczesnego, chłodnego stylu, domek taty, a właściwie nasz domek prezentował się wspaniale. Rustykalny, kolorowy, z dzikim ogrodem, takim z duszą i historią. Stał na starej kamiennej podmurówce, miał kolorową, przybrudzoną fasadę i spadzisty, omszały dach z niewielkimi wykuszowymi oknami na piętrze. Obsadzony był kwiatami i drzewami owocowymi, które nie kwitły z uwagi na porę roku, co wcale nie przeszkodziło mi wyobrazić sobie, jak cudownie musi tu być latem. Grusza opierająca się o śliwkę i jabłonki obsadzone rabatkami przywodziły mi na myśl czasy beztroskiego dzieciństwa u dziadka. Działkę odgrodzono drewnianym płotem, przez który przeciskały się ostatnie letnie kwiaty. Nad zamykaną na skobel furtką umieszczono niewielką drewnianą pergolę. Tuż za nią wypatrzyłam ścieżkę z wbitych w ziemię kamieni. Prowadziła ona wprost na porośnięty bluszczem i obsadzony dzikimi trawami ganek. Uroku dopełniała niewielka, niegdyś zapewne biała huśtawka, w którą zgrabnie wplótł się bluszcz, i stare niebieskie drzwi ozdobione wieńcem z jesiennych kwiatów. Domek jak z bajki. Wysiedliśmy z tatą z samochodu, aby otworzyć bramę, a z ascetycznego domu obok na powitanie nam wyskoczyła kobieta. Podbiegła do taty, ucałowała go w policzek i ochoczo wyciągnęła do mnie rękę.

— Ty zapewne jesteś tą cudowną córką, o której tyle dobrego słyszałam — powiedziała w tak radosnym uniesieniu, że aż nie mogłam się nadziwić.

Spojrzałam na nią, a zaraz po tym na tatę, który cały zalał się rumieńcem.

— Zośka Sokolnicka — przedstawiłam się, podając jej rękę.

— Bożena — odpowiedziała rudowłosa, obejmując mnie ze szczerym uśmiechem na ustach.

Ścisnęła mnie tak mocno i trzymała tak długo, że jej drażniące perfumy zdążyły mnie zmulić. Nie jestem przyzwyczajona do takich wylewności, dlatego znów ze zdziwieniem zerknęłam na ojca. Wyglądał na zawstydzonego, lecz nie śmiałabym podejrzewać go o zainteresowanie Bożeną. Nie ten typ urody. Raczej też nie ten typ charakteru, bo sąsiadka ewidentnie epatowała otoczenie całą sobą. Oceniłam ją jako krzykliwą, krzepką, nachalną, wścibską, a pewnie i trochę wyniosłą. W dodatku swoje korpulentne kształty chowała pod dziwacznymi ubraniami i burzą rudych loków, co zazwyczaj jest oznaką kompleksów. Ani trochę nie przypominała mi mamy.

— Zosiu, Bożenka jest właścicielką mojego domku — usłyszałam w odruchu obronnym.

— Janku! Była właścicielką! — poprawiła go Bożena

— No tak, była właścicielką — poprawił się tato z zabawnym dla mnie chrząknięciem. — Kupiłem ten domek od Bożenki. Mieszkała w nim jej mama. Niedawno zmarła po ciężkiej chorobie. Bożenka mieszka za płotem, stąd zdążyliśmy się trochę poznać — tłumaczył się.

— To miło — podsumowałam, ceremonialnie odwracając wzrok w stronę ogrodu. Miałam nadzieję zbyć nachalną sąsiadkę, ale Bożenka wcale nie miała zamiaru dać mi chwili wytchnienia. Zgrabnie pohasała po schodkach na werandę i, rozkładając w naszą stronę ręce, zagaiła:

— Moi drodzy, słuchajcie, przecież nie będziemy tutaj tak stać. Jest strasznie zimno, zapraszam do środka na gorąca herbatkę. Chodźcie, chodźcie, zanim się przeziębicie.

Wydało mi się to dość dziwne. Jakby nie patrzeć w końcu zaprosiła nas do naszego domu. Intuicja podpowiadała mi, że ta kobieta będzie ciekawą postacią w moim nowym życiu.

Przekroczyłam próg i zachwyciłam się, mimo że wnętrze było w trakcie remontu. Spod przezroczystej folii spoglądały na mnie wiekowe, mocno zużyte meble. Pospiesznie rozejrzałam się po parterze: salon, kuchnia i toaleta. Czegóż chcieć więcej. Popędziłam na górę nieruszoną jeszcze po poprzedniej właścicielce. Od razu rzuciły mi się w oczy stare belki stropowe. Przemknęłam się między zdartymi kredensami ustawionymi przy drzwiach i wślizgnęłam się do jednego z pokoi. Pośrodku pomieszczenia stała świeżo odmalowana, zabytkowa serwantka. Naturalnie przywiodła wspomnienia z gdańskiego mieszkania Jana. Usłyszałam głos taty.

— Zosieńko, zejdź do nas, proszę. Mamy gości.

„Goście? Matko kochana, tylko nie goście!", pomyślałam, ale zacisnęłam zęby, a potem z grzeczności i poczucia obowiązku, jak przystało na porządną córkę, ruszyłam do ojca. Ze schodów dojrzałam, że w kuchni jest gwarno i tłoczno. Poczułam się nieco skrępowana nowym towarzystwem i zatrzymałam się w przedpokoju. Tato wyszedł ku mnie z wyciągniętymi rękoma, czym przykuł uwagę gości. Jakby tego było mało, złapał mnie za ręce, wprowadził w tłum i przedstawił.

— Moja córka, o której wam opowiadałem.

Nie zdążyłam jeszcze porządnie się zawstydzić, a już kilka par rąk zechciało mnie uścisnać.

— Jolka — przedstawiła się młoda dziewczyna z dziwną fryzurą i dzieckiem na ręku. „Dlaczego znowu Jolka? I czy wszystkie Jolki wyglądają jak papugi? ", pomyślałam. — A to moje dzieci, córcia Amelka i synuś Xawier — powiedziała papużka, wskazując na dzieci siedzące przy stole.

Uśmiechnęłam się sztucznie. Jolka zaczęła zagadywać dzieciaki, żeby przywitały się z nową ciocią, a ja ani drgnęłam. Drażni mnie stereotypowe szczypanie po policzkach, a tym bardziej naciągane teksty typu „O, jakaś ty słodka i śliczna", rzucane wszystkim dzieciom znajomych. No i nie ukrywam, że maluchy jeszcze mnie nie fascynują. Przez chwilę zrobiło się niezręcznie. Na szczęście wyratowała mnie kolejna dłoń.

— Stanisław Braniecki — przedstawił się wesoły mężczyzna. — Jestem bratem Bożenki. Nie przejmuj się, nie mieszkam za płotem.

Towarzystwo parsknęło śmiechem.

— Pracuję w Anglii i przyjeżdżam tu na trochę co kilka miesięcy — doprecyzował.

— Jeszcze ja — powitał mnie głos zza pleców Stanisława. — Marek Braniecki, miło mi cię poznać. Tata tak bardzo cię zachwalał, że nie mogłem się doczekać, kiedy cię w końcu poznam.

Patrzyłam z niecierpliwością na postać przeciskającą się pomiędzy tą wesołą rodzinką i znowu się skrępowałam. Wysoki, szczupły brunet w modnych okularach złapał mnie za dłoń.

— To mój syn — odezwała się Bożenka — inteligentny, pracowity i świetnie wykształcony. Jest lekarzem — wyszeptała, nachylając się w moją stronę. Doprawdy chodząca reklama.

— Mamo, błagam cię — ochrzanił ją Marek, rzucając mi sugestywne spojrzenie.

Zaśmiałam się pod nosem i oceniłam, że całkiem przyjemny ten Marek. Pewnie znajdę z nim nić porozumienia.

Bożenka jakby to wyczuła i niczym zawzięty handlowiec kontynuowała:

— Marek mieszka blisko centrum, ale często u mnie bywa, więc pewnie będziecie się sporo widywać.

— Mamo, daj dziewczynie spokój — upomniał ją syn. — Widzi nas pierwszy raz, a ty już dajesz jej do zrozumienia, że jestem nią zainteresowany. Odpuść czasem.

Bożenka stęknęła i machnęła ręką. Ucichła. W końcu.

— Chcieliśmy się przywitać i zaproponować, że gdybyście czegoś potrzebowali, służymy pomocą — uściślił Marek.

Podziękowaliśmy i po krótkiej wymianie jeszcze kilku zdań na temat remontu, towarzystwo wróciło do siebie.

Zamieszałam zaparzoną przez Bożenkę herbatę i zagadałam do ojca:

— Cieszę się, że trafiłeś tutaj na tak otwartych i pomocnych sąsiadów.

— Ten dom jest ich ojcowizną, spędzili w nim połowę życia, nie ma się co dziwić, że nie mogą się z nim rozstać — powiedział i zaśmiał się, unosząc zabawnie wąsa. — To dobrzy ludzie, może trochę zakręceni, ale to

nawet fajnie. Potrzeba nam trochę optymizmu i radości
— skwitował.

— A gdzie dziś będziemy spać?

— Na górze, jeszcze tylko włączę ogrzewanie, żebyś
mi w nocy nie zmarzła. Byłaś tam, nie widziałaś posłanych łóżek?

— Nie zdążyłam wszystkiego obejrzeć.

— Ach, no tak...

Dopiłam herbatę, przeniosłam z tatą kilka toreb na
piętro i wskoczyłam pod kołdrę.

Pierwsze śniadanie w nowym domu popiłam swojską
herbatą Bożenki. Ponownie zasiadłam z tatą przy stole, leniwie rozejrzałam się po pomieszczeniu i dopadła
mnie dziwna nostalgia. Musiałam się wygadać i znowu
padło na ojca.

— Jak my będziemy żyć? Kim ja będę? Kim według
ciebie powinnam być?

Tato zrobił głęboki wdech. Pewnie nie był przygotowany na takie pytania przy śniadaniu.

— Jesteś moją córką i powinnaś być szczęśliwa — powiedział spokojnie, jak to ma w zwyczaju. — Nie spiesz
się. Odzyskaj spokój, pozwól sobie odnaleźć siebie. Kiedy uzyskasz równowagę psychiczną i fizyczną, sama będziesz czuła, że jesteś gotowa na nowe wyzwania zawodowe. I nie martw się, życie samo się poukłada. Zerknij
w głąb swojej duszy. Przeżywaj każdy dzień tak, jakbyś
dostała drugą szansę. Rób to, co sprawia ci radość i nie
męcz się. Nikt i nic cię nie goni, nie ciąży na tobie już
żadna presja. O pieniądze się nie martw. Z mojej eme-

rytury i pensji damy radę wyżyć. Powinno na wszystko wystarczyć, nawet przy spłacie kredytów.

Rozkleił mnie. Uroniłam kilka łez, sprzątnęłam po śniadaniu i wyprawiłam go do pracy.

Znowu zostałam sama i w ogóle mi to nie przeszkadzało. Nie lubię samotności, ale czasem lubię pobyć sama. Mogę wówczas swobodnie otworzyć umysł.

Zaparzyłam kawę, włączyłam nastrojowy jazz i przez kolejną godzinę krążyłam między pomieszczeniami, próbując uchwycić ich duszę. Pałałam entuzjazmem na myśl, że tchnę w ten dom nowe życie. Usiadłam na drewnianym parkiecie pośrodku salonu otwartego na kuchnię i próbowałam go zrozumieć. Wielki stół oddzielający pomieszczenia przypomniał mi wieloletnie marzenie o ciepłym domu wypełnionym miłością. Zobaczyłam siebie krzątającą się w kuchni i tatę obwieszonego dwoma małymi brzdącami próbującymi wymusić na nim kolejną bajkę. Na szczęście pies sąsiadów prędko wyrwał mnie z tej mary i skupiłam się na aranżacji kuchni. Oczyma wyobraźni przenosiłam się w czasie, starając się odtworzyć jej pierwotny wygląd. Przyklękłam przy szafkach ściągniętych ze ściany, odsłoniłam okrywający je materiał i aż pisnęłam z zachwytu. Lekko spękana i odpryśnięta farba w kolorach błękitu, granatu i beżu idealnie pasowała do mojej wizji.

Szybki rekonesans pomógł mi podjąć decyzję, że urządzę wnętrza w stylu rustykalnym. Dzięki temu będzie przytulnie, stylowo i taniej, niż inwestując w nowe meble. Kontemplując o łączeniu przyjemnego z pożytecznym wyszłam na piętro, gdzie spędziłam całe popołudnie, mierząc i projektując sypialnie. Moje myśli płynęły rzeką marzeń o nowym życiu, zostawiając w oddali zakręty przeszłości.

Wieczorem usiedliśmy z ojcem nad rozpiską remontu, nanieśliśmy niewielkie poprawki i ustaliliśmy plan działania.

W GRUPIE SIŁA

Następnego dnia wzięliśmy się do pracy. Z początku nie było łatwo, bo tato co chwila upominał mnie, że nie powinnam się przemęczać. W końcu dosadnie go ofuknęłam i zapewniłam o roztropności. Najwyraźniej zaczęłam odzyskiwać zdrowy rozsądek, który podpowiadał mi, że obiecując ojcu rozwagę, będę musiała dotrzymać słowa.

— Tato, najchętniej zamknąłbyś mnie pod szklanym kloszem — stwierdziłam stanowczo. Nie zabrzmiało to jednak najmilej. — Czuję się już dużo lepiej i będę ostrożna. Obiecuję — dodałam.

— Wiem, wiem, zniewoliłbym twoją kreatywność.

— Otóż to! Nie martw się. Wiem, na ile mogę sobie pozwolić.

— Ufam ci, córciu. A swoją drogą pomoc by się nam przydała.

Na tę pomoc nie musieliśmy długo czekać. Jeszcze tego samego dnia po południu rodzina Branieckich stawiła się w komplecie. Bożenka przyniosła świeżo upieczone ciasto, Jolka — trzy talerze kanapek, a Marek ze Staszkiem — skrzynki z narzędziami i masę optymizmu. Sąsiedzi z ogromnym entuzjazmem zaoferowali nam swoją pomoc przy remoncie. Tato odetchnął

445

z ulgą, bo nie krył przerażenia ogromem prac, które nas czekały. Mieszkaliśmy już w tym domu, więc chcieliśmy przeprowadzić remont jak najprędzej, a zorganizowanie specjalistów na ostatnią chwilę jest nie lada wyzwaniem. Inwestor w takich sytuacjach zazwyczaj balansuje pomiędzy decyzją o podjęciu ryzyka i zatrudnieniu tańszych, ale niepewnych i zapewne nie najlepiej wykwalifikowanych pracowników a podwojeniem sumy za przyspieszenie terminu dzięki skorzystaniu z usług superfachowców. Tutaj też z pomocą przyszli zaradni sąsiedzi. Okazało się, że Staszek jest zorientowany w branży wykończeniowej i załatwienie fachowców od podłóg, to dla niego żaden problem. Marek obiecał ściągnąć hydraulika i przyrzekł ojcu, że będzie doglądał mojego zdrowia.

Tak rozpoczął się remont domu, który w założeniu miał trwać do Bożego Narodzenia. Szczerze powiedziawszy, na początku nie byłam przekonana co do tego terminu, ale zapał pomocników i widoczne postępy uspokajały mnie z każdym dniem. Moje przeżycia utwierdziły mnie w przekonaniu, że przypadek rządzi naszym życiem, a dyscyplina pielęgnuje skutki tych przypadków. Dlatego też pracowałam codziennie i remont tak bardzo mnie pochłonął, że z dnia na dzień zapominałam o przykrych doświadczeniach. Tylko Maks nie chciał opuścić mojej głowy. Przychodził do mnie, kiedy gasły światła, a skrzypiące drzwi sypialni taty sygnalizowały, że układa się do snu. Chcąc uniknąć tych spotkań zaczęłam pracować ponad siły, aby zasypiać natychmiast po przyłożeniu głowy do poduszki. Nie zawsze się udawało, bo moje problemy kobiece skutecznie utrudniały mi wypoczynek. Wtedy mocno zaciskałam powieki i przenosiłam się w świat marzeń, a gdy było mi zbyt ciężko, wyżalałam się poezji.

Branieccy tak mocno zaangażowali się w remont, że przychodzili codziennie. Przeczuwałam, że ze strony Bożenki nie jest to tylko pomoc sąsiedzka. Od początku dostrzegałam w jej oczach iskierki na widok mojego taty. I choć należała do osób, od których dotychczas raczej stroniłam, to po pewnym czasie wyjątkowo ją polubiłam. Okazała się ciepła, życzliwa i charakterna, co bardzo w ludziach cenię. Zdaje się, że potrzeba nowego życia pozwoliła mi otworzyć się na innych, bo kiedyś nawet nie próbowałabym jej zrozumieć. Ciągle miałam świadomość drugiej szansy i z każdym dniem dojrzewałam do realizacji marzeń. Nie byłam w pełni szczęśliwa, a rzecz jasna bardzo tego pragnęłam, dlatego razem z Bożenką wpuściłam do swojego życia Marka. Nie potrafiłam patrzeć na niego jak na potencjalnego partnera, ale zależało mi na nowych przyjaźniach. Usiłowałam wyzbyć się dawnego myślenia, że przyjaźń damsko-męska nie jest możliwa. Marek wydawał się być do tego idealny — inteligentny, wyważony, spokojny, pracowity, pełen pasji, ambitny, a przy tym obdarzony przyzwoitą dozą zdrowego rozsądku, którego dotychczas tak bardzo mi brakowało. Wpadał do nas codziennie, nawet po dyżurach, choćby na godzinę, aby pomóc mi przestawić ciężkie meble, zamontować kran czy po prostu pochwalić nasz niebanalny gust. Był dla mnie zagadką. Nigdy nie poznałam takiego mężczyzny. W zasadzie na początku naszej znajomości cała jego rodzina wydawała mi się nadzwyczajna. Branieccy od pierwszego spotkania byli dla mnie uprzejmi, ciepli i pełni empatii, a do tego byli niezwykle pracowici. Nie wiedziałam, że takie rodziny istnieją. Sąsiedzi uzmysłowili mi, że takich osób jest na świecie zapewne zdecydowanie więcej i że to nie oni są nieprzeciętnie otwarci, a to ja byłam dotychczas wyjątkowo zamknięta. Marek natomiast uświadomił mi, jak bardzo ograniczałam kontakty. Nie poznawałam mężczyzn takich jak on, bo zwyczajnie nie stwarzałam sobie ku temu okazji.

Wypadek rozbił mury obojętności i lęku, którymi się otoczyłam. Z kolei Branieccy pomogli mi przetrzeć szlaki, na drodze do otwarcia na ludzi i świat. I wcale nie Marek i jego mama, a Jolka była dla mnie największym wyzwaniem, choć po doświadczeniach z Julką zdawało mi się, że porzuciłam uprzedzenia wobec innych kobiet. Jolka wydawała mi się krzykliwa, upierdliwa i tandetna, irytowała mnie od pierwszego spotkania i nic nie zapowiadało zmiany. Aż do pewnego wieczoru.

PAPUGA

Męczyłam się z zawieszaniem półek i jak na złość zabrakło mi dwóch odpowiednich wkrętów. Planowałam zakończyć tę robotę, posprzątać i przejść do kolejnej, schowałam więc uprzedzenia do kieszeni i pomaszerowałam do sąsiadów. Mieszkałam w sąsiedztwie trzeci tydzień, a nie miałam jeszcze okazji odwiedzić Jolki. Bywałam u Bożenki, natomiast nic nie ciągnęło mnie na piętro zajmowane przez jej córkę. Tym razem Bożenki nie było, bo sama wysłałam ją z tatą do teatru. Zacisnęłam zęby i zapukałam. Jolka bez wahania wpuściła mnie do domu i zaprosiła do siebie. Zniknęła na chwilę w schowku z narzędziami, a ja lekko skrępowana na myśl, że obudzę dzieci, przysiadłam na skraju kanapy w jej salonie. O mały włos nie dostałam oczopląsu. Każdy centymetr ściany w tym niewielkim pokoju wypełniały zdjęcia. Uwielbiam cudze małe światy. Skupiłam się na niebanalnej ramce, w której czaiła się ślubna fotografia Jolki. Była na niej taka inna, taka naturalna, że ledwo ją poznałam. Co ciekawsze, przysięgała całkiem przystojnemu facetowi.

Akurat kiedy wzięłam zdjęcie do ręki, weszła do pokoju.

— To Bartek, mój mąż — zagadała. — Odszedł o nas dwa lata temu. Właściwie nie odszedł, a zginął w wypadku samochodowym. Wiem, wiem, mama mówi o nim, jakby nigdy go nie było. Kochała go jak syna i nie potrafi wybaczyć mu, że umarł.

Zdecydowanie nie byłam przygotowana na takie wyznanie.

— Przykro mi. Nie wiem, co powiedzieć — wydukałam.

— Pewnie myślałaś, że jestem rozwódką — ciągnęła Jolka.

— Faktycznie, tak myślałam.

Jolka usiadła obok mnie, zabrała mi z rąk zdjęcie i zaczęła gładzić po nim palcem. Rozczuliła mnie.

— Bo wszyscy unikają tego tematu.

— Naprawdę nie przypuszczałam, że mogło spotkać cię coś takiego. Jesteś taka wesoła, pełna optymizmu.

— Teraz faktycznie tak jest, ale dojrzałam do tego po jakimś czasie.

— Jak? — dopytałam, nie kryjąc zdziwienia.

— Ty też podobno z dnia na dzień straciłaś wszystko, co było dla ciebie ważne. I też teraz nie wyglądasz na przygnębioną. Zapewne więc wiesz, że zrozumienie życia i pogodzenie się z losem to wieloetapowy proces, który kończy się w momencie, gdy coś przełomowego uświadamia nam, że warto żyć.

Oniemiałam. Dotychczas byłam przekonana, że z całego tego towarzystwa tylko mnie los mocno poturbował.

— Więc jak doszłaś do aktualnej kondycji?

— Sądzę, że człowiek za dużo się martwi, przez co za mało cieszy się teraźniejszością. Gdybym mogła cofnąć czas, nie martwiłabym się na zapas. Zwolniłabym, cieszyłabym się tym, co miałam. Wiem, że z perspektywy czasu łatwo się wymądrzać, bo wiemy, co nas spotka i rozumiemy, że zamartwianie się nie jest warte naszego zdrowia i czasu, skoro i tak wszystko jakoś się poukłada. — Zamilkła na chwilę, pogładziła palcem postać męża na zdjęciu i po chwili kontynuowała. — Byliśmy z Bartkiem czternaście lat. Poznaliśmy się w szkole i już wtedy wiedziałam, że zostanie moim mężem. Pobraliśmy się sześć lat później, bo wcześniej zbieraliśmy pieniądze, na mieszkanie, na wesele, na dzieci. I wiecznie się martwiliśmy, zamiast korzystać z życia Nie wyjeżdżaliśmy na wakacje, nie kupowaliśmy lepszych rzeczy, bo wszystko trzeba było odkładać. To znaczy myśleliśmy, że trzeba. Żyliśmy przyszłością, najpierw weselem, później dziećmi. Kiedy nasz synek był malutki, bardzo chorował i nie mogliśmy się doczekać, aż troszkę podrośnie i w końcu wyjedziemy na rodzinne wakacje. Tak bardzo czekałam na to i wiele innych rzeczy... I nie doczekałam się. Bartek odszedł i zostałam sama. Ze wspomnieniami, z marzeniami, z tęsknotą. Kochałam w moim życiu tylko jego, całą sobą. Nadal go kocham. — Jolka zaczęła płakać, a ja odruchowo ją objęłam. Po chwili otarła łzy i odważnie ciągnęła temat. — Nie umiałam bez niego żyć. Przytłoczył mnie ból, niewyobrażalna tęsknota, pustka i świadomość, że już nigdy go nie zobaczę, a wszystko, na co przez lata tak czekaliśmy, nie nastąpi. Zadawałam sobie pytanie, po co mam żyć bez niego? Zaniedbałam siebie, dom i dzieci. Wyrzucili mnie z pracy, a o dzieci zaczęła się dopytywać opieka społeczna. Zagubiłam się w rzeczywistości, przestałam cieszyć się czymkolwiek i przestałam na cokolwiek czekać. Straciłam sens, a przynajmniej tak mi się wydawało. Po pewnym czasie oszczędności stopniały i nie było mnie stać na opłacanie naszego mieszkania, dlatego przeprowadziliśmy się do mamy. Znalazła mi nową pracę i przejęła większość obowiązków nad dziećmi. Pracowałam, a po pracy zamykałam się w pokoju i tak co dnia. Ocknęłam się pewnej nocy, kiedy moja córka zachorowała na zapalenie płuc i trafiła do szpitala. Była w naprawdę ciężkim stanie. Znów jakbym dostała pięścią w twarz. Tak bardzo się bałam, że ją stracę. Już zresztą straciłam rok z jej życia, gdy zamiast cieszyć się nią i być dla niej, zagłębiłam się w swoim cierpieniu. A czas nie czeka, nie pyta cię o zdanie, po prostu robi swoje. Uświadomiłam sobie, jaką jestem szczęściarą, skoro los dał mi wspaniałego mężczyznę i dwójkę cudownych dzieci. Zrozumiałam także to, że powinnam się wstydzić, marnując ten dar, zamiast żyć tak, aby on i moje dzieci były ze mnie dumne. Najważniejsze to być razem, pielęgnować wzajemne relacje, żyć dniem dzisiejszym, a nie rozpamiętywać, a nie zamartwiać się na zapas, bo co ma być, to i tak będzie. Na niektóre sprawy mamy wpływ, ale nie na wszystkie. Nigdy nie pogodzę się ze stratą męża, nigdy tego nie zaakceptuję. Zawsze będę za nim tęsknić, ale też nigdy już nie pozwolę sobie na utratę choćby jednego dnia, na zamartwianie się i rozpamiętywanie. Chcę pamiętać wszystkie nasze wspólne chwile, ale chcę też gromadzić nowe. Nie chcę bać się, a pragnę planować i mieć odwagę żyć. Spoczywa na mnie przecież wiele obowiązków, muszę być zaradna, odpowiedzialna i cierpliwa, bo dzieci są ogromnym wyzwaniem. Chcę nauczyć je radości z bycia tu i teraz, żeby kiedyś nie popełniały moich błędów. Bo nic w życiu nie jest nam dane na zawsze. Chwile są ulotne. Co sekundę jesteśmy czymś zaskakiwani, a na wyzwania, które stawia przed nami życie, zazwyczaj nie da się przygotować. Rozumiesz, Zośka?

O Boże, jak ja ją zrozumiałam! Tak bardzo, że wyłam jak bóbr, ciekło mi z nosa i nie zdołałam wykrztusić z siebie ani słowa. Pokiwałam głową, a Jolka podała mi chusteczki. Ogarnęłam się i musiałam powiedzieć jej coś miłego, bo wlała mi do głowy tyle życiowej mądrości, że aż serce rosło.

— Owszem — odpowiedziałam powściągliwie — jesteś wzorem do naśladowania. Naprawdę cię podziwiam.

— Nie przesadzaj, ja tylko staram się ogarnąć to, co mi zostało i czerpać z tego radość. To takie proste, a zarazem takie trudne, bo jesteśmy tak bardzo skomplikowani emocjonalnie.

Faktycznie jesteśmy. A ja jestem cholerną hipokrytką, skoro śmiałam utożsamiać tandetny gust Jolki z jej mądrością. Czyżbym nadal była niewolnicą tak wielu stereotypów i konwenansów? Muszę rozmawiać z ludźmi, bo im bardziej się otwieram, tym lepiej rozumiem siebie i swoje ograniczenia, nabierając chęci do zmiany.

— Jesteś silna — wyznałam szczerze.

— Daj spokój. Bierz te wkręty — podała mi pudełeczko. — Pomogę ci zawiesić półki. Dzieci śpią, ogarniemy to raz dwa.

Jolka widocznie nie chciała ciągnąć tematu męża. Powiedziała, co leżało jej na sercu, odstawiła zdjęcie na komodę, poprawiła je i wyszłyśmy.

Pół godziny później miałam książki na półkach i pożegnałam sąsiadkę. Przeszłam do łazienki, gdzie pośród kafli poustawianych w wieżowce na podłodze stała wanna. Fachowiec podłączył ją, byśmy mogli w końcu umyć się w domu, a nie jak dotychczas, biegać na kąpiele do Branieckich.

Napuściłam wody, a na wieżowcach ustawiłam kilka świec. Rozpaliłam je i zanurzyłam się w kąpieli. Romantyczne światło oświetlające betonowo-ceglane ściany wprawiło mnie w świetny nastrój. Mimowolnie zaczęłam rozmyślać nad historią Jolki. Rozważałam, jakbym poradziła sobie na jej miejscu. Z przykrością przyznałam, że zapewne kiepsko. I na tej podstawie doszłam do wniosku, że mam ogromne szczęście. Tak bardzo zapętliłam się w swoim życiu, że wydawało mi się, iż utrata pracy, mieszkania, a przede wszystkim miłości, to wielki cios. Ale kochałam, doznałam nie tylko rozczarowania, lecz przede wszystkim radości. Zaznałam tej niewytłumaczalnej burzy emocjonalnej na widok iskierek żarzących się w oczach ukochanego. Skosztowałam namiętnego ciała i dotknęłam rozpalonej duszy kochanka. Zasmakowałam tych ulotnych emocji, dla których ludzie potrafią oddać wszystko.

Zanurzyłam twarz, pozostawiając nad wodą zmarznięty nos. Uciekłam w przeszłość. Przywołałam wszystkie minione miesiące. Błądziłam z mamą po górskich szlakach, zdawałam egzaminy na uczelni i rzucałam się w ramiona ojca po zaprzysiężeniu na policjantkę. Później patrolowałam ulice, ślęczałam nad papierami, trenowałam. Wiele lat zlało się w kilka wspomnień i czegoś tu jakby brakowało. I wtem byłam z Maksem, kłóciłam się z nim, goniłam go po gdańskiej starówce i obserwowałam, jak zajada się bezą na krakowskim rynku. Myślałam o nim, gdy półnaga strzelałam do bandziorów i gdy siedział w areszcie. Wreszcie dotknęłam jego dłoni, włosów, przylgnęłam ustami do ust. Biegałam z nim po plaży i kochałam się do utraty tchu. Trzy niepełne miesiące rozwinęły się w niekończącą się, potarganą emocjami taśmę wspomnień. A później wpadłam do czarnej dziury, z której nie ma powrotu. Spłynęła na mnie fala ciepła. W ciągu tylu lat tylko przez kilka miesięcy doznawałam szczerego, niczym niezmąconego szczęścia. Z nim.

Wyrwałam się z tej podróży w czasie i zaśmiałam się pod nosem. Jak beztroskie dziecko wpatrywałam się w ślady po kleju do płytek odciśnięte na ścianach, dopatrując się w nich odcisków prehistorycznych ślimaków.

Leżałam tak z całym swoim bagażem w jednej ręce i pustą kartką w drugiej. Rozmyślałam nad tym, jak perspektywa czasowa, w której osiadamy, warunkuje nasz odbiór rzeczywistości. I nad tym, że tracimy, skupiając się na jednym czasie. Lepiej po trosze czerpać z każdego z nich, bo razem tworzą całość — harmonię. Jedynie osiągając ten stan, możemy skupić się na pełnym przeżywaniu teraźniejszości, a w efekcie nieustannie odczuwać szczęście. Wiem, że już o tym opowiadałam. Z tym że mądrzyłam się, nie wiedząc, o czym mówię. Gnałam przed siebie zapatrzona w przyszłość i w przekonaniu, że w wielu aspektach życia osiągam jakąś tam równowagę. I nie żebym się usprawiedliwiała, lecz z dzisiejszej perspektywy nawet trochę to rozumiem. Każdemu zdarza się zapętlić w swoim życiu i stracić dystans, dlatego nieraz to, co dla jednych jest wyzwaniem, innym wydaje się błahostką bez znaczenia. Warto niekiedy zadumać się nad swoją percepcją i spojrzeć na siebie z perspektywy wszechświata lub chociaż z perspektywy innego człowieka. Warto zadać sobie pytanie, czy nie zaczęliśmy sami się ograniczać, bo harmonia to umiar, świadomość, a nie ograniczenie. Takie to banalne, a tak trudno o tym pamiętać.

WIANEK

W połowie grudnia zakasałam rękawy, zorganizowałam dodatkową pomoc ze strony Kaśki, jej męża, kilku jego kolegów i przed świętami Bożego Narodzenia remont dobiegał końca. Spadł pierwszy śnieg, który

romantycznie przyprószył ogród i zapanowała przed-
świąteczna atmosfera.

Pewnego popołudnia krzątałam się po domu, roz-
stawiając po kątach przedmioty ocalone z krakowskiego mieszkania. Rozpierała mnie duma. Udało mi się
odratować wiele rzeczy pozostałych po poprzedniej
właścicielce i połączyć je z moimi. Wspólnie z Braniec-
kimi wykonaliśmy kawał dobrej roboty. Stworzyliśmy
wyjątkowy dom, dokładnie taki, jak go sobie wymarzy-
rzyłam. Bożenka zachwalała mnie, że urządziłam go
w tak ciepłym, sielskim stylu, że kusił od progu, ściągając spojrzenia przechodniów. Z tym, że ja wcale nie
zrobiłam wiele.

Ganek okalający drzwi wejściowe był piękny sam
w sobie, my tylko odmalowaliśmy drewniane kolumny,
tralki i fasadę, no i jeszcze dodałam te stare, ceramiczne
donice, które moje sąsiadki znalazły w piwnicy. Do-
stawiłam do nich kilka skrzynek, posadziłam choinki,
owinęłam je złotymi lampkami i dla dopełnienia całości
oplotłam ganek świecącą na złoto girlandą. Efekt faktycznie był stylowy.

Wnętrze urządziłam tak, jak zaplanowałam — w stylu rustykalnym. Wyeksponowałam przede wszystkim
drewno i naturalne materiały. W każdym pomieszczeniu
zachowałam belki stropowe i parkiety, które wyczyścili-
śmy i zabejcowaliśmy. Wydobyliśmy w ten sposób prze-
piękne sęki, słoje i spękania. Zdecydowaliśmy się z tatą
na kolory ziemi, pastele i biele, co dodatkowo podkre-
śliło urok i charakter drzewa. Odrestaurowaliśmy stare
przedmioty i tchnęliśmy w nie nowe życie. Dokupili-
śmy też kilka nowych mebli, które złagodziły secesyjne

kredensy, szafy i komodę. Dobrałam do nich naturalne tkaniny, głównie len i wełnę, a podłogi ocipliłam tkanymi ręcznie chodniczkami i skórami. Dla odrobiny ekstrawagancji porozstawiałam po kątach swoje wiklinowe kosze i marokańskie lampiony.

Samozwańczo sercem domu stała się kuchnia z przemalowanymi na biało szafkami, solidnym drewnianym blatem, błękitnym kredensem i beżową komodą. Nadal nie złapałam smykałki do gotowania, ale jakie to miało znaczenie, kiedy przystroiłam kuchnię w kolorowe makatki, fajansowe naczynia, kamionkowe dzbanki, zazdrostki i inne sielskie dodatki. Było tak przytulnie, że nikt by się nie domyślił, że rządzi tu kobieta, która nawet rosół przygotowuje z filmikiem na YouTube. Będąc w temacie jedzenia, wspomnę jeszcze, że całkowicie odzyskałam apetyt i nieco przytyłam na obiadach Bożenki. Teraz, kiedy skończyliśmy remont, nabrałam nawet ochoty na lekcje gotowania. No i miałam w tej kuchni tak piękny duży stół, że wstyd byłoby z niego nie korzystać. Na razie ozdobiłam go lnianym obrusem i kolorowym wazonem, mając nadzieję, że kiedyś zastąpię ten wazon naczyniem z pieczenią.

W sypialniach pozwoliłam sobie na więcej lekkości. Ograniczyłam się do białych ścian, delikatnych, prawie przezroczystych firan, odnowionych drewnianych szaf, komód i prostych łóżek z kolorową pościelą. W przedpokoju pomiędzy sypialniami zorganizowałam też nieduży gabinet. Pod oknem wychodzącym na ogród ustawiłam bukowy stolik, lampkę i kilka kuferków z przyborami do rysowania i papierem.

Kiedy rozlokowałam swoje przedmioty, zasiadłam przy tym biurku i zaczęłam spisywać pomysły na prezenty dla Branieckich.

Zapowiadały się ciekawe święta, bo sąsiedzi, którzy stali się naszymi przyjaciółmi, przyjęli zaproszenie na Wigilię bez mrugnięcia okiem. Wspólna kolacja miała być symbolicznym gestem wdzięczności za okazaną pomoc, a przede wszystkim spoiwem naszych więzów. Nie miałam z tym żadnego problemu, a nawet zachwycała mnie perspektywa ciepłych, rodzinnych świąt. Miałam natomiast problem z sylwestrem. Marek zaprosił mnie na wyjazd w Tatry Słowackie i zaproponował pozostanie tam na kilka dni nowego roku. Za namową Kaśki przyjęłam zaproszenie wyłącznie na sylwestra, choć nawet co do tego nie byłam przekonana. W zasadzie zgodziłam się z uwagi na złożoną sobie obietnicę, że otworzę się na ludzi. I było to cholernie nierozsądne. Propozycja włączenia mnie w grono przyjaciół wydawała się być dość oczywistym sygnałem. Przeczuwałam, że Marek zdążył poczuć do mnie coś więcej niż przyjaźń i obawiałam się jego zaangażowania. Nie chciałam go skrzywdzić.

Po rozpisaniu listy prezentów i po setnym wyszorowaniu podłóg, umyciu mebli, szafek, półek, półeczek i uporządkowaniu ostatnich rzeczy, które przywiozłam ze sobą z poprzedniego mieszkania, padłam półprzytomna na owczą skórę w salonie. Leżałam na brzuchu, podpierając głowę na złożonych dłoniach i wpatrywałam się w metalowy, kolisty lampion sprowadzony dla mnie przed kilku laty z samego Marrakeszu. Światło świecy przebijało się przez drobne metalowe dziurki i rozbłyskiwało za taflą kolorowego szkła. Wyobraźnia przeniosła mnie na chwilę do sypialni krakowskiego mieszkania, gdzie w blasku tego lampionu oddawałam się namiętności w ramionach ukochanego. Odpłynęłam. Ocuciła mnie melodia z naszej, mojej i Maksa, ulubionej sztuki teatralnej. Potrząsnęłam głową i niemrawo przeszłam do przedpokoju. Przetrzepywałam kurtkę w poszukiwaniu niestrudzonego telefonu. Przez chwilę liczyłam, że ujrzę na wyświetlaczu ten cholerny numer, który już dawno usunęłam z kontaktów, a powinnam również z pamięci. Nic bardziej mylnego.

— Cześć, Zosiu — zaczął Marek. — Nie chciałbym przeszkadzać, bo wiem, że pewnie biegasz jeszcze po domu, żeby dopiąć wszystko na ostatni guzik. Mam akurat przerwę między pacjentami i chciałem tylko zapytać, co z tymi nartami po Nowym Roku? Przemyślałaś to? Nie chcę cię ponaglać, ale Dominik mnie męczy, bo trzeba potwierdzić noclegi.

— Cześć, Marku. Dobrze cię słyszeć… — wypaliłam i zamilkłam. Szukałam w głowie tematu zastępczego, dzięki któremu wyłuskałabym kilka dodatkowych sekund na podjęcie decyzji. Jak to zwykle bywa w takich sytuacjach, akurat nic nie przychodziło mi do głowy.

— Jesteś tam? Coś się stało? — spytał.

— Nie, nie. Wszystko w porządku. Jestem dzisiaj sama, rodzice pojechali do kina i potrzebowałam usłyszeć przyjazny głos. — Nie wiem, skąd mi się to wzięło, jednak wiem, że w moich ustach brzmiało cholernie słabo.

— Oj, Zosiu… Jest późno, a o ile cię znam, pewnie cały dzień zasuwałaś bez przerwy i jesteś zmęczona. Proszę cię, odpuść na dzisiaj i odpocznij. Zjedz coś pysznego, napij się herbaty, wyluzuj, pomarz trochę o bajecznie zaśnieżonych szczytach gór, oprószonych śniegiem choinkach, góralskiej muzyce i zapachu grzanego wina. Co ty na to?

— Przekonałeś mnie.

— Czyli zgadasz się?

Że jak? Nie to do diabła miałam na myśli! Wstrzymałam oddech i wyrzuciłam z siebie:

— Tak.

Przegięłam. Owszem, powinnam wychodzić do ludzi, ale jak to kiedyś powiedziała Julka — powinno to się słowo powinno wyrzucić ze słownika.

— Wspaniale! Wiedziałem, że dasz się przekonać. Jutro wieczorem wszystko omówimy, a póki co wskakuj pod ten koc, bo do sylwestra musisz wypocząć. Jeszcze cię dzisiaj skontroluję SMS-ami.

Zabrzmiało groźnie. Nie znoszę być kontrolowana.

— OK — wykrztusiłam jednak tylko.

— Do zobaczenia jutro, kochana — podsumował i rozłączył rozmowę.

Po prostu wspaniale. Nie dość, że lekko przycisnął mnie do podjęcia decyzji, że przyznał się, iż zamierza mnie kontrolować, to jeszcze zrobił ze mnie kochaną. Spanikowałam i zadzwoniłam do mojej wybawicielki.

— Cześć, szefowo remontu! Jak ci minął dzień? Co tam? — odezwała się rozpromieniona Kaśka.

— Alarm, cholera jasna! Potrzebuję pomocy.

— Co się stało? Pękła rura, czy wbiłaś gwóźdź w złym miejscu?

— Gorzej. Zgodziłam się na ten wyjazd na narty.

— W końcu! Bo już naprawdę zachodziłam w głowę, jak cię do tego przekonać. Mówię ci, wracałabyś z tego sylwestra z niesmakiem, że jednak mogłaś zostać na dłużej. Oderwiesz się, przeżyjesz coś fajnego…

— Nie, nie! — przerwałam jej. — Ja się zgodziłam, a on rzucił do mnie „kochana". Rozumiesz?!

Kaśka zarechotała.

— O cholera, szybki jest! O to go nie podejrzewałam.

— Ja też nie! Nie sądziłam, że tak szybko przejdzie do ataku. Naiwnie wierzyłam, że mnie rozumie, że da mi czas…

— Faktycznie trochę tego nie przemyślałyśmy. Ale w końcu to prawdziwy facet, więc uśpił naszą czujność swoją słodyczą. Z drugiej strony, co ci zależy?

— Jak to co? Będę się męczyć, a on to wyczuje i wszystko zepsuję! Nie jestem gotowa na związek! A naprawdę mi na nim zależy i nie chcę go skrzywdzić.

— No tak, tylko że patrząc z jego perspektywy… wcale mu się nie dziwię. Zaangażował się i boi się, że mu gdzieś odpłyniesz. Jest niecierpliwy, jak na prawdziwego samca przystało.

— Jak to się zaangażował? Czy ja mu na to pozwoliłam? Co ja mam robić? Nie chcę tego zepsuć! A jeszcze wspólne święta przed nami, Cholera jasna!

— Słuchaj, wpadnij do mnie jutro i razem coś wymyślimy. Zdążysz wytrzeźwieć do Wigilii.

— Faktycznie przyda mi się porządny kieliszek wina.

— Też tak uważam. Bądź jutro o osiemnastej, ogarnę dzieciaki i wygonię gdzieś męża.

— OK, to jesteśmy umówione.

— Do usłyszenia.

Rozłączyłam rozmowę i jeszcze przez jakiś czas siedziałam na drewnianych schodach, w ciemnym przedpokoju. Przyglądałam się płatkom śniegu padającym na niewielkie szybki w drzwiach wejściowych. Wiatr nieprzyjaźnie hulał za zewnątrz jak w filmach grozy, kiedy nastrój sygnalizuje wizytę nieproszonego gościa. Zamyśliłam się. Kombinowałam, jak dać Markowi do zrozumienia, że jest dla mnie o wiele za wcześnie na miłosną relację. A gdyby tak… A gdyby tak pozwolić mu na czułość. Gdyby tak dać się omotać tak jak kiedyś Maksowi? Przed nim też się broniłam, a ostatecznie wpadłam po uszy. Może tak to działa? Nie mogłam tego wiedzieć, bo oprócz Maksa nie miałam żadnego doświadczenia. Na pewno nie potrafiłabym zrobić czegokolwiek wbrew sobie, lecz może kiedyś zakocham się w Marku? Zobaczyłam, jak wciśnięta w kombinezon narciarski szaleję na stoku w jego towarzystwie. Wesoła wymijam go szusem, po czym przewracam się wprost pod jego nogi, wpadam w jego ramiona, zbliżamy się ku sobie… Wtem huk wybił mnie z tej wizji.

Zerwałam się, otworzyłam drzwi i zostałam wepchnięta do domu przez wiatr, wraz ze śniegową falą. Przytrzymałam się, chwytając za uciekające drzwi i przedarłam się na zewnątrz. Nie wiedziałam, czy ktoś rzucił czymś w dom, czy mam urojenia. Rozejrzałam się, złapałam za poły rozwianego swetra i, opatulając się po szyję, wyskoczyłam przed ganek. Stamtąd dostrzegłam, że huk spowodował zerwany przez wiatr solidny świąteczny wianek, który pognał w stronę ogrodu. Dostałam go od Bożenki w prezencie na nowy dom i nie był mi obojętny. Ruszyłam ku niemu, nie zważając, że jestem w piżamie, sweterku i miękkich bamboszach reniferkach, które przemokły przy pierwszym kontakcie ze śniegiem. Na dodatek prawie nic nie widziałam, bo śnieg zacinał mi prosto w twarz, rozpływał się na okularach, a ogród za domem oświetlała jedynie odrobina światła przebijająca się przez drzwi tarasowe. Mimo to prułam za tym wiankiem, jakby był co najmniej ze złota. Dobiegłam do jabłoni, naiwnie podskoczyłam do gałęzi, na której zawiesił go wiatr, choć nie miałam szans go dosięgnąć. W nadziei na pomoc sił natury podskakiwałam dalej, próbując złapać sąsiednie gałęzie, którymi mogłabym potrząsnąć. Jeśli ktoś mnie widział, to na pewno miał niezły ubaw. W końcu wieniec ześliznął się po gałęzi i spadł mi prosto na głowę niczym wianuszek. Chwyciłam go i wróciłam do domu. Padłam ponownie na skórę przy kominku. Trzymałam w dłoniach ten cholerny świąteczny wieniec, a przed oczyma miałam wianek który kiedyś dał mi Maks. Dokładnie pamiętałam, jak dumnie paradowałam w nim po mieście. Odczytałam przekaz. Nie ma się co oszukiwać, nadal żarliwie tęsknię za jego zaczepnym spojrzeniem, wyprężoną klatą i przeładowanym testosteronem ego.

PATROL

Lampki rozbłysły na naszym pachnącym świerku. Ja krzątałam się po kuchni, a tato kończył ubieranie choinki. Ni stąd, ni zowąd zaskoczył mnie wyznaniem:

— Nie gniewaj się, ale muszę ci to powiedzieć — zaczął spokojnie, a później wyrzucił z siebie jednym tchem. — Bardzo się cieszę, że zgodziłaś się na ten wyjazd z Markiem. To naprawdę fajny chłopak, odpowiedzialny i porządny.

Uniosłam brew, bo zaskoczył mnie nie tyle wyznaniem, co wiedzą o wyjeździe.

— Skąd o tym wiesz?

— Bożenka mi powiedziała — odpowiedział niby niewzruszenie i wsunął się za choinkę.

— A skąd ona o tym wie?

— A to jakaś tajemnica była? To przepraszam. A gdzie powiesić te złote w brokacie? Nad czerwonym mikołajem czy na tyłach?

Oj, mój kochany tato zmieszał się niepotrzebnie i próbował jakoś zbagatelizować moje uniesienie.

— Nie, to nie żadna tajemnica. Chyba nie miałam świadomości, że Marek jest taki zżyty z Bożenką. Powieś kilka na tyłach i dwie na górze.

— Myślę, że Marek po prostu cieszy się, że z nim pojedziesz i dlatego nie omieszkał się pochwalić. Z tego, co mi wiadomo, raczej nie mówi mamie o wszystkim.

— W zasadzie masz rację. Przypnij jeszcze te dwie kokardy w kratę, a ja lecę się spakować.

— Tak jest — odpowiedział i zakończyliśmy tę krępującą dla obojga rozmowę.

Kaśka zjawiła się po mnie jak zwykle punktualnie. Po drodze zaopatrzyłyśmy się w ulubione wino i naleśniki na wynos. Miałyśmy być same, bo udało jej się wysłać dzieciaki do babci na przedświąteczne lepienie pierogów, a Andrzeja na firmową wigilię.

— Jak tu cudownie cicho i pusto — ucieszyła się, gdy weszłyśmy do jej mieszkania. — Cały mój pałac wyłącznie dla nas. Dawno tu nie nocowałaś. Czuję się trochę jak za czasów panieńskich.

— Ja tym bardziej — zauważyłam. — Zresztą nie ma co się nad sobą użalać. A ty schłodź mi to wino, bo potrzebuję otworzyć umysł.

Kaśka schowała butelkę do lodówki i zaczęła rozkładać naleśniki na talerzach.

— Uważasz, że po alkoholu masz najlepsze pomysły?

— Pewnie nie najlepsze, ale przynajmniej jakieś. Bo na tę chwilę żadne rozwiązanie, oprócz ucieczki nie przychodzi mi do głowy.

— Ucieczki? Chyba kupiłyśmy o dwie butelki za mało.

Kaśka podała mi talerze i usiadłyśmy na wzorowanych na projekcie Eamesów krzesłach zestawionych z nowoczesnym stołem wymalowanym w sęki drewna. Z apetytem zajadałam się naleśnikami i rozglądałam się po jej modnym mieszkaniu. Było zupełnie inne niż moje, choć też na swój sposób spektakularne. Intrygowało mnie, bo ja nie potrafiłabym mieszkać w domu, gdzie szafki nie mają uchwytów, a całe umeblowanie jest szaro-biało-beżowe. I plastikowe co pewnie przy dzieciach świetnie się sprawdza. Na tym jasnym tle szczególnie wyróżniała się niewielka różowa karteczka przyklejona do boku lodówki.

— Czyj to adres? — zapytałam.

Kaśka zasugerowała mi, że nie jest w stanie odpowiedzieć, bo ma pełne usta, po czym przeżuwała tak długo, że nie mogąc doczekać się odpowiedzi, zerwałam tę karteczkę i wróciłam z nią do stołu.

— Włochy? To nie jest adres Julki i Jacoba.

— No, nie jest — usłyszałam w końcu.

— Chyba nie chcesz mi powiedzieć, że to adres…

— Nie, to nie jest adres Maksa, wariatko. Skąd i po cholerę miałabym mieć jego adres. To adres znajomych Andrzeja, którzy zaprosili nas na ferie zimowe — tłumaczyła, zataczając widelcem kręgi w serze na naleśniku.

— Czyli ja znowu zaczynam świrować?

— No trochę. Żadna nowość, lepiej przejdźmy do tematu dnia.

Kaśka zebrała talerze i przyniosła mi wielki kielich wina.

— Wiesz, że do tych dwóch kieliszków wchodzi cały litr?

— Serio? To wszystko?

— Tak, właśnie wyrzuciłam butelkę.

— W takim razie faktycznie skromnie się wyposażyłyśmy. No ale nic, siadaj, opowiem ci więcej o Marku.

Kaśka zgasiła światło, zapaliła świeczki i wmawiała mi, że to najmodniejszy ostatnio styl, hygge, dzięki któremu fajnie się wyluzuję. Ja jednak przeczuwałam, że prędzej wyluzuje mnie kolejna butelka wina. Po godzinie byłam już na nią gotowa, odstawiłam pusty kielich i śpiewająco udałyśmy się z Kaśką do kuchni w poszukiwaniu pozostałości jakichkolwiek napojów procentowych.

— Na pewno nic więcej nie masz? — dopytywałam, wspinając się kolanami na kuchenny blat. — Jak w tym pudełku niczego nie będzie, to lecimy do nocnego. Po cholerę trzymacie napoje w pudełkach, w dodatku na szafkach pod sufitem?

Kaśka w tym czasie asekurowała mi tyły, chociaż sama trochę się gibała.

— Napoje? — Zaśmiała się. — Dobra jesteś! Mamy małe dzieci i nigdy nie wiadomo, do czego się dossą.

— Jest! — krzyknęłam i pomachałam triumfalnie butelką wiśniówki. — Pół butelki?

— Dawaj to, nie gadaj. — Wyrwała mi ją z ręki i rozlała do kieliszków po winie.

— Nie popijamy zbyt elegancko.

— A tam elegancko. Ważne, żeby kopało.

— Jak to było z tym wiankiem? — zagaiła. — Opowiadaj.

Po kolejnych dwóch godzinach zwierzeń i wylizaniu ostatniej kropli alkoholu zaproponowałam, byśmy skoczyły do nocnego po kolejne wino, a że do sklepu było dziesięć minut na piechotę, Kaśka nawet się nie zawahała. Roześmiane dotarłyśmy pod sklep, który okazał się być zamknięty. Nie przejęłyśmy się tym faktem i ruszyłyśmy dalej.

— W sklepie przy Plantach jest pyszne, czerwone porto — zagadywała.

— Czyli wyprawa na Planty?

— Ja bym po to wino poszła na piechtę do Warszawy.

Tym sposobem rozchichotane przemaszerowałyśmy przez Planty i po kilku minutach byłyśmy pod sklepem. Kaśka ustawiła się w kolejce, a ja z uwagi na nienajlepszy stan psychofizyczny postanowiłam poczekać na zewnątrz. Oparłam się o fasadę budynku i uniesiona wiśniowymi procentami zachwycałam się płatkami śniegu opadającymi romantycznie w świetle latarni. W pewnym momencie usłyszałam za plecami rozpaczliwy krzyk i niepokojącą rozmowę.

— Wynoś się stąd! Nie wolno wam spać na ławkach. Jest mróz, możesz zamarznąć! Piłeś coś?

— Odwieziemy cię na izbę albo do przytułku!

— Niczego nie piłem, panie władzo! I nie bijcie, proszę! Niczego nie zrobiłem!

Odwróciłam głowę, zmrużyłam oczy i w mroku na Plantach dostrzegłam policjantów nagabujących bezdomnego starca. Rozpoznałam ich. Byli świeżutcy, przyjęli się niedługo przed akcją z relikwiarzem i najwyraźniej nie zdążyli jeszcze pojąć tego zawodu, bo zachowywali się jak kretyni. Bez zastanowienia ruszyłam, żeby ich ochrzanić.

— Witajcie panowie, co słychać?

Staruszek odwrócił się w moją stronę i przysłonił ręką rażące go światło latarni. Zatrzymał na mnie wzrok i wówczas zorientowałam się, że to doktor Antoni. Nie spodziewałam się, że w tak przyjemny wieczór będę musiała przeżywać bolesny powrót do przeszłości.

— Cześć, Sokolnicka. Ty mów, co u ciebie? Dawno nas nie odwiedzałaś — nagabnął jeden z chłopaków. Dodał jeszcze kilka dłuższych zdań, natomiast nie mam pojęcia, o czym mówił, bo skupiłam się na doktorze. Trwało to dłuższą chwilę, a Antoni zdążył już usiąść elegancko i poprawić brudny płaszcz.

— Co z tobą? Co ty tu robisz o tej godzinie? Zośka? Halo? — Drugi z chłopaków złapał mnie za rękę.

Ocknęłam się, z tym, że nie oderwałam wzroku od doktora.

— Zostawcie go, OK? Znam go, pogadam z nim.

— Przecież to jakiś menel…

— Nie obrażaj mnie — wyrwał się Antoni.

— No właśnie, nie obrażaj doktora — głośno zwróciłam mu uwagę. — To wybitny naukowiec, ma po prostu cięższe dni.

— A ty przypadkiem czegoś nie piłaś? — dopytał posterunkowy.

— A co, nie wolno?

— Zero jeden do zero trzy, zero jeden do zero trzy — odezwał się głos w krótkofalówce przypiętej do munduru jednego z chłopaków.

— Zero trzy, zgłaszam się — odpowiedział posterunkowy.

— Jest wezwanie na rogu Tomasza, kobieta zgłasza bójkę dwóch mężczyzn — wytrzeszczał głos z urządzenia.

Policjant odwrócił się do mnie.

— Dobra, Zocha, zajmij się nim. Pogadamy innym razem. Mam nadzieję, że wiedzie ci się lepiej niż w służbie. Trzymaj się — zakończył i podał mi rękę na pożegnanie. Drugi zrobił to samo i oboje udali się w kierunku ulicy Świętego Tomasza.

Odczekałam kilka sekund i przypuściłam atak.

— Co ty tu, do cholery, robisz?

— Dziękuję ci, ja… — zaczął Antoni.

Najpierw odwróciłam się do niego plecami, później okręciłam się wokół własnej osi i ostatecznie przysiadłam na skraju ławki.

— No więc? — dopytałam.

— Jak słusznie zauważyłaś, mam te dni — odpowiedział spokojnie, skupiając całą uwagę na otrzepywaniu płaszcza ze śniegu.

— I dlatego śpisz na ławce? W tak mroźny wieczór? Zwariowałeś?

Antoni milczał.

— Dlaczego nie pijesz w mieszkaniu? Masz je jeszcze, prawda?

— Mam, mam — burknął cicho.

— Winszuję. No więc co tu robisz? — ponowiłam pytanie podniesionym głosem.

— Na tym polega filozofia spożywania alkoholu — stwierdził, zalotnie rozkładając ręce.

— Że co proszę?

— Jesteśmy w wyjątkowym, bogatym historycznie mieście. Uwielbiam każdy jego zaułek, choć wbrew pozorom nie każdy jeszcze znam...

— Jakie to urocze — przerwałam mu, ale Antoni nie dał się sprowokować.

— Dokładnie. To niezwykle urocze być wolnym i móc przeżywać to miasto. Wziąć plecak tematycznych książek i błąkać się całymi dniami po uliczkach Krakowa. Mieć czas, aby przysiąść naprzeciw zakonu karmelitów i chłonąć ich historię. A później dać się zaprosić do tego mistycznego świata i wsiąknąć w niego na dłużej. Albo można krążyć przez cały dzień od ławki do ławki, wpatrując się w okna tych starych kamienic, pożyć trochę życiem ich dawnych mieszkańców.

Tym razem ja też byłam podpita i trudniej było mi nad sobą zapanować.

— Profesor obiecał, że będzie cię pilnował — bąknęłam.

— Mnie się nie da upilnować. Zresztą oni właśnie z Kazkiem wyjechali do tych Włoch.

— Jakich znowu Włoch? Po co? — zdziwiłam się, na co Antoni zdziwił się jeszcze bardziej.

— To ty nie wiesz?

— Czego znowu nie wiem? Cholera jasna! Czego znowu nie wiem?! — krzyknęłam.

— No, że Janek z Kazkiem pojechali po pacyfikał.

— O Jezus Maria, znowu ten pieprzony relikwiarz! Ja zwariuję! — Złapałam oddech, wstałam i znów łupnęłam na ławkę. Po chwili odskoczyłam i stanęłam naprzeciw Antoniego.

— Cienko z tobą, doktorze. Wracaj do domu, bo za mocno wsiąkłeś w swój wyimaginowany świat.

Antoniemu trzęsły się ręce, próbował je uspokoić i patrzył na mnie wzrokiem pełnym przekonania. Oprószone śniegiem wąsy opadały lekko wokół zasmuconych ust.

— Kiedy ja mówię prawdę...

— Nie! Nie! Nie! — Naciągnęłam czapkę na uszy.

— Nie chcę tego słuchać, nie chcę tego słuchać — powtarzałam.

— Czego nie chcesz słuchać? — dobiegł mnie uradowany głos Kaśki, która pojawiła się znienacka, śmiejąc się i machając butelkami.

— Mam wino, a nawet dwa. Drugie, wiesz, na zapas — dodała i puściła do mnie oczko.

Zdziwiła się, że nie zareagowałam i podążyła za moim wzrokiem.

— Ooo, nie wierzę. Doktorze, jak miło pana widzieć. — Uśmiechnęła się szeroko, schowała wino do wyciągniętej z kieszeni siatki i podała mu rękę.

— Wzajemnie, Kasiu — ucieszył się.

— Taaa, jasne, srutututu. Idziemy stąd! Nie słuchaj go, znowu gada bzdury.

Kaśka zmarszczyła brwi.

— Coś się stało?

— Nic, idziemy — powtórzyłam odwróciłam się i pociągnęłam ją za rękaw.

Ona jednak niestrudzenie trwała w miejscu.

— Powiedziałem Zosi, że Janek z Kazkiem pojechali po pacyfikał — odezwał się Antoni.

— Kaśka, do cholery, ten mitoman znowu wpadł w cug. Od kilku dni szwenda się po mieście, pije i wchodzi w „mistyczne światy innych ludzi". Znowu coś wymyślił. Boję się tego słuchać, żeby mnie w końcu szlag nie trafił.

— Kiedy tym razem to szczera prawda — stwierdził z przekonaniem Antoni. — Może i piję od kilku dni, lecz nie do upadłego. Potrafię odróżnić rzeczywistość od fikcji.

— Akurat tego nie byłabym taka pewna. Twoja historyjka rozwaliła mi życie.

— Nie przesadzasz? — zapytała Kaśka.

— Nie. Gdyby tak fantastycznie nie naściemniał, najprawdopodobniej nie weszłabym w tę chorą relację. Dzisiaj miałabym pracę...

— I co byś jeszcze miała — przerwała mi. — Nie dorosłaś do tego, że było ci to pisane? Nadal udajesz? No co byś miała? Powiedz?

Milczałam, skupiła się zatem na Antonim.

— Wytłumacz nam doktorze, o co chodzi.

Stałam naprzeciw nich i kipiałam ze złości.

— Otóż, drogie panie, Jan postanowił odzyskać relikwiarz i poleciał w tym celu do Włoch, aby spotkać się z domniemanym kolekcjonerem. Adres podsłuchał, kiedy przetrzymywali go w tej całej Koronce.

— Skończ już, cholera jasna! — warknęłam, wybijając go z rozpoczętej myśli.

— W zasadzie skończyłem.

— Zośka, nie drzyj się. I uspokój — upominała mnie przyjaciółka.

— Uspokój?! To są jakieś jaja! Szczyt szydery! — grzmiałam roztrzęsiona, wymachując rękoma.

— Nie unoś się tak! Jesteś agresywna! — uspokajała mnie. — Doktorze, powiedz mi, sami tam polecieli? Są od pana trochę starsi, poradzą sobie?

— Ty mu chyba nie wierzysz? — wtrąciłam.

— Zołzo, pozwól mu odpowiedzieć!

— Żartujesz?! To jakaś cholerna komedia! Nie zniosę tego!

Odwróciłam się na pięcie i szybkim krokiem ruszyłam wzdłuż Plantów. Kaśka zeskoczyła z ławki i pożegnała się z Antonim.

— Przepraszam doktorze. A Maks się odzywał?

— Nic mi o tym nie wiadomo.

— No dobrze, trudno. Przepraszam za Zośkę…

— Rozumiem. Wcale się nie dziwię, że mi nie ufa. Na jej miejscu też bym sobie nie wierzył. Ale tym razem nie kłamię.

— Wiem, doktorze. Gdzie będę mogła pana znaleźć?

— Tu i tam. — Pokiwał głową na boki.

— Wrócisz niedługo do domu?

— Może po świętach. — Uśmiechnął się.

— To już coś. Zatem wesołych świąt!

— Powodzenia, Kasieńko — pożegnał ją.

Przyjaciółka dogoniła mnie, złapała pod rękę i przez chwilę szłyśmy tak w milczeniu, nie spoglądając na siebie. W końcu nie wytrzymała.

— To adres kolekcjonera.

— No, tak powiedział. Żenada.

— Nie, nie, Zośka. Ten adres na mojej lodówce.

Zatrzymałam się pośrodku chodnika i przez jakiś czas próbowałam się wyżyć. Kopałam czubkami butów w zlepione kłęby śniegu, powtarzając pod nosem: „Nie wierzę, nie wierzę".

— Uknuliście to wspólnie, żeby mnie wsadzić do psychiatryka?

— Zośka…

— Jeszcze powiedz mi, że wiesz, gdzie jest ten dupek?

— Niestety nie wiem. Ale Antoni teraz nie kłamał, oni faktycznie znają ten adres. Przynajmniej tak powiedział mi profesor Jan. Przyszedł do mnie w środę. Wstydził się prosić cię o pomoc. Zostawił mi tę karteczkę na wszelki wypadek. Też wolałabym, żeby powiedział o tym komuś innemu.

— I co dalej? Co ja mam z tym zrobić? Czemu oni nie dadzą mi spokoju? Nienawidzę tego pieprzonego relikwiarza. W nim jest jakiś szatan zaklęty, a nie wskazówka do skarbu!

Kaśka złapała mnie za ramiona, jakby chciała mną potrząsnąć.

— Zośka… On przyszedł z tym do mnie, nie do ciebie. Poprosił mnie, żebym zgłosiła ich zaginięcie, jeśli nie odezwą się w ciągu dwóch tygodni. Niczego więcej nie mogę zrobić. Ty też nie, bo nie pojedziesz za nimi do Włoch. Olej to i chodźmy wydoić wino, zanim zaskoczy nas tutaj poranek.

Poprawiłam czapkę i okulary, otrzepałam kurtkę ze śniegu i ogłosiłam:

— Właśnie podjęłam ostateczną decyzję. Nie zrezygnuję z wyjazdu z Markiem.

Kaśka uśmiechnęła się.

— No cóż, kibicuję ci. A teraz chodźmy, bo zaraz zamarznę.

Wróciłyśmy do mieszkania Kaśki, ale nasz nastrój nie był tak szampański jak wcześniej. Próbowałam udawać przed przyjaciółką i przed sobą, że spotkanie z Antonim jedynie mnie zdenerwowało, a nie że rozchwiało mój niestabilny jeszcze grunt pod nogami. Chcąc zagłuszyć rozbudzoną tęsknotę za Maksem, rozpływałam się nad Markiem, wychwalałam jego zaradność, subtelność, intelekt. Przyjaciółka słuchała w milczeniu, dając mi do zrozumienia, że nie pochwala takiego zachowania, a mówiąc dosadniej, że zachowuję się zwyczajnie głupio.

— A ty myślisz, że on by do mnie pasował? — zapytałam.

— Chciałabym, bo fajny jest, no ale… myślę, że nie bardzo.

— Czyli ja nie jestem fajna?

— Oj, wariatko! Wiesz, że nie to miałam na myśli.

— A co?

— Tak szczerze?

— Tylko tak. Kawa na ławę.

— OK, sama chciałaś — uprzedziła i zamilkła na chwilę. Zmrużyła oczy i westchnęła, wypuszczając nosem powietrze. — Sądzę — zaczęła — że ludzie aż tak bardzo się nie zmieniają. Tobie się wydaje, że się zmieniłaś, że jesteś spokojniejsza, wyważona, otwarta i że cieszą cię mniej ekstremalne rzeczy niż kiedyś. Rzecz w tym, że to złudzenie, które po pewnym czasie minie. Nasiąkniesz tym spokojem i znowu będziesz szukać adrenaliny, wrażeń, nieprzeciętnych doświadczeń. Marek jest dla ciebie za spokojny albo, inaczej mówiąc, zbyt nudny. Owszem, to nie jest facet, który po ośmiu godzinach pracy przychodzi, otwiera piwo i siada przed telewizorem. On ma swoją ekstremalną pracę, która stanowi dla niego wyzwanie. W zasadzie jest całym jego życiem. Miałaś kiedyś dokładnie tak samo. Co więcej, jak sama mówisz, jest wyważony i subtelny. Nie będzie się z tobą włóczył po nadmorskich miastach, nie będzie spał po krawężnikach, nie porwie cię nieoczekiwanie na piwo ani nie wepchnie do meleksa. Z całym szacunkiem dla niego jestem pewna, że czułabyś się przy nim bardziej męska od niego. Bo on nie przywali bandziorowi, który wyrwie ci torebkę, a ty tak. No i tak szczerze mówiąc, choć nigdy cię o to nie pytałam, jestem pewna, że on nawet cię nie pociąga. Ty całe życie trenujesz i lubisz takie muskularne ciała jak twoje. Wiesz, jakbyście śmiesznie razem wyglądali na plaży? Kobieta z większym bickiem niż jej facet. Chciałabym, żebyś doświadczyła w jego towarzystwie czegoś nowego, jednak związku z tego nie widzę. A, i najważniejsze, ty ciągle kochasz Maksa. I zobaczysz, on za niedługo wróci, a ty będziesz żałować, że źle go oceniłaś.

Odjęło mi mowę, a Kaśka zmieniła temat.

Prezent

Wracałam do domu roztrzęsiona, nie tylko z powodu kaca. Kaśka, tym co powiedziała, zachwiała moją wewnętrzną równowagę bardziej niż Antoni. Kiedy zniknęłam jej z pola widzenia, rozbeczałam się na całe gardło. Uspokoiłam się dopiero pod domem. Wyglądał tak pięknie, mienił się milionem drobnych, złotych światełek.

Na szafce w przedpokoju leżały trzewiki Bożenki. Zamierzałam umknąć chybcikiem na górę, jakbym zapomniała, że mam ojca komendanta.

— Cześć, córeńko! Jak było w Krakowie? — zaciekawił się, wyglądając w moją stronę z salonu.

Uzbroiłam się w łagodny uśmiech i zajrzałam do niego.

— Dzień dobry, kochani — przywitałam się.

— Uszykować ci obiadu? — zapytała Bożenka.

— Dziękuję, zjem później.

— Byliśmy dzisiaj na świątecznych zakupach — ciągnęła. — Zrobiłam spis wszystkich potraw i kolejności ich przyrządzania. Przyjdź do mnie jutro popołudniu, ustalimy, jak się przygotować — zaproponowała.

Nie lubię krzątać się po cudzym domu, dlatego wpadłam na genialny pomysł. Usiadłam obok taty i zwróciłam się do Bożenki.

— Chciałabym, żebyśmy gotowały u nas. Czuj się tutaj jak u siebie.

— Wspaniały pomysł! — ucieszył się ojciec.

Bożenka uśmiechnęła się i skinęła głową.

— To będą wyjątkowe święta. Symboliczne scalenie dwóch rodzin — dodała. — Tak się cieszę, że jedziesz z Mareczkiem. Wiesz, jak on mocno to przeżywa? Pewnie nie powinnam ci tego mówić, więc tak między nami — nachyliła się w moją stronę i wyszeptała — zaplanował masę atrakcji. Nie żeby mi się zwierzał, podsłuchałam jego rozmowę z Pawłem.

Tato dostrzegł lekkie przerażenie w moich oczach i zręcznie odparł bożenkowy atak.

— Nie zabieraj im frajdy, pozwól Zosi dać się zaskoczyć.

— Oj, Janek, to takie tam babskie sprawy — skwitowała sąsiadka.

Wydaje mi się, że to nie były babskie sprawy, a raczej moje prywatne. Przygniotła mnie presja i uciekłam do swojej sypialni. Wieczór bardzo mi się dłużył. Nie potrafiłam zasnąć, biłam się z myślami i ostatecznie, jak zawsze w takich chwilach, sięgnęłam po notatnik. Napisałam: „Osadzony w ramach nieokreślonego czasu, niewiadomej przestrzeni, obraz twój — dzieło sztuki".

Obudziłam się bardzo wcześnie. Spakowałam świąteczne prezenty i skuliłam się w fotelu przy choince. Był mroźny poranek, malutkie płatki śniegu nieprzerwanie nacierały na mocno zaśnieżony ogród, podtrzymując bajkowy, nostalgiczny klimat. Mój nos rozkoszował się mieszanką zapachów kominka, jedzenia i choinki. Wspominałam, jak kilka miesięcy wcześniej wyobrażaliśmy sobie z Maksem ten świąteczny czas. Żałowałam, że nie ma go ze mną, brakowało mi go. Podświadomie ciągle na niego czekałam. A jeśli Kaśka ma rację? Jeśli on jednak wróci? Pożałowałam, że nie mam na palcu pierścionka. Dlaczego dojrzałam do tego w momencie, gdy już zaczęłam odzyskiwać równowagę? Czyżby to jej efekt, czy jestem aż tak niestabilna emocjonalnie? Po co tak bardzo się zadręczałam? Ech. Najprawdopodobniej to znów wina tego cholernego pierwotnego instynktu, który zwariował, gdy po tylu latach wstrzemięźliwości w końcu byłam z mężczyzną. Tak bardzo go pragnęłam, byłam tak mocno przekonana, że to ten jedyny, wyczekany, iż nie potrafiłam podejść do jego wyjazdu z dystansem, z obojętnością, z jaką setki kobiet traktują przelotne romanse. Lecz skąd się we mnie wzięła aż taka emocjonalność? Czyżbym tak bardzo zatraciła się w swoim życiu, że skupiłam na nim frustracje i zrobiłam problem z niczego? Czy to jedynie efekt kumulacji negatywnych zdarzeń? Teraz bym tak nie postąpiła. Po co ja okłamywałam samą siebie? Przecież ciągle go kocham. Poczułam się tak szczęśliwa, jakby nic się nie stało.

Popołudnie spędziłam z moimi sąsiadkami. Rozpaliłam w kominku, włączyłam kolędy i wczułam się w rolę kucharki. Nie jestem zwolenniczką takiego określenia, przez jego pejoratywny wydźwięk. Kojarzy mi się ze szkolną stołówką i niesmacznym mącznym sosem. Co innego kucharz, to brzmi dumnie. Wkurza mnie, że w naszym słowniku nie ma wyrazu, który by odpowiednio określał kobietę świetną w tym zawodzie. A że nie jest to wyjątek, warto byłoby o to powalczyć. Ale nie o tym mowa. Ja w roli kuchmistrzyni — tak wiem, że nie jest to słowo adekwatne do moich umiejętności, ale lepszego nie znalazłam — przez kilka kolejnych godzin potulnie wykonywałam wszystkie polecenia Bożenki, która świetnie czuła się w roli szefowej kuchni. „Zagnieć ciasto, pokrój warzywa, dodaj jeszcze trochę śmietany, pilnuj czasu" i inne tego typu polecenia sprawiły, że całkowicie się zatraciłam. Bawiłam się przy tym jak dziecko. Sama za żadne skarby świata nie potrafiłabym przygotować tak wytwornej, a zarazem tradycyjnej kolacji wigilijnej. Nie miałam doświadczenia kulinarnego, podejrzewam więc, że nawet z książką w ręku i włączonymi filmikami na YouTube miałabym spore problemy. Poza tym było mi zwyczajnie miło w towarzystwie tych kobiet. Od dawna nie miałam mamy, babci ani żadnej ciotki, od której mogłabym się czegoś nauczyć. Jolka była dla mnie bardzo wyrozumiała i choć świetnie znała zwyczaje swojej mamy, nie pozwoliła mi poczuć się skrępowaną.

Po wielu godzinach kuchennych batalii rozlałam nam po lampce wina i rozłożyłyśmy się na kanapie. Bożenka jeszcze przez chwilę komentowała sposób przechowywania potraw i planowała ostateczne przygotowania na następny dzień. W końcu między opowieściami o podsmażaniu pierogów i pieczeniu ryby rzuciła bez ogródek:

— Tak więc, Zosiu, jutro po kolacji razem z tatą oficjalnie potwierdzimy, że jesteśmy razem. Będę mieć dwie wspaniałe córki, tak się cieszę.

Zimny dreszczyk przeszedł mi po plecach. Niby powinnam być na to gotowa, a jednak poczułam się nieswojo. Nie potrafiłam wyobrazić sobie, że mój ojciec będzie mógł dzielić życie z kimś innym niż moja mama. Wychyliłam naprędce resztę wina i wystękałam:

— Cieszę się waszym szczęściem.

— Wiem, nie potrafię trzymać języka za zębami, więc nie będę ukrywać, że z niecierpliwością czekam na tę samą deklarację od ciebie i Marka.

Tym tekstem to mnie Bożenka dobiła i już żadna odpowiedź nie przychodziła mi do głowy. Głośno przełknęłam ślinę, rzuciłam moją mądrość życiową, że lepiej jest na nic nie czekać, a żyć tym, co się ma i wymusiłam zmianę tematu. A później wyłgałam się z towarzystwa pakowaniem prezentów, które od dawna miałam przygotowane.

Jak widać wigilijny dzień zapowiadał się ciekawie. Trochę obawiałam się, że wspólne biesiadowanie w zachwycającym klimacie naszego domu, otworzy serca gości, a przy okazji i moje. Od czasu rozmowy z Kaśką oswajałam się z moją miłością do Maksa, a także z myślą, że nic złego nie zrobił. Pisałam z Kaśką SMS-y na ten temat, a tuż przed samą kolacją zadzwoniła do mnie z życzeniami.

— Zanim złożę ci świąteczne życzenia, najpierw muszę ci coś powiedzieć.

— Zaczęłaś intrygująco.

— Rozmawiałam z psychologiem z mojej firmy na temat oswajania się ze stratą. Powiedział mi, że jest coś takiego jak etapy żałoby. Wiem, wiem, jak fatalnie to brzmi, ale to taki ogólny termin. Żałobę można przeżywać również po stracie pracy czy po rozstaniu. No i wiesz, do jakich wniosków doszłam?

— No słucham?

— Że przebrnęłaś przez wszystkie etapy!

— Świetnie, a co mi to daje?

— Już tłumaczę. U ciebie jest to o tyle skomplikowane, że te wszystkie nieprzyjemne wydarzenia w twoim życiu, mocno się ze sobą zazębiły. Po akcji z relikwiarzem posypało się w pracy, z tym że nie przejmowałaś się, bo miałaś Maksa. Niestety zniknął, kiedy ty najbardziej go potrzebowałaś. Wszystko, z czym wiązałaś swoją przyszłość, stanęło pod znakiem zapytania. Stąd u ciebie tak mocne załamanie, którego nigdy bym się po tobie nie spodziewała. No i te wszystkie etapy zaczęły się u ciebie mieszać, choć i tak rewelacyjnie przez nie przebrnęłaś. Najpierw był szok, nie mogłaś uwierzyć w to, co cię spotkało. Potem nastąpiła druga faza, kiedy walczyłaś z tęsknotą i żalem. Odczuwałaś gniew i miałaś poczucie winy. Później było jeszcze gorzej, bo zwolnili cię z pracy, dowiedziałaś się o chorobie, a Zbigniew cię wyrzucił. I wtedy wpadłaś w trzecią fazę, którą specjaliści łączą też z drugą. W ciebie uderzyła ona ze zdwojoną siłą, bo nałożyły się na nią pierwsze fazy tych kolejnych strat. Wpadłaś w totalną rozpacz, wszystko wydawało ci się beznadziejne i myślałaś, że straciłaś cel w życiu. Byłaś bezradna i odizolowałaś się od świata. A później miałaś wypadek i jednocześnie doznałaś oświecenia. Swoją drogą sądzę, że to było twoje życiowe koło ratunkowe. Dzięki temu zrozumiałaś wartość życia, zaakceptowałaś te wszystkie zmiany, które nastąpiły, doceniłaś to, co nadal miałaś, zaczęłaś powoli reorganizować swoje życie i tak wyszłaś na prostą. I wiesz co? Myślę, że trwało to tak długo, bo dopiero teraz dobrnęłaś do końca ostatniej fazy i zrozumiałaś, co tak naprawdę zaszło między wami. Jestem pewna, że gdyby Maks wyjechał w innych okolicznościach, nie odebrałabyś tego w ten sposób. Ty taka spragniona go, on taki wyczekany, za bardzo obarczyłaś go wszystkimi swoimi nadziejami na nowe życie, a on ci to wszystko zburzył. I wcale się nie dziwię, miłość była dla ciebie nowością. A ty, moja biedna, jednocześnie straciłaś to, na co przez lata pracowałaś i to, na co przez lata czekałaś. Ja to tak widzę, a podobno czasem dobrze jest spojrzeć na swoje sprawy z innej perspektywy, prawda? Sama mi to powiedziałaś. Mam nadzieję, że trochę pomogłam ci zrozumieć te twoje zawoalowane uczucia i że odnajdziesz się w tym wszystkim. Ja bym na twoim miejscu uświadomiła Marka, żeby nie potraktował tego wyjazdu tak, jak obawiałyśmy się, że potraktuje.

— Kaśka, jesteś fenomenalna! Jak ty mnie fantastycznie rozłożyłaś na czynniki pierwsze. Zgłoś się w tej swojej firmie na jakieś wyższe stanowisko. Niech cię mianują dyrektorem czy prezesem. Taki dar zrozumienia ludzi to ponadprzeciętna umiejętność! Kocham cię, moja bratnia duszo!

— Dzięki. Czyli co? Myślisz, że złapiesz równowagę? Będziesz znowu tu, gdzie jesteś ze świadomością przeszłości i chęciami na przyszłość?

— Będę!

— Jak Tommy Lee Jones?

— Będę!

— Kocham cię, zołzo, i życzę ci tego z całego serca. Jesteś megatwarda. Ucałuj ode mnie tatę i Branieckich. No i później zdaj mi oczywiście relację.

Ja też złożyłam Kaśce życzenia, a później przez kolejny kwadrans siedziałam w sypialni i przyswajałam wszystko, co mi powiedziała. Oczywiście, miała sto procent racji i znowu mi pomogła. Utwierdziła mnie w przekonaniu, że w końcu prawidłowo pojmuję swoje uczucia i że okłamywałabym się, twierdząc, że nie kocham Maksa i podświadomie nie będę na niego czekać. Pozastanawiałabym się nad tym dłużej, ale obie Branieckie zjawiły się zgodnie z zapowiedzią godzinę przed planowaną wigilią. Przygotowałyśmy stół, upchnęłyśmy pod choinką górę prezentów, a na zwieńczenie oświetliłyśmy salon chyba setką świeczek i tysiącem lampek.

Reszta gości właśnie dotarła, w samą porę. Od razu zasiedliśmy do kolacji, a zachwytom nad jej smakiem nie było końca. Kiedy atmosfera trochę się rozluźniła, tato i Bożenka ogłosili swój związek i po ciepłych powinszowaniach wszyscy ruszyliśmy w stronę choinki. Amelka i Xawier dosłownie zanurkowali w tej górze prezentów, Stanisław rozgonił więc towarzystwo i wczuł się w rolę powiernika świętego Mikołaja. Usiadł przy choince, wyczytywał imiona i rozdawał prezenty. Dostałam kilka przyjemnych podarunków, takich jak flanelowa piżamka czy pozytywka w kształcie dziecięcej karuzeli, a także kilka innych, ślicznych, choć zbędnych rzeczy. Po opróżnieniu toreb z prezentami wspólnie śpiewaliśmy kolędy.

Znalazłam sobie miejsce na uboczu i obserwowałam całe towarzystwo. Kto by pomyślał, że w tym roku tak wiele stracę i tak wiele zyskam. Stworzyłam coś pięknego, atmosfera była cudowna, a ja znów byłam szczęśliwa. Najfajniejszą część wieczoru nagrałam nawet na filmie. Bożenka wiodła prym w kolędowaniu, a wtórował jej Staszek. Wywiązał się między nimi pojedynek na głosy, który rozbawił wszystkich do łez. Równocześnie dzieciaki zachwycały się prezentami i choinką, a tato smakiem domowego makowca. Ja zaś zachwycałam się moim największym prezentem — rodziną.

DOKTORKOWIE

Święta i okres poświąteczny spędziłam z tatą i Braniec-kimi. Dużo w tym czasie spałam, jadłam, czytałam, planowałam i zaczęłam nawet rozglądać się za nową pracą. Miałam świetny humor i dużo się śmiałam, co nie umknęło uwadze mojej rodzinki. Któregoś dnia tato powiedział mi, że odżyłam i że bardzo czekał, aż w końcu zapomnę o przeszłości. Był tak wzruszony, że aż się popłakał. Ja też. Trochę dlatego, że cieszyłam się jego radością, a trochę dlatego, że nie śmiałam wyprowadzać go z błędu. A jak zauważyłam, wcale nie odcięłam się od przeszłości, a tylko ją przeinterpretowałam. I było to o tyle fajne, że naprawdę czułam się szczęśliwa i o tyle niefajne, że nikt, oprócz Kaśki tego nie rozumiał. Naj-bardziej nie rozumiał tego Marek, któremu wydawało się, że tę radość wywołał u mnie planowany wyjazd. Wy-wnioskowałam tak z jego wzbierającej co dnia wylew-ności, przed którą nie potrafiłam się uchronić. Przyszło mi jedynie czekać, aż pewnego dnia wyleje na mnie tak gęsty lukier, że aby się w nim nie utopić, będę musiała wyznać mu prawdę. Martwiłam się, że ten dzień nastąpi podczas wspólnego wyjazdu. Wtedy pozostanie mi liczyć na jego zdrowy rozsądek i łaskę, dzięki której pohamuje się, żeby zepchnąć mnie w słowacką przepaść albo wrzu-cić do rwącego górskiego potoku. No i odrobinę na samą siebie, bo jako policjantka byłam mistrzynią tonowania niezręcznych sytuacji. Żywię nadzieję, że jakiś pierwia-stek tej umiejętności gdzieś jeszcze we mnie pozostał.

W dzień wyjazdu czekałam na Marka od rana. Miał wpaść pożegnać się z mamą, a później zabrać mnie do swojego krakowskiego mieszkania i dalej na Słowację. Jeszcze kilka dni wcześniej, ja głupia, liczyłam, że pojedziemy jednym samochodem z jego przyjaciółmi. Oni doszli jednak do wniosku, że nie pomieszczą się ze swoimi nartami, butami i cholera wie czym jeszcze i że taka oszczędność na paliwie zwyczajnie nie ma sensu. Nie wróżyło to dla mnie najlepiej. No i jeszcze to całe oglądanie mieszkania, które martwiło mnie bardziej niż perspektywa długiej, wspólnej podróży. Marek z coraz mniejszym skrępowaniem wpuszczał mnie do swojego życia, a ja nabierałam przekonania, że za niedługo poleje mnie ostatnią warstwą lukru.

Biorąc pod uwagę wszystko, co przed chwilą z siebie wyrzuciłam, wcale nie przejęłam się, kiedy napisał mi, że nie przyjedzie. Zatrzymał go w szpitalu nagły przypadek, a ja prawie odetchnęłam z ulgą, że i mnie zatrzyma w domu. Niestety, chwilę później napisał, że wysłał po mnie przyjaciół. Nie potrafiłam ocenić, co jest gorsze, batalia z lukrem Marka czy batalia z całą grupą spragnionych mojego lukru cukrożerców. Brzmi przesadnie? Jeśli tak, to tylko brzmi i zaraz przekonam was, jak szybko potwierdziły się moje przypuszczenia.

Po południu pod mój dom podjechały cztery tak wypasione samochody, że z uwagi na niewielki podjazd nie zmieściły się pod domem, a w zasadzie ledwo co udało się im stanąć przy domu Bożenki. Wyglądało to, jakby najechała nas mafia albo delegacja zagranicznej korporacji z propozycją wykupu naszej działki i zamiarem postawienia na niej nowoczesnego biurowca. Podejrzewam, że nasz skromny domek nigdy wcześniej nie uświadczył najazdu tylu drogich samochodów naraz.

Możliwe, że niektóre przekraczały jego wartość. Półtora miliona złotych jak nic. Tato aż się przestraszył, bo pomyślał, że to ludzie Francuza. Nawet zasugerował, że dobrze byłoby mieć alarm albo chociaż dużego psa. Ja też wzdrygnęłam się na ten widok, bo podpowiedział mi, że będę w tym gronie sierotką Marysią i że ciężko będzie mi zaskarbić sobie ich sympatię.

— Miło was poznać — wykrzesałam z siebie w stronę dziewięciorga młodych, zadbanych osób, które wyskoczyły z samochodów, aby obejrzeć ten wychwalany przez Marka budynek. Nie zauważyłam u nich szczególnego entuzjazmu, nie usłyszałam też pochwały i wcale mnie to nie zaskoczyło. Kiedy obiegli wzrokiem mój dom i skrytykowali go w myślach, po kolei wyciągali do mnie ręce na powitanie. Nie spodziewałam się, że moja ciężko pielęgnowana ostatnio cierpliwość zostanie już na wstępie wystawiona na próbę.

— Doktor Paulina, dla najbliższych Pola, najlepsza przyjaciółka Marka, jedyna znacząca kobieta w jego życiu — dobiegło moich uszu ze strony atrakcyjnej blondynki o zawistnej twarzy, która wbiła swoją rękę pomiędzy mnie a Michalinę. Zrozumiałam, że jestem nie tylko „tą nową", lecz też czyjąś potencjalną rywalką. Skaranie boskie, za jakie grzechy? Przecież ja nie chciałam być ani kochanką, ani rywalką, ani w ogóle nie chciałam dołączać do tego grona.

— A mnie się wydaje, że jedyną znaczącą kobietą w życiu Marka, jest moja przyszła macocha Bożenka, ale skoro wiesz lepiej, to gratuluję wyjątkowej zażyłości — odpowiedziałam, wyciągając do niej rękę.

Towarzystwo aż zakwiczało z radości.

— Pola ma specyficzne poczucie humoru — broniła ją Ola, dziewczyna Maćka, któremu miałam zaraz wpakować się do samochodu.

Nie podjęłam tematu, bo byłoby to zbyt niegrzeczne. Od razu rozszyfrowałam Polę. Cholera, że też wystarczyło mi jedno zdanie i jedno spojrzenie, aby poznać się na człowieku. Ciekawe, czy mam tak dobry instynkt, czy to zasługa policyjnego doświadczenia. Jeden rzut mojego czujnego oka podpowiedział mi, że Pola jest lekceważoną od lat oblubienicą Marka, która straciła zdrowy rozsądek i resztkami sił chwyta się ostatnich możliwych kół ratunkowych. Przegięłam? Nie sądzę. Bo jaka kobieta przy zdrowych zmysłach pojechałaby na sylwestra z mężczyzną, za którym szaleje, a który jedzie tam z nową dziewczyną? Podpowiem wam — desperatka, której wydaje się, że zyska w ten sposób kontrolę nad sytuacją.

Tak zaczęła się moja podróż na Słowację, która powiodła mnie przez górskie serpentyny aż do malowniczej wioseczki na totalnym odludziu. Maciek zatrzymał się na sporej posesji pośród kilku skromnych domków weekendowych. Ucieszyłam się, że dotarliśmy na miejsce.

— Jak tu uroczo, który jest mój? — rzuciłam do Marty.

— Żartujesz? — obruszyła się. — Spałabyś w takiej norze?

— Eee, yyyy — wystękałam.

Zmieszałam się. Jeśli to były dla Marty nory, pewnie wiedząc w jakich warunkach przyszło mi niegdyś nocować, zdezynfekowałaby fotel, na którym posadziłam tyłek.

— Tutaj odbieramy klucze — dodała — i jedziemy do naszych residens nad rzeką.

No cóż. Po prostu cudownie.

Zamilkłam, bo Marta pogłośniła muzykę i wyczułam, że nie chce mnie słuchać. Kilka minut później byliśmy na miejscu. I tu dopiero zaparło mi dech w piersi. Nie, nie z zachwytu, a z zaskoczenia przepychem, który musiał Marka zacnie kosztować. Obstawiam, że mniej więcej tyle, co wykończenie mojego domu. Postarał się, chciał mi zaimponować, polał mnie kolejną warstwą lukru. Tylko że ja nie przyjechałam tam, aby dać się zjeść, a żeby wypić piwsko, którego nawarzyłam. Wielkie, tanie, gorzkie piwsko, które pewnie mocno mnie kopnie.

— Straszne zadupie — usłyszałam ze strony Poli grzęznącej w śniegu swoimi stylowymi timberlandami.

Ja na szczęście miałam na nogach niezniszczalne stare śniegowce, które uratowały mnie w niejedną zimę. Wyciągnęłam z samochodu Maćka swój wojskowy zasobnik i zapewniłam go, że na pewno dam sobie radę sama. Kiedy wrzucałam zasobnik na plecy, podbiegła do mnie Michalina.

— A gdzie masz sprzęt? — zagadała.

— Nie mam, będę wypożyczać.

— Ooo, wielka szkoda, źle się jeździ na wypożyczonym — uświadomiła mnie Pola, która podeszła do nas tylko po to, żeby się ze mnie ponabijać. — A wypożyczanie butów jest obrzydliwe, można dostać jakiegoś grzyba. Szkoda, że nie zabrałaś, na pewno Maciek znalazłby miejsce w samochodzie.

Wątpiłam, aby była tak głupia i nie domyśliła się, że nie mam żadnego sprzętu. Pokąsała mnie w towarzystwie już drugi raz, czym utwierdziła w przekonaniu, że przede mną kilka ciężkich dni. Popatrzyłam patetycznie na wielkiego land rovera, którym przyjechałam, uniosłam brwi i pokręciłam głową. Miśka wręczyła mi klucze do domu i ruszyłam zobaczyć na własne oczy, jak wygląda życie Rockefellerów.

Pchnęłam drzwi i znalazłam się w środku, z tym że moja śmiałość została na zewnątrz. Przez kilka minut zbierałam szczękę z podłogi, aż w końcu zdecydowałam się ruszyć. Podeszłam do skórzanej kanapy przed kominkiem, lecz nie usiadłam, bo bałam się, że ją uszkodzę. Właściwie bałam się w tym domu nawet oddychać, aby nie skazić cudownego zapachu, cholera wie czego, który unosił się w powietrzu. Luksus krył się w tym wnętrzu w jakości materiałów, a przepych w ilości przedmiotów z najwyższej półki. Całokształt powalał na kolana, choć mnie niekoniecznie z zachwytu. Nie wiem, czy ktoś inny o moim statusie materialnym i społecznym cieszyłby się pobytem w tym miejscu. Ja poczułam się biedna i mała na myśl, że zamiast kilku dni pobytu w tym spektakularnym domku, mogłabym nie pracować przez cały przyszły rok. No trudno. Musiałam to jakoś przełknąć. Jak i to, że zubożyłam portfel Marka o kupę kasy, za którą mógłby kupić matce wycieczkę na jej wymarzone Karaiby. Ta świadomość spotęgowała moje poczucie winy. W końcu nie odwdzięczę się Markowi w żaden sposób. Może jednak jestem próżna?

Zebrałam rzeczy i pognałam na górę. I mocno się zdziwiłam. Po tak wielkim parterze, spodziewałam się równie wielkiej góry, w sensie dwupokojowej, bo wielka faktycznie była. Na wprost okna z widokiem na góry stało ogromne łóżko. Jedno łóżko. A nas jest dwoje. I kanapa na parterze nie wyglądała na rozkładaną. Nigdy nie przypuszczałam, że kiedykolwiek podziękuję Bogu za tę chrapiącą współlokatorkę w szkole policyjnej, przez którą uciekałam spać na podłogę w korytarzu. Dzięki temu teraz nie straszna mi żadna posadzka.

— Zośka — usłyszałam z parteru razem z odgłosem zamykanych drzwi.

Prędko zbiegłam po schodach, ale zatrzymałam się na ostatnim, gdy zobaczyłam Polę. Rzucała akurat brudne walizki na bialusieńki, puszysty dywanik w salonie. Zaraz po tym rzuciła też swój wychudzony tyłek na kanapę i zawisła na niej w pozycji pawiana.

Dominik wszedł właśnie do przedpokoju, chuchnął w zmarznięte dłonie i stanął naprzeciw mnie.

— Ile macie łóżek? — zapytał.

— Jedno — odpowiedziałam pytająco.

— Biorę! — krzyknęła z pogardą Pola.

— Tylko wy macie rozkładaną kanapę — dodał Dominik. — W naszym apartamencie miały być dwa łóżka, a jest jedno, więc jedynie na was możemy liczyć.

— Serio, mamy rozkładaną kanapę?

— Tak powiedziała kobieta od wynajmu.

— Świetnie.

— Ooo, nie spodziewałem się po tobie takiej radości — odparł. — No to w takim razie zostawię was same, dogadajcie się.

— Eee chwileczkę — zatrzymałam go. — Chcesz mi powiedzieć, że Pola zamieszka z nami? — Zaśmiałam się z przerażeniem.

— To gdzie ten mój pokój? — rzuciła w tym czasie moja samozwańcza rywalka.

Odwróciłam się w jej stronę i zasygnalizowałam, że raczej się nie polubimy.

— Szanowna pani doktor, nie jestem godna, aby zasypiać z panią pod jednym dachem! — żachnęłam się.

— Ponadto, póki co śpimy z Markiem osobno, zatem jedno z nas zajmie kanapę.

— Oj, nie bądź taka pruderyjna. Wszyscy wiedzą, że byłaś policjantką.

— A co ma piernik do wiatraka?

— Każdy wie, jak kobiety w policji zdobywają stołki.

Wciągnęłam głośno powietrze, aby zrugać ją najgłośniej jak potrafię, ale Dominik zareagował w ostatniej chwili.

— Spokojnie, drogie panie — powiedział głośno. — Pola nie wypada się narzucać, chodź, pokombinujemy coś.

Pola prychnęła, chwyciła torby, stanęła naprzeciw mnie i, kiedy Dominik wyszedł, wystękała mi przed twarzą półgłosem:

— Nie udawaj świętej, przejrzałam cię. Pamiętaj, że to ja rządzę. Mam tę przewagę, że wiem co on lubi w łóżku.

Na rany Chrystusa!

— Jesteś ohydna — bąknęłam.

— Spójrz na siebie, paskudo — odgryzła się i wyszła.

O zgrozo! Nigdy nie poznałam tak obrzydliwej, zmanierowanej suki. To pewnie karma, kara od losu za Marka. Powinnam była wcześniej go uświadomić. Teraz los mści się na mnie tą idiotką. Jeszcze parę miesięcy wcześniej nie zważałabym na niego, powiedziałabym swoje albo nastukałabym jej tyle, ile się należy. Lecz nie teraz. Teraz nie mogłabym mu tego zrobić. Muszę się z tym zmierzyć. I chyba jakoś to przeżyję, w końcu nie takie rzeczy w życiu przeszłam.

Chwilowo zostałam sama i rozważałam, co ze sobą zrobić. Zapewne wypadało dołączyć do reszty. Nie miałam jednak pojęcia, czy siedzą osobno czy u kogoś. Nie ukrywam, że nie miałam też najmniejszej ochoty przebywać w tym towarzystwie. Niestety równie mocno bałam się siedzieć sama w tym luksusie, postanowiłam więc zrealizować myśl, że rozejrzę się po okolicy. Wskoczyłam w grube getry i ruszyłam w zaspy. Miejscowość, choć bardzo malutka, była naprawdę urocza, malownicza, położona pomiędzy górami. Miała zapewne nie więcej niż kilkuset mieszkańców. Obeszłam ją całą i minęłam jeden kościół, jedną szkołę podstawową, jedno przedszkole i trzy niewielkie sklepiki. Po zatoczeniu koła zatrzymałam się na chwilę nad rzeką pokrytą topniejącą krą i podziwiałam zaśnieżone szczyty gór i długie, dekoracyjnie zwisające z gałęzi sople. Zaczęłam powoli rozpływać się w refleksjach nad minionym rokiem, cofnęłam się myślami na gdański dworzec kolejowy i gdzieś z tyłu głowy zapaliło się to znane mi, czerwone światełko ostrzegawcze. I po chwili już wiedziałam, o co chodzi. W tej wiosce nie ma stacji kolejowej! Ani dworca autobusowego! Ani w ogóle żadnego przystanku! Nie ucieknę, chyba że na piechotę przez rzekę i góry. Na szczęście jest chociaż ten kościół i jeśli Marek mnie wyrzuci, na pewno nie zamarznę, śpiąc pod gołym niebem. Złapałam za telefon, aby sprawdzić czy naprawdę nic tędy nie jeździ, i aby poprawić Kaśce humor tą informacją. A niech ma, niech mnie wyśmieje i powie: „A nie mówiłam?". Faktycznie, jeszcze po świętach mówiła mi, żebym powiedziała Markowi całą prawdę, ale ja, niby mądrzejsza, zrobiłam swoje. Odblokowałam ekran telefonu i poczułam się, jakby ktoś podciął mi nogi. Nie miałam ani jednej, nawet tej najmniejszej kreseczki zasięgu. Jak odwet od życia, to musi być na całego. Cóż mi pozostało... Zrobiłam odwrót do domku.

Po drodze spotkałam Pawła grzebiącego pod maską pięknego, bordowego jeepa.

— Dobrze, że jesteś — zawołał. — Marek też próbował się do ciebie dodzwonić. Jedziemy po niego, bo na serpentynach kawałek stąd nawalił mu samochód. Nie martw się, wyciągniemy go stamtąd. Dziewczyny są w domku, u Miśki i Dominika. Szykują jedzenie na wieczór i czekają na ciebie.

— Dzięki za info — odpowiedziałam.

Dziękuję ci życie. Co mi jeszcze zaserwujesz? Kanapki z trucizną od Poli?

Chłopcy odjechali, a ja pragnęłam schować się w swoim domku, przykryć kołdrą i do przyjazdu Marka udawać, że nie istnieję. Tyle że nie wypadało i zamiast pod kołdrę, idąc jak na ścięcie, podreptałam do dziewczyn. Drzwi otworzyła mi Miśka.

— Chodź, chodź. Potrzebujemy kolejnej pary rąk do nabijania koreczków.

Uśmiechnęłam się na myśl, że zajmę się czymś pożytecznym i czas szybciej zleci. Pomaszerowałam za Misią do dużej, ekskluzywnej kuchni wyposażonej w drogie, zdobione akcesoria. Była jeszcze większa i ekskluzywniej wyglądająca niż ta w moim domku, to znaczy w zajmowanym przeze mnie „residens". Przycupnęłam przy blacie, bo Marta z Olą wkładały właśnie ciasto do foremek, a Pola kroiła warzywa, popijając przy tym kolorowego drinka z papierową choinką zamiast palemki.

— Znalazła się globtroterka — rzuciła do mnie. — I co siadasz? Do roboty.

Wolałam nie myśleć, jak ta kobieta traktowałaby służbę i jak traktuje ludzi w szpitalu. Zdecydowanie nie chciałabym trafić w jej ręce. Nasunął mi się na myśl fragmencik filmu *Pora umierać* z niezastąpioną Danutą Szaflarską i słynny dialog: „— Niech się rozbierze i położy. — Niech się pocałuje w dupę". I takich właśnie pacjentów życzę doktor Poli.

— Wyluzuj, księżniczko — wyhamowała ją Miśka.

— A ty, Zośka, bierz się za koreczki, chłopcy pewnie niedługo wrócą i fajnie byłoby zdążyć ze wszystkim.

Fajnie byłoby zasnąć i obudzić się za tydzień. Zagryzłam zęby i zabrałam się za koreczki. Po kilku minutach rozważałam, czy nie udać zawału, zapalenia wyrostka czy chociażby zwykłej grypy. Już nawet powiedziałam, że boli mnie głowa, lecz wycofałam się z tego pomysłu. Wszak Poleczka jest lekarzem i na pewno dołożyłaby wszelkich starań, aby skorzystać na mojej chorobie. Prędko zaczęłam szukać innego rozwiązania, bo szefowe robiły się coraz bardziej wymagające i coraz ostrzejsze, kłując moją dumę każdą kolejną wykałaczką, co rusz rzucając:

„Staraj się, Zośka", „Rób idealne kwadraciki", „Poprzycinaj serek w gwiazdki", „Nie nakłuwaj ogórka nad serem, bo zamoknie", „Cieniej te kiełbaski, jesteśmy na diecie" i tak dalej.

Po nakłuciu ostatniej serowej gwiazdki poczułam się jak po kuchennych rewolucjach. Nie tylko kulinarnych, bo tak jak w programie, tak i tutaj pojawił się wątek życiowy. Nasłuchałam się na przykład o ciężkim losie Marty, prezeski firmy zmuszonej do prowadzenia samochodu w szpilkach. Przeszłam przez dramat Oli, pełnoetatowej pani domu, która nie potrafi zdecydować się na kolor ścian w pokoju dziecka, z którym nawet jeszcze nie jest w ciąży. Najlepsze były jednak opowieści doktor Poli o umizgach w stronę zamożnego profesora, którego syn jest najlepszą partią w szpitalu. Mówiła to tak, jakby chciała się pochwalić, doszłam więc do wniosku, że gra na dwa fronty. A że Marek widocznie ją zbywa, próbuje swoich sił tam, gdzie może jeszcze coś ugrać. Coś, czyli majątek i odpowiedni status społeczny, który ewidentnie jest dla niej w życiu priorytetem.

Mój wniosek był prosty i przygnębiający — nie mam szczęścia do koleżanek. Jak zwykle trafiła mi się rola modelinki. Tym razem wkleiłam się w grono odrealnionych, zamkniętych w bańkach mydlanych, majętnych panienek, które odziedziczyły majątki lub bogato wyszły za mąż i na tym poprzestały. Zamknęły się w świecie pieniądza, odcięły się od prawdziwych problemów i stały się tłem swoich bratnich dusz. Nie powinno więc dziwić, że wyolbrzymiają błahostki, czyniąc z nich problemy egzystencjalne. Były jak lejdiski, tylko zamożniejsze i bardziej zarozumiałe. Trochę im nawet współczułam. Miały wszystko, a nie były szczęśliwe. Jedyną w tym gronie szczerą i w miarę jeszcze stąpającą po ziemi wydawała się Michalina. Zasiała we mnie nadzieję, że w razie czego mogę liczyć na wsparcie z jej strony.

Po wypełnieniu niewielkiej patery po brzegi, ustawiłam ją w salonie, obok ciasta i kanapek. Skromnie jak na możliwości doktorków i ten wszechobecny przepych. Co prawda dziewczyny zdążyły pochwalić się dietami, ale szczerze wątpiłam, że ich mężowie podzielali ten zapał do odchudzania. Zapytałam nawet Miśkę, czy to wystarczy, a ona jedynie się zaśmiała, bo akurat zapiszczał dzwonek.

— Chodź ze mną, to sama stwierdzisz, czy wystarczy — powiedziała.

— Idealnie na czas! — oznajmiła Marta.

— A na kogo czekałyśmy? — zapytałam.

— Na żarcie dla samców — rąbnęła Pola.

Połaskotała moją ciekawość, więc poszłam za Michaliną do salonu, gdzie wszystko się wyjaśniło. Goście objawili się pod postacią dwóch uśmiechniętych kobiet. Weszły do domku obładowane misami pełnymi wykwintnych dań. Na widok przeciążonych tacami rąk rzuciłam się do pomocy, do której reszta dziewczyn nie była taka chętna. Bardziej interesował je odpowiedni układ potraw i szczegółowa kontrola wykonania. Najwięcej do powiedzenia miała oczywiście Pola, która posadziła tyłek na fotelu i tylko machała paluchem. Zlekceważyłam ją, a kiedy przestałam być potrzebna, przyczaiłam się przy kominku i przytłoczona kulinarnymi zdolnościami miejscowych gospodyń chłonęłam oczyma tę wystawę jedzenia. Bezglutenowy chlebek, boczniaki, pasztet z prawdziwkami, jajka z kawiorem, gazpacho, ptysie nadziewane kurkami, zupa dyniowa z brzoskwinią, kokosowy sernik, budyń z nasion chia i owoców goji i wiele innych.

— I co myślisz? — zapytała mnie Michalina. — Będzie im smakować?

— A komu? Bo jak zakładam, spodziewacie się gości?

— Wpadną nasi przyjaciele, którzy od niedawna mieszkają w pobliżu. Dwie fajne parki: Alicja z Jankiem i Piotrek z Kasią. Polubisz ich — zapewniała.

Biorąc pod uwagę towarzystwo, w którym przebywałam, jakoś mnie nie przekonała.

Marta zarządziła wymarsz do swoich domków w celu przygotowania się na wieczór. W końcu mogłam pobyć w ciszy i spokoju. Wróciłam do swojego domku i zorientowałam się, że chłopaków nie ma od dwóch godzin. Nie dziwiłam się, że nie dali od tego czasu znaku życia. Ja na ich miejscu też uciekałabym od tych kobiet jak najdalej i na jak najdłużej.

Była godzina dziewiętnasta, a dziewczyny zarządziły spotkanie na dwudziestą trzydzieści. Miałam ogolone nogi, umyte włosy, przypiłowane paznokcie i pomalowane rzęsy. Pozostało mi wskoczyć w rajtki, małą czarną i psiknąć się czymś przyjemnym. Stanęłam więc przed wyborem, na co przeznaczyć te półtorej godziny — na bezczynność czy spacer. Nie był to trudny wybór. Wyruszyłam na polowanie na zasięg. Przez godzinę błąkałam się po niewielkim miasteczku, do ostatniej chwili nie tracąc nadziei. Zależało mi na kontakcie ze światem, bo bardzo chciałam pogadać z Kaśką. Potrzebowałam otworzyć się, wyżalić i trochę poradzić się na temat Pauliny. Nie wyszło. Wracałam lekko rozgoryczona i jakby mi było mało, trafiłam na tę parszywą żmiję.

— Chłopcy dzwonili — zagaiła. — Utknęli na totalnym zadupiu i prawdopodobnie nie wrócą do północy.

Świetnie, właśnie zdeptała resztki mojej nadziei na przyjemne powitanie nowego roku.

— Dlaczego? Co się stało? — dopytałam.

— Nie potrafią odpalić samochodu Marka, a przecież nie zostawią go w lesie.

— No tak…

— Nooo. Rusz czasem głową, pożal się Boże policjanteczko.

Obiecałam sobie, że będę wyrozumiała, co nie znaczy, że pozwolę się obrażać.

— Odwal się ode mnie, pustaku. Nie będziesz mnie bezkarnie obrażać — odszczeknęłam się.

— Bo co mi zrobisz? Uderzysz mnie? Spróbuj, debilko, a wszystko naskarżę Markowi.

Naskarżę? A co to, przedszkole? Znów jedno słowo wystarczyło, aby uświadomić mi, że dalsza wymiana zdań nie ma sensu. Stanęłam przed nią i wyszeptałam podsumowująco:

— Jeżeli jeszcze raz puścisz w moją stronę jakąkolwiek niestosowną uwagę, z chęcią zdyskredytuję cię w oczach Marka. Stracisz resztki szans.

— Dziewczyny, chodźcie, bo zmarzniecie, zaraz zaczynamy planszówkę — zawołała Marta z okna sąsiedzkiego domku.

— Zrozumiałaś? — upewniłam się.

— Pieprz się — odparowała i z zadartą głową ruszyła w stronę Marty.

Złapałam głęboki oddech i odkrzyknęłam:

— Pójdę się przebrać i za chwilę przyjdę.

Pół godziny później siedziałam przy planszówce i stercie jedzenia w towarzystwie lejdisek numer dwa i dwóch równie sympatycznych par ze Słowacji. Z utęsknieniem spoglądałam w stronę zegarka w nadziei, że pomoc dotrze do Marka na tyle szybko, aby zdążył uratować mnie przed północą. Dręczyło mnie poczucie osaczenia i uwięzienia. Jakbym miała samochód, to na pewno bym uciekła. Przemknęło mi nawet przez głowę, że może by jednak popędzić w te zaspy. Zdecydowanie wolałabym siedzieć w ciemnym, zimnym lesie niż w tym towarzystwie wzajemnej adoracji.

FAJERWERKI

Około północy moje emocje nabrzmiały jak balon i uciekłam do prywatnego penthouse'u pod pretekstem złego samopoczucia. Leżałam na kanapie w salonie i zachodziłam w głowę, jak Marek odnajduje się w tym towarzystwie. Był z tymi ludźmi związany zawodowo, ale nie chciało mi się wierzyć, że w całym szpitalu nie ma normalniejszych lekarzy. Nie śmiałabym podejrzewać go o kumoterstwo i stwierdziłam, że po prostu lubi tych kumpli, a te lejdiski numer dwa mają dwie twarze i tylko dlatego ci mężczyźni z nimi wytrzymują.

Niespodziewanie Marek pojawił się obok mnie, doskoczył do kanapy i uniósł mnie na rękach.

— Tak bardzo cię przepraszam! Zrobiłem wszystko, co mogłem, aby wrócić przed północą — wykrzyczał szczęśliwy i przycisnął mnie do siebie, jakby chciał mnie pocałować.

Wytrzeszczyłam oczy i odruchowo cofnęłam głowę. Zrobiło się krępująco, niezręcznie i sama nie wiem jak jeszcze. Zacisnęłam mocno powieki, jakbym liczyła, że to pomoże mi zniknąć.

— Przepraszam, zagalopowałem się — powiedział skruszonym głosem i posadził mnie z powrotem.

Otworzyłam oczy i zobaczyłam jego rozgoryczoną twarz. To był ten moment. Ten policzek, którego nie chciałam mu wymierzyć.

— Ładnie tu — chlapnęłam, próbując zagłuszyć jęk sumienia.

— Cieszę się, że ci się podoba. Starałem się. — O mały włos się nie popłakałam, a on razem ze mną. — Chodźmy przed domek obejrzymy pokaz fajerwerków — rzucił naprędce, wstał i, nie czekając na mnie, poszedł do drzwi. Jestem przekonana, że nie życzył sobie, abym oglądała jego smutek.

Kiedy zakładałam kurtkę i buty on otworzył drzwi i z progu oglądał niebo. Zarzuciłam szalik i wyszliśmy przed dom. Nie mogłam dłużej zwlekać.

— Marek, ja nie…

— Nic nie mów — uciął. — Cieszmy się tym wyjazdem.

Nie wypadało się odzywać, a odczuwałam taką potrzebę. Skoro już stało się to, co się stało, czułam presję, by głośno wykrztusić z siebie prawdę. Nie żeby jeszcze mu dopierdzielić, lecz by mieć pewność. Czasem niektóre słowa muszą zostać wypowiedziane, by nie robić miejsca domysłom. Uważałam, że wręcz moim obowiązkiem było zadać jego tlącej się nadziei ostateczny cios, zadeptać ją na amen, by przypadkiem znów ogień nie zajął jego emocji i by nie spalił jego, a przy okazji i mnie.

Chłopcy w ostatnich sekundach rozkładali wyrzutnie fajerwerków i równo o północy na niebie rozbłysły setki kolorowych światełek. Puściłam wodzę fantazji i odpłynęłam myślami kilka miesięcy wstecz, trafiając na gdański rynek, gdzie oglądaliśmy z Maksem podobny pokaz. W którymś momencie wyczułam jego oddech tuż za moimi plecami. Objął mnie, przywarł do mojego policzka. Przez ułamek sekundy poczułam się bezpieczna, ale zaraz spłynęła na mnie fala gorąca. Bo to nie był Maks. Odwróciłam się i zamiast życzeń noworocznych, obwieściłam:

— Marku, nic z tego nie będzie.

Jak zwykle, chciałam ładnie, a zabrzmiałam tak pretensjonalnie, aż mnie zemdliło. Marka chyba też. Jego oczy zwinęły się w półksiężyce. Wydawało mi się, że zagląda mi w duszę i szuka jakiegoś punktu zaczepienia, czegoś, co wyratuje jego męską dumę.

— Życzę ci, abyś w tym roku znalazła szczęście, spokój i spełnienie. Jesteś dla mnie wyjątkowa i zawsze będziesz mogła na mnie liczyć. Nie czuj się wobec mnie zobowiązana.

Zmiażdżył mnie taktem i mądrością. Ja mu przywaliłam, a on zamiast mi oddać, przyjął cios z honorem i w zasadzie nadstawił drugi policzek. Facet z klasą. Mnie na taką kurtuazję nie było stać. Sformułowałam tak liche i tandetne zdanie, że aż wstyd. Powinnam była bardziej się postarać, wydusić z siebie więcej sympatycznych słów.

— Dziękuję — wykrztusiłam.

Po pokazie sztucznych ogni, wróciliśmy na imprezę. Doktorkowie nie tylko ekskluzywnie mieszkali, ale wszystko mieli na jak najwyższym poziomie. Słuchali dobrej muzyki, byli wystrojeni, zajadali się wyśmienitym jedzeniem i popijali drogi alkohol. Poczęstowali mnie piętnastoletnią whisky, którą ku ich zniesmaczeniu rozcieńczyłam colą i zaprawiłam cytryną. Pierwszy drink trochę poprawił moje napięte relacje z otoczeniem. Nowobogackie lejdiski przekonały mnie, że cierpią na osobowość mnogą potocznie nazywaną rozdwojeniem jaźni. Wcale nie wspominam o tym humorystycznie, bo to absolutnie nie było śmieszne. Te kobiety w towarzystwie swoich mężów miały kompletnie inne osobowości niż wtedy, kiedy robiłyśmy koreczki. Były przemiłe, uczynne, troskliwe, zabawne, wyluzowane i całkowicie bezproblemowe. Nigdy wcześniej nie doświadczyłam czegoś takiego i na początku brałam nawet pod uwagę opcję, że to ze mną coś jest nie tak. Misia wychwyciła moje zakłopotanie i wyszeptała mi na ucho, żebym się nie przejmowała, bo one tak już mają. Zapytałam ją, jak ona się między nimi odnajduje i przyznała mi, że zdążyła się przyzwyczaić, ale raczej unika tego towarzystwa. Czyli Pola, Marta, Dagmara i Ola trzymały sztamę albo, inaczej mówiąc, były psiapsiółkami, a Michalina tylko żoną kolegi ich mężów. Ufff. Miałam w tej grupie choć jednego sprzymierzeńca. Kiedy Marek podchwycił, że zgadałam się z Miśką, napomknął Dominikowi, jej mężowi o wspólnej wyprawie w góry, czym sprowokował dyskusję, która trwałaby pewnie do białego rana, gdybym jej nie zepsuła.

Po drugim i ponownie słabym drinku mocno zakręciło mi się w głowie. Zdecydowanie za wcześnie, aby winić alkohol, obwiniłam więc pusty żołądek i obładowałam talerz po brzegi. Nie zdążyłam jeszcze w połowie go opróżnić, kiedy dostałam dreszczy i w ostatniej chwili dobiegłam do toalety. Długo wymiotowałam i miałam biegunkę. Marek bardzo się przejął. W ogóle wszyscy się przejęli, oprócz Poleczki oczywiście. Otoczyli mnie i snuli przypuszczenia. Po kolei mnie obmacali, obejrzeli i zdiagnozowali niewinne zatrucie. Pola nie omieszkała zasugerować, że jestem alkoholiczką i za dużo wypiłam, ale całe szczęście, nikt nie potraktował tych bredni na poważnie. A ja, póki jeszcze nie rozłożyła mnie gorączka i w miarę kontaktowałam, przypomniałam sobie, że wychodząc do łazienki, odruchowo wzięłam drinka, którego po drodze odstawiłam na kominek. Kiedy po niego wróciłam, Pola akurat dorzucała drewienka do ognia. Zatrważający zbieg okoliczności. Kiedy ci wszyscy lekarze tak nade mną obradowali, ich schizofreniczne żony definitywnie przypieczętowały winę słowackich gospodyń. Przejrzałam je na wylot i miałam pewność, że nie oszczędzą tych kobiet. Najpierw wymuszą na nich reklamację usług, a później zrobią im taką antyreklamę, że nikt nie będzie chciał u nich zamawiać jedzenia. Pola dopięła swego. Spotęgowała moje wyrzuty sumienia, że znów ktoś postronny poniesie konsekwencje moich błędów.

Wreszcie Marek zaniósł mnie do naszego „residens". Wyganiałam go z powrotem na imprezę, lecz nie chciał pójść. Twierdził, że jako mój przyjaciel i na dodatek lekarz poczuwa się do obowiązku opieki nade mną. Wspaniały poziom empatii, który nie niwelował mojego poczucia zażenowania. Wzmagały go natomiast obrzydliwe odgłosy i zapachy wydawane przez moje ciało. Nie wytrzymałam, powiedziałam mu to wprost i w końcu zostawił mnie samą.

Tym sposobem resztę sylwestra przeleżałam na podłodze w łazience. Spełniłam swoje pierwotne obawy w jeszcze gorszej wersji. A cała rodzinka rybików śmigających tuż przy mojej twarzy zaogniła we mnie poczucie winy i utrzymała mnie w przeświadczeniu, że nie ma co szastać pieniędzmi, kiedy ja w ogóle nie potrafię się z tego cieszyć. Równie dobrze mogłabym leżeć z moimi krakowskimi rybikami, na mojej zimnej podłodze, w moim domu, na dodatek za darmo.

Pierwszy dzień nowego roku przespałam, z krótkimi przerwami na rosołek, który Marek podsuwał mi pod nos. Nadal bardzo się mną przejmował, potęgując w ten sposób moje poczucie winy. W głowie nieprzerwanie dudniło mi pytanie „co ja najlepszego zrobiłam temu chłopakowi"? Zepsułam mu sylwestra, a tak się wykosztował. Na domiar złego lejdiski numer dwa zdążyły poskarżyć się najemcy tych luksusów. Zachodziłam w głowę, jak je przekonać, że to Pola ponosi odpowiedzialność za moje zatrucie. Uknułam, że sprowokuję ją, aby sama się przyznała. A tak z innej beczki, mówi się, że jaki pierwszy dzień nowego roku, taki cały rok. No to niezły rok mi się szykował. Nie mogłam się doczekać.

NAUKA JAZDY

Na drugi dzień nowego roku towarzystwo zaplanowało narty. Zdążyłam wydobrzeć i postanowiłam stawić czoła wyzwaniu. Wystroiłam się w nowiutki granatowy kombinezon z Lidla, który kupiłam specjalnie na tę okazję. Mocno ekscytowałam się na myśl o sporcie, którego dawno nie uprawiałam. W zasadzie nie uprawiałam go prawie nigdy, nie licząc jednego całodniowego wyjazdu z pracy. Pewnie nie brzmi to zbyt wiarygodnie, lecz ja naprawdę uważałam, że w ten jeden dzień nauczyłam się jeździć. Na początku nie potrafiłam nawet założyć nart, po godzinie umiałam ustać, a po całym dniu samodzielnie zjeżdżałam. I to bez upadków!

Pojechaliśmy z Markiem jego samochodem i ku wspólnej radości zabraliśmy Polę. Nie łaknęliśmy jej towarzystwa, tak jak i ona naszego, ale chłopcy uznali, że skoro ja nie mam sprzętu, to będziemy mieć w samochodzie więcej miejsca. Zaiste ciekawa sprawa. Rozumiem, że każdy człowiek ma swoją strefę komfortu i zazwyczaj jej wielkość zależy od portfela, no ale bez przesady. Do tych terenówek pomieściłyby się całe rodziny! Najwyraźniej doktorowe też przejadły się Polą i chciały mieć choć chwilę spokoju. Ostatecznie nie było najgorzej, bo mój entuzjazm zbił ją z tropu. Tryskałam nim przez całą drogę i nie opuścił mnie nawet wówczas, kiedy wysiedliśmy z samochodu. Mój tani kombinezon, za który dałam dużo ciężko zarobionych pieniędzy, nie umknął jej uwadze. Już w drodze zapytała mnie, jaka to firma. Odpowiedziałam, że odzieżowa. Tym sposobem na chwilę ucięłam temat, z przeczuciem, że Pola tylko przełożyła go na dogodniejszy moment. Nie pomyliłam się. Marek zaparkował samochód, a ta pobiegła do chłopaków i sprowokowała rozmowę o markach. Kiedy do nich podeszłam, dziewczyny wyfiokowane w kolorowe ubrania renomowanych firm sportowych przechwalały się jedna przed drugą jakością swoich kostiumów. Pola była w żywiole, z tym że bidulka nie wiedziała, że na mnie takie akcje nie robią wrażenia, bo moje poczucie własnej wartości zbudowane jest na zupełnie innych fundamentach. Bez względu na to, co by nie powiedziała, uważałam, że wyglądam w moim granatowym kombinezonie z Lidla jak bogini i mistrzyni olimpijska.

Jak na początek roku na stoku panował spory tłok. Ucieszyłam się, że wtopię się w tłum i swobodnie oddalę się od reszty. Ekipa roześmianych przyjaciół pognała prosto pod wyciąg, a ja z Markiem do wypożyczalni. Po chwili dobiegła do nas Pola.

— Idę z wami — oznajmiła. — Doradzę ci, znam się na tym. Prawda, Mareczku?

Super. Jakoś nie miałam potrzeby radzenia się tej ekspertki od wszystkiego.

— Przyznaję, świetnie jeździsz — odpowiedział jej z uśmiechem Marek.

— Prawie całe życie. Śmiało można stwierdzić, że mam to we krwi. Rodzice poczęli mnie na wyjeździe zimowym w Alpy. Po prostu jestem do tego stworzona.

Aha. I tyle temacie. Marek zaśmiał się pod nosem, a ja udałam, że tego nie słyszałam. Jak ktoś jest z natury tak obcesowy, to aż trudno to skomentować.

W wypożyczalni było tłoczno i parno. Młody, zjarany skejt poinformował mnie, że wszystkie w miarę lekkie i pasujące do mojego wzrostu narty zostały wypożyczone. Buty, oczywiście, też. Mogłam wziąć o rozmiar za małe albo o dwa rozmiary za duże. Pełna optymizmu zabrałam gigantyczne buciory, licząc, że zbędne miejsce wypełnią dwie pary grubych skarpet, które miałam na stopach. Skejt obiecał jeszcze raz przeszukać magazyn i zniknął na zapleczu, odeszłam zatem od lady, przepchałam się przez tłum i przycupnęłam na skraju ławeczki. Marek ukłęknął przede mną i próbował dobrze zatrzasnąć mi wiązania. Skupiłam się na mierzeniu butów i zapomniałam pilnować Poli, która została przy ladzie. Gdzieś tam kątem oka widziałam, że młody wrócił i że z nią rozmawia. Nie przypuszczałam jednak, że jest aż tak perfidna, aby dopiec mi przy Marku. A była... i to do tego stopnia, że oddała narty, które skejt dla mnie znalazł, komuś innemu. Zorientowałam się, kiedy obok mnie usiadła dziewczyna mojej postury, z moim rozmiarem buta. Przyszła po mnie, a wszystko miała idealnie dopasowane. Zerknęłam wówczas na Polę, a ona rzuciła w moją stronę szyderczy uśmiech, który rozwiał resztki wątpliwości.

Dzięki jej uprzejmości ruszyłam na stok w za dużych butach i z ciężkimi, długimi nartami przeznaczonymi podobno do zupełnie innej jazdy. Nie znam się na tym, ale nie wróżyło to niczego dobrego. A Pola wcale nie kryła swojej radości. Kiedy ustawiliśmy się pod wyciągiem w oczekiwaniu na kanapę, wepchnęła się pomiędzy nas, a gdy krzesełko się pojawiło, dziarsko zaciągnęła barierkę. Ruszyliśmy. Miałam szaleńczą ochotę pchnąć ją albo chociaż porządnie jej przysolić. Zależało mi, aby wcisnąć się na kanapę obok Marka, bo cholernie obawiałam się wysiadania. Liczyłam, że mnie przytrzyma albo pozbiera ze stoku, jeśli się przewrócę. Pola pozbawiła mnie tej nadziei, w związku z czym, zamiast podziwiać zaśnieżone czubki choinek, przez całą drogę głowiłam się, jak wysiąść, żeby się nie połamać. Tak się na tym skupiłam, że znowu zlekceważyłam Polę, która w tym czasie wyśmienicie się bawiła. Pstrykała selfiki i w którymś momencie, układając się do kolejnego zdjęcia z Markiem, całkowicie niechcący zahaczyła swoją nartą o moją tak, że ta wypięła się i zadygotała na wąziutkim podnóżku. Moja czujność i refleks podołały próbie i w ostatniej chwili wcisnęłam buta w zaczep. Pola była sprytniejsza. Odwracając się w moją stronę, zaaferowana zdjęciami, ponownie mnie zaatakowała, tym razem naciskając na zaczep niedokładnie wpiętej narty, która wypięła się i spadła kilkanaście metrów w dół. Uderzyła o stok, zjechała kolejnych kilka metrów i zatrzymała się na jakimś nastolatku, mniej więcej w połowie góry. Pola zbytnio się nie przejęła, za to ja wpadłam w furię i zaczęłam ciskać w nią gromami.

— Jesteś pieprznięta! — wrzeszczałam. — Odwal się w końcu ode mnie, daj mi spokój. Jesteś totalną wariatką, a Marek nigdy nie zwróci na ciebie uwagi, bo jesteś podła, wyrachowana, samolubna i widzisz tylko swój własny nos! Pogódź się z tym!

— Marek! Marek, czy ty nie słyszysz, jak ona mnie obraża? — odszczeknęła się. — Zrób coś! Wyszła z niej cała prawda, jest ordynarna i wredna! — darła się i podskakiwała, hacząc dłonią o moją rękę.

— Nie dotykaj mnie, psychopatko! — huknęłam.

— To ty mnie nie dotykaj, obleśna brudasko!

Złapałam ją za ręce, którymi wymachiwała i próbowałam wykręcić je w tył, podczas gdy ona drugą ręką machała wokół mojej głowy, jakby chciała zrzucić mi jeszcze kask. Rozpętała się niezła szamotanina, którą Marek bezskutecznie starał się zakończyć. W pewnym momencie krzyknął:

— Zaraz będziemy wysiadać! Dziewczyny!

Uświadomił mi, że jesteśmy tuż przed stacją. Coraz bliżej i bliżej. Spanikowałam.

— Odwal się! — krzyknęłam ponownie do tej wariatki.

Marek podniósł barierkę zabezpieczającą i wyskoczył jako pierwszy. Kiedy wyciąg trochę przystopował, wysunęłam się lekko z kanapy, chcąc zeskoczyć na tę jedną nieszczęsną nartę, która mi pozostała. Napięłam się, przysunęłam tyłek do krawędzi, a wtedy Pola odepchnęła mnie w tył, odbiła się ode mnie i poszusowała. Wyciąg zawrócił i znów jakby nabrał prędkości światła. To były ułamki sekund. Pod moimi nogami znów zrobiło się wysoko, powinnam była skoczyć, ale zawahałam się. Dzięki Bogu Marek podjechał za mną, w ostatniej chwili złapał mnie za rękę i pociągnął wprost na siebie. Przewróciłam go i przeturlaliśmy się po stoku, a narty same nam się wypięły. Na szczęście Marek wstał i pozbierał je, aby nie przeszkadzały innym narciarzom.

Usiedliśmy na poboczu. Ochłonęłam, poprawiłam swoje oksy.

— Masz z nią przerąbane — stwierdziłam.

— Wiem, przepraszam cię. Mieliśmy kiedyś romans — przyznał przez zaciśnięte zęby. — Prędko zrozumiałem, że do siebie nie pasujemy i odszedłem, a ona do dziś nie może tego przeboleć.

— Kiedy to było?

— Cztery lata temu.

— O matko. Wypisz jej skierowanie do psychiatry, bo ta psychoza zbyt długo trwa. O mały włos mnie nie zabiła!

— Wiem, wiem. Jest o ciebie cholernie zazdrosna.

Marek był mocno skrępowany całą tą sytuacją. Zaczerwienił się i zamilkł na chwilę.

— Idziemy po tę moją nartę? — zagadałam.

— Przepraszam, Zosiu — pocałował mnie w zmarzniętą dłoń.

— Świetnie, nawet nie zauważyłam, że zgubiłam też rękawiczkę. I co ja mam teraz zrobić? Ledwo potrafię ustać na dwóch nartach, a co dopiero na jednej. A tak swoją drogą, gdzie jest ta wariatka? Nie czai się czasem gdzieś w pobliżu, żeby pozbawić mnie resztek sprzętu?

Marek rozejrzał się dookoła i roześmialiśmy się, kręcąc głowami.

— Wiesz co, zrobimy tak — zaczął tajemniczo. — Poczekaj tutaj na mnie, a ja pojadę po twoją nartę i poszukam też rękawiczki. Póki co, weź moje — zaproponował i zaczął je zdejmować.

— Nie trzeba — zaoponowałam, chwytając go za dłonie. — Będę tutaj na ciebie czekać, zabierz je, żebyś ty nie zmarzł.

Nie chciał ustąpić, ale nalegałam tak intensywnie, że ostatecznie pognał w nich na dół. Odpięłam tę moją jedyną nartę i wyjęłam z kieszeni telefon. Stwierdziłam, że na takiej wysokości musi być zasięg. Kiedy wyświetlacz zaszczyciły dwie kreseczki, w try miga wybrałam numer do Kaśki. Niestety zasięg się urwał. Odruchowo wyciągnęłam ręce ku niebu i pognałam przed siebie. Znalazłam się przy pustej czarnej trasie, gdzie mój telefon w końcu ożył. „Jest! Jest!", krzyknęłam do siebie z radości.

— I co się cieszysz? Myślałaś, że mi uciekłaś?

Rozważyłam trzy opcje: albo mam urojenia, albo czai się na mnie psychol morderca, albo Pola zobaczyła, że Marek zjechał sam i wróciła, aby mnie dobić. Odwróciłam głowę. Tak, to była ona. Rozpalona z wściekłości.

— Idźże stąd, świrusko! Nie chce mi się z tobą sprzeczać — powiedziałam spokojnie i trochę lekceważąco, po czym odwróciłam się do niej plecami.

Mój telefon zapikał kilkoma SMS-ami i skupiłam na nim całą uwagę.

— Próbowałaś mnie ośmieszyć! Obraziłaś mnie przy nim! Pożałujesz tego, łachmyto!

Stałam do niej tyłem i ignorowałam te niezbyt kreatywne językowo wynurzenia. Byłam za bardzo podekscytowana wiadomościami. Chciałam odczytać je jak najprędzej, a nie było to łatwe, bo telefon dziwnie migał. Pewnie zmarzł albo zmókł i potrzebował chwili.

— Spadaj, psycholko! — odszczeknęłam się i rozwinęłam pasek powiadomień, na którym wyświetliły się wiadomości od profesora Wojnickiego. Próbowałam je otworzyć, ale ekran oszalał i zamiast wiadomości otwierał coraz to inne aplikacje. Chciałam je pozamykać, ale pojawiały się wciąż nowe okna. Pola też wściekle się nakręcała. Czyżbym stanęłam na jakiejś żyle wodnej? Ale żeby na szczycie góry?

— Nie boję się ciebie, pseudopolicjantko! — huknęła mi do ucha. — Ponoć wykończyłaś już jednego faceta. Maruś opowiadał, jak żołnierz od ciebie uciekł — ogłosiła z politowaniem w głosie. — Jaką trzeba być łachudrą, żeby wykończyć żołnierza! Marka też chcesz wykorzystać, suko?

Ja pierdzielę! On też? Cały Kraków o tym trąbi?

Wzięłam głęboki wdech, odwróciłam się do niej i wbiłam w nią wzrok.

— Coś ty powiedziała? — zagrzmiałam.

— A co ty myślisz, że nikt nie wie o twoim romansie? Wieści po Krakowie szybko się roznoszą. Wszyscy wiedzą, że puszczałaś się z facetem, żeby przenieść się do jednostki i awansować, a on zwiał, kiedy się dowiedział.

Skąd ona wzięła te bzdury? Serio, ktoś tak chamsko o mnie plotkuje? Przecież to śmieszne. Zamurowało mnie i Pola wykorzystała ten moment. Uderzyła mnie w rękę, wytracając z dłoni telefon, który upadł na ubity śnieg i ześliznął się po stoku.

— Tego już za wiele! — ryknęłam i pchnęłam ją, a sama rzuciłam się w stronę uciekającego powoli smartfonu.

Pola przewróciła się, a ja szybko złapałam swój telefon. Przykucnęłam ostrożnie, żeby nie przewrócić się na lodzie, wytarłam go rękawem i wstałam. Nie przypuszczałam, że jestem w niebezpieczeństwie. Tymczasem Pola pozbierała się i pociągnęła mnie za but. Wywróciłam się z impetem na kolana, aż huknęło, i zsunęłam kilka metrów, trąc tą gołą dłonią po ubitym śniegu i lodzie. Telefon pomknął w tajemniczym kierunku. Skupiłam się na chwytaniu równowagi, przez co zgubiłam go z oczu. Zadarłam głowę, żeby wszystko widzieć i nie wybić o coś zębów. Ból przeszył mnie na wskroś. Zorientowałam się, że ta świruska naprawdę chce mnie pobić! Kiedy się zatrzymałam, podparłam się na rękach i odczekałam kilka sekund, aby upewnić się, że jestem cała. Dzięki Bogu byłam. Poli wyraźnie się to nie spodobało i, zanim zdążyłam się otrząsnąć i wstać w tych wielkich, niestabilnych buciorach, doczołgała się do mnie i gwałtownie chwyciła mnie od tyłu za szelki od kombinezonu. Spojrzałam na mroczną trasę przede mną i krew zakrzepła mi w żyłach, oczy wypełzły z powiek, a serce stanęło w gardle. Spięłam się tak mocno, że Pola nie zdołała pchnąć mnie w przód i tylko przewróciła mnie na bok. Mroczki przeleciały mi przed oczyma, a zanim ustąpiły, wariatka przeturlała się po mnie i usiadła mi na brzuchu. Pojęłam, że to jednak nie koniec.

— Nakopię ci, szmato! — pomstowała.

Złapałam ją za ręce, lecz nie potrafiłam ich utrzymać. Była rozjuszona i silna jak nawiedzona. Nie umiałam sobie z nią poradzić. Cholerna diablica!

— Odwal się! — wystękałam i kopnęłam ją kolanem w plecy.

Diablica wygięła się w łyżeczkę, dzięki czemu zdołałam się wydostać. Tyle że ona znów pierwsza się podniosła. Pieprzone buciory! Miała nade mną przewagę taktyczną. Jak ja tego nienawidzę! Doskoczyła do mnie jak wystrzelona z procy. Złapałam ją za kurtkę, żeby mnie nie przewróciła. Zaczęła za to machać rękoma, jakby chciała mnie spoliczkować albo wybić mi zęby. Sama nie wiem. Myśli huczały mi w głowie jak burzowe pioruny w środku lata. Przecież ja świetnie potrafię się bić! Mogłabym wykazać się karate, ale to całe opancerzenie mocno mi przeszkadzało. Mogłabym również przyrżnąć jej z pięści, czym naprawdę bym ją uszkodziła, a nie potrzebowałam kłopotów. Pola omiatała mnie wzrokiem i nie potrafiłam przewidzieć, co zaraz wywinie. W pewnym momencie chwyciła mnie za włosy, obiegła i pociągnęła mi głowę w tył. Wyciągnęłam ręce, dosięgłam jej twarzy i próbowałam ją odepchnąć. Dookoła zebrał się już niemały tłum gapiów. Jakiś chłopak starał się nas rozdzielić, wtem odwinęłam się i nieumyślnie przysoliłam mu w twarz. Wówczas inny mężczyzna złapał Polę w pasie, lecz ta od razu kopnęła go w krocze i skoczyła na mnie. Znowu mnie przewróciła! Mało tego, przygniotła mnie całym swoim ciałem, a ja chcąc ją odepchnąć, okręciłam ją i zaczęłyśmy się turlać. Kilku narciarzy pojechało za nami, próbując nas zatrzymać. Rzecz w tym, że tej diablicy nie dało się zatrzymać! W końcu jakimś cudem udało mi się ściągnąć ją na bok, z tym że znów mnie pchnęła i zjechałam dalej. Że też zasięg złapało mi akurat tu! Ostatecznie zatrzymałam się na kobiecie która wydarła się na mnie po słowacku. Gdy próbowałam się pozbierać, jakiś samarytanin podał mi mój telefon. Jak dobrze, że są jeszcze na tym świecie uprzejmi ludzie. Drżałam z podniecenia, a dłonie mocno mi zgrabiały, szczególnie ta bez rękawiczki. Zresztą w ogóle nie czułam, abym coś trzymała. Poza tym obie mnie cholernie piekły. Spojrzałem na mężczyznę, który podał mi smartfon i ponownie wyciągnęłam do niego rękę.

— Niech pan to przeczyta, bardzo proszę. Nie mogę ruszyć palcami.

Życzliwiec zabrał ode mnie złociutki smartfon i nieśmiało odblokował ekran.

— Niech pan czyta, po kolei, wszystkie nowe wiadomości — powtórzyłam i spokojnymi wdechami próbowałam się uspokoić.

Przetarłam twarz, oczy i coś mi nie pasowało. Okulary! Zgubiłam okulary! Chryste Panie! Rozejrzałam się. Zdawało mi się, że leżą nieco obok wbite w śnieg. Podsunęłam się do nich, złapałam za oprawkę i sprawdziłam szkła. Były zabrudzone, ale całe. Tylko jeden z zauszników mocno się odgiął. Mimo to założyłam je i wróciłam do faceta, który miał mój telefon.

— Czytam — poinformował. — Wiadomość przysłał profesor Wojnicki: „Zosiu nie możemy się do Ciebie dodzwonić. Potrzebujemy twojej pomocy. Jesteśmy we Włoszech, znaleźliśmy kolekcjonera. Wszystko się skomplikowało. Proszę, skontaktuj się z nami". SMS przysłany 31 grudnia przed północą.

— Czytaj pan dalej — wypaliłam.

Jegomość zmrużył oczy, zagryzł wargę, odetchnął i kontynuował.

— Kaśka: „Dzwonił do mnie profesor Jan! Antoni miał rację! Zośka, oni nas potrzebują, błagam, odezwij się, nie ma czasu! Znalazł się Maks! Wszystko się wyjaśni, wracaj, musimy jechać do Włoch! Odezwij się! Proszę! Błagam!". I ostatnia wiadomość z nieznanego numeru wysłana dokładnie o północy — powiedział mężczyzna, wtem obok niego zjawiła się Pola, wyrwała mu z ręki telefon i zaczęła w nim grzebać.

— Proszę! Błagam! — powtarzała z kpiną, gapiąc się w ekran.

— Co pani robi?! — ofuknął ją życzliwiec.

Podniosłam się, aby zabrać jej moją własność, ale pośliznęłam się. Triumfowała nade mną z ręką wyciągniętą jak w Statui Wolności.

516

— Szkoda, że nie wyrzygałaś jelit po tej tabletce — wyznała.

— Tyyy — zasyczałam.

Ni stąd, ni zowąd pojawił się Marek. Pomógł mi wstać, zabrał diablicy telefon i oddał mi go. Ledwo zdołałam wsunąć go do kieszeni. Strasznie piekły mnie dłonie.

— To wszystko jej wina! — zakrzykiwała nas Pola. — Marku, ta zdzira chce cię wykorzystać! Nie bądź ślepy! Zasługujesz na kogoś lepszego!

— A na kogo, do cholery? — odszczeknął. — Może na ciebie? Coś ty zrobiła? Chciałaś ją otruć? Zabić? Pogięło cię?

— Chciałam ustrzec cię przed nią, żebyś…

— Jesteś nienormalna — przerwał jej. — Nie spodziewałem się po tobie takiej głupoty. Ona jest chora, mogłaś zrobić jej ogromną krzywdę! Zośka, co ona ci zrobiła? Zosiu? Nic ci nie jest?

Nie miałam ani siły, ani ochoty mówić.

— Jedzie pani do tych Włoch? — zapytał mój samarytanin.

— A coś pan za jeden? — zdziwił się Marek.

— Przyniosłem pani telefon — odpowiedział powściągliwie.

— W takim razie dziękuję za pomoc, bo ciężko ujarzmić dwie wściekłe kobiety. Niech pan jeszcze chwilę tu ze mną zostanie.

Facet zaniósł się śmiechem.

— Jadę — oświadczyłam.

— Świetnie! Wypierdalaj od nas jak najdalej! — zagrzmiała Pola.

— Pola! Zamilcz! — wydarł się na nią Marek.

Otrząsnęłam się z otępienia.

— Słuchaj, kobieto — podniosłam głos. — Przy stacji na górze są kamery, które na pewno zarejestrowały moment, kiedy na mnie napadłaś. Mam cię gdzieś, jeśli jednak uszkodziłaś mi sprzęt, zgłoszę ten fakt. I niepotrzebnie plujesz jadem. Moje serce jest już zajęte.

— Wzięłam głęboki wdech i zwróciłam się do Marka. — Przepraszam, nie mogę tu zostać. Mam nadzieję, że mi wybaczysz. Proszę, zajmij się tymi słowackimi gospodyniami, zanim ktoś je oczerni.

— A po co pani tam jedzie? — zapytał samarytanin.

Zamyśliłam się na chwilę.

— Żeby odzyskać tożsamość i żeby znowu żyć! Żeby znowu żyć!

Trochę rozgrzałam dłonie, wyciągnęłam więc z kieszeni telefon i rozwinęłam pasek powiadomień. Nie pokazał mi żadnego nowego SMS-a. Weszłam w wiadomości i zobaczyłam tylko te dwie, które przeczytał mi ten dobry człowiek. Zagotowałam się. Niemożliwe. Ta pieprzona diablica usunęła SMS.

— Usunęłaś go? — warknęłam.

— Oskarżasz mnie? Znowu? — broniła się.

— Ty żmijo! Usunęłaś go! — wrzasnęłam. — Usunęłaś najważniejszy SMS mojego życia! Mów, co tam było!

Wzruszyła ramionami.

— Niczego nie usunęłam — wysyczała.

— Usunęła pani, bo był jeszcze SMS z nieznanego numeru — wtrącił się nieznajomy. — Widziałem, jak tam pani grzebie.

— Matko kochana, nie wierzę! — grzmiałam.

To było gorsze niż obite kolana i targanie za włosy. Moje emocje oscylowały między smutkiem a wściekłością. Byłam rozgoryczona, miałam ochotę udusić diablicę. Zaczęłam dygotać, a łzy cisnęły mi się do oczu i nie potrafiłam nad tym zapanować. Perfidna żmija śmiała naruszyć moją prywatność, a ja miałam przeczucie, że było to coś bardzo ważnego.

— Gadaj, co tam było! Gadaj!

— Proszę pani, ja widziałem początek tego SMS-a — powiedział samarytanin. — Zawsze pojawia się w pasku powiadomień. Ktoś napisał jakiś adres.

— Jesteś okropnym człowiekiem — rzuciłam do Poli łamiącym się głosem z naciskiem na ostatnie słowo.

Zabrałam od Marka swoje narty, zarzuciłam je na ramię i zaczęłam schodzić po stoku. Słyszałam za plecami kłótnię i olałam ją. Mężczyzna, który przyniósł mi telefon, ukłonił się zabawnie, życzył mi powodzenia i poszusował w dół. Schodziłam skrajem stoku, przykucając i ześlizgując się powoli. Nie założyłam nart, bo moje umiejętności były za słabe, abym potrafiła poradzić sobie na nich tak poobijana. Przez chwilę niosłam je na ramieniu, następnie pochwyciłam je w dłonie i używałam zamiast kijków, które zgubiłam w trakcie bójki. Byłam trochę wystraszona, a jednocześnie pełna nadziei. Jakby nie patrzeć, postawiłam całe swoje życie na jedną kartę. Miałam świadomość, że pewnie czeka mnie włoski „Wawel". Kaśka miała rację, ludzie nigdy nie zmieniają się całkowicie, z naturą nie wygrasz. Nadal byłam podeskcytowana na myśl o akcji, choć to może z powodu Maksa. Spieszyłam się, a schodzenie, delikatnie mówiąc, nie szło mi najzgrabniej. Niekiedy, aby trochę sobie ulżyć, rzucałam narty przed siebie, zsuwałam się na pośladkach, szłam bokiem albo na czworakach. Czułam się też trochę jak kot w butach. Przeszkadzały mi te buciory i miałam ochotę je zdjąć, ale przecież stopy marzły mi nawet latem.

Zmęczyłam się i wreszcie zatrzymałam się, aby odpocząć. Wyciągnęłam telefon i ponownie przeczytałam SMS-y. Cieszyłam się nimi, jakby miały mi coś wyjaśniać. A przecież były kolejną zagadką. Zerknęłam też na połączenia i spostrzegłam coś, co wcześniej przeoczyłam. Nieodebrane połączenie od Zofii Bednarz. Przytrzymałam kontakt. Po dwóch sygnałach zadźwięczała w moich uszach przyjemnym głosem z przeszłości.

— Pani policjantko, to ja, Zofia Bednarz. Dzwoniłam do pani, ale pani nie odbierała.

— Dzień dobry, pani Zofio. Teraz chętnie panią wysłucham.

— Dzwonię do pani, bo ci mężczyźni znów się pojawili.

Zmroziło mnie.

— Jest pani pewna?

— Tak.

— Kiedy ich pani widziała?

— Jeszcze przed Nowym Rokiem.

Dziwne. Próbowałam wypytać ją o szczegóły, lecz powiedziała mi dokładnie to samo, co kiedyś. Nie byłam pewna, czy nie pomieszała faktów. Nie rozmawiałyśmy zresztą długo, bo źle się czuła. Zatęskniłam za nią. Kiedy mieszkałam z Maksem u Jana, często u niej bywałam.

Cholerna czarna trasa była bardzo długa. Nie wiem, ile miała kilometrów, ale pokonywałam ją jak ślimak.

Pewnie to też zasługa tych buciorów. Mniej więcej gdzieś w połowie stoku obok mnie zjawił się Marek. Zabrał ode mnie narty i podał mi zgubioną rękawiczkę. Całe szczęście miał też moje kijki.

— Jedziesz do niego? — bardziej stwierdził, niż zapytał.

— Jadę — odpowiedziałam stonowanym głosem. — Jadę do profesora, potrzebuje mnie, a ja chcę wyjaśnić sprawę z przeszłości. Chociaż spróbuję, bo jeśli tego nie zrobię, do końca życia będzie mnie to męczyć.

— Jadę z tobą — oświadczył.

— Naprawdę? — zapytałam, nie spojrzawszy na niego.

— Nie mógłbym zostawić cię w potrzebie. Jesteś moją przyjaciółką.

Trudno mi było rozszyfrować, czy Marek jest tak empatyczny, czy tak bardzo się we mnie zakochał. Jedno natomiast było pewne.

— A ty jesteś niemożliwie dobry — powiedziałam i w końcu odważyłam się na niego zerknąć. — Jest mi bardzo głupio. Ty się starałeś, a ja wszystko zepsułam. Przepraszam.

— Daj spokój. — Uśmiechnął się i zaczął poprawiać narty, unikając mojego spojrzenia. — To wszystko nic względem całego życia, które ci zostało. Lećmy do Włoch odnaleźć twoje szczęście.

CZĘŚĆ III — VIVA L'ITALIA

Chciałoby się przeszłość jak okno zasunąć gęstą
mgłą.
W pokoju swoim nowy, ciepły stworzyć klimat.
Rozwinąć jak dywan marzenia i odkurzyć je
z brudów codzienności.
Przystroić ściany obrazami dobrych chwil
i w miękką pościel radości się wtulać.
Chciałoby się. Tylko zasłon brak i szara codzienność nachalnie wprasza się w pokój.

UGODA

Złociutki telefon złapał zasięg, gdy minęliśmy wzgórze.
Rozgrzałam go do czerwoności. Zadzwoniłam najpierw
do Kaśki, poinformowałam o swoich planach i ustaliłam
z nią wiele istotnych kwestii. Moja droga przyjaciółka
miała urlop noworoczny i była w domu. Tak się złożyło,
że za kilka godzin z Balic startował samolot do Werony.
Zdecydowała się lecieć i nawet się nie zająknęła. Mogła
mieć milion problemów i drugie tyle wymówek, a bez
wahania ruszyła mi z pomocą. Jej zapał podpowiadał mi,
że jest głodna przygody. Tego właśnie potrzebowałam.
My z Markiem nie mieliśmy szans zdążyć na ten samolot, zatrzymaliśmy się zatem u niego, abym nie wracała
do domu, niepotrzebnie martwiąc tatę. Marek, jak na

gentlemana przystało, pościelił mi swoje łóżko, a sam położył się w salonie.

Całą noc kręciłam się z boku na bok. Byłam bardzo przejęta i ożywiona. Z tych nerwów dostałam palpitacji, duszności i zimnych potów. Marek dał mi jakieś tabletki, przyniósł chłodny okład i delikatnie rozmasował tętnicę szyjną. Nie protestowałam. Miałam nadzieję pozbyć się tych dolegliwości do rana. W końcu udało mi się zasnąć, z tym że mój umysł dosłownie płonął od rozżarzonych myśli. Były ich setki, o ile nie tysiące, sprzecznych, gorzkich, słodkich, smutnych, radosnych. Cały gąszcz poplątanych wspomnień, pytań, wyobrażeń, nadziei.

Samolot do Werony wystartował z samego rana. Mój towarzysz zaraz zasnął, a ja nie potrafiłam nawet przymknąć oczu. Rządziła mną adrenalina. Przez niewielkie okienko spozierałam na flegmatyczne, opasłe chmury, w których odbijały się usta, oczy, włosy, nos i umięśniony tors. Szum samolotu przeszedł w przyjemny tembr głosu. Przypominałam sobie jego zapach, miękkość skóry, wszystko to, co przez ostatnie miesiące usilnie wyrzucałam z pamięci. Przyszło mi to zadziwiająco łatwo, jakbyśmy dopiero co się widzieli. Miłości się nie zapomina. Przeszły mnie ciarki. Łaknęłam tego, łaknęłam jego jak nikogo innego na świecie. Kochałam go i po prostu musiałam tam lecieć, wyjaśnić to cholerne nieporozumienie. Lot był długi i potęgował moje rozdrażnienie. Na szczęście udało mi się opamiętać i skupić na działaniu. Przeczytałam o Bardolino chyba wszystko. Dowiedziałam się, że jest to turystyczne miasteczko położone na wschodnim wybrzeżu jeziora Garda, największego

524

i najczystszego we Włoszech. Zachodziłam w głowę, co tam zwabiło Maksa.

Wylądowaliśmy.

Na lotnisku czekała na nas Kaśka w wypożyczonym samochodzie. Wybiegła mi naprzeciw i wpadłyśmy sobie w ramiona. Trajkotała jak nakręcona.

— Zośka, tutaj jest tak pięknie, tak czysto i spokojnie. A Werona to totalny odlot. Będziesz miała poczucie, jakbyś cofnęła się kilka epok wstecz. Coś niesamowitego. Całe życie marzyłam o takich wakacjach!

— Wakacjach? — powtórzyłam.

— Matko, Zośka, nie łap mnie za słówka. I nie sprowadzaj na ziemię! — Skrzywiła się. — Zdążyłam zorientować się, że to nie wakacje... Jest chłodno, mokro i wilgotno, a i tak mi się podoba. Mogłabyś pozwolić mi się nacieszyć, zresztą nieważne. Chodźmy do samochodu, szkoda czasu. Do Bardolino mamy trzydzieści kilometrów. Boże, tam jest tak cudnie! Sielsko, anielsko, beztrosko! Profesorowie wynajęli bardzo ładny domek, w rozsądnej cenie. O tej porze roku nie ma tu zbyt wielu turystów, więc gospodyni traktuje nas trochę jak rodzinę królewską. A w ogóle jest Polką. Czterdzieści lat temu przyjechała tutaj na wakacje, poznała pewnego Włocha i już została. Obecnie jest wdową i to tak charyzmatyczną, że nawet nasi staruszkowie jej nie dorównują.

Zmierzaliśmy w stronę auta. Dojrzałam wewnątrz pasażera. Kilka kroków później dostrzegłam, że to Antoni. Ściągnęłam brwi i zmroziłam Kaśkę wzrokiem.

— No co? Jak mogłabym go nie zabrać. Wiedziałam, że się wkurzysz.

Marek zdążył schować bagaże i witał się właśnie z doktorem.

— A, skoro nie mogłaś, to zmienia postać rzeczy — bąknęłam.

— Nie bądź zgryźliwa. On chce się zrehabilitować. Jest skruszony i pełen optymizmu. Poza tym, jak ty sobie wyobrażasz tę całą, jak ty to mówisz, akcję bez niego? Na pewno profesorowie liczyli na jego obecność.

— Jak mam mu zaufać?

— Nie wiem, twój problem. Wszyscy mu ufają, dostosuj się.

Przebiegłam wzrokiem po samochodzie. Antoni patrzył na mnie przez szybę z miną zbitego psa.

— Czy ty nie widzisz, jaki on jest przejęty? Jakie ma pokorne spojrzenie? — zagajała.

— Ano widzę — westchnęłam.

— Więc nie psuj atmosfery! Dobrze wiesz, że ten relikwiarz to pretekst. Wszyscy jesteśmy tutaj, aby pomóc tobie i Maksowi. Chcemy dobrze, kibicujemy wam, liczymy, że w końcu wszystko się wyjaśni. Doceń to do cholery!

— To jednak nie przyjechałaś na wakacje?

— A coś ty taka kąśliwa? Ileż ja mam z tego życia. Rodzina, dom, praca, w kółko to samo. Ta wyprawa kosztuje mnie więcej niż rodzinna wycieczka, więc chcę się nią nacieszyć. Nie doceniasz tego? Poświęciłam oszczędności, za które miałam śmigać na nartach.

— Wybacz, taki żarcik. A pieniądze jakoś ci zwrócę.

— Przestań, bo się obrażę — ucięła.

Antoni wysiadł z samochodu, a przyjaciółka zasugerowała mi ruchem głowy, abym w końcu do niego podeszła.

— Dzień dobry, doktorze — zaczęłam.

— Dzień dobry, Zosiu — odpowiedział spokojnie. — Wiem, że na pewno nie jestem tutaj przez ciebie mile widziany. Jeśli zniesiesz moje towarzystwo, obiecuję pomóc. Naprawdę chcę się przydać i wynagrodzić ci krzywdy. Liczę, że w końcu przyjmiesz moje przeprosiny i zaakceptujesz moje towarzystwo.

Wyciągnęłam do niego dłoń, objęłam go serdecznie.

— Obiecuję się nie dąsać. Dziękuję, że jesteś — szepnęłam.

Kaśka i Marek wymienili się zdumionymi spojrzeniami. Kaśka głośno odetchnęła.

— O matko, co za ulga — uleciało z niej ewidentnie mimowolnie. — Dobra, miśki, pakujcie się do auta i ruszamy.

Podróż do Bardolino przybrała formę terapii grupowej. Wymienialiśmy się zwierzeniami na temat emocji towarzyszących nam w ekstremalnych sytuacjach. Mówiliśmy, jak radzimy sobie ze stresem, a jak z ekscytacją. Wszyscy odczuwaliśmy zarówno jedno, jak i drugie. Jeszcze w mieście zachwycałam się architekturą, a gdy opuściliśmy je — malowniczą okolicą. Mijaliśmy winnice, gaje oliwne i strzeliste cyprysy, które urealniały tę całą niedorzeczną dotychczas historię. Równocześnie narastał we mnie stres. Wszystko zaczęło się na nowo.

W końcu dotarliśmy do podnóża góry, gdzie z drogi rozciągał się widok na jezioro. Było jak powiedziała Kaśka — anielsko. Przyjaciółka zatrzymała punciaka przy ostatnim gospodarstwie, za którym kończyła się droga.

Dwupiętrowy, kamienny dom porośnięty był bluszczem i spoglądał na nas otwartymi, zielonymi okiennicami. Kiedy wysiadłam z samochodu, wiatr zatrzepotał nimi w rytm wypływającej z okien włoskiej melodii akordeonu. Dom jakby zawirował mi na powitanie, a zaraz po nim powitali nas profesorowie i pani Stasia.

WZGÓRZE NADZIEI

Zamieszkałam w pokoju z Kaśką, a Marek z Antonim. Umówiliśmy się, że złapiemy oddech po podróży, odświeżymy się i za godzinę spotkamy się na tarasie. Oczywiście nie ja to wymyśliłam, bo mnie rozsadzała energia i trudno mi było usiedzieć. Wyszłam przed dom i skuliłam się przy żeliwnym stoliku pod parasolem. Wesoła gospodyni rozstawiła przede mną apetyczne śniadanie. Zaserwowała deskę swojskich serów, warzywa, owoce, pachnące pieczywo, soki, kawę i czerwone wino z pobliskiej winnicy. Postanowiłam poczekać z posiłkiem na przyjaciół i upiłam tylko łyk wina. Siąpił deszcz i po twarzy muskał mnie lekki chłód. Chłonęłam wzrokiem ponurą panoramę jeziora.

Obok mnie pojawił się profesor Jan.

— Ja w niego wierzę. Myślę, że ty też — powiedział.

— Wiesz, wujku — zaczęłam cicho — zwątpiłam w niego i przez kilka miesięcy próbowałam wyrzucić z serca. Naprawdę nie sądziłam, że jeszcze kiedykolwiek to powiem, ale tak, znowu w niego wierzę. Tak trudno jest wyrzec się miłości. Bardzo chcę poznać prawdę, dowiedzieć się, co się wydarzyło, co on tu robi. Pewnie żyje nieświadomy tego, co przeszłam, bo w końcu obiecałam mu wsparcie. Z drugiej strony, jak żyć w takiej niewiedzy? Jak ufać?

— Właśnie na tym polega zaufanie — odpowiedział z przekonaniem.

Opuściłam głowę. Jan zanurzył dłoń w kieszeni marynarki i wyjął z niej aksamitny woreczek. Rozsupłał go, wydobył ze środka mój pierścionek zaręczynowy i podsunął mi go na dłoni. Zaskoczył mnie.

— Wnioskując po tym, co przed chwilą mi wyznałaś — wyszeptał — domyślam się, że nie stracił dla ciebie na wartości.

Przeszły mnie ciarki. Zabrałam pierścionek, wsunęłam go na palec serdeczny i oglądałam, jak cudnie się mieni.

— Co na śniadanko? Mmm, pyszności. — Kaśka dołączyła do nas, a zaraz po niej reszta towarzystwa. Połączyliśmy niewielkie stoliczki, dzięki czemu usiedliśmy w kole.

— Skąd go masz? — zapytała przyjaciółka.

— Co?

Zerknęła na mój palec, uniosła brew i brodę.

— Jan go miał.

Uśmiechnęła się.

— Słuchajcie, moi drodzy — zaczął głośno Jan. — Myślę, że wszyscy jesteśmy już pełni sił i możemy przejść do działania. Najpierw opowiemy wam, od czego to wszystko się zaczęło i o co w ogóle chodzi. Kazik oddaję ci głos, ja jestem zbyt poruszony i mógłbym coś poprzekręcać.

Profesor Kazimierz usadowił się wygodnie, podparł się na łokciach, wyciągnął szyję w naszym kierunku i rozpoczął wykład.

— Kochani, przyjechaliśmy tutaj z Jankiem z jego inicjatywy. Kiedy byliśmy przetrzymywani przez Francuza, udało nam się podsłuchać jego rozmowę z którymś z jego ludzi. Mówili o szansie na wielkie pieniądze, o interesie życia i tego typu brednie. W pewnym momencie Francuz kazał temu chłopakowi podać jakiś adres i ten to zrobił. A później użył słowa „kolekcjoner" i kazał temu chłopakowi „mocniej go przycisnąć". Cała ta sytuacja z relikwiarzem była tak emocjonująca, że całkowicie o tym zapomnieliśmy. Po tych wszystkich przygodach Janek wielokrotnie ponawiał próby kontaktu z Apoloniuszem. Bezskutecznie. Mimo to nie zamierzaliśmy poprzestać w działaniu i nieustannie analizowaliśmy fakty. Ostatecznie wspólnie uznaliśmy, że zachodzi spore prawdopodobieństwo, że szajka Francuza jest zamieszana w sprawę. Wywnioskowaliśmy to z intensywnego zainteresowania Francuza tym przedmiotem, no i z samego faktu, że w ogóle nas przetrzymywał. Ewidentnie miał zamiar skonfrontować nas z kimś dla niego ważnym albo ze złodziejami, a może właśnie z tym całym kolekcjonerem. Doszliśmy do wniosku, że niewykluczone jest, iż ten Apoloniusz sprzedał Francuzowi relikwiarz, a ten z kolei chciał go spieniężyć u kolekcjonera. To tłumaczyłoby naszą obecność podczas spotkania. Zapewne mieliśmy potwierdzić pochodzenie przedmiotu i oszacować jego wartość. Janek zasugerował, że moglibyśmy sprawdzić adres, który udało nam się zapamiętać. Ja podchwyciłem tę myśl i tak znaleźliśmy się tutaj. Wynajęliśmy pokój w hotelu i poszliśmy pod rzeczony adres. Zastaliśmy piękną posiadłość z winnicą. Znajduje się niedaleko stąd, na zboczu wzgórza. Chcieliśmy podejrzeć właścicieli, lecz posesja obsadzona jest cyprysami, które chronią prywatność mieszkańców. Próbowaliśmy więc jakoś inaczej przyjrzeć się temu miejscu, ale prędko zorientowaliśmy się, że jest tam ochrona. W związku z tym zakradliśmy się pod bramę od zewnętrznej strony ogrodu. Mieliśmy tyle szczęścia, że akurat zaczęła się otwierać. Ktoś szykował się do wyjazdu. Ukryliśmy się za drzewkami. Po chwili pojawił się samochód, a zaraz za nim Maks! Na dodatek w bardzo dziwnym białym habicie.

— Myślałem, że serce wyrwie mi się z piersi — odezwał się Jan.

Dokładnie tak jak i mnie, kiedy to usłyszałam. Moja historia przybierała formę typowego hollywoodzkiego dramatu. Facet odchodzi od szaleńczo zakochanej w nim kobiety do innej kobiety, innego mężczyzny albo odczuwa powołanie i zostaje księdzem. Nie mogłam uwierzyć, że to dzieje się naprawdę. Przyjazd do Bardolino wzbudził we mnie nadzieję. Dotychczas funkcjonowałam w przeświadczeniu, że moje życie zostało tak mocno zbombardowane absurdami, że nie ma już czego niszczyć. A jednak. Jak to mówią, nadzieja umiera ostatnia. I na tę moją ostatnią nadzieję leciała właśnie wielka bomba absurdu.

— Janek zerwał się do niego — ciągnął Kazimierz. — Na szczęście w porę się opamiętał.

— Tak naprawdę to Kazek mnie powstrzymał — uściślił Jan.

— No tak — potwierdził Kazimierz. — Rozumieliśmy, że cała ta sytuacja jest co najmniej dziwna. Naradziliśmy się z Jankiem i poszliśmy za nim. Po prostu śledziliśmy go, z daleka oczywiście. Nie było łatwo, bo jak się okazało, szedł na szczyt wzgórza. Z tą naszą starczą kondycją prawie go zgubiliśmy. Nigdy nie zgadniecie, gdzie dotarł. — Kazimierz obrzucił towarzystwo pytającym spojrzeniem. — Do eremu kamedułów! Przeszedł przez bramę i zniknął nam z oczu. Siedzieliśmy na tej górze do wieczora, niestety już się nie pojawił. Kolejnego dnia znowu tam czatowaliśmy, lecz również bez skutku. Byliśmy mocno zmęczeni tym wyczekiwaniem i niewiedzą. Następnego dnia postanowiliśmy tam wejść. Jeden z braci wpuścił nas za bramę. Przekonywaliśmy go, że chcemy dostać się na mszę, licząc na duchową odnowę. On wtedy zaproponował nam coś na wzór rekolekcji. Powiedział, że możemy na kilka dni zamieszkać w eremie, z tym że będziemy musieli dostosować się do ich ascetycznego życia. Czyli wyciszyć się, skupić na modlitwie i przybliżyć do Boga. Problem w tym, że w zimie ze względu na nadmiar obowiązków nie organizują takich spotkań. Zgodziliby się, jeśli uzbierałaby się większa grupa chętnych. I wtedy Janek nie wytrzymał.

— Dłużej nie mogłem — powiedział Jan. — Zapytałem kapłana wprost, czy jest w tym eremie mój syn i czy mógłbym z nim porozmawiać.

— Eremita zaprzeczył, jakoby miał znać kogoś takiego — kontynuował Kazimierz. — Janek chwilę nalegał, lecz szybko odpuścił. Dzięki Bogu, bo mógłby niechcący zamknąć nam drogę do poznania prawdy. I tak wymyśliliśmy, że ściągniemy was tutaj i wszyscy zapiszemy się na rekolekcje. Dla tak dużego grona zgodzą się je zorganizować. Podjęliśmy próbę kontaktu z Zosią, a że nie odbierała, napisaliśmy SMS z informacją i SMS z mojego telefonu z adresem. Przenieśliśmy się wtedy do tego gospodarstwa, bo jest stąd bliżej do szczytu. Z drugiej strony domu jest widok na wzgórze z gajem oliwnym. Można na niego spojrzeć z okna sypialni pań. Tak niewiele oddziela nas od Maksa. Droga do klasztoru położona jest po wschodniej stronie wzgórza. Trzeba się trochę przespacerować, żeby tam dotrzeć, ale dzięki uprzejmości tutejszej gospodyni poznaliśmy skrót.

Kaśka złapała mnie za rękę. Moja konsternacja musiała być mocno widoczna.

— To na pewno nie jest tak — przekonywała. — Zośka, nawet nie myśl, że on cię zostawił, żeby zostać zakonnikiem.

— Nie, Zosiu, tu na pewno chodzi o coś innego — dołączył się Kazimierz. — Jakby był prawdziwym braciszkiem, to po co chodziłby do kolekcjonera?

— Zacznijmy od tego — odezwał się Jan — że kameduli na Rocca di Garda to i tak bardzo otwarta kongregacja, bo większość kamedułów w ogóle nie kontaktuje się ze światem zewnętrznym. Jest to zakon monastyczny funkcjonujący w oparciu o regułę świętego Benedykta, czyli kierujący się bardzo surowymi zasadami nakazującymi życie według klauzuli, w odcięciu od świata. Zakonnicy mieszkają osobno, w skromnych domkach, żyją kontemplacją, modlitwą oraz pracą naukową i fizyczną.

— I prawie ze sobą nie rozmawiają! — dorzucił Kazimierz. — Ba, oni się prawie nie widują! Spotykają się na wspólne msze, śpiewanie i kilka wspólnych posiłków.

— W Krakowie na Bielanach mamy klasztor ojców kamedułów — włączył się Marek. — Byłem tam kilka razy, zachwycające miejsce.

Jan odsunął sobie krzesło i, podparłszy się łokciem, zwrócił się do Marka:

— Tak, z tą różnicą, że w Polsce mamy Kongregację Eremitów Kamedułów z Monte Corona. Tutejsza kongregacja kamedulska jest zakonu świętego Benedykta. Różnica polega właśnie na tym, że ci pierwsi prowadzą surowe, pustelnicze życie wewnątrz klasztoru, a ci tutejsi prowadzą działalność duszpasterską. Ambitni eremici zajmują się działalnością poza murami klasztoru. Są rekolekcjonistami, wykładają na Uniwersytecie w Weronie, opracowują stare księgi swoich poprzedników, odbudowują erem, prowadzą seminaria, zajmują się biblioteką i mógłbym tak jeszcze długo wymieniać. Na dobrą sprawę są to interesujący i bardzo zajęci ludzie.

— Ale o co chodzi z Maksem? — dopytał Marek. — Jak on znalazł się w eremie? Można ot tak z ulicy zgłosić się do klasztoru?

— W tym wypadku, mówiąc w wielkim uproszczeniu, zasadniczo tak — odpowiedział Kazimierz. — Żeby dostać się do wspólnoty trzeba spełniać odpowiednie warunki. Kandydat powinien mieć co najmniej dwadzieścia lat, lecz nie więcej niż czterdzieści, a także nie może dźwigać zbyt wielkiego bagażu doświadczeń, żeby przełożony nie musiał podejrzewać go o ucieczkę przed problemami. Jeśli kandydat jest w miarę wiarygodny, wyraża chęć oddania się pracy, wyrzeczeniom i modlitwie, może zostać przyjęty na dwuletni nowicjat.

— No nie wiem, a jeśli on naprawdę… — wysyczałam.

— Daj spokój, Zosiu — upomniał mnie Kazimierz.

— Kameduli nie jedzą mięsa i wstają przed czwartą. To

doprawdy niemożliwe, żeby nasz Maksik dobrowolnie poddał się takim torturom — zaszydził.

Jan parsknął śmiechem i pokręcił głową.

— Nie martw się, dziecko — uspokajał mnie. — Mamy inne podejrzenia.

Przy stole pojawiła się gospodyni. Podziękowaliśmy za śniadanie, a ja zabrałam się za zbieranie zastawy. Rozsadzało mnie od środka i musiałam się ruszyć. W moim mózgu trwało wielkie spięcie kabelków, które paliły się, dymiły, syczały i tworzyły coś nowego, czego nie potrafiłam jeszcze zrozumieć. Pani Stasia zabrała mi z rąk stertę talerzy.

— Zostaw dziecko, jeszcze się w życiu naszorujesz garów — nalegała, nerwowo wyszarpując mi też sztućce.

— Niech nam pani pozwoli pomóc — wtrącił Antoni.

— Te delikatne dłonie dbają o całe gospodarstwo, niech no je chociaż raz ktoś odciąży.

Wszyscy zaczęliśmy sprzątać ze stołu, a zdziwiona pani Stasia przestała oponować. Zaprowadziła nas do kuchni, gdzie Kaśka od razu złapała za gąbkę, ale pani Stasia uparła się, że lepiej będzie załadować naczynia do zmywarki, której dawno nie używała. Argumentowała, że każdy sprzęt trzeba czasem rozruszać, bo inaczej się psuje. Trudno byłoby się z tym nie zgodzić, zapakowaliśmy więc zmywarkę i przenieśliśmy się do wspólnego salonu na parterze.

Kazimierz przyniósł komputer, ustawił go pośrodku ławy i kazał wszystkim ścieśnić się, abyśmy widzieli ekran.

— Jak dobrze, że Janek zabrał laptopa. Dzięki temu wszystko sprawdziliśmy — poinformował.

Profesor Jan otworzył zdjęcie z wizerunkiem krzyża przepasanego koroną i usytuowanego na stopie w kształcie trzech gór. Moje skojarzenie było oczywiste. Byłam roztrzęsiona, poderwałam się z miejsca i zaczęłam się przechadzać po pokoju.

— To herb kongregacji Monte Corona — rozpoczął Jan. — Czyli tej, którą mamy w Polsce. Nawiązuje do głównego eremu kongregacji — Badia di Monte Corona koło Perugii. Ten właśnie erem wydał zgodę na budowę klasztoru na Srebrnej Górze. Kiedy zorientowaliśmy się, że ta zbieżność jest oczywista, zaczęliśmy szukać w krakowskim klasztorze.

— No i znaleźliśmy — uściślił Kazimierz. — Mikołaj Wolski, fundator kościoła, zmarł w trakcie budowy świątyni w 1630 roku i wedle życzenia został pochowany pod posadzką, tuż przy wejściu.

— Zosia już wie — uśmiechnął się Antoni.

— Chodzi o napis na rewersie? — upewniłam się.

— Dokładnie — potwierdził Jan. — A przynajmniej tak podejrzewamy.

— „Gdzie matka zasypia pod niebem gwieździstym, trzepoczą skrzydłami nad progiem strzelistym. Tam bracia, co strzegą tego, co nas strzeże, stąd szukaj kierunku, gdzie spoczął w ofierze" — wyrecytowałam.

— Niewiarygodne — z ekscytacją powiedziała Kaśka.

— Jaka matka zasypia? O co chodzi? — zapytał Marek.

Antoni wyrwał się do odpowiedzi.

— O to, moi drodzy, że kościół na Srebrnej Górze jest właśnie pod wezwaniem Wniebowzięcia Najświętszej Maryi Panny, a sklepienie drzwi nad progiem, pod którym pochowany jest Wolski, zdobią wizerunki aniołów.

— W ogóle nie wzięliśmy tego kościoła pod uwagę. Wydawało nam się, że fantastycznie rozwiązaliśmy ten rebus — powiedziałam.

— To moja wina, Zosiu — przyznał Antoni. — Zasugerowałem wam poszukiwania w kościołach. Naraziłem was na takie niebezpieczeństwo — dodał i złapał się za głowę.

— Wystarczyło powiedzieć prawdę...

— Wiem. Nigdy mi tego nie wybaczysz...

Antoni wstał, podszedł do mnie i delikatnie złapał mnie za ręce.

— Nie mówmy już o tym — powiedziałam. — Postarajmy się, aby teraz nasze relacje były szczere, prawdziwe, żebyśmy w końcu rozwiązali tę sprawę.

Kaśka zaczęła bić brawo.

— Jesteś bardzo mądra — pochwalił mnie Jan.

— Rozsądna i inteligentna. Ideał — dodał Marek.

— Dokładnie. Idealnie pasujesz do mojego syna — dokończył Jan.

Zrobiło się niezręcznie, choć Jan miał prawo nie być zorientowany w sytuacji i mojej relacji z Markiem. Naszła mnie myśl, że nie powinnam była ciągnąć go ze sobą. Zachowałam się egoistycznie. Mogłam zwyczajnie odmówić, gdy chciał pomóc. Wystarczająco go skrzywdziłam, żeby mu jeszcze dopierniczać. Z obecnej perspektywy wyglądało to tak, jakbym wykorzystała go przy remoncie domu, podleczyła przy nim swoją zranioną duszę i odwróciła się od niego, gdy pojawiła się iskra nadziei na powrót do ukochanego. Marek jest inteligentny, ale jeśli nie uzna mnie za obrzydliwą żmiję, to będzie też trochę naiwny. Sama się za to nie lubię. Moje zagubienie nie jest żadnym wytłumaczeniem.

Usiadłam obok Kaśki i wymieniłyśmy się porozumiewawczymi spojrzeniami.

— Uporządkujmy informacje — poprosił Antoni.

— Dobrze, przyjacielu — potaknął Jan. — Zatem, moi drodzy, wiemy już, że relikwiarz wygląda jak herb polskich kamedułów. Wiemy też, że grawer na rewersie najprawdopodobniej oznacza klasztor na Srebrnej Górze. Stamtąd powinniśmy szukać kierunku, gdzie jak mówi rymowanka, „spoczął w ofierze". Rozsądek podpowiadałby poszukiwania w Monte Corona, jednak dotarliśmy tutaj.

— Myślicie, że w San Giorgio są dalsze wskazówki? — zapytał Marek.

Jan pokiwał potakująco głową.

— Myślimy, że nie tylko wskazówki…

— Podejrzewacie, że tam są ukryte zabytki? — wyrwał się Antoni.

Kazimierz z Janem przytaknęli.

— Cóż innego mój syn mógłby tu robić? — zapytał retorycznie Jan. — Widzieliśmy go w domu kolekcjonera i śmiem przypuszczać, że był przez niego w jakiś sposób szantażowany.

— Chwileczkę — wtrąciłam. — Jesteście pewni? Rymowanka z rewersu lepiej pasuje do mojej pierwotnej wizji. Rozumiem, że relikwiarz wygląda identycznie jak ten herb, ale dlaczego Włochy? Dlaczego nie klasztor na Srebrnej Górze? I skąd Maks mógł wziąć adres? Jak tu trafił?

— Racja, to trochę dziwne — napomknęła Kaśka. — Kolekcjoner zapewne wolałby współpracować z panem — zwróciła się do Jana.

Uznałam, że nadszedł odpowiedni moment, abym i ja w końcu się wyspowiadała. Miałam też nadzieję, że jeśli któryś z moich towarzyszy również ma coś na sumieniu, to moje wyznanie zmobilizuje go do mówienia. Stanęłam na wprost nich trochę skrępowana, zaplotłam palce w koszyczek i, przestępując z nogi na nogę, próbowałam wydobyć z siebie sensownie brzmiące zdanie.

— Coś mi się wydaje, że nadszedł czas, abym wam coś wyznała — wykrztusiłam w końcu.

Pięć par oczu skierowało się w moją stronę. Prawie mnie oślepiło.

— Profesorze, poproszę o wstęp. Mógłbyś opowiedzieć o tej kartce o cudownej mocy, dzięki której zaczęłam cię szukać?

Jan w zamyśleniu gładził dłonią po brodzie.

— To była całkowicie przypadkowa kartka — rozpoczął. — Apoloniusz zadzwonił do mnie, gdy recenzowałem wiersze. Kiedy zaczął dyktować opis relikwiarza, złapałem pierwszą lepszą kartkę, którą miałem pod ręką i zanotowałem opis przedmiotu i informację o spotkaniu. A później tę właśnie kartkę znalazłaś przy naszym świętej pamięci przyjacielu.

— Dokładnie, bardzo dziękuję — skinęłam głową. — Zatem, jak wspomniałeś, zapisałeś informacje o spotkaniu: datę, godzinę, miejsce, imię „Apoloniusz" i słowo „mucha", które jak się domyśliłam miało być elementem rozpoznawczym. A ja, jako że jestem dociekliwa i niecierpliwa, nie wytrzymałam i stawiłam się na tym spotkaniu.

— Jesteś szalona! — krzyknęła Kaśka, jakby teraz się o tym dowiedziała.

Zaczęłam gestykulować, próbując ją uciszyć.

— Nie przesadzaj, to nic takiego. Poszłam tam, wypatrzyłam go i obserwowałam. Minęło pół godziny, ale nikt się nie zjawiał. Potem wypatrzyłam jednego ukrytego w zaułku gościa. Zaznaczam, że mogłam się jedynie domyślać, na kogo ten mężczyzna czeka. Dosiadłam się do niego, przedstawiłam, rzecz jasna pomijając fakt, że jestem z policji. Nie miał ochoty ze mną rozmawiać, więc zapytałam, czy czeka na Aleksandryjskiego albo Wojnickiego. Zdenerwował się, zastrzegł, że będzie rozmawiał tylko z Janem i wyszedł. Uciekał przede mną, aż w końcu złapał taksówkę i zwiał mi sprzed nosa. Wściekłam się sama na siebie. Spaprałam to.

— Nie mów tak — napomniał mnie Jan. — Powiedz nam, jak on wyglądał.

— Był mniej więcej twojej postury, wuju…

— Znowu tak do mnie powiedziałaś — wszedł mi w zdanie.

— Tak się umówiliśmy… — uniosłam lekko kąciki ust — ale… wiem, wiem, przestałam tak do ciebie mówić po zniknięciu Maksa. Przepraszam, to nie twoja wina, nie powinnam była obciążać cię odpowiedzialnością za jego postępowanie. Wracając do tematu, ten mężczyzna był mniej więcej twojej postury, chyba niewiele młodszy, zadbany, elegancki, opalony, jakby dopiero co wrócił z wakacji.

— Nie gadaj — wtrąciła Kaśka.

— Że co?

— Może to nasz kolekcjoner?

Oczy wszystkich skierowały się na Kaśkę.

— Co myślicie? — zwróciła się do reszty.

Kazimierz bardzo zaciekawił się tym spostrzeżeniem.

— To mogłoby wiele wyjaśnić. Może to on ściągnął Jana do Krakowa, żeby na przykład zmusić go do współpracy?

— Janek się nie pojawił, a ten ostatecznie dotarł do Maksa — dokończył Antoni.

Kazimierz przyklasnął bezgłośnie.

— Nie, to przecież bez sensu — wyrzuciłam z siebie z rezygnacją. — Mógł ponowić próbę kontaktu z Janem.

— Zauważ, moja droga — wtrącił się Antoni — że Maks jest sporo młodszy, mógł zwyczajnie zmienić zdanie.

— Racja, to bez sensu — poparł mnie Jan.

— A właśnie, że z sensem! — wtrącił Marek. — Maks jest młodszy, jest w stanie więcej zdziałać.

— I idealnie nadaje się na zakonnika — spuentowała Kaśka.

— Ale Jan ma wiedzę, której młodemu brak — skonstatował Antoni.

Towarzystwo zamilkło.

— Mamy całe mnóstwo sprzeczności i domniemań — podsumował Kazimierz.

Zajęłam miejsce obok Kaśki. Rolę mówcy przejął Jan.

— Słuchajcie — wstał, przyciągając uwagę wszystkich.

— Maks jest dla mnie jak syn, wychowałem go i myślę, że dobrze go znam. Uważam, że na pewno nie przebywa tutaj dobrowolnie, a jedynym sensownym powodem wydaje mi się szantaż. Nie uwierzę, że nie mając powodu, z dnia na dzień zapragnął życia monastycznego, szczególnie teraz, kiedy znalazł miłość swojego życia i podjął decyzję o ustatkowaniu się.

— No i jakby mu było w życiu mało przygód — dorzucił Antoni — postanowił zostać milczącym mnichem i to jeszcze we włoskim eremie.

— No właśnie — ciągnął Jan. — Nie wspomnę o tym, że od lat deklaruje się jako niewierzący. No, ludzie kochani, to absurdalne! — rozemocjonował się. — Spróbujmy do niego dotrzeć, porozmawiać.

— Spodoba wam się tam — wpadła mu w słowo pani Stasia, która dotychczas przysłuchiwała się nam, stojąc w drzwiach. — Nasz erem jest niezwykłym miejscem. Ludzie zaszywają się tam, aby złapać dystans do świata, życia i naprawdę wychodzą stamtąd odmienieni. Zakonnicy całymi dniami modlą się i pracują. Pierwsze dzwony biją o piątej dwadzieścia.

— A jeśli faktycznie przyjechał tu na rekolekcje? — zareagował Marek.

— I co? Przedłużyły się na pół roku? — odgryzł się Jan.

Urosłam. Nieugięta wiara Jana dodawała mi sił.

— Czyli co? Działamy? — poruszyłam się. — Mamy przed sobą cały dzień. Co proponujecie?

— Proponuję przejść się pod dom kolekcjonera. Może uda nam się go zobaczyć i upewnimy się, czy to Apoloniusz — zaproponował Jan.

Kazimierz i Antoni poparli jego pomysł.

— Świetnie. Co dalej? — dopytałam.

— Przejdziemy się do klasztoru pogadać z kamedu-łami. Spróbujemy ich przekonać, aby zechcieli przyjąć nas wszystkich na rekolekcje. Całe szczęście przyjmują też kobiety, więc nie powinno być problemu.

— A jeśli jednak nie zechcą?

— Zechcą, zechcą, Zośka, już moja w tym głowa — zapewniła Kaśka.

— Myślę, że jesteśmy wiarygodni — odezwał się Antoni.

— Zatem proponuję piętnaście minut przerwy i widzimy się przed domem — ogłosiłam.

— Załóżcie porządne buty i wygodne ubrania — uprzedził Kazimierz.

Towarzystwo ruszyło na schody. Kaśka dogoniła mnie i wyszeptała mi do ucha:

— Dostałaś skrzydeł. Znowu weszłaś w rolę szczęśliwej narzeczonej.

Przechyliłam głowę w geście niepewności.

— Daj spokój, będzie dobrze. Wszytko się wyjaśni, zobaczysz. Tylko myśl pozytywnie.

ROZPOZNANIE

Zwarci i gotowi zebraliśmy się pod domem. Kaśka rozejrzała się i zauważyła, że nie jesteśmy w komplecie.

— A co z Julką i Jacobem?

Uradowany Jan wyrwał się do odpowiedzi.

— Jacob dzwonił do mnie z informacją, że nie przyjadą, bo Julka jest w szpitalu.

— Co się stało? — zaniepokoiłam się.

— Julka jest w ciąży!

O mało się nie przewróciłam! Ta wiadomość mną wstrząsnęła. Oby wszystko dobrze się skończyło. Przez kolejne pięć minut wymienialiśmy się zachwytami, aż w końcu Kaśka rzuciła:

— A jak my się dogadamy bez Kubusia?

— Myślę, że jakoś damy radę — usłyszeliśmy ze strony Kazimierza. — Tutejsi zakonnicy świetnie znają angielski, ostatnio nie mieliśmy żadnych problemów. Podobno posługę pełni tu też jakiś Polak.

Ruszyliśmy. Jan i Kazimierz poczuwali się do roli przewodników i poprowadzili nas pod dom domniemanego kolekcjonera. Pogoda była barowa, siąpił deszcz i delikatnie zawiewał wiatr. Na szczęście odpowiednio się przygotowałam. Szłam zakapturzona w długiej, wojskowej kurtce, ocieplanych getrach i wysokich butach trekkingowych. Irytowało mnie tylko nieustanne przecieranie skropionych deszczem okularów. Kaśka szła tuż obok mnie i dzięki dotykowym rękawiczkom co chwila pstrykała zdjęcia krajobrazu i wysyłała je do męża. Czekałam, aż zacznie narzekać, jak to jej zimno i mokro. Co prawda miała na sobie porządne, ciepłe ciuchy, ale jej zawsze jest zimno.

Profesorowie spokojnie pokonywali dolinki i pagórki, choć jestem pewna, że i tak się spieszyli. Prowadzili nas ubitymi, żwirowymi ścieżkami i wąskimi, asfaltowymi dróżkami wciśniętymi między niewielkie winnice. Mokry zapach ziemi rozczulał. Zachwycaliśmy się wiekowymi, kamiennymi domami. Wszędobylskie drzewka oliwne, winorośle, pnące bluszcze i cyprysy sprawiły, że moi przyjaciele na chwilę odlecieli w zachwycie. Ja nie mogłam sobie na to pozwolić, bo za każdym razem, gdy osłabiałam swoje zmysły, nic dobrego z tego nie wynikało. Wokół mnie było miło, sielsko, anielsko, jak to powiedziała Kaśka, tyle że ja byłam tu w konkretnym celu, który zresztą tak mocno drylował mnie od wewnątrz, że najchętniej porzuciłabym przyjaciół i pognała prosto do tego eremu, byle mieć wszystko czarno na białym. Byłam w Bardolino od niespełna dwóch godzin, a już przeczuwałam, że trzymanie nerwów na wodzy nie potrwa długo. Na razie nie miałam wyboru i musiałam działać zgodnie z planem przyjaciół. A Kaśkę musiałam trzymać dosłownie, bo maszerując przede mną stromym zboczem, rozkoszowała się widokiem, zamiast patrzeć pod nogi. Dobrze, że chociaż o Marka nie musiałam się martwić. Fantastycznie odnalazł się w towarzystwie profesorów i dyskutował z nimi o wszystkim. Przypuszczam, że gdyby wujek wiedział, jak intensywnie Marek smalił do mnie cholewki, nie byłby tak chętny do rozmowy. Na szczęście dla mnie nie wiedział i liczyłam, że tak zostanie. Będąc tak blisko narzeczonego, nie potrzebowałam niezręcznych sytuacji. Znów nazwałam go narzeczonym. Ech, to pewnie przez ten pierścionek.

Panowie zatrzymali się przed ścianą cyprysów, spomiędzy których przebijała czerwona dachówka.

— Dotarliśmy — poinformował Jan.

Spojrzałyśmy z Kaśką na siebie z nieskrywanym zawodem.

— Nic tu po nas — oceniła przyjaciółka. — Nie mamy szans niczego podejrzeć.

— Spokojnie, dzieci. Odczekajmy chwilę — uspokajał Jan.

— Przecież nie będziemy czatować pod tym domem — nadmienił Marek. — To, że niczego stąd nie widać, nie oznacza, iż nie jesteśmy obserwowani.

Rozejrzeliśmy się dookoła.

— Nie widać kamer — stwierdził Antoni.

— To nie znaczy, że ich nie ma — dopowiedziała Kaśka. — Dzisiaj mamy tak zaawansowane technologie, że kamery mogą być mikroskopijne. Mogą też być zamontowane wewnątrz posesji i bez problemu łapać nas, o ile jesteśmy w ich zasięgu.

Towarzystwo przyznało jej rację.

— Więc co robimy? — zapytałam i, nim zdążyłam złapać oddech na kolejne zdanie, przyjaciółka mnie uprzedziła.

— Sprowokujmy ich do wyjścia albo sami się wprośmy. Możemy chociażby udawać zagubionych turystów — wymyśliła

— Oj, nie przemyśleliśmy tego odpowiednio — zaniepokoił się Jan.

— Nie, Kaśka, nie będziemy tak ryzykować — zdecydowałam. — To mogą być naprawdę groźni ludzie. Nie żebym rozbujała wyobraźnię, ale kto wie, może to jakaś włoska mafia. Już raz przegięliśmy. Teraz dodatkowo jesteśmy w obcym kraju. Nie chciałabym, żebyśmy znaleźli się w sytuacji bez wyjścia.

— Dobra, dobra — przerwała mi wypowiedź.

— Spróbujmy chociaż zapytać o drogę — nagabnął Antoni. — Najwyżej nas pogonią.

— Jasne. Problem w tym, że tylko ja mogę stwierdzić, czy właściciel tego domu to Apoloniusz. Oczywiście lepiej też, żeby mnie nie zobaczył. Wątpię, aby udało wam się wyciągnąć go na zewnątrz murów. Zapewne przyjmie nas ochrona.

Marek przyznał mi rację.

— Więc co robimy? — zapytał Kazimierz.

— Najpierw zejdźmy z drogi — powiedziałam.

Akurat brama wjazdowa na posesję zaczęła się rozsuwać. Natychmiast rozeznałam teren. Droga dojazdowa do willi kończyła się tuż przed bramą, a dalej wzdłuż ogrodzenia ciągnęła się wąska dróżka z ubitych kamieni, która skręcała do oliwnego zagajnika. Wskazałam przyjaciołom niewysoki kamienny murek po przeciwnej stronie drogi odgradzający ją od winnicy. Marek przeskoczył przez niego i pomógł Janowi. Kazimierz i Antoni poradzili sobie sami. Ja wepchnęłam Kaśkę między cyprysy nasadzone wokół posesji i wcisnęłam się obok.

Z bramy wyłoniła się srebrna terenówka z przyciemnianymi szybami. Tuż za nią wyjechało czarne bmw na niemieckich blachach. Na niemieckich blachach... Wstrzymałam oddech. Kiedy brama zaczęła się zamykać, dostrzegłam zerkającego ponad murek Antoniego. Usadziłam go gestem. Spodziewałam się, że za chwilę przy bramie ktoś się pojawi. Nie pomyliłam się. Nim zasuwa zdążyła trzasnąć, stanął przy niej mężczyzna. Wyciągnęłam głowę i przyjrzałam mu się. Siwawy, starszy facet w ciemnych ciuchach palił papierosa i przeglądał telefon. Kiedy wyrzucił kipa i znikł mi z oczu, powoli wysunęłam się spomiędzy drzew. Pomogłam

Kaśce, złapałam ją za rękę, przeskoczyłyśmy przez murek i przykucnęłyśmy obok panów.

— I co? — Zapytał Jan. — Widziałaś go? To on?

— Gorzej… — zawahałam się. — Jego nie widziałam. Natomiast ten drugi samochód przypomina mi wóz bandziorów z Gdańska.

Profesorowie osłupieli. Antoni przeżegnał się, Kazimierz złapał za głowę, a Janowi odebrało mowę. Jedynie Marek zachował zimną krew.

— Nie uważasz, że powinniśmy to zgłosić polskiej policji?

— Nie, to nie jest dobry pomysł. Najpierw porozmawiajmy z Maksem.

— Racja — przyznał Jan. — A czy możemy już stąd wyjść?

— Myślę, że tak. A w którą stronę mamy kierować się do klasztoru? Bo lepiej byłoby nie przechodzić ponownie przed bramą. Ten facet pewnie dalej się tam kręci. Przejdźmy w kuckach za tym płotkiem, do drogi. Stamtąd pójdziemy normalnie.

— A jeśli spotkamy tych ludzi na drodze? — napomknął Kazimierz.

— Słuszna uwaga…

— Mam pomysł! — zawołał uradowany Jan. — Stasia zaproponowała nam, że może nas wozić swoją taksówką. Została jej po mężu, który dorabiał w ten sposób. Twierdzi, że wóz nadal jest sprawny, a ona świetnie jeździ.

— W tyle osób? — zdziwiła się Kaśka.

Kazimierz zrobił dostojną, zabawną minę.

— Moja droga, to nie byle jakie auto. Toż to minivan.

— Dzwoń, wujku — poprosiłam.

Jan połączył się z panią Stasią i po kilkunastu minutach na drodze zjawił się stary, lekko podrdzewiały, zielony dodge z przyciemnianymi szybami. Przemknęliśmy do niego pochyleni za murkiem, żeby nie dosięgło nas żadne czujne oko z rezydencji. Kaśka zakwiliła z radości.

— Jaaakiii baaajer!

No faktycznie, bajer był. W ogóle to robiło się bajerancko. Wpakowaliśmy się na tylne siedzenie. Jan usiadł z przodu, aby nawigować, co prędko okazało się zbędne.

Pani Stasia wyposażona w kamuflaż, czapkę z daszkiem i okulary przeciwsłoneczne, włączyła Limp Bizkit i z piskiem opon ruszyła pod górę. Szukaliśmy pasów powgniatanych w siedzenia, kiedy szarpnięci gwałtownym naciskiem na pedał gazu przeturlaliśmy się po sobie. Wujek złapał się siedzenia i wybałuszył oczy ze zdumienia. Kaśka złapała głupawkę i rechotała jak wariatka. Jej humor udzielił się całej reszcie, kiedy szalona Stasia pruła po wiejskich dróżkach. Kaśka nie omieszkała zapytać, po co jej osłona przed słońcem, skoro pada deszcz.

— Podsłuchałam was rano — rozpoczęła podekscytowanym szeptem. — Wiem, że jedziemy na jakąś tajną akcję.

„O, mamo!", pomyślałam. „Tylko tego nam brakowało". Pewnie powinnam była się przejąć, a roześmiałam się na całe gardło, co trochę zawstydziło panią Stasię.

— Wybaczcie mi. Całymi dniami siedzę w domu sama, nic się w moim życiu nie dzieje. Pozwólcie mi pomóc.

Jak nie Marysie, księża, profesorowie, to szalona Stasia. Ja to mam szczęście do ludzi.

— Pani Stasiu, ale bez wyrywania się. OK? — dopytałam dla pewności.

— Tak jest — zasalutowała.

— Ty lepiej kierownicę trzymaj — upomniał ją Jan.

Pani Stasia trochę skłamała, bo mistrzynią kierownicy nie była. Prostą żwirową drogą otoczoną kamiennymi murkami dowiozła nas jednak pod bramę zakonu, zatrzymała się i wyskoczyła gotowa do akcji.

— Pani Stasiu, niechże pani zostanie — zaapelowałam.

Kobieta zadarła brodę i odmaszerowała.

— Obiecuję, że poprosimy panią w razie potrzeby — zawołałam za nią. — Obraziła się? — zapytałam przyjaciółkę.

— Daj spokój — usłyszałam od Kaśki — najwyżej nie wpuści nas do domu.

Zaśmiałyśmy się i podeszłyśmy do panów. Inaczej wyobrażałam sobie wrota do zakonu i trudno mi było uwierzyć, że dobrze trafiliśmy. Przed nami piętrzył się wysoki kamienny mur połączony z niewielkim, skromnym budynkiem. Jan zadzwonił do drzwi.

POCZEKALNIA DO NIEBA

Po kilku minutach oczekiwania powitał nas Carlo, siwawy zakonnik w okularach i białej kukulli. Panowie przedstawili się i przypomnieli bratu swoją ostatnią wizytę. Eremita był pozytywnie zaskoczony liczbą chętnych do udziału w rekolekcjach. Świetnie dogadywaliśmy się po angielsku, ale oświeciło mnie, że powinnam zawołać panią Stasię. W końcu od lat byli sąsiadami. Gdy machnęłam do niej ręką, doskoczyła do nas w sekundę. Carlo rozpromienił się na jej widok i przywitali się jak dobrzy przyjaciele, którymi, jak się okazało, zresztą byli. Tak się rozgadali tym ichniejszym melodyjnym językiem, że przez moment zapomnieli o nas.

— Wybaczcie, kochani, Carlo zaprasza nas wszystkich do środka — powiedziała w końcu pani Stasia.

Zakonnik uchylił ciężkie drewniane drzwi i przestąpiliśmy próg eremu.

Poczułam się, jakbym weszła do tajemniczego ogrodu. Przedziwna boska energia unosiła się w powietrzu, a usytuowanie tego miejsca na szczycie góry potęgowało to uczucie. To trochę tak, jakby wejść do poczekalni do nieba. Jakby tego było mało, akurat przestało padać i nasze twarze uraczyło delikatne słońce. Carlo prowadził nas wąską, kamienną ścieżką do niewysokich, zabytkowych schodków z symboliczną kapliczką pośrodku. Tam zatrzymał się i zwrócił się do nas, choć ustami pani Stasi, która uparła się, że będzie tłumaczyć.

— Drodzy goście, w kilku słowach przedstawię wam historię miejsca, w którym się znajdujemy. Było ono najpierw eremem zakonników z kongregacji kamedulskiej Monte Corona, czyli tej, którą macie w Polsce. Na początku lat sześćdziesiątych XX wieku z powodu braku chętnych do tak ascetycznego stylu życia, posiadłość została sprzedana i ostatecznie trafiła w ręce biskupa Werony. Kuria diecezjalna przeznaczyła budynki na diecezjalny ośrodek propagowania chrześcijaństwa, który prosperował około dziesięciu lat. W kolejnych latach eremem zainteresowała się nasza Kongregacja

Kamedulska Zakonu świętego Benedykta, której początki sięgają XI wieku, a która to w 1935 roku została ostatecznie zmodyfikowana poprzez dołączenie kongregacji świętego Michała z Murano i tak funkcjonuje po dziś dzień. W latach dziewięćdziesiątych czterech mnichów z naszej kongregacji podjęło się w tym miejscu odbudowy życia monastycznego. Uroczyste otwarcie eremu odbyło się w kwietniu 1993 roku i było zresztą połączone ze ślubami wieczystymi Polaka. Ogólnie rzecz biorąc, polski wkład w funkcjonowanie pustelni jest znaczący, o czym niedługo się przekonacie.

— A przepraszam — uniosłam rękę — czy mógłby ksiądz doprecyzować, kto zajmował się eremem podczas drugiej wojny światowej?

Carlo wyraźnie ucieszył się moim zainteresowaniem i z pomocą pani Stasi opowiedział.

— Cieszy mnie twoja ciekawość tematu. Kameduli z kongregacji Monte Corona, a dokładnie z eremu Monte Rua urzędowali tu od XVII wieku, aż do początków XIX wieku, kiedy to po podbiciu Włoch przez Napoleona, zostali usunięci z powodu sekularyzacji zakonów. Powrócili w 1885 roku i zajmowali erem do lat sześćdziesiątych XX wieku, czyli również w trakcie drugiej wojny światowej.

Tych kilka wstępnych słów Carla wiele nam wytłumaczyło. Skoro podczas drugiej wojny światowej urzędowali tu kameduli z Monte Corona, którzy urzędują też na Srebrnej Górze w Krakowie, to cała nasza historia zaczęła nabierać sensu.

Carlo upewnił się, że nie mamy więcej pytań i ruszył schodkami w górę. Po kilku stopniach wyrósł przed nami kościół z charakterystyczną włoską dzwonnicą, a po chwili rozwinęły się kolejne wąskie ścieżki. Kilka sekund później staliśmy w kościele. Wnętrze świątyni uderzyło mnie prostotą i skromnością. Polecam takie przeżycie, bo to bardzo przyjemna odmiana od tego, co znałam z Polski. Omiotłam wzrokiem cały surowy wystrój. Eremita wyłapał nasze ponadprzeciętne zainteresowanie i rozpoczął wykład, który pani Stasia przekładała na polski z niezwykłą płynnością.

— Moi drodzy, znajdujemy się w kościele świętego Jerzego — zaczął, przez co znacząco przykuł moją uwagę.

Jak dziś pamiętałam, gdy Jacob w bazylice Mariackiej w Gdańsku opowiadał nam o świętym Jerzym. „Cholera jasna! A jeśli to jednak ma ze sobą jakiś związek?", pomyślałam.

— Budowla skierowana jest na wschód i wpisana w plan prostokąta. Ściany nawy głównej pokrywa drewniana boazeria, a przestrzeń wypełniają te skromne stalle i ławki. Jak widzicie, nawę główną dzieli ołtarz, za którym znajduje się chór dla mnichów. Spójrzcie proszę na barokowy ołtarz.

Zakonnik ciągnął opowieść, a ja wyłączyłam się i po swojemu analizowałam ołtarz. Spodobał mi się karmelowy marmur, z którego go wykonano. Prócz tego nie było w nim nic nadzwyczajnego. Wyglądał jak przeciętny ołtarz. Prowadziły do niego niewielkie schodki, a podtrzymywało go sześć wysokich marmurowych kolumn. Uwagę przyciągał krzyż z figurą Jezusa umieszczony pośrodku ołtarza. Poniżej obraz świętego Jerzego ze smokiem i włócznią, a tuż nad mensą ołtarzową tabernakulum z wyróżniającego się zielono-beżowego marmuru. Po dwóch stronach ołtarza dostrzegłam drzwi prowadzące na chór, a nad nimi gipsowe figury świętych. Po prawej, jak przetłumaczyła pani Stasia, ustawiono na straży figurę świętego Romualda dzierżącego makietę klasztoru, a po lewej świętego Benedykta z pastorałem i regułą.

Kiedy Carlo wymienił z panią Stasią kilka uwag o kościele i kilka żartów na temat życia w odosobnieniu, zaprowadził nas do jednej z trzech kaplic — kaplicy świętych Benedykta i Romualda. W dość dużej wnęce zapełnionej krzesłami i otoczonej wysoką ciemną boazerią z siedziskiem przypominającym ławkę ponownie zafrasował mnie ołtarz z rdzawego marmuru. Wkomponowano w niego obraz pędzla niejakiego Palmy Giovanniego, choć nie jestem pewna, czy prawidłowo zapamiętałam imię. W kolejnych kaplicach Najświętszej Matki Boskiej Niepokalanie Poczętej i świętego Józefa również nie rzuciło mi się w oczy nic nadzwyczajnego. Po prawie godzinnym wykładzie wykluczyłam kościół jako potencjalne miejsce kryjówki czegokolwiek.

Spodziewałam się, że to koniec wycieczki i pozytywnie się zdziwiłam, kiedy Carlo tylnym wyjściem wyprowadził nas na teren pustelni. To było jak przekroczenie granicy czasu. Kościół był wehikułem, który teleportował nas w średniowiecze. Znaleźliśmy się na sporej połaci ziemi, podzielonej symetrycznie. Pośrodku znajdował się szeroki pas zieleni otoczony wąskimi dróżkami, których odnogi odchodziły do niewielkich, skromnych domków równolegle rozstawionych po obu stronach. Dróżki prowadziły do kolejnych równoległych, dwupiętrowych budynków, połączonych czymś w rodzaju szklarni. Carlo poprowadził nas między nimi przez szklarnię, która okazała się być świetlicą i dalej przez ogród. Zatrzymaliśmy się przed dwupiętrowym budynkiem wieńczącym erem. Był identyczny jak wszystkie poprzednie — stary, kamienny, z szarym dachem.

Tam zakonnik ustami pani Stasi opowiedział nam o zabudowaniach i życiu w klasztorze. Okazało się, że budynek, przed którym się zatrzymaliśmy, jest przeznaczony na warsztaty rzemieślnicze oraz dla gości, czyli dla nas. Dowiedzieliśmy się też, że trzy pozostałe budynki to: infirmeria i dom dla braci, biblioteka wraz z archiwum, magazynem i pralnią oraz kuchnia z refektarzem. Ponadto Carlo poinformował nas, że wnętrza domków kamedułów są równie surowe co reszta budynków. Dowiedzieliśmy się, że każdy domek podzielony jest na cztery cele: kaplicę, pracownię, sypialnię i magazyn podręczny z toaletą. Z pozostałych informacji wyłapałam jeszcze, że pierwotnie domków było dwanaście, a jeden z nich ufundował polski król Kazimierz Waza. Co ciekawe, takich polskich akcentów było tu zdecydowanie więcej, bo na eremickim cmentarzu, do którego ostatecznie nie dotarliśmy, znajduje się podobno aż osiem grobów Polaków. Przyznam, że zważywszy na skromną przecież liczbę mieszkańców, jest to imponująca liczba.

Carlo wspomniał też o zasadach życia w klasztorze i korzyściach płynących z zachowania wstrzemięźliwości wobec zdobyczy techniki. Przedstawił nam możliwości spędzania czasu w trakcie rekolekcji i zaznaczył, że udział w mszach świętych z zakonnikami nie jest obowiązkowy.

Podkreślił, że najważniejsze jest skupienie, kontemplacja i modlitwa, zaznaczając, iż nie jest to żaden wymóg. Zaproponował nam udzielanie się przy gospodarstwie, polecił spróbowanie lokalnych produktów i zaprowadził nas na balkon widokowy, skąd rozpościerał się niesamowity widok na jezioro Garda. Rzuciłam na niego okiem i odwróciłam się w stronę pustelni.

Wiatr przywiewał na wzgórze odgłosy życia tętniącego nad jeziorem. Skupiłam się, wytężyłam zmysły i sama nie wiem, kiedy wokół mnie zrobiło się niezwykle cicho i spokojnie. Szukałam narzeczonego, telepatycznie, nadzmysłowo, instynktownie. Wyczuwałam jego energię i próbowałam ją dojrzeć. Pewnie to idiotycznie zabrzmi, ale ja naprawdę wpatrywałam się w ten erem w nadziei, że zobaczę gdzieś w powietrzu skrzącą się plątaninę kolorowych, przenikających się płomyków, które zawsze widziałam w towarzystwie Maksa.

Nawet nie zorientowałam się, że zaczęło padać. Ocknęłam się, gdy Carlo zaprosił nas do budynku, przed którym staliśmy. Zaprezentował nam skromne, niewielkie pokoiki i rozgadał się o gotowaniu. Nie jest to mój ulubiony temat. Prędko się wyłączyłam, a instynkt pchnął mnie w stronę okna. Detektywistyczny zmysł skierował mój wzrok w kierunku kamedułów, którzy kręcili się wokół kościoła. Z jednego z bliźniaczych domków wyłonił się kolejny braciszek. Biła od niego nadzwyczajna energia. Tak, dokładnie ta, na którą tak czekałam. Moje zmysły zwariowały, emocje przejęły władzę nad ciałem. Ścisnęło mnie w dołku, a serce zaczęło galopować i wyrywać się z piersi, jakby Maks był jakimś wielkim, przyciągającym mnie magnesem. Nie wierzyłam własnym oczom i jakąś chwilę stałam skonsternowana. W którymś momencie zaciągnęłam się mocno powietrzem, złapałam parapetu, a moje oczy skupiły się na obserwowaniu ukochanego. Charakterystyczne ruchy jego muskularnego ciała rozpoznałabym wszędzie, z każdej odległości. Byłam tak blisko, nie tylko Maksa, lecz też obłędu. Tak, byłam bliska obłędu. Zmysły tak wariowały, że wydawało mi się, że stoi tuż przede mną. Wyciągnęłam rękę, jakbym mogła go dotknąć i prędko przekonałam się, że to ułuda. Zebrało mi się na płacz. Obserwowałam, jak mija się z braćmi i znika mi z pola widzenia gdzieś na terenie winnicy.

Oderwałam się od parapetu i pognałam do wujka.

— Ilu tu jest braci? — spytałam ze ściśniętym gardłem.

— Coś ty taka zmachana — spostrzegła przyjaciółka. Po chwili zrobiła wielkie oczy i pokręciła głową. — No, nie gadaj — dodała zdumiona.

Przytaknęłam bezgłośnie.

Pani Stasia przetłumaczyła, że erem zamieszkuje ośmiu braci i jeden uczeń. Pot spłynął mi po plecach. Profesorowie zauważyli moje zmieszanie, Jan wziął mnie pod rękę i wyprowadził z pokoju.

— Dobrze się czujesz? — zapytał zatroskany.

— Widziałam go z okna! — stęknęłam, złapałam oddech. — Poszedł do winnicy, Boże drogi, on naprawdę tutaj jest.

Złapałam się za głowę i zaczęłam nerwowo mierzwić włosy. Jan pochwycił mnie za ramiona, jakby miało mnie to uspokoić.

— Spokojnie, moja droga. Jutro wszystko się wyjaśni.

„Jutro? Jutro będzie futro!", krzyczałam w myślach. „Myślał indyk o niedzieli, a w sobotę łeb ucięli. Boże!

Po co żeś ściągnął tu mojego Maksa! Po co ci mój tlen, moja maska do nurkowania w codzienności?! Duszę się. Oddaj mi go. Dziś, teraz, natychmiast!"

Milczałam. Moje poruszenie mówiło samo za siebie. Przyjaciele czytali ze mnie jak z otwartej księgi. I co ciekawe, starali się zbagatelizować moje przejęcie. Całe szczęście, że moje napięcie im się nie udzieliło. Pięć osób na jedną roztrzęsioną wariatkę to i tak niewiele, aby ją poskromić.

Kilka minut później opuszczaliśmy erem. Gęsta ciemna smuga nad naszymi głowami pochłonęła chmury, wzmogła wiatr i tuż pod bramą zaczęła siekać w nas deszczem. Gdy wychodziliśmy jeden z braci zaczepił Carla i po krótkiej wymianie zdań pani Stasia przetłumaczyła, że wystąpił pewien problem.

— Carlo bardzo przeprasza, ale panie nie mogą wziąć udziału w rekolekcjach, ponieważ jutro gościnnie zatrzyma się tutaj grupa kamedułów z Monte Corona, a oni nie mogą przebywać w obecności kobiet.

No jak zwykle! Mogłam się tego spodziewać. Wszystko szło zbyt pięknie… Zawiesiłam rozżalony wzrok na przyjaciółce w poszukiwaniu pocieszenia. Z tym, że ona miała równie nietęgą minę.

— Na jak długo zostaną? — dopytał Kazimierz. — Może panie dołączą do nas, kiedy zakonnicy wyjadą?

Carlo przytaknął, a pani Stasia powtórzyła za nim, że dwie noce.

Stanęły mi łzy w oczach. Myślałam, że mnie potarga ze złości. Najgorszymi obelgami zbluzgałam w myślach moje pechowe szczęście.

— Carlo bardzo przeprasza, mówi, że nic nie da się zrobić i że pierwszy raz w życiu widzi, aby komuś tak bardzo zależało na pobycie w eremie.

Wątpiłam, aby ktokolwiek przede mną szukał tu tego co ja.

— Nie miej żalu — pocieszał mnie Marek. — Może sprawa wyjaśni się bez twojego udziału.

Jasne, jeszcze lepiej. Bez mojego udziału to się może co najwyżej spierdzielić na amen.

— Chodźmy stąd, bo zwariuję — wycedziłam i ruszyłam w stronę bramy.

Profesorowie uprzejmie pożegnali się z Carlem, a pani Stasia przypomniała nam, jak ciężką ma nogę i po chwili byliśmy z powrotem w gospodarstwie.

FAZA PRZYCIĄGANIA

Staruszkowie rozeszli się po pokojach, a ja z Kaśką, panią Stasią i Markiem wzięliśmy się za obiad. Moi przyjaciele z zachwytem chłonęli tajniki włoskiej kuchni. Wypytywali gospodynię o tradycje, zagadywali o przepisy, skutecznie odwlekając przygotowanie posiłku. Niezbyt udzielałam się w tych rozmowach. Jedyny przepis, którego potrzebowałam, to przepis na życie, a konkretniej na odzyskanie Maksa. Niemniej jednak miło patrzyło mi się na moich uśmiechniętych przyjaciół, którzy ewidentnie czuli się jak na wakacjach i chcieli wycisnąć z tej przygody jak najwięcej ciekawych przeżyć. Chociaż tyle mogli dostać ode mnie w ramach zadośćuczynienia za wszystko, co im zgotowałam. Po około trzech godzinach dwudaniowy obiad był gotowy. Zapachy prędko zwabiły profesorów do jadalni i wszyscy zasiedliśmy przy stole. Po posiłku pani Stasia poczęstowała nas cholernie mocnym samogonem, który miło rozluźnił atmosferę i sprowokował towarzystwo do długich rozmów. Gospodyni opowiedziała historię swojego życia i przy drugim kieliszku rozplątała języki profesorów. Ja nie piłam. Byłam zbyt bliska celu i alkoholowe oszołomienie nie było mi potrzebne. Czuwałam w pogotowiu, tak na wszelki wypadek, jakby nagle okazało się, że Maks potrzebuje mojej pomocy. Jako jedyna nie zatonęłam w żywej dyskusji. Marek skorzystał z okazji i zajął miejsce obok mnie.

— Jesteście zaręczeni? — zapytał, spoglądając na pierścionek.

Nie miałam odwagi na niego spojrzeć. Gdy kiedyś opowiadałam mu swoją historię, jakoś tak pominęłam ten jakże istotny fakt. Nie żebym to zrobiła celowo. Po prostu inaczej w owym czasie o tym myślałam. Pominęłam i już. Bez względu na motywy i tak dopadło mnie teraz uczucie zażenowania.

— Nie chcesz o tym rozmawiać? — dopytał.

Zsunęłam z palca pierścionek i zważyłam go w dłoni. Symbol wartości mojego życia, warzący kilka gramów.

— Oświadczył się, a ja poczułam się najszczęśliwszą kobietą na świecie — przemówiłam, zaciskając usta w sztucznym uśmiechu. — Przeżyliśmy razem kilka wspaniałych tygodni, mieliśmy marzenia, snuliśmy plany. Nigdy wcześniej nikogo nie kochałam, nigdy nie byłam „czyjaś". Wzięło mnie na zabój i zwariowałam ze szczęścia. Zresztą znasz tę historię. Kiedy Maks wyjechał, rozpadłam się na kawałki. Wpadłam w histerię.

Złapałam najszybszy pociąg do Krakowa, a wychodząc z mieszkania odłożyłam pierścionek. Nie wiem, dlaczego to zrobiłam… — zawahałam się przez chwilę. — A dzisiaj wuj dał mi go ponownie. Musiał być mocno zdziwiony, gdy znalazł go w swoim mieszkaniu. Maks nie zerwał zaręczyn, nie odszedł, nie porzucił mnie. Sama to sobie wmówiłam.

Marek wzruszył ramionami i wydął usta.

— Miałaś prawo. Nie wiedziałaś, o co chodzi — usprawiedliwiał mnie.

— Niby tak, ale z drugiej strony, to właśnie zaufanie jest podstawą związku. Wuj twierdzi, że gdy Maks dowie się o tym, co przeżyłam po jego wyjeździe, pęknie mu serce. Sam zresztą też długo nie zdawał sobie z tego sprawy. I chyba też trochę z mojego powodu Jan postanowił wziąć sprawy w swoje ręce i zaczął dociekać, szukać.

Marek znów stwierdził, że miałam prawo być rozczarowana i zrozpaczona. Nie bardzo rozumiałam jego empatię. Wyraziłam to niezbyt subtelnym grymasem, który zmusił go do wyjaśnień.

— Nie zrozum mnie źle — wytłumaczył się. — Mam na myśli twoją reakcję — doprecyzował. — Kiedy Maks wyjechał, ty najwyraźniej wchodziłaś akurat w fazę przyciągania i potrzebowałaś serotoniny. A że w tej fazie jej poziom wyraźnie spada, zaczęłaś obsesyjnie myśleć o ukochanym.

Że co, kuźwa? Ściągnęłam brwi i lekko skrzywiłam głowę.

— Że co? — zapytałam.

Marek zaśmiał się.

— Tak to funkcjonuje — dodał.

Mówiąc językiem mojej przyjaciółki, nic z tego nie zajarzyłam, oprócz tego, że naukowo usprawiedliwił moje zachowanie.

— Mógłbyś rozwinąć tę myśl?

— Oczywiście. Wytłumaczę ci na przykładzie. Otóż, moja droga, jest na świecie, a konkretniej w Stanach taka osoba, która zajmuje się badaniem zjawiska romantycznej miłości i zmian, jakie zachodzą w mózgu podczas stanu zakochania. Nazywa się Helen Fisher i jest antropolożką. Lata badań ludzkich relacji doprowadziły ją do spostrzeżenia, że w relacjach międzyludzkich można rozróżnić trzy popędy: popęd płciowy, romantyczną miłość i przywiązanie do partnera. Ciebie dotyczy ta romantyczność, więc wytłumaczę ci, na czym to według niej polega.

Marek podwinął rękawy koszuli i zaczął gestykulować, jakby właśnie zaczynał konferencję. Odsunęłam się trochę, aby zrobić mu miejsce.

— Należy zacząć od faktu — rozpoczął poważnym tonem, ściągając uwagę reszty towarzystwa — że romantyczna miłość sprawia, iż obiekt naszego zainteresowania obdarzamy szczególnym znaczeniem. — Marek zorientował się, że przyciągnął uwagę szerszego grona, więc zmienił nieznacznie pozycję, zwracając się w stronę słuchaczy. — Autorka badania — kontynuował — dzieli miłość romantyczną na trzy fazy i tłumaczy ich przebieg. Rozróżnia pożądanie, przyciąganie i przywiązanie. Każdy z tych stanów charakteryzuje się pobudzeniem bądź uśpieniem w organizmie substancji, które warunkują nasze zachowanie.

— Czy masz na myśli testosteron i estrogen? — zainteresował się Kazimierz.

— Dokładnie. W pierwszej fazie widoczne są zmiany ich poziomu. Co ciekawe, u kobiet poziom testosteronu wzrasta, a u mężczyzn spada. W drugiej fazie kluczową rolę odgrywają już inne związki chemiczne: dopamina, adrenalina i serotonina.

Kaśka zerknęła na mnie ukradkiem i ledwo nie wybuchła śmiechem. Moja mina musiała być wymowna. Wzdrygnęłam się i poprosiłam Marka, aby powtórzył ten fragment wypowiedzi o fazach, tym razem łopatologicznie. Jak łatwo się domyślić, nie widział przeszkód. Był przeszczęśliwy, że może w końcu wygadać się przed publiką, którą ciekawią jego naukowe fascynacje.

— Sądzę, że kiedy Maks poinformował cię o wyjeździe — tłumaczył Marek — twój organizm przechodził właśnie pierwszą fazę lub wchodził w drugą. Był to moment, kiedy w organizmie występuje niedobór serotoniny, a sytuacja, w której sparaliżował cię niepokój, jeszcze spotęgowała jej spadek. Permanentny niedobór tego związku chemicznego skutkuje nadmierną wrażliwością, zaburzeniami depresyjnymi, zmęczeniem lub agresją. Nadmienię jeszcze, że często w takim przypadku pomocna jest czekolada, która wzmaga produkcję tego hormonu. — Uśmiechnął się szeroko.

Kaśka też się rozpromieniła i akceptująco pokiwała głową.

— No dobrze, powiedzmy, że to wiele tłumaczy — potwierdziłam celowo, chcąc połaskotać jego ego. — Proszę, wytłumacz mi jeszcze, na co mogę zrzucić odpowiedzialność za zakochanie?

— Zakochanie, moja droga, wynika z instynktu, którym jesteśmy obciążeni. W toku ewolucji w naszych organizmach zaszło wiele zmian, niemniej jednak pierwotny instynkt przetrwania będzie nam towarzyszył, dopóki będziemy istnieć. To on każe człowiekowi przeżyć i kontynuować gatunek, czyli zmusza nas do reprodukcji. Do miłości pcha nas więc wiele czynników, których zazwyczaj nie jesteśmy świadomi.

Yhm. Mało powiedzieć, że nie byłam przekonana. Nie mogłam wyjść ze zdziwienia, co on bredzi! Rozwodził się nad tym tak, jakby mówił o badaniach obcej planety, a takie farmazony sama mogę wymyślić. Fazy, produkcja hormonów... Co to jest w ogóle za gadka? W fazy hormonalne wchodzę co chwila i na dodatek mam tego świadectwo co miesiąc. No jak można tłumaczyć tak silne emocje fazą zakochania? Czyli mam rozumieć, że gdyby Maks zostawił mnie w trzeciej fazie, to by mnie nie bolało? Ludzie kochani! To Kaśka miała rację, wyliczając mi fazy żałoby, a zmieszanie jednego z drugim jest mocną przesadą. Nie spodziewałam się tego po nim. Aaaa, chwileczkę. Przecież ja go odrzuciłam. O mamuniu! On najzwyczajniej w świecie tłumaczy sam sobie, dlaczego go nie chciałam. Aj.

Profesorowie zdążyli go zagadać, przerwałam im zatem rozmowę:

— Nie widzę związku — oznajmiłam.

Marek nie tracił entuzjazmu.

— W takim wypadku rozwinę ten wątek i wytłumaczę wam, co dzieje się w organizmie podczas zakochania. Generalnie miłość jest naszym naturalnym źródłem energii, zarzewiem naszych emocji, warunkuje nasz sposób odbierania świata. Ludzie żyją, umierają i zabijają dla miłości. Tak — potwierdził widząc nasze zdziwienie. — Bo odrzuceni podobno dla miłości gotowi są zabić. Autorka tych słów przeprowadziła badania mózgu metodą rezonansu magnetycznego, które poprzedziła wywiadem z nazwijmy ich „pacjentami". Każda osoba zapytana, czy oddałaby życie za ukochanego lub ukochaną, bez zastanowienia odpowiedziała, że tak. Te słowa potwierdziło badanie, które wykazało, że u zakochanych włącza się ten sam obszar mózgu, który reaguje na kokainę. Precyzując, kiedy się zakochamy, uaktywnia się część mózgu zwana polem brzusznym nakrywki malutkiej, czyli obszaru ulokowanego w pobliżu obszaru odpowiedzialnego za produkcję dopaminy. Ten zaś obszar odpowiada za powstawanie chociażby pragnień, zachcianek czy za motywację do działania. Co więcej ulokowany jest również w sąsiedztwie obszarów odpowiedzialnych za odczuwanie głodu i pragnienia, co oznaczałoby, że miłość można zaliczyć do podstawowych popędów człowieka. Reasumując, miłość jest tak samo uzależniająca jak narkotyki czy wszelkie inne używki. No i co najważniejsze, jak mówi doktor Fisher, miłość nie jest emocją, a popędem płynącym z części mózgu odpowiedzialnej za pragnienie.

Zabić. Odrzuceni gotowi są zabić z powodu brzuszka nakrywki. Tyle pozostało w mojej głowie. Marek nagle wydał mi się dziwnie niebezpieczny. No i potwierdził moje przypuszczenia. Rozłożył miłość na części pierwsze, tłumacząc, że nie zakochałam się w nim, bo już mocno uzależniłam się od Maksa, na dodatek nie emocjonalnie, a przez popęd. Na szczęście nie jest świadom, że to z Maksem straciłam dziewictwo. Wtedy to dopiero miałby pole do popisu.

— Nadal nie czuję się przekonana — powiedziałam głośno. — Przez wiele lat byłam samotna i nikogo nie pokochałam. Dlaczego przez tyle czasu nie zakochałam się w pierwszym lepszym mężczyźnie?

— Zośka — zaintonował jakby z pożałowaniem — cechy miłości to pożądanie emocjonalne i fizyczne, motywacja i obsesja, a na zakochanie się w tym, a nie innym człowieku wpływa wiele cech ukształtowanych w nas przez lata. Trudno stwierdzić, dlaczego wybieramy akurat tę osobę. Zazwyczaj decyduje o tym wiele czynników, takich jak wspólne wartości, cele, poziom intelektualny i tak dalej.

— Hm, czyli taki właśnie wzór mężczyzny wykreował mój umysł?

— Biologia… Najwyraźniej podniósł ci poziom dopaminy — odparł ze śmiechem.

— A ja bym się kłóciła — zagłuszyła go Kaśka.

— Cicho! — rzuciłam jej. Musiała się wtrącić, kiedy akurat mnie zaciekawił. — Marek, powiedz, jak mógłby to zrobić?

— Nie wiem. Dopamina wytwarza się, gdy robimy coś, co sprawia nam przyjemność, gdy jesteśmy w jakiś sposób doceniani, nagradzani, gdy robimy coś niezwykłego, nowego.

Zamilkłam. Pozwoliłam profesorom przejąć rozmowę. Zgłębiałam te markowe mądrości i ustaliłam, że nawet by się zgadzało. Zakochałam się w Maksie, bo nie dość, że jest podobny do mnie, to jeszcze doświadczyłam przy nim tylu tak absurdalnych sytuacji jednocześnie, że nic nie byłoby w stanie tego przebić.

Kaśka dosunęła do mnie swoje krzesło. Kończyła właśnie drugi kieliszek ciężkiego, swojskiego wina i miała mocno maślane oczy. Z kolei jej upudrowane rumieńcem policzki przez kolejną godzinę przechodziły przez całą paletę czerwieni, proporcjonalnie do mojego weta. Przyjaciółka usilnie próbowała przekonać mnie do podjęcia inicjatywy w domu kolekcjonera, a ja gasiłam jej entuzjazm zimnymi odmowami. Żywiłam nadzieję, że to alkohol, a nie brak rozsądku jest sprawcą tego niespotykanego przebłysku odwagi. No bo kto na trzeźwo i przy zdrowych zmysłach próbowałby wejść na teren posiadłości włoskiej mafii? No dobra, może ja, ale moje zmysły zwariowały już dawno temu. Kaśka przecież ewidentnie nie przyjechała tu na akcję, bo ona była na wakacjach. Takie podejście potęgowało we mnie poczucie obowiązku, że jeśli naprawdę doszłoby do takiej sytuacji, wzięłabym wszystko na siebie. Po wielu nieudanych próbach uświadomienia jej niebezpieczeństwa, wreszcie odpuściłam. Nie miało to najmniejszego sensu, bo w starciu z regionalnym produktem pani Stasi nie miałam żadnych szans. Słuchałam jej, dopóki nie dokończyła trzeciego kieliszka i zaciągnęłam ją na górę. Panowie też podziękowali, pomogli posprzątać ze stołu, załadowali zmywarkę i udali się do siebie. Moja upita bratnia duszyczka zasnęła w sekundę, a ja wytrzeszczałam oczy w sufit. Od kilkunastu godzin byłam jak za mały gar postawiony na za dużym ogniu. Gotowałam się, bulgotałam i kipiałam, gdyż sytuacja mnie wciąż podgrzewała. Zerwałam się z łóżka, podsunęłam krzesło pod okno i podparta na łokciach wpatrywałam się w dal. Czarne wzgórze tonęło w delikatnym świetle księżyca. Było tak blisko mnie. Kilka kroków dzieliło mnie od prawdy. Zabulgotałam. A właściwie zabulgotało mi w brzuchu. W ostatniej chwili dobiegłam do toalety. Nerwy dały o sobie znać. Organizm płatał mi figle jak przed egzaminem. Stres tak mnie skręcał, że żadne jedzenie nie miało szans pozostać dłużej w moich wnętrznościach. Nie miałam prawa niczego przyswoić. Moim jedynym źródłem energii był on. Byłam go tak wygłodniała, że ten sam cholerny instynkt, który pierwszy raz pchnął mnie w jego ramiona, teraz kazał mi iść na tę górę i najzwyczajniej w świecie go pożreć. W zamian zeszłam do kuchni, przegrzebałam szafki, uspokoiłam się moim starym przyjacielem i dopiero po tym spotkaniu zasnęłam. Na drugi dzień przekonałam się, jak silne związki pani Stasia potrafi wytworzyć.

Wstałam najpóźniej ze wszystkich. Kiedy zeszłam do salonu, całe moje towarzystwo czekało spakowane i gotowe do akcji. Kaśka była w centrum uwagi i trajkotała. Naprawdę nie czuła powagi sytuacji, a obecność na cudzej ziemi obdarzyła ją niebezpiecznym poczuciem wolności. Nawet po wytrzeźwieniu próbowała przekonać nas do swojego planu, który polegał na wejściu do domu kolekcjonera pod byle pretekstem, na przykład udawania córki z nieprawego łoża. Kiedy ten pomysł nie zyskał aprobaty, wymyśliła, że zakradnie się na teren posiadłości przez winnicę. Tej koncepcji też nikt nie poparł, natomiast zaalarmował mnie, bo nie zrobił na niej wrażenia nawet fakt, że mogłaby trafić za to do więzienia. Machnęła ręką, uznając, że towarzystwo naoglądało się za dużo filmów, choć faktycznie to ona zbyt mocno się wczuła. Uzmysłowiła mi, że muszę jej pilnować, żeby mi nie wywinęła jakichś numerów. A ją nie jest łatwo okiełznać.

Po ustaleniu planu działania odstawiłyśmy panów pod bramę eremu. Przyznam, że z ciężkim sercem pozwoliłam zaciągnąć się z powrotem do samochodu, a gdy pani Stasia ruszyła, kilka razy próbowałam ją zatrzymać.

— Ja tam pójdę i otwarcie powiem, że muszę porozmawiać z tym nowym — kipiałam. — Nagadam, że jestem żoną czy coś i że muszę z nim porozmawiać.

Pożytecznym efektem mojego gulgotania, było odwrócenie ról. Teraz to Kaśka próbowała zachować trzeźwy umysł, aby jakoś okiełznać ten ogień, który mnie trawił.

— Nigdzie nie pójdziesz! Jeśli istniałaby możliwość porozmawiania z nowym eremitą, już dawno byśmy to zrobili. Do cholery, Zośka! Ufaj mu! — krzyczała na mnie.

MISJA

Gdy zostałyśmy same, pani Stasia próbowała zająć nasze myśli i zaprzęgła nas do pracy przy domowej produkcji kremów. Nie potrafiłam udawać, że mnie to interesuje. Chciałam pobyć sama i oficjalnie, po chamsku zamknęłam się w pokoju. Nieprzerwanie gulgotałam i musiałam zacząć działać, aby nie dokonać psychicznego samospalenia. Przegrzebałam Internet i na podstawie oficjalnie dostępnych informacji i odrobiny własnych obserwacji rozpisałam plan eremu. Naszkicowałam budynki, zaznaczyłam alternatywne wejścia i kryjówki. Po co? Uznałam, że muszę być przygotowana na wszelką okoliczność. Mentalnie wciąż byłam detektywem. No dobra referentem, ale to prawie to samo, tylko gaża mniejsza.

Kiedy skończyłam szkic, wymknęłam się z domu. Nie poinformowałam pań, że wychodzę, bo na pewno próbowałyby mnie zatrzymać albo, co gorsza, jeszcze by ze mną poszły. Założyłam, że zrobię swoje i wrócę, zanim w ogóle zdążą zorientować się, że mnie nie ma. Ruszyłam w stronę willi domniemanego kolekcjonera z zamiarem doszkicowania możliwych dojść, przejść, wyjść i wszystkiego, co mogłoby jeszcze być istotne. Nie zamierzałam nawet podchodzić pod bramę. Zatrzymałam się zapobiegawczo kilkanaście metrów przed skrzyżowaniem, z którego prawy skręt prowadził pod dom. Nabazgrałam drogę i całą resztę tego, co mnie interesowało i wcisnęłam kartkę do kieszeni. Zrobiłam krok w tył i zawróciłam do gospodarstwa. Szłam zakapturzona z rękoma w kieszeniach i wzrokiem wbitym w ziemię. Byłam już kilkanaście metrów od skrzyżowania, kiedy na horyzoncie pojawił się samochód. Podniosłam głowę, gdy był tuż obok mnie. Spotkałam się wzrokiem z pasażerem na przednim siedzeniu. Wredna, parszywa, gęba przeszyła mnie spojrzeniem. Przystanęłam i odwróciłam się, wtem dotarło do mnie, że ten człowiek pewnie wyczaił to w lusterku. Spuściłam wzrok i przyspieszyłam kroku. Wiedziałam, że znam tę twarz, natomiast nie potrafiłam jeszcze skojarzyć skąd. Pomogły mi krakowskie tablice i niewyjściowy wygląd.

Posklejałam skojarzenia i wniosek prawie mnie rzucił na kolana. Wybrałam numer do Marka, ale abonent był czasowo niedostępny. Ponowiłam próbę — bez zmian. Obdzwoniłam profesorów — z takim samym skutkiem. Cóż, żadna nowość. Już raz zostałam sama. Po cholerę wszystkim te pieprzone smartfony, kiedy nikt ich nie odbiera. Moje bulgoty przybrały na sile. Przyspieszałam i przyspieszałam, obracając się prawie z każdym krokiem, aż w końcu zerwałam się i pobiegłam, ile sił w nogach. Przed gospodarstwem wpadłam na Kaśkę.

— Gdzieś ty była?! — opierdzieliła mnie. — Biegać ci się zachciało?

— Jaaa… jaaa — nie byłam w stanie wydusić z siebie nic sensownego. Musiałam ochłonąć.

— Przed chwilą, na skrzyżowaniu przed domem Apolla, znaczy Apoloniusza… minęła mnie audica na krakowskich blachach — wyrzuciłam jednym haustem.

— Mów dalej — ponagliła.

Łyknęłam powietrza.

— Spotkaliśmy się spojrzeniami z pasażerem. Jestem przekonana, że to był człowiek Francuza! — wykrzyczałam.

Kaśka najpierw struchlała, potem zaklęła i złapała się za głowę.

— Dzwoniłaś do chłopaków? — zapytała.

— Nie odebrali, pewnie wyciszyli telefony.

— Co robimy? — zapytała pani Stasia, która znów była gdzieś obok.

My? Spojrzałam na nią. Stała w tacą w rękach, wystrojona w fartuszek w gruszki i czapkę kucharską wyszytą w czerwone maki. Miała podwinięte rękawy od sukienki i ręce do łokci oblepione mąką. Nie skojarzyło mi się to z niczym innym jak z nieudolną akcją w Koronce. Wtedy odcięta od chłopaków zostałam sama z Julką, teraz miałam Kaśkę i panią Stasię.

Gospodyni cierpliwie czekała na odpowiedź. A Kaśka stała jak słup soli.

— Mogło być gorzej? — zapytałam przyjaciółkę.

Ta zaczęła głośno zasysać powietrze i wypuszczać je, machając przy tym rękoma harmonijnie w górę i w dół, w górę i w dół.

— Chodźcie — zawołałam, zabrałam pani Stasi tacę i usiadłam przy stole. Kiedy kobiety usiadły wokół mnie, wyciągnęłam z kieszeni notatnik i pomachałam nim.

— Tu jest wszystko. Również to, czego potrzebujemy, czyli notatki na temat szajki Francuza, notatki na temat Apoloniusza i, uwaga, uwaga, wszystkie alternatywne drogi do eremu. Ilu ludzi mieszka w okolicy? — podpytałam panią Stasię.

— Licząc z centrum, będzie około siedmiu tysięcy, ale im bliżej wzgórza, tym mniej domów, więc tutaj w okolicy niewielu. Wszyscy sąsiedzi się znają.

— A ile osób wie, że tu jesteśmy?

— Nikomu nie mówiłam.

— Dzięki Bogu — uniosłam ręce w geście zwycięstwa.

— Ale w sklepie zauważyli, że robię spore zakupy. Tam może i się trochę wygadałam o większej liczbie gości.

No i opuściłam ręce na głowę i sapnęłam.

— O Boże — wysyczała Kaśka.

— To źle? — dopytała cicho pani Stasia, odchylając niepocieszona dolną wargę. — Przepraszam.

Kaśka zbladła i rzuciła mi wymowne spojrzenie.

— Nie mów mi, że myślisz to samo, co ja?

— Obawiam się, że mnie poznał — odparłam. — Będą nas szukać. Nie jesteśmy bezpieczne. Daję nam czas do wieczora.

— Zgłaszamy się na policję? — zaproponowała z przejęciem.

— A co im powiesz?

— Yyy… — przycięła się na dłużej. — No tak… — podsumowała.

— Zrobimy tak. Będziemy dzwonić do chłopaków do upadłego i poszukamy miejsca, gdzie możemy się schronić.

— A pani Stasia? — dopytała Kaśka.

— Myślę, że skoro są ludzie, którzy mogą potwierdzić, że tu byliśmy to… hm… lepiej, żeby ukryła się z nami.

Pani Stasia przeżegnała się i zaczęła zmawiać po włosku *Zdrowaś Mario*, jakby nagle zapomniała polskiego. Robiła to z taką emfazą, jakby próbowała nadać tej żałosnej sytuacji jakiejś większej dramaturgii. Kaśka wydęła usta.

— A może my niepotrzebnie panikujemy? — zapytała.

— Myślisz, że panikowałabym bez powodu?

— Racja…

— Pani Stasiu, może woli pani zgłosić się na policję — zaproponowałam.

Gospodyni wystrzeliła z ust ostatnie słowo modlitwy i zatarła dłonie.

— Absolutnie! Idę z wami! — oznajmiła. — Co ja bym im powiedziała? Poza tym przyjęłam was pod dach, więc czuję się zobowiązana do pomocy.

— Pani Stasiu, uprzedzam, to naprawdę niebezpieczne. Możemy mieć do czynienia z bezwzględnymi bandytami.

— Nie pozwolę was skrzywdzić — wyrecytowała heroicznie.

Jak miło. Za miło. Pani Stasia dołączyła do zacnego grona osób niezdających sobie sprawy z powagi sytuacji. A ja, o zgrozo, nie miałam żadnego pomysłu na odwiedzenie jej od tego. Mogłam jedynie zabrać ją ze sobą.

— Spakujcie najpotrzebniejsze rzeczy — poleciłam — najlepiej do niewielkich plecaków. Albo chodźcie, razem się spakujemy. I módlmy się do tego włoskiego Boga, który zesłał nam panią Stasię. — Złapałam ją za rękę i dodałam: — Znasz język i okolicę, możesz nam bardzo pomóc.

Pani Stasia z przejęciem pogładziła mnie po plecach i wbiegłyśmy na piętro.

Było popołudnie, niebo ponownie się zachmurzyło i zaczęło padać. Wysprzątałyśmy dom i ukryłyśmy wszelkie przedmioty, mogące świadczyć o naszej obecności. Później przyszykowałyśmy się na akcję. Ubrałyśmy się w najwygodniejsze ciuchy i wrzuciłyśmy na plecy malutkie plecaczki z wizerunkiem jeziora, które zostały Stasi z zeszłorocznego festynu promującego miasto. Nie ma się co śmiać, w tej sytuacji lepszego taktycznego plecaczka nie mogłam sobie wymarzyć.

Jedynym sensownym schronieniem, które z oczywistych powodów przyszło nam do głowy, był klasztor. Podjęłyśmy wspólną decyzję, że ukrycie się w nim jest najrozsądniejsze. Wiem, że wydaje się być odwrotnie, lecz spojrzałyśmy na to w ten sposób, że po pierwsze w eremie prawie nie narazimy postronnych osób, a po drugie nie oddzielimy się od reszty. Pozostała jeszcze kwestia dostania się do klasztoru tak, aby nikt nas nie dostrzegł, włącznie z zakonnikami. Nie mogłyśmy pójść drogą ani wejść przez bramę. Skorzystałyśmy zatem z mojego planu i z wiedzy i doświadczenia pani Stasi. Ustaliłyśmy, że klasztor od północy oddzielony jest lasem, a od południa winnicą połączoną z gajem oliwnym ciągnącym się aż pod gospodarstwo pani Stasi. Tak prosta trasa byłaby oczywiście zbyt piękna, dlatego trzeba przyznać, że po drodze były też dwa porządne, kamienne mury i jeden mniejszy. Nas jednak nic nie mogło zatrzymać.

Najpierw pokonałyśmy mur za domem i przekradłyśmy się na teren winnicy. Szłyśmy wężykiem, pochylając się i przykucając pomiędzy winoroślami. Prędko spostrzegłyśmy, że niebo zaciąga się chmurami coraz mocniej. Ewidentnie czekało nas oberwanie chmury. Akurat wtedy, gdy pokonywałyśmy grząskie zbocze góry! Ja to mam zawsze takie kulawe szczęście. Tak czy siak trzeba było się spieszyć. Całkiem sprawnie minęłyśmy winnicę i zatrzymałyśmy się pod kamiennym murem. Nie był wysoki i pokonałyśmy go bez większych problemów.

Coraz częściej spadały na nas grube, ciężkie krople. Zrobiło się ciemno, a my znalazłyśmy się w niewielkim lasku, na ścieżce prowadzącej do bram eremu. Minęłyśmy ją i poszłyśmy skrótem przed siebie. Powoli przedarłyśmy się przez las, a na jego skraju wyrósł przed nami kolejny mur. Tym razem wysoki, gruby i niezachęcający do pokonywania go. Obmacałam go dobrze i wyglądało, że miał sporo wystających kamieni, po których dało się wspiąć. Deszcz siekał w nas już jednak bardzo mocno, temperatura spadała, a wzgórze zaczęły rozświetlać spektakularne błyski, którym wtórowały gromkie grzmoty. Kurtyna poszła w górę, rozbłysły flesze i rozbrzmiały powitalne brawa. Scenografia tak wczuła aktorki w role, że nie zamieniłyśmy ani słowa. Działałyśmy. Zmarznięte, przemoczone i zmotywowane. Podsadziłam Kaśkę i pomogłam jej wcisnąć stopy w odpowiednie miejsca. Usiadła na górze i dźwignęła panią Stasię, którą ja podtrzymałam najpierw za tyłek, a potem za stopy. Przeszłam ostatnia i poślizgnęłam się na kamieniu z drugiej strony muru tak, że rypnęłam w błoto. Świetne powitanie, zapowiadało się ciekawie. Rozejrzałyśmy się dookoła i skuliłyśmy się na zadrzewionym terenie. Wyciągnęłam z kieszeni pogniecioną mapkę.

— Tu jesteśmy — postukałam w nią palcem — pomiędzy kościołem, a niewielkim gajem oliwnym ulokowanym za domkami zakonników.

Wyjrzałyśmy zza krzaków.

— Zgadza się — potwierdziła Kaśka.

Kiwnęłam głową i pokazałam okejkę. Ruszyłyśmy w głąb niewielkiego gaju. Dotarłyśmy na ścieżkę za domkami kapłanów, która miała nas zaprowadzić pod dom na skraju wzgórza. W obawie przed zdemaskowaniem poszłyśmy lasem wzdłuż ścieżki. Zatrzymałyśmy się na wprost celu, który sąsiadował z dwoma domami połączonymi świetlicą.

Zostawiłam towarzyszki w krzakach i zakradłam się blisko frontowych drzwi. Przycisnęłam plecy do ściany, pchnęłam drzwi i wskoczyłam do środka. Zatrzymałam się dosłownie po dwóch krokach, bo momentalnie zaparowały mi okulary. Zdjęłam je z nosa i usłyszałam, że ktoś zbiega po schodach. Nastąpił moment grozy.

NIESZPORY

Przez chwilę widziałam rozmazaną postać. Szybko wcisnęłam szkła z powrotem na nos. „Marek", stwierdziłam w myślach i odetchnęłam z ulgą.

— Widziałem was z okna — obwieścił i wskazał mi drogę do pokoju, a sam wybiegł po dziewczyny.

Zrzuciłam z siebie przemoczoną kurtkę. Miałam zamiar poczekać na wszystkich z przekazaniem informacji, ale skoro już spytali…

— Co wy tu robicie? — zapytał wuj. — Co się stało?

— A co się stało z waszymi telefonami? — odbiłam pytanie niezbyt grzecznie. — Od kilku godzin próbuję się do was dodzwonić.

— Wybacz kochana. Carlo nam je zabrał. Tego doprawdy nie przewidzieliśmy.

— Nie mogliście skłamać, że nie macie telefonów? Nikt mi nie odpowiedział.

— Naprawdę? Choć jeden z was mógł skłamać.

— Okłamać księdza? — usłyszałam od Kazimierza.

— Tak nie wypada — dorzucił Antoni.

Mój szanowny Antoni, który twierdzi, że księdza nie wypada okłamać? O ludzie!

— A mnie to…

— Wiem, wiem — uciął mi w pół słowa, bo zrozumiał aluzję.

Machnęłam ręką.

— Dobra, udajmy, że tego nie było. A teraz słuchajcie. Jesteśmy tutaj, ponieważ spotkałam ludzi Francuza. Jechali w stronę posiadłości Apoloniusza. Zetknęłam się wzrokiem z facetem, który widział mnie w Koronce. Mógł mnie rozpoznać. Wystraszyłam się, że zechcą nas odszukać, a pani Stasia roztrąbiła w mieście, że ma sporą grupę gości. Musiałam znaleźć nam kryjówkę, a nie miałyśmy dokąd pójść.

Profesorowie byli zszokowani.

— Bardzo dobrze zrobiłaś — poparł mnie Jan.

Do pokoju wpadły dziewczyny z Markiem. Powtórzyłam moją opowieść i zaczęliśmy dociekać, o co w tym wszystkim chodzi. Po chwili wszyscy się tylko przekrzykiwali.

— Mówcie ciszej — upomniałam ich. — I zanim zaczniemy snuć domysły, wytłumaczcie nam, co z Maksem? Wie, że tu jesteśmy?

Panowie spojrzeli po sobie, jakby każdy z nich obawiał się podjąć ten temat. W końcu Jan zaczął tłumaczyć mi rozkład dnia eremitów. Na koniec dodał, że nie widzieli się z Maksem, nie wiedzą w której części pustelni mieszka i że dzisiaj mogą nie mieć już okazji tego sprawdzić.

— To trzeba ją stworzyć — obruszyłam się. — Musimy ruszyć głowami, posklejać to wszystko i sprawdzić, gdzie mieszka Maks.

— Od tego zacznijmy — zaproponował Antoni.

— Dokładnie, on powinien nam wiele wyjaśnić — zawtórował mu Kazimierz.

— Więc ustalmy plan działania. Jest osiemnasta. Powiedzcie, czym w najbliższym czasie zajmą się zakonnicy? Gdzie można ich spotkać i jak sprawdzić ich mieszkania.

— Dobry pomysł — przyznał Jan.

Znów wszyscy zaczęli mówić i zrobił się harmider.

— Ejjj, uspokójcie ten kocioł — zganiłam ich. — Po kolei. Jak jest z tym planem dnia?

— Już tłumaczę — zaczął Kazimierz. — O siedemnastej kameduli zjedli kolację i rozeszli się na czytanie w swoich celach.

— Celach? — powtórzyłam.

— Tak, w celach. Oni tak nazywają swoje kwatery. Mniejsza o to. Zapowiedzieli nam, że o osiemnastej trzydzieści zbiorą się w kościele na nieszpory i mszę świętą. Nie musimy w niej uczestniczyć, choć nasza obecność byłaby mile widziana.

— O matko! — parsknęła Kaśka.

Pokiwaliśmy głowami.

— Pewnie zajmie im to trochę czasu — podkreśliłam.

— Z korzyścią dla nas. Będziemy mogli w tym czasie podziałać, więc muszą obejść się bez was.

— Trzeba się będzie pilnować, bo po wspólnych modlitwach rozejdą się do swoich cel na samotne kontemplacje — dopowiedział Kazimierz.

— Czyli mamy jeszcze niecałe pół godziny — oświadczyła Kaśka. — Zdążymy trochę podeschnąć i zaplanować działania.

Marek przysunął się do mnie i zabrał głos.

— Carlo powiedział, że zakonników jest dziewięciu, a tych domków pustelniczych jest tutaj osiem. To oznacza, że jeden z nich mieszka gdzie indziej. Myślicie, że to Maks?

Marek coraz mocniej się wczuwał. Nie było trudno zauważyć, że chce się wykazać i byłam mu za to naprawdę wdzięczna. Wiele dla mnie zrobił i fakt, że przyjechał tu ze mną, tylko jeszcze bardziej mnie przekonywał, że cholernie się we mnie zakochał.

— A tak w ogóle, to jak wy chcecie to sprawdzić? — zaciekawiła się pani Stasia.

— Ja myślę, że mamy sporo szczęścia — stwierdził Antoni. — Możemy podejrzeć zakonników, jak będą zbierać się na modlitwę.

— Bingo! — zawołałam i plasnęłam dłonią o usta. — Sorki, wypsnęło mi się — dodałam ściszonym głosem.

Przetrzepałam kurtkę i z wewnętrznej kieszeni wyjęłam zawilgoconą kartkę. Profesorowie spojrzeli na mnie z zaciekawieniem.

— Naszkicowałam mapkę — powiedziałam, a gdy zobaczyłam wymowne miny, dodałam: — tak na wszelki wypadek.

Marek zaśmiał się bezgłośnie, jakby w ogóle go to nie zdziwiło.

— Proponuję podzielić się na dwie grupy i obstawić dwie strony domków. Schowajmy się za murami oddzielającymi je od gajów oliwnych. Będziemy wystarczająco blisko, żeby zobaczyć zakonników. Chyba, że macie lepszy pomysł? — Spojrzałam na twarze towarzyszy, ale nikt się nie wyrywał. — Jeśli dobrze się zorganizujemy i każdy stanie za jednym domem, to nas nie zauważą.

— Siąpi deszcz i jest chłodno. Wątpię, aby któremuś chciało się rozglądać — ocenił Jan.

— Świetnie, czyli coś ustaliliśmy. Teraz się podzielmy. Jest nas siedmioro, więc na kogoś przypadają dwa domki. Wezmę to na siebie — ogłosiłam, przyciskając palce do szkicu. — Obstawię te dwa przy kościele.

Inaczej mówiąc, zobligowałam się do sprawdzenia dwóch domków położonych najdalej od naszej noclegowni. Kolejne dwa obok mnie przydzieliłam Kaśce i Antoniemu. Na przeciwległą stronę wysłałam Jana, Kazimierza, panią Stasię i Marka.

— Umawiamy się, że wracamy systemem domina, patrząc od strony kościoła. Czyli ja podchodzę do Kasi, a ona do Antoniego. I tak samo u was. Kiedy Marek zakończy obserwację, podchodzi do pani Stasi, pani podchodzi do Jana, a Jan do Kazimierza. Macie jakieś zastrzeżenia?

— Zaprzeczyli głowami. Spojrzałam na zegarek. — Już piętnaście po, trzeba się zbierać, bo pewnie braciszkowie wyjdą kilka minut wcześniej. I błagam was, uważajcie, szczególnie wy dziewczyny. Jeśli nakryją chłopaków, to jakoś się wytłumaczą, nas w ogóle nie powinno tutaj być.

Zapanowała atmosfera wielkiego napięcia. Wszyscy wczuliśmy się w role i nikt nie krył przejęcia akcją. Rozdzieliliśmy się na dwie grupy i rozpierzchliśmy się po krzakach. Ja z Kaśką i Antonim obstawiliśmy północne skrzydło eremu, reszta przeciwną stronę. Dotarłam na miejsce i wdrapałam się lekko na mur, aby nie musieć nieustannie stawać na palcach. Nic to nie dało, bo zaraz i tak zjechałam po śliskiej powierzchni. Zanim ponownie udało mi się spojrzeć, wśród ciszy zagłuszanej wyłącznie bijącym o dachy deszczem, usłyszałam chrzęst zamykanych drzwi. Wyciągnęłam nieznacznie głowę ponad mur i zobaczyłam zakonnika. Nie odczułam żadnej emanacji energii. Byłam pewna, że to nie Maks. Zakradłam się wzdłuż muru pod kolejny domek i wyczekiwałam. Czekałam i czekałam. Przez dłuższą chwilę nikt się nie pojawiał. Zdążyłam policzyć zakonników, którzy w drodze do kościoła minęli ten dom. Wyszli już wszyscy oprócz tego jednego.

Nie mogłam dłużej czekać. Wiem, wiem, że jestem raptusem, ale jak tu nie być. Niewiedza wierciła mi taką dziurę w brzuchu, że po prostu musiałam się ruszyć. To był impuls. Wdrapałam się na murek, a właściwie mur i zawisłam na nim na kilka sekund. Było bardzo ciemno i nie widziałam, co znajduje się w ogródku po drugiej stronie, mimo to nie cofnęłam się. Zeskoczyłam i wylądowałam na środku zaniedbanej grządki, która przez deszcz zamieniła się w błoto. Próbowałam utrzymać równowagę, a i tak zachwiałam się i upadłam na kolana. Na szczęście w ostatniej chwili wyciągnęłam ręce i zamortyzowałam upadek, inaczej wylądowałabym twarzą w błocie. Otrząsnęłam się, strzepnęłam błoto z rąk i doskoczyłam do ściany. Podkradłam się do malutkiego okienka, z którego biło lekkie światło. Podeszłam bliżej, aby zerknąć do środka. Nagle światło zgasło i coś brzęknęło. Zorientowałam się, że to drzwi i momentalnie odskoczyłam, ukrywając się za małym, dociśniętym do ściany stolikiem. Zobaczyłam biały habit na wysokiej, barczystej postaci. Oczy w osłupieniu zarejestrowały jego ruchy. Przytrzymał skobel, docisnął drzwi, otarł twarz i ruszył do furtki. Moje serce działało jak podpięte do defibrylatora. Odniosłam wrażenie, że jeśli ja się nie ruszę, to ono wyrwie mi się z piersi i pobiegnie za nim. Wstałam i prawie upadłam. Nogi miałam jak z galarety, oparłam się o ścianę, sapnęłam. „Opanuj się", powtarzałam sobie. „To twój Maks, a nie boskie objawienie". Jakiś wewnętrzny głos kazał mi go zawołać. Nie wiem, skąd wybrzmiał, ale przysięgam, kazał mi to zrobić. Rozchyliłam usta, lecz coś mnie przyblokowało. Maks przeszedł przez bramkę i przez uchylone drzwiczki dostrzegłam, że zatrzymał się przy nim inny człowiek w habicie. Ugryzłam się w język i podeszłam do murka. Łypnęłam i zobaczyłam, jak wymieniają się jakimś drobnym przedmiotem. Stałam jak zabetonowana, dopóki nie zniknęli mi z oczu. „Idiotka", skarciłam się w myślach. Stałam na widoku jak posąg na wystawie.

— Co ty robisz? — dobiegło mnie z oddali — Wracaj do cholery!

Odwróciłam się i w tych ciemnościach ledwo dostrzegłam nad murem czarną czuprynę Kaśki.

— Czekajcie, rozejrzę się — wyszeptałam. — Stój tam, a w razie czego reaguj.

Kaśka nie zdążyła się zirytować, a ja byłam już wewnątrz niewielkiego domu. Zatrzymałam się na wycieraczce, aby nie zostawić śladów po ubłoconych butach, włączyłam latarkę w telefonie i rozgoniłam ciemności. Stałam na progu wąskiego korytarza. Teraz porządnie wytarłam buty i weszłam do pierwszego z brzegu pomieszczenia. Wnętrze było surowe, zimne i prawie puste, wręcz lekko przerażające. Moje oczy wyłapały głównie łóżko, maleńki stolik, kufer i *Biblię*. Przeszukanie zaczęłam od kufra, w którym nie znalazłam niczego oprócz habitów i sterty pościeli. Rozejrzałam się ponownie. „Gdybyś była nim, gdzie schowałabyś ważne rzeczy?", spytałam w myślach sama siebie. Poczułam dziwne przyciąganie ze strony łóżka. „Nie, nie czas na takie rzeczy, otrząśnij się". Otrzepałam się jak mokry psiak, ale nie pomogło. Coś i tak pchnęło mnie w jego kierunku. Przysiadłam na złożonym w kostkę kocu, złapałam na róg zmierzwionej pościeli. Poczułam dziwne oszołomienie. To było jego łóżko, jego pościel, w której spędził beze mnie setki ostatnich nocy. Tych samych, które ja przepłakałam z tęsknoty.

Wzdrygnęłam się na widok świecącej pary oczu.

— Zbieraj się, spadamy! — zarządziła Kaśka. — Jeden z braciszków kręci się w pobliżu.

Puściłam kołdrę i, chcąc wygładzić ją dłonią, popatrzyłam na łóżko. Na bielusieńkim prześcieradle leżał telefon Maksa. Przyjaciółka posłała mi znaczące spojrzenie, wychyliła głowę za drzwi i już wiedziałam, że dopiero zaczyna się robić ciekawie.

— Sprawdzaj, ja czatuję — wyszeptała.

— Dobra — rzuciłam krótko i złapałam za telefon. Dłonie trzęsły mi się jak pięściarzowi po dobrej walce bokserskiej. Z trudem uruchomiłam ekran. Otworzyłam folder z wiadomościami i kliknęłam pierwszą z brzegu.

Kaśka wsadziła nos do środka.

— Pospiesz się, chyba tu idzie! — syknęła. — I zgaś telefon!

OBJAWIENIE

Napięcie było tak duże, że przeczytałam tylko „północ, brama wjazdowa", wsunęłam smartfon z powrotem pod kołdrę i wybiegłam za przyjaciółką. Wokół nas było przerażająco ciemno. Niebo zasnuła czarna smuga, a erem prędzej zdawał się leżeć w jaskini niż na wzgórzu.

— Ciemność widzę, widzę ciemność — szeptała moja przyjaciółka. Nie mogłyśmy włączyć latarek w telefonach, aby nie przyciągnąć uwagi. Jak zwykle musiały być tego jakieś konsekwencje. Kaśka poślizgnęła się i potknęła o podpierające ścianę grabie i miotły, powodując niezły rumor. Przytrzymałam ją, dopadłyśmy muru i przeturlałyśmy się przez niego jak w biegu survivalowym. Mokre i ubłocone dotarłyśmy do przyjaciół, którzy wyczekiwali nas w gaju oliwnym. Od razu zarzucili nas pytaniami.

— Widzieli was? Byłyście tam? Był Maks? Rozmawiałaś z nim?

Złapałam oddech i naprędce wszystko im opowiedziałam. Jan zarządził odwrót do domu, gdzie zrzuciłyśmy z siebie brudne ubrania i wskoczyłyśmy w ciuchy pożyczone od Marka i profesorów. Wyglądałyśmy idiotycznie, ale nie miało to znaczenia. W eremie prędko zrobiło się zamieszanie. Jan i Kazimierz wyszli do Carla, zapytać co się stało. Woleliśmy działać zapobiegawczo niż dać się nakryć. Carlo poinformował ich, że jeden z zakonników widział światło w pobliżu domków i jest przekonany, że ktoś się tu zakradł. Panowie zaprzeczyli, jakoby mieli mieć z tym cokolwiek wspólnego i spokojnie wrócili do pokoju. Na szczęście Carlo nie wpadł na pomysł, aby ich sprawdzić, niemniej jednak musieliśmy poruszać się tam ostrożniej. Zdecydowaliśmy stawić się o północy pod bramą i czekać na dalszy rozwój wydarzeń. Nie był to doprecyzowany plan, ale nie mieliśmy lepszego. Długo główkowaliśmy i późna godzina sprawiła, że zmęczeni emocjami profesorowie opadli z sił. Zmusiliśmy ich do odpoczynku i ulokowałyśmy się w pokoju Marka.

Godziny mijały, ale adrenalina nie pozwalała mi ochłonąć. Nieustannie męczyłam moich towarzyszy całą masą przeróżnych scenariuszy. Co najważniejsze, ustaliłam z panią Stasią, że w razie niebezpieczeństwa ma wzywać policję. Uzgodniłyśmy też co powinna powiedzieć i gdzie uciekać.

Około dwudziestej trzeciej trzydzieści zebraliśmy się do wyjścia. Wzięłam na siebie rolę przywódcy i poprowadziłam wszystkich pod kościół. Tam zostawiłam przyjaciół w krzakach, a sama poszłam dalej. Zakradłam się pod kamienny mur okalający bramę wjazdową. Nie miałam szans zbyt wiele zza niego zobaczyć, wytężyłam słuch i wyczekiwałam.

Dokładnie o północy usłyszałam warkot silnika. Przywarłam do muru. Po drugiej stronie ktoś zaparkował, wysiadł, trzasnął drzwiami i przepadł. Nie usłyszałam żadnych rozmów ani szeptów. Panowała kompletna cisza. Zgłupiałam. Odczekałam chwilę i zerknęłam nad mur. Przed bramą stał samochód, ten sam, który wyjeżdżał z posesji domniemanego kolekcjonera. Naszła mnie myśl, że albo szykuje się przekręt albo zakonnicy i Maks są w niebezpieczeństwie. Błyskawicznie zrobiłam odwrót do towarzyszy. Przyczajeni wśród drzew wypatrzyli mnie z daleka i nerwowo kręcili się w miejscu, nie mogąc doczekać się, aż do nich dotrę. Jan wyraźnie odetchnął na mój widok.

— Jesteś w końcu, martwiłem się. Jakiś facet spotkał się z Maksem i weszli do kościoła.

— Widziałam jego samochód — odparłam. — To chyba ten wasz kolekcjoner. Przyjechał sam.

Jan zamyślił się.

— Co o tym sądzisz, wujku — dopytałam zniecierpliwiona.

— Sądzę, że nie ma sensu dłużej czekać. Trzeba działać. Teraz albo nigdy.

Na taką odpowiedź liczyłam.

Kaśka wcisnęła się między nas.

— Czyli co robimy? Bo czas leci — wtrąciła, spoglądając to na mnie, to na Jana.

— Mam przeczucie, że ten facet jest w zmowie z ludźmi Francuza i razem szantażują mojego syna. Zakończmy to raz na zawsze. Podejdźcie bliżej, naradzimy się.

Stanęliśmy wokół Jana i wymienialiśmy się propozycjami. Słuchałam wywodów moich przyjaciół przerażona ich naiwnością. To w końcu niedoświadczeni cywile, którzy nie potrafią się bronić ani atakować. Podejrzewałam, że żadne z nich nigdy porządnie się nie biło i zapewne żadne nie ćwiczyło nigdy technik samoobrony. Pewnie nie mieli też okazji znaleźć się w sytuacjach zagrażających zdrowiu czy życiu, przez co mogą zostać sparaliżowani strachem. Zastanowiłam się chwilę i postanowiłam wtrącić się Janowi w przemowę.

— Słuchajcie! Przepraszam, że przerywam, ale to ważne. Nie mamy żadnej broni, więc musimy mieć świadomość zagrożenia i zachować rozwagę. Czy ktoś tu potrafi się bić? — zapytałam przekornie. Oczywiście, nikt mi nie odpowiedział. — I to jest problem. Mamy jedynie przewagę liczebną i w sytuacji bez wyjścia, naprawdę wyłącznie w ostateczności, możemy wszyscy spontanicznie obezwładnić napastnika. Ustalmy sygnał, na który zareagujemy.

— Sygnał? — zapytała pani Stasia.

— Tak, coś neutralnego. Tak, żeby dla nas było zrozumiałe, ale nie zaalarmowało przeciwnika.

— Ała — rzuciła Kaśka, ściągając na siebie kilka par oczu.

— Świetny pomysł — pochwaliłam ją. — Właśnie coś takiego miałam na myśli. Zatem ustalamy, że sygnałem będzie „ała", koniecznie głośne i wyraźne.

Towarzystwo zaaprobowało ten pomysł. Kilka minut później rozdzieliliśmy role i zadania. Ja z Kaśką i Markiem mieliśmy zakraść się do kościoła, przez boczne wejście w kaplicy, a profesorowie ze Stasią mieli czatować pod głównym wejściem.

Rozpoczęliśmy akcję.

Zakradłam się do bocznych drzwi, pchnęłam je kilka centymetrów i wślizgnęłam się do środka. Znalazłam się w skąpo oświetlonej kaplicy. Musiałam być ostrożna. Przeszłam ją bardzo powoli i zerknęłam na kościół. Tuż obok mnie przemknął Apoloniusz i po chwili opuścił kościół głównym wyjściem. Zawahałam się przez moment, czy profesorowie na pewno sobie poradzą. Musieli.

Wysunęłam się z kaplicy i gestem przywołałam przyjaciół. Powiedziałam im o Apoloniuszu i podeszliśmy do ołtarza.

— Nie ma go — usłyszałam za plecami.

— Cicho — zasyczałam.

Marek wyprzedził mnie i zbliżył się do drzwi prowadzących na chór dla mnichów usytuowany za ołtarzem. Przekroczył próg i znikł mi z oczu. Przyznam, że trochę się zmartwiłam, bo do tego miejsca Carlo nas nie zabrał. Zrobiłam kilka kroków, wyściubiłam nos i zobaczyłam Marka klęczącego przy dziurze w podłodze. Prędko przebiegłam wzrokiem pomieszczenie. Zachowano w nim ten sam styl co w kościele. Wnętrze było skromne, z ciemnymi stallami. Na tylnej ścianie ołtarza zawieszono krzyż z postacią Jezusa i jakiś obraz. Tyle zdołałam dostrzec dzięki światłu wydobywającemu się z dziury w posadzce.

— O szlag! — wypsnęło się stojącej tuż za mną Kaśce.

Ruszyłam. Marek odsunął się i zrobił mi miejsce. Sporej wielkości marmurowa płyta była wyłamana dokładnie wzdłuż wymalowanej wokół niej mozaiki, która przypominała ornament z relikwiarza. Pochyliłam się i zanurkowałam głową pod podłogę. Oślepił mnie błysk jaskrawego światła reflektora. Porażone oczy zarejestrowały tylko, że grunt znajduje się dość nisko. Wyprostowałam się, chwyciłam dłońmi za krańce posadzki i wpuściłam nogi do środka. Gdy dosięgłam gruntu, puściłam ręce i opadłam, a wokół mnie wzbił się tuman kurzu. Wyprostowałam się i przysłoniłam oślepione oczy. Po chwili struga światła zelżała, bo w jej blasku pojawiła się wysoka postać w białym habicie. Osłupiałam.

Stał przede mną z rękoma opuszczonymi wzdłuż ciała.
Z jednej z nich wyślizgnęła się broń.
— Czy to ty? — zapytał w końcu.
— A ty to ty?

OSTATNIE ROZDANIE

Tuż obok mnie pojawili się Kaśka i Marek. On złapał
mnie za ramiona.
— Wszystko dobrze, Zosiu? — zapytał.
Przytaknęłam bezgłośnie.
Kaśka milczała. Ją też zatkało.
Tak, to był Maks. Po chwili ciszy schylił się po pistolet,
odsłaniając źródło światła. Wokół nas zmaterializowało
się mnóstwo przedmiotów. Okryte zakurzonym płótnem
obrazy, rzeźby, przedmioty sakralne, skrzynie. Próbowałam odnaleźć się w sytuacji i nie zdążyłam jeszcze
nic powiedzieć, a Maks już podciągnął się przez otwór
z podłodze. Naszła mnie myśl, że przede mną ucieka,
ale wtedy nachylił się i wyciągnął do mnie rękę. Po pustym kościele poniosło się echo, a mnie przeszły ciarki.
Zrobiło się groźnie. Chwyciłam jego dłoń, wyskoczyłam
i pomogliśmy wyjść Kaśce i Markowi. Kiedy podnosiłam się, otrzepując z kurzu, w pomieszczeniu rozbłysło
światło.
Maks przeładował broń i wymierzył. Szybko zamru-
gałam powiekami, żeby oswoić oczy z nowym otoczeniem. Po chwili plamy zamieniły się w dwie wyraźne
postaci, których naprawdę nie miałam ochoty nigdy
więcej oglądać. Ludzie Francuza, Sacha i Wata stali na

wprost nas, oko w oko z Maksem. Automatycznie wyciągnęłam rękę, aby osłonić przyjaciół.

— Co jest, kurwa, grane? — przekrzykiwali się wzajemnie.

— Co ona tu robi? Gdzie są zabytki — wyryczał Wata, zerkając na mnie z ukosa.

— Wszystko jest wasze — odpowiedział Maks. — Bierzcie i spadajcie stąd.

Wata chyba mocno się wkurzył, bo cały zrobił się czerwony i zaczął wymachiwać bronią.

— Jaja se robisz? Miałeś to sam ogarnąć!

Sacha również wyciągnął i przeładował broń, po czym wymierzył we mnie. A to skurwiel, żeby tak atakować bezbronne kobiety. „Jeszcze się policzymy, dziubasku", zawyrokowałam w myślach, a kiedy kiwnął do mnie głową i zasugerował co mam zrobić, uniosłam ręce w geście poddania.

— Dajcie im spokój! — zaapelował Maks. — Bierzcie rzeczy i spadajcie. — Maks skinął do mnie, zrobił dwa kroki w przód, a ja zaraz za nim.

Wata wyciągnął rękę i docisnął mu lufę do brzucha.

— Ani kroku. Co ty myślisz, że będziemy te rzeczy sami wyciągać? — wykrzyczał.

— Tak — stwierdził spokojnie Maks. — W podłodze jest wyłom, poradzicie sobie. Nie jesteśmy wam już potrzebni.

— Mylisz się, kolego. Właź tam. No ruszaj się, kurwa, razem z nimi! — Wskazał na nas. — *Raus!* A ten fajfus w oksach zostanie na górze. Będzie od ciebie przejmował rzeczy.

— Oookej — Maks starał się spokojnie załagodzić sytuację.

Przyglądałam się narzeczonemu. Nie było to najmądrzejsze, ale nie byłam w stanie oderwać od niego wzroku. Wydawał mi się chudszy, słabszy, jakiś taki jakby zabiedzony. Jego ostre jak brzytwa oczy cięły przeciwnika, a mój umysł wariował.

Przez chwilę taksowali się z Watą spojrzeniami. Ostatecznie Maks zaczął powoli się cofać. Odwróciłam się do Kaśki i zasugerowałam jej, żeby wskoczyła pod podłogę. Sama weszłam tuż za nią, a Maks zaraz po mnie. Szczerze powiedziawszy, liczyłam, że gdy skryjemy się z Kaśką pod posadzką, Maks przejdzie do ataku. Przeliczyłam się.

Wata zanurkował do nas tą swoją parszywą mordą.

— Podnieś prześcieradło — rozkazał Kaśce, wskazując bronią na obrazy, przy których stała.

Moja przerażona przyjaciółka uchyliła rąbek płótna i ujrzeliśmy obraz ukazujący Chrystusa Zbawiciela. Bez wątpienia był bardzo stary i cenny. Wstrzymaliśmy oddech. Kaśka zerknęła na mnie zszokowana.

— No co się, dziunia, gapisz? Ruszaj się — warknął Wata.

Dostrzegłam, jak żuchwa Maksa zaciska się ze złości. Pokręcił głową, pochwycił obraz i podał Markowi. Zaczęłam przesuwać przedmioty na środek pomieszczenia i kiwnęłam na Kaśkę, aby mi pomogła. Targałyśmy te rzeczy dość ociężale, jakby sprawiało nam to wiele trudu. Nie były aż tak ciężkie, jak mogłoby się wydawać. Usiłowałam zyskać trochę czasu. Maks przejmował je od nas i podawał je Markowi.

Kiedy opróżniliśmy pomieszczenie z obrazów, rzuciłam okiem na posąg Matki Boskiej z dzieciątkiem Jezus, a później na narzeczonego. Spotkaliśmy się wzrokiem. A w istocie spiorunowaliśmy się spojrzeniami, bo doprawdy patrzyliśmy na siebie, jakbyśmy wypuszczali z oczu pioruny, które zderzały się pomiędzy nami i siłowały niczym wykrzyczane bezgłośnie uczucia. Setki słów cisnęły mi się na usta. Jemu zdecydowanie też, bo znów zacisnął tę swoją seksowną żuchwę tak mocno, że spod policzków wyłonił się zarys kości. Tak bardzo, tak wiele chciałam mu powiedzieć, a nie mogłam, bo Wata nieprzerwanie nas obserwował. Zbliżyłam się do Maryi, aby pomóc mu ją przesunąć, a on udał, że nie jest w stanie jej unieść. Przywołałam Kaśkę wzrokiem i we trójkę symulowaliśmy, że dźwignięcie tego posągu jest nie lada wyzwaniem. Nie wiem, jak to możliwe, ale naprawdę rozumiałam, co Maks chce mi przekazać. Długo patrzyliśmy sobie w oczy. Zdążyłam wtedy zaplanować działania i dzięki tym spojrzeniom byłam pewna, że on myśli dokładnie tak samo.

W końcu przesunęliśmy posąg pod wyłom w podłodze i Maks zwrócił się do Waty:

— Nie dam rady sam. To jest cholernie ciężkie. Podsadzę je na górę i podam im rzeźbę, a oni we trójkę ją wyciągną.

Wata odsunął się, machnął bronią i zrobił nam miejsce.

Podźwignęłam się i pomogłam Kaśce, niezauważenie lokalizując równocześnie broń. Kaśka stanęła obok Marka, dokładnie naprzeciw mnie. Wata przesunął się w moją stronę i przez chwilę stanął do nich plecami.

Chyba chciał zerknąć do piwniczki. Sacha stał tuż za mną i kiedy zobaczył, że się nie ruszamy, rozłożył ręce w geście dezaprobaty dla naszego nieróbstwa, zdejmując mnie z celownika.

— Ałaaaa — krzyknęłam, łapiąc się za kręgosłup i wyginając się w tył.

Kaśka i Marek bez wahania rzucili się na Watę, przewracając go na podłogę. Marek siadł mu okrakiem na plecach i przytrzymał rękę, w której ściskał broń. Kaśka usiadła mu na nogach. W tym czasie ja wykonałam kopniaka w tył i przewróciłam Sachę. Jednocześnie sama upadłam. On pozbierał się pierwszy. Automatycznie wykonałam wykop w nogi, przewracając go ponownie. Niestety nie udało mi się wytrącić mu broni. W którymś momencie za moimi plecami pojawił się Maks. Dosłownie doskoczył do Kaśki i Marka, którzy nie potrafili dłużej utrzymać Waty i uderzył go z pięści w twarz. Kaśka z Markiem ponownie go docisnęli, a Maks wyrwał mu broń, odwrócił się i wymierzył do Sachy, który znów trzymał mnie na muszce.

Sytuacja była patowa.

— Nie pajacuj, pierdoło! Mieliśmy umowę — żachnął się Sacha.

Maks zaśmiał się prowokująco.

— W dupie mam twoją umowę, kanalio!

Sacha zamachnął się bronią w moją stronę.

— Zależy ci na niej.

Maks zrobił krok w przód, jakby chciał mnie osłonić.

— Stój! — wrzasnął Sacha i strzelił w bok.

— Puśćcie go! — Wskazał ruchem głowy na Watę.

Nie zareagowaliśmy, więc powtórzył polecenie. Maks, ciągle obserwując Sachę, zawołał do Kaśki, aby puścili Watę. Napięcie zawirowało w mroźnym powietrzu. Przegrywaliśmy. Domyślałam się, że skoro Maks zarządził w ten sposób, to zdążył poznać ich na tyle dobrze, aby mieć podstawy do obaw, że Sacha faktycznie może mnie postrzelić. „Gdzie są profesorowie", pytałam samą siebie. Już dawno powinni się zjawić. Zajść ich od tyłu, wezwać policję. Naszła mnie myśl, że mogła stać im się krzywda i przeraziłam się. Machinalnie zezowałam w stronę wejścia w nadziei, że kogoś tam dojrzę. Kaśka i Marek puścili Watę, wstali i odsunęli się o kilka kroków. Maks zwrócił spluwę w stronę Waty, zatrzymując go w miejscu. Po chwili odwrócił się ponownie do Sachy, próbując jednocześnie obu powstrzymać przed ruchem.

— A teraz grzecznie oddasz mu broń i wyciągniecie resztę rzeczy— odezwał się Sacha.

— Po moim trupie — wycedził Maks.

— Po twoim czy po jej? — wydukał powoli z wielką nadmuchaną pewnością. — Dla mnie żadna różnica. A dla ciebie? Co sądzisz?

Parszywy dupek! Przeczuwałam, że ściemnia, że nie jest tak durny, jak się zgrywa. Choć może i durny, lecz nie aż tak odważny. Zabicie kogokolwiek z nas nie miałoby sensu, bo przysporzyłoby jemu i jego koleżce kłopotów. A na pewno zależało im na jak najszybszym zwinięciu zabytków bez wzbudzania sensacji. Choć z drugiej strony pogłos kuli, która poszła przed chwilą w głąb kościoła, pewnie zaciekawił zakonników. Wydawało mi się, że Maks też to widzi, bo nadal nie reagował.

— Odłóż, kurwa, tę broń albo odstrzelę ci lalkę — krzyczał. — Nie tak się umawialiśmy. Wystawiłeś nas.

— Nie wystawiłem — zapewniał Maks. — Wywiązałem się z umowy. Siedzę tu od kilku miesięcy.

Nie wystawiłem? Umowa? Szantaż? Szantażowali go? Czy się z nimi dogadał? Nieistotne... Nie porzucił mnie! To wszystko wina tych dwóch śmierdzących dupków!

— A co oni tu robią?

— Nie wiem. Daj im spokój.

— Miałeś nikomu nie mówić, gdzie jesteś!

— Nie wygadałem. Zośka — zwrócił się do mnie — co wy tu w ogóle robicie? Jak mnie znaleźliście?

Zorientowałam się, że Maks gra na czas, żeby zdezorientować przeciwnika, a że sprzeczki wychodziły nam fantastycznie, chętnie podniosłam rękawicę.

— Jak ty w ogóle śmiesz o to pytać?! — udałam oburzoną. — Porzuciłeś mnie! Moje życie wywróciło się do góry nogami i przeszłam załamanie nerwowe!

Wata najwyraźniej nie miał ochoty tego słuchać, bo ruszył w stronę Maksa.

— Stój. — Maks wymierzył do niego i strzelił tuż obok. Kula utkwiła w grubej beli drewnianej ławki.

Wata stanął w bezruchu i rozłożył ręce.

— Jakie załamanie? — zdumiał się. — Wytłumaczyłem ci...

— Niczego mi nie wytłumaczyłeś — wtrąciłam. — Zostawiłeś mnie bez słowa wyjaśnienia! Co ty sobie myślałeś?!

— Przecież się zaręczyliśmy — odparł gniewnie.

— I co z tego?! Czy to znaczy, że miałam czekać na ciebie jak pies przy budzie?!

Spojrzeliśmy na siebie porozumiewawczo, a przynajmniej starałam się jak mogłam, aby mnie zrozumiał
i wydawało mi się, że z zamierzonym skutkiem.

Sacha wydawał się lekko zdezorientowany i nie za
bardzo wiedział, do kogo mierzyć.

— A nie czekałaś?

Nie odpowiedziałam.

— Kim jest ten facet? — dorzucił, wskazując na Marka.

— Czekałam — odpowiedziałam stanowczo. — Czekałam tak intensywnie i z taką nadzieją, że w końcu
pękłam.

— Jak to pękłaś?! — wyłupił oczy i zerknął gniewnie
na Marka.

— Co za kurwa melodramat! Ja pierdolę, w dupach
wam się pojebało! — krzyczał Sacha. — Wacior, bierz
ich!

Wspólnik na rozkaz przyciągnął Kaśkę do siebie i zacisnął jej krtań przedramieniem.

— Nie przyszliśmy tu wysłuchiwać jebanych roman-
sideł. Dawaj do piwnicy albo skręcę jej kark.

Struchlałam. Spoglądałam na bladofioletową twarz
mojej przyjaciółki i wędrowałam za jej zbłąkanym wzrokiem. Widziałam, że cholernie się boi. Marek natomiast
przeskakiwał wzrokiem pomiędzy mną a Maksem, jakby
czekał na jakiś znak. Sprawiał wrażenie skupionego na
zadaniu.

Maks wymierzył do Sachy.

— Puść ją albo pożegnaj się z kolegą — krzyknął do
Waty.

To był dramat. Totalny pat. Podjęłam szybką decyzję, że kiedy Maks zagada przeciwnika, nie będę dłużej

czekać i rzucę się na Sachę. Liczyłam, że sobie poradzę, a Maks zdąży strzelić do Waty, nim ten zrobi Kaśce krzywdę.

— To ty pożegnaj się z lalunią. Mam dość tej komedii — ryknął Sacha.

I wtedy Bóg się nad nami zlitował. Światło zgasło. Do pomieszczenia wpadały drobne promienie odbitego gdzieś na zewnątrz światła. W tych niemal egipskich ciemnościach rzuciłam się na Sachę, prawie na ślepo, bo mój wzrok nie zdążył oswoić się z nagłym mrokiem. Nie było to najmądrzejsze, ale nic innego mi nie pozostało. Poza tym zapewne nie tylko ja nic nie widziałam. Równocześnie Maks postrzelił Watę w nogę, Kaśka ze wszystkich sił ugryzła go w przedramię, a Marek podciął mu nogi i walnął gdzieś, choć sam później nie wiedział już gdzie. Kiedy skoczyłam na Sachę, wielkiego i silnego faceta, udało mi się przewrócić go na podłogę, a w ułamku sekundy Maks strzelił w naszą stronę. Kula drasnęła Sachę w przedramię i upuścił broń. Momentalnie się na nią rzuciłam. On zamachnął się i mocno uderzył mnie w bok. Coś we mnie pękło. Przewróciłam się, a on ruszył w kierunku spluwy. Maks znowu do niego strzelił, a ja nie zauważyłam, czy oberwał. Sacha podniósł jednak broń, kopnął mnie w brzuch, bo leżałam mu na drodze, i odskoczył. Maks skupił na mnie uwagę, przez co nie ponowił strzału. Przykląkł przy mnie. Sacha wymierzył do nas. Maks wycelował, ale tamten zrobił dwa kroki w tył i znikł nam z oczu.

— Żyję, żyję — wybełkotałam i usiadłam. Wirowało mi w głowie i miałam mdłości.

— Zostań tu — usłyszałam. — Zabiję gnoja.

Obraz powolutku się ustabilizował. Zobaczyłam Marka okładającego Watę pięściami i Kaśkę naparzającą go solidnym świecznikiem. Złapałam głębszy oddech. Wróciłam. Jakby niewidzialna boska ręka wstrzyknęła mi adrenalinę. Podskoczyłam, rozejrzałam się i wybiegłam za Maksem do nawy głównej. Tam zniknął mi w drzwiach bocznego ołtarza.

Moje zmysły wracały do siebie. Słuch coraz lepiej wyłapywał sygnały radiowozów, których było coraz więcej. Wyskoczyłam tylnym wyjściem i po prawej kątem oka dostrzegłam gliniarzy. Wzgórze rozbłysło. policyjne koguty cięły ciemność. Przeraźliwe piski rozdzierały brutalnie klasztorną ciszę. Puściłam się w pogoń i gnałam za sylwetką Maksa, ile sił w nogach. Potykałam się, ocierałam o krzaki, nie poddawałam się. W końcu dogoniłam go, gdy się zatrzymał. Sacha wpadł do lasu i najwyraźniej zniknął mu z oczu. Przystanęłam kilka kroków dalej. Widziałam, że na mnie patrzy, lecz w tych cholernych ciemnościach trudno mi było dojrzeć wyraz jego twarzy.

Staliśmy lekko przykurczeni pomiędzy cyprysami na skraju lasu i nasłuchiwaliśmy. Czekałam. Kilka godzin wcześniej pokonałam ten las i wiedziałam, że nie ma stąd już innej drogi ucieczki jak tylko w dół zboczem wzgórza, przez gaj oliwny i winnicę. Było oczywiste, że Sacha zaczaił się w pobliżu i kombinuje, jak odwrócić naszą uwagę. Liczyłam, że przez kulę, którą dostał od Maksa, będzie miał problem ze swobodnym poruszaniem się, przez co usłyszymy jakiś szelest. Zacisnęłam oczy i desperacko wytężyłam zmysły. W końcu do tego wzgórza docierał każdy oddech, to i chrzęst nie mógłby umknąć mojej uwadze. Wyjące radiowozy zaczęły mnie drażnić.

Otworzyłam oczy i powędrowałam nimi w kierunku Maksa. Stał tuż obok, opadał z sił. Dlaczego? Co się stało? Jest ranny? O Boże! Nie! Tylko nie mój Maks. Zadygotałam. Kiedy to się stało? Nie zakodowałam takiej sytuacji! Spuścił głowę i zaczął zginać się wpół! O Boże, nie! Zorientowałam się, że oberwał, pewnie gdzieś w bark albo ramię, gdzieś na pewno. Wydało mi się, że czuję jego ból. Też zaczęłam zginać się w przód. Ale to nie to. To nie kula Maksa uwierała mnie w piersiach. Coś mnie kłuło, a nie krwawiłam. Kiedy moje zmysły zaczynały powoli wracać do sprawności, wyłapałam cichusieńki chrupot kruchych gałęzi. Wychyliłam głowę za drzewko, wyciągnęłam do przodu prawą nogę, czubkiem buta sprawdziłam podłoże i choć było grząskie i niestabilne, postawiłam ją stanowczo i przesunęłam się, dociągając drugą. Dalsze przejście zablokowały mi cyprysy, zrobiłam więc odwrót i przesunęłam się kilka kroków w bok. Stamtąd ponownie ruszyłam przed siebie. Powoli odgarniałam gałązki, ostrożnie przekładając nogę za nogę, aż zbliżyłam się do lasku.

Wokół mnie poniósł się szelest, huk i kilka metrów dalej zobaczyłam Maksa gnającego przez ten rzadki las, jakby na oślep, wprost w gaj oliwny, w którym wzmógł się trzask łamanych gałęzi. Zgłupiałam. Musiał wyłapać Sachę przede mną. Rzuciłam się w pogoń. Po chwili dogoniłam go, lecz było między nami kilka metrów odstępu. Biegliśmy w dół, nie tracąc się z oczu. Przedzierałam się między drzewkami oliwnymi, przykucając, podskakując i drąc ubranie o ostre gałęzie. Zobaczyłam Sachę dopiero, gdy wbiegłam na odsłonięty teren winnicy. Pędził jak szalony, ślizgając się na grząskiej, namokłej ziemi, a momentami prawie turlając się ze zbocza. Był kilka metrów przede mną. Miałam pewność, że Maks doskonale go widzi, bo też prawie deptał mu po piętach. Złapałam pewną myśl. Odbiłam trochę w bok, nadrabiając w ten sposób kilka metrów. Nagle jakby zrobiło się jaśniej. Nie wiem, czy moje oczy przyzwyczaiły się do ciemności, czy księżyc mocniej przyświecił. W każdym razie bez problemu zlokalizowałam Sachę. Przygarbiłam się, aby mnie nie dostrzegł i pędziłam dalej. Usłyszałam strzały i zorientowałam się, że Sacha biegnie, strzelając za siebie jakby na oślep. Dopadł mnie stres. Byłam wycieńczona, traciłam siły i oddech, potykałam się o zaschłe pędy winorośli. Miałam pokaleczone i poobijane ciało, ale nie czułam bólu. Skupiłam myśli na ukochanym. Modliłam się, aby ta zakazana gęba go nie trafiła. W pewnym momencie ciszę rozdarł głośny, znajomy mi krzyk i trzask. Nie! Tylko nie to! Pękło mi serce. Ogarnęła mnie dzika żądza zemsty. Przyspieszyłam jak porażona. W końcu wyprzedziłam Sachę, odbiłam kilka metrów w jego kierunku, wybiegłam mu naprzeciw i rzuciłam mu się pod nogi.

Przewrócił się na mnie i zaczęliśmy się tarzać, turlając w dół. Wielki, napakowany gnój ścisnął mnie za gardło i próbował uderzyć, lecz złapałam go za twarz i zaatakowałam w krocze. Zatrzymaliśmy się na zdrewniałym pniu winorośli. Leżałam na nim plecami. Odchyliłam się i złapałam go za rękę, w której trzymał broń, a zaraz potem oburącz za spluwę. Zaparłam się łokciem, ale Sacha był dwa razy większy ode mnie i bez trudu wykręcił mi rękę. Przydusił mnie, przyciskając mi głowę do swojej klatki piersiowej. Umięśniona obręcz coraz mocniej zaciskała się wokół mojej szyi. Myślałam, że to koniec, że za chwilę zmiażdży mi gardło. Oczy wychodziły mi na wierzch, a miliony myśli przeleciało przez głowę. Sekundy dzieliły mnie od uduszenia. Ostatkiem woli dostrzegłam plamę krwi na jego bicepsie, tuż przed moją twarzą. Instynkt czy impuls przetrwania kazał mi puścić spluwę i z całej siły wbić mu palce w ranę. Zacisnęłam zęby, stękałam i łapałam resztki powietrza, a łzy pożegnalne spływały mi po policzkach. Sacha zaczął niesamowicie jęczeć i wrzeszczeć, aż w końcu poluzował klamrę zaciśniętą wokół mojej szyi. Oswobodziłam się, sturlałam z niego, podparłam na rękach i zaczęłam całą sobą zaciągać się powietrzem, charcząc jak niedźwiedź. Sacha leżał tuż obok mnie i jęczał. Przeczuwałam, że zechce mnie dobić, choć był wycieńczony. Gdyby nie zraniona ręka, nigdy nie dałabym mu rady. Z mojego gardła zaczęło wydobywać się skrzeczenie, namiastki wrzasków i mnóstwo śliny. Maks! Mój Maks! Zabił mi go! Byłam gotowa skonać tam, byleby pomścić ukochanego. Doczołgałam się do Sachy, złapałam za jego ranny biceps. Po chwili ociężale dociągnęłam resztę ciała i uderzyłam go w twarz. Wtem ktoś pojawił się za moimi plecami, złapał mnie za ramię i odciągnął.

— Zośka — krzyknął.

Odwróciłam głowę i w blasku księżyca ujrzałam jego twarz. Żył. O Boże! Nie odróżniałam, czy to jawa, czy omamy. Zamilkłam, pozwoliłam się odciągnąć i opadłam z sił. Maks złapał mnie pod ręce i przeniósł na bok. Dopadłam resztek trawy i padłam plecami na ziemię. Łapałam oddech. Najpierw jakkolwiek, a z każdą sekundą coraz głębszy. Mimo to było ze mną coraz gorzej. Czyli jednak. On przeżył. Ja umrę. Nie ma szczęśliwych zakończeń. Jedno z nas musi odejść. Fifty-fifty, równowaga, harmonia w przyrodzie. Odpływałam, przy czym moja jaźń wyłapywała, że ktoś się bije. Później widziałam, jak Maks owija czyjeś nogi i ręce częściami habitu. Słyszałam wycie, okropne wycie i nie wiedziałam, czy to ja, on, czy to może już jest przedsionek piekła. W końcu mój anioł uniósł mnie i powiedział, że to już koniec, że już po wszystkim. Umarłam zatem albo zemdlałam, jedno z dwóch.

Obudziłam się przed karetką. Ktoś niósł mnie na rękach. Świat wokół mnie wirował. Otworzyłam oczy i zobaczyłam, jak tuż obok mnie Maks osunął się na ziemię. Złapałam głęboki oddech. Policjant postawił mnie na nogi. Przystanęłam przy ukochanym, ale niebieskie wielkoludy usilnie pchały mnie w stronę radiowozu. Szłam niechętnie, z głową odwróconą w tył. Widziałam, jak do Maksa podbiega kilku zakonników, profesorowie, medycy i Apoloniusz, który krzyczał nieprzerwanie:
— Synu! Synu!
Rozpłakałam się. Zaczęłam wyć, zaciągać się, charczeć.
— Puśćcie mnie! — ryczałam zduszonym głosem.
Włosi napieprzali do mnie w swoim języku i odwracali mi głowę. Oślepiana policyjnymi kogutami mrużyłam załzawione oczy, próbując cokolwiek zobaczyć.

Dookoła panowało okropne zamieszanie, niesamowity gwar. Wyły policyjne syreny i wszyscy się przekrzykiwali. Kiedy minęłam karetkę, odwróciłam się, splunęłam na policjanta, który przytrzymywał mi głowę i nie zdjęłam już wzroku z narzeczonego.

— Maks! Synu! — docierało do mnie. — Synu?! Jezus Maria!

Dwóch funkcjonariuszy wsadziło mnie na tylną kanapę radiowozu. Przywarłam do szyby i przypatrywałam się, jak medycy opatrują Maksa i Sachę. Gdzieś w oddali dojrzałam rozemocjonowaną panią Stasię gestykulującą zajadle przed twarzami kilku policjantów. Widziałam snujące się niecierpliwie białe duchy. Ktoś usiadł obok i złapał mnie pod rękę. Samochód ruszył i karetka, przy której leżał Maks zniknęła mi z oczu. Serce rozdarło mi się na pół. Policyjna syrena zawyła, a ja razem z nią. Samochód powoli zjeżdżał ze wzgórza i wtem przypomniałam sobie o Kaśce i Marku. Odwróciłam głowę w stronę przytrzymującego mnie policjanta, wytężyłam siły, aby o nich zapytać, tym zduszonym wcześniej, prawie zmiażdżonym gardłem, lecz nie potrafiłam. Straciłam mowę, opuściłam głowę, odleciałam.

Non muoverti!

Kolorowe frędzelki zmywały z jasnej posadzki błotniste ślady butów. Po wąskim korytarzu niosły się dźwięki włoskiej, nastrojowej muzyki. Starsza kobieta kołysała się w jej rytm, zgrabnie zataczając kręgi kijem od mopa. Antoni przycisnął się do ściany i przyjemnie uśmiechał się do Włoszki, Kazimierz, Jan i pani Stasia przysypiali na plastikowych krzesełkach, a Kaśka z trudem dźwigała ciężką ze zmęczenia głowę, spoglądając w czeluść korytarza. Mierzwiła w palcach potarganą chusteczkę, pewnie licząc, że dzięki temu nie zaśnie.

Zobaczyłam to wszystko w monitorze policyjnej dyżurki, gdzie czekałam na wydruk mojego przesłuchania. Podpisałam, oddałam policjantowi długopis i znów byłam wolna. Ciężkim, ale zdecydowanym krokiem wyłoniłam się zza zakrętu. Pomagał mi jeszcze podtrzymujący mnie za ramię policjant. Kaśka usztywniła kark i podskoczyła. Marek pognał w moją stronę, zadeptując lśniącą podłogę i wprawiając w szał Włoszkę, która tu przed chwilą posprzątała.

— Jak się czujesz? — zapytał zagłuszany włoskimi przekleństwami i hukiem odbijającego się od podłogi mopa.

Kobieta z impetem porzuciła narzędzia pracy i zniknęła na schodach. Przejęty Antoni złapał za kij i zaczął przecierać kafle. Pani Stasia i profesorowie przemknęli pod ścianą, gdzie podłoga zdążyła wyschnąć. Okrążyli mnie. Kaśka przytuliła mnie delikatnie, bojąc się o moje poobijane ciało. Podała mi butelkę z wodą. Wypiłam duszkiem. W szybie drzwi, przy których staliśmy, zobaczyłam swoje odbicie. Wyglądałam jak ostatnie nieszczęście. Miałam opuchniętą twarz, potargane, brudne włosy i pachniałam zapewne równie nieciekawie. Kiedy pochłonęłam ostatnią kroplę wody, a plastik zassał się od upływu powietrza, oderwałam gwint od ust i wykrztusiłam zachrypniętym głosem.

— Co z nim?

Jan objął mnie i posadził.

— Trwa operacja. Musimy być dobrej myśli — powiedział spokojnie i zerknął na resztę towarzyszy.

— Znam to spojrzenie — oznajmiłam. — To nie czas na wykręty. Mówcie prawdę.

Moje sine, zapadnięte oczy ściągnęły na siebie całą uwagę. Kaśka otrzepała się, cmoknęła i zmierzyła wzrokiem policjanta, który wciąż siedział obok mnie. Ewidentnie jej przeszkadzał.

— Matko kochana, paraliż mu grozi, ręki! No... będzie dobrze.

— Nawet ja się modlę, to musi być.

— A poza tym?

— Nic mu nie jest, będzie żył.

Policjant, który trzymał mnie za rękę, powiedział coś po włosku i zniknął w odnodze korytarza. Stasia machnęła ręką.

Ochłonęłam. Na tę wiadomość czekałam od... Zwróciłam wzrok w stronę okna, a później na tandetny kolorowy zegar zawieszony pośrodku korytarza. Dochodziła północ, szybko więc przekalkulowałam, że przesłuchiwano mnie kilka godzin. Przy czym na tę wiadomość czekałam od poprzedniej północy. Czyli już dwadzieścia cztery godziny. Poprzednie czternaście spędziłam w jakiejś dyżurującej przychodni, gdzie mnie przebadano, opatrzono i pozwolono się wyspać. Po tylu godzinach gadania, a uściślając, sapania ledwo żywym gardłem, znów czułam się wykończona i zobojętniała do tego stopnia, że byłam gotowa położyć się na tej mokrej posadzce.

— Powiedzieli mi — zaczęła Kaśka — że za chwilę ktoś do nas przyjdzie i zwolni nas do domu.

Przymknęłam oczy i zapytałam:

— A gdzie są zakonnicy i Apoloniusz?

— Braciszków wypuścili — usłyszałam od Marka.

— Mojego brata zatrzymali na dłużej — oznajmił Jan.

Nie zdążyłam dopytać o więcej, bo tuż obok mnie wyrosło nagle trzech mężczyzn. Jeden z nich zaczął nawijać po włosku.

— Skontaktowaliśmy się z polskim wymiarem sprawiedliwości i podjęliśmy odpowiednie procedury — tłumaczył przystojny, młody brunet. — Na tę chwilę jesteście państwo zwolnieni z przesłuchań, jednak z zakazem opuszczania wyznaczonego miejsca pobytu. Jeśli zajdzie potrzeba uzupełnienia zeznań, będziemy państwa wzywać, dlatego proszę być w pogotowiu. Jesteście świadkami w polskiej sprawie, która rozegrała się na naszym terenie, zatem dopóki nie ustalimy szczegółów z polskim przedstawicielstwem podlegacie prawu włoskiemu. Proszę się nie martwić, dowody wskazują na państwa niewinność i potwierdzają obronę konieczną. Zeznania zakonników i nagranie z monitoringu działają na waszą korzyść. Inaczej nie wypuścilibyśmy was tak prędko.

Jan nie mógł się doczekać końca tego policyjnego monologu.

— Czy możemy odwiedzić mojego bratanka w szpitalu? — wtrącił między zdaniami.

Policjanci spojrzeli po sobie, a później na zmarnowane, wycieńczone twarze swoich świadków.

— Błagam was — zawirował głosem. — Myśmy tu wszyscy dla niego przyjechali.

— Jesteśmy zobligowani objąć was nadzorem — oznajmił funkcjonariusz. — Dzisiaj to już nie będzie zatem możliwe. Proszę zadbać o siebie, odpocząć, a jutro zobaczymy, co da się zrobić.

Jan wyraźnie sposępniał i osunął się na krzesło.

— Proszę się nie martwić — odezwał się drugi policjant. — Jesteście państwo w naprawdę korzystnej sytuacji. Zapobiegliście kradzieży wartościowych zabytków i pomogliście w ujęciu sprawców. W naszych oczach jesteście odważni, ale… — tłumacz zawahał się — szaleni — dokończył.

W zasadzie powinien przetłumaczyć „pieprznięci", ale najwyraźniej stwierdził, że jednak nie wypada. Zaśmiałam się bezgłośnie, a włoski policjant poklepał mnie po ramieniu.

— Wykonaliście kawał dobrej roboty — powiedział do mnie. — Taka policjantka to skarb. Jeżeli Polacy nie zechcą przyjąć cię z powrotem, to zgłoś się do nas. My przyjmiemy cię z otwartymi ramionami. U nas będziecie bohaterami. Od rana wszystkie media o was mówią. Rzecznik prasowy poinformował, jak się zachować w razie pytań?

Profesorowie przytaknęli.

— Czyli tak, jak mówiłem — podsumował policjant. — Zostańcie państwo na miejscu, dopóki nie zgłosi się po was polski wymiar sprawiedliwości. Przydzielimy wam funkcjonariusza i będziemy w kontakcie.

Kaśka zmarszczyła czoło.

— Panie władzo — zwróciła się do tłumacza — jesteśmy dorośli i potrafimy sami o siebie zadbać. Dajcie nam spokój, chcemy odetchnąć.

Tłumacz przełożył jej słowa, policjant wyprostował się i ściągnął brwi.

— Szanowna pani, to że porozumiewamy się w innym języku, nie znaczy, że nie rozumiem tonu pani wypowiedzi. Tłumacz przekazuje mi wszystko w odpowiedni sposób — stwierdził jego ustami.

Kaśce widocznie zrobiło się głupio i prędko wydusiła z siebie szczere przeprosiny.

KARCER

Panowie pomogli mi wysiąść z taksówki i dostać się do pokoju, a gdy zamknęli za sobą drzwi padłyśmy z Kaśką, jak stałyśmy. Nie zdjęłam z siebie nic. Obudziłam się po południu następnego dnia, w pustym pokoju. Kaśki nie było. Czułam się tak wyczerpana, że każdy oddech i każdy ruch sprawiał mi ból. Wstałam bardzo powoli i równie wolno doczłapałam do łazienki. Nie miałam siły nawet zsunąć spodni i usiąść na klozecie. W przychodni, gdzie mnie opatrywano, dostałam silne leki przeciwbólowe, które najwyraźniej przestały działać. Najzwyczajniej w świecie popłakałam się z bólu. Powolutku się jednak rozebrałam, stanęłam naga przed lustrem i, oglądając z trwogą swoje ciało, zrozumiałam, skąd to się wzięło. Lekarze uświadomili mnie, że mam uszkodzone gardło, pęknięte żebra, wstrząśnienie mózgu i całą masę innych urazów. To właśnie one bolały najbardziej. Fioletowe sińce na biodrach, udach i piszczelach, rozerwana, pocięta skóra na rękach, podbite, zaczerwienione oko, poobijana żuchwa, fioletowe gardło. Uśmiechnęłam się sztucznie. Zęby na szczęście miałam wszystkie. Oko było nabiegłe krwią, co trochę mnie zmartwiło. W końcu leczyłam je od jakiegoś czasu. A właśnie, nie miałam okularów. Przepadły gdzieś na wzgórzu w trakcie pogoni za Sachą. Złapałam się za brzuch, jakbym umiała sprawdzić, czy ginekologicznie wszystko jest w porządku. Niby zbadano mnie pod tym kątem, ale nie było mi najprzyjemniej. Powolutku nabrałam w płuca powietrza i przesunęłam palcami po żebrach. Pomyślałam, że to cud, że nie pogruchotałam ich doszczętnie. Po dokładnych oględzinach całego ciała w końcu weszłam pod prysznic. Długo i starannie zmywałam z siebie brud, mając przy tym uczucie, jakbym zmywała z siebie negatywne emocje. Po prysznicu założyłam soczewki kontaktowe, ubrałam się i bardzo wolno, niemal z płaczem zeszłam po schodach.

Przyjaciele zgromadzeni wokół wielkiego stołu ucichli na mój widok. Jan podszedł do mnie i pomógł mi usiąść. Pani Stasia nałożyła cały talerz jedzenia i postawiła go przede mną. Zaczęłam powolutku jeść, a tymczasem Kaśka wyłuskała mi z blistra kilka kolorowych tabletek przeciwbólowych, przeciwzakrzepowych i cholera wie jakich jeszcze, kładąc je obok talerza. No jednak nie cholera, a Kaśka, która jak zwykle, była na mnie przygotowana.

— Muszę zadzwonić do taty — oznajmiłam między kolejnymi łyżeczkami papki warzywnej. Przekonałam się wówczas, że mówienie jest jeszcze wciąż trudniejsze od przełykania specjalnie przygotowanego dla mnie posiłku.

Marek od razu zerwał się z krzesła i przysiadł obok mnie.

— Nie gniewaj się — uprzedził i zawahał się przez chwilę — ale już wszystko im powiedziałem. Pola wygadała mojej matce, więc ta nieustannie do mnie dzwoniła. Musiałem w końcu oddzwonić i powiedzieć im prawdę. Twój tato powiedział, że jest spokojny i poprosił, żebyś zadzwoniła, kiedy odpoczniesz.

Co za ulga. Marek załatwił za mnie najgorsze.

— Jak Maks? — zapytałam spoglądając na wujka.

— Dobrze, kochanie. Odpoczywa po operacji.

— Udała się — wtrąciła w trakcie Kaśka. — Wszystko w porządku, będzie sprawny.

— Tak, moja droga. Nic się nie martw.

— Wujku, gdyby nie on, ja bym...

— Nie mów tak — wszedł mi w słowo. — Wszystko dobrze się skończyło i to jest najważniejsze. Nie ma co gdybać. Maks zrobił to, co powinien. W końcu jesteś miłością jego życia.

— Chyba już nie masz wątpliwości? — spytał Antoni.

Kaśka odetchnęła głośno.

— To takie romantyczne — wymamrotała pod nosem.

— On to wszystko dla ciebie... Czegóż chcieć więcej?

— Chciałabym jeszcze tak bardziej przyziemnie, na przykład w końcu zobaczyć ten relikwiarz i zabytki — zasugerowałam.

— Na razie to dowody — uświadomił mnie Marek.

— Zobaczysz relikwiarz, kiedy trafi do muzeum na wystawę.

— Nie do muzeum — poprawił go Kazimierz. — Będziemy walczyć o umieszczenie go w naszej bazylice.

— A co z zabytkami? — wypytywałam.

— Policja je zabezpieczyła — kontynuował. — Po miejscowych badaniach zostaną zapewne przekazane specjalistom w Polsce i na koniec trafią do Muzeum Narodowego.

— A ja nadal nie rozumiem, jak Maks do nich dotarł — wykrztusiłam, zapijając kęs sokiem z buraka.

— Warto poczekać na jego oficjalną wersję. Niemniej jednak myślę, że potwierdzi słowa Aleksa.

— Aleksa? — powtórzyłam zdumiona.

— Tak, Aleksa, mojego brata, a jego ojca…

— No niech mi to ktoś w końcu sensownie wytłumaczy — wybełkotałam nerwowo z wciąż pełnymi ustami.

Jan wstał i przeszedł na drugi koniec stołu, gdzie pozostało kilka wolnych miejsc. Odsunął tacę z chlebem i przyprawami, robiąc dla siebie miejsce. Usiadł, a kiedy już ściągnął na siebie całą uwagę, wyciągnął z kieszeni zmiętoloną kartkę, przeczytał coś i złapał głęboki oddech.

— Ja wam to wszystko wytłumaczę — powiedział miękkim i tkliwym głosem. — Przy okazji relikwiarza rozwiązała się największa bolączka mojego życia, więc mogę już umierać.

— Wujku… — upomniałam go.

Marek nalał lampkę wina i podsunął ją Janowi. Ten upił łyk i zawiesił wzrok na kieliszku, obracając nim w palcach.

— Aleks zawsze był niespokojnym duchem — zaczął. — Brał z życia całymi garściami, rwał się do przygód i niczego się nie bał. Tak naprawdę nigdy nie wiedziałem, czym on się zajmuje. Jeździł po świecie i wszędzie robił interesy. U nas była jeszcze głęboka komuna, kiedy on zaczął wzbogacać się na Zachodzie. Nie łączyła nas nić zrozumienia. W jego oczach byłem nudny, całe dnie spędzałem w książkach, na uczelni i z moją cudowną Lilianką. Mój brat przyjeżdżał do Polski co kilka miesięcy, wpadał do nas w odwiedziny. Był uroczy, zawsze przywoził Lilce jakiś podarek. Kobiety go uwielbiały. Pewnego dnia wpadł bez zapowiedzi z piękną, młodziutką dziewczyną o uroczym imieniu Klara. Przedstawił ją jako swoją narzeczoną, którą przypadkiem poznał w naszym Gdańsku. Powiedział, że zakochał się i postanowił ustatkować. Miał już swoje lata, więc jakoś szczególnie mnie to nie zaniepokoiło. Po miesiącu wzięli ślub, a po dwóch Klarcia oświadczyła, że jest w ciąży. Ona była od niego dziesięć lat młodsza, lecz na ówczesne standardy była starą panną. Kochała go, temu nie można zaprzeczyć. Fascynował ją, tak jak zresztą wiele kobiet. Był przystojny, światowy i w czasach, kiedy wszyscy klepaliśmy biedę, on szastał pieniędzmi na prawo i lewo. Do dzisiaj dokładnie nie wiem, na czym się dorobił, choć po tym co zaszło, mam pewne podejrzenia. Kontynuując, Aleks wynajął z Klarą mieszkanie, poczekał do rozwiązania, a gdy Maks przyszedł na świat, wytrzymał raptem dwa miesiące i wyjechał z powrotem na Zachód pod pretekstem zarobku. Zostawił ją samą z malusieńkim dzieckiem i przepadł. Wrócił do poprzedniego życia i przyjeżdżał co kilka miesięcy, przywoził podarki, których nikt od niego nie oczekiwał. A Klara go tak strasznie kochała. Wyczekiwała go. Pragnęła bliskości i wsparcia. To było koszmarne doświadczenie również dla mnie i mojej żony. Chociaż tyle, że przysyłał jej pieniądze. Inaczej całkiem spaliłbym się ze wstydu. Poza tym ciągnął ją na ten Zachód, namawiał, żeby wyjechała z nim do Włoch, ale ona bała się zaryzykować. Pewnego roku Aleks po prostu przestał przyjeżdżać. Przepadł jak kamień w wodę. Wymazaliśmy go z życia i we trójkę zajęliśmy się wychowaniem Maksia. Lila i ja nie mogliśmy mieć dzieci, więc traktowaliśmy go jak własnego syna. — Jan zasłonił się dłonią i przerwał na chwilę. Towarzystwo słuchało jego pochlipywania. Nikt nie ośmielił się wydusić z siebie słowa. — Przepraszam — powiedział w końcu, przecierając oczy. — Maks nie jest moim rodzonym synem, natomiast jest moim dzieckiem. Kocham go bardzo mocno i zrobiłbym wszystko, aby nie popełnił błędów ojca. — Jan pociągnął nosem i ponownie przetarł oczy. Kaśka podała mu chusteczki. Otarł twarz i kontynuował. — Dlatego tu przyjechałem. Nie miałem pojęcia, że Apoloniusz to Aleks, choć podejrzewałem w tym wszystkim jakiś podstęp. Nie wierzyłem, że Francuz nie jest powiązany ze sprawą. I okazało się, że się nie myliłem. Ze wstępnych ustaleń policji wynika, że mój brat jest marszandem, lecz niekoniecznie legalnej sztuki. Obawiam się, że jest po prostu paserem. A jeśli nie jest, to zapewne kiedyś był. Rozmawialiśmy w eremie przed kościołem i wyznał mi, że od lat pracuje nad tajemnicą relikwiarza. Kiedy w końcu udało mu się ustalić miejsce jego ukrycia, niestety podzielił się tą informacją z dwoma zaprzyjaźnionymi antykwariuszami, którzy sprzedali tę informację włoskiemu mafiosie, u którego Aleks był zadłużony.

Gwoli ścisłości nie tyle był zadłużony, co sprzedał mu falsyfikat, z czego, jak twierdzi, nie zdawał sobie sprawy. Ten ojciec chrzestny też zajmuje się nielegalnym handlem sztuką i w ramach spłaty postanowił przywłaszczyć sobie nasze zabytki, w związku z czym zlecił tym antykwariuszom odnalezienie relikwiarza. Jako że mój brat poinformował ich, że relikwiarz znajduje się w jednym w krakowskich kościołów, a przy tym, odnosząc się do świętych nawiązał do patronów z graweru, zaczęli przeczesywać te kościoły na oślep. Tyle że Aleks nie przedstawił im wyglądu relikwiarza, stąd te dziwne kradzieże różnych relikwiarzy nie mających związku z naszym pacyfikałem. Trzeba im natomiast oddać, że mimo wszystko starali się. Wykorzystali różne metody kradzieży, żeby zdezorientować policję. Kiedy poszukiwania okazały się bezowocne, ten mafioso podobno szantażował Aleksa, że jeśli nie spłaci długu albo nie dostarczy mu relikwiarza, skrzywdzi jego rodzinę. A że Aleks ma tylko mnie i Maksa, żeby nie być gołosłownym nasłał na nas tych dwóch bandziorów, przed którymi uciekaliście w Gdańsku. Mieli uprowadzić mnie albo Maksa, żeby móc szantażować Aleksa. Ten zaś wysłał dwóch swoich ochroniarzy, których zadaniem było przypilnowanie mnie i moich gości. To oni obserwowali kamienicę i śledzili was w Dworze Artusa. A że jedni i drudzy pochodzą z Niemiec, gdzie zarówno Aleks, jak i ten cały mafioso prowadzą interesy, istotnie wszystkich zmylili.

— Czekaj, wujku — wtrąciłam. — Ostatecznie uszliśmy z życiem, więc dlaczego odpuścili? Fakt, że zgubiliśmy ich w Gdańsku, ale było o nas głośno. Mogli nas dorwać w Krakowie albo po powrocie do twojego mieszkania.

Jan pokiwał głową.

— Tak, na szczęście Aleks ich do tego czasu opłacił. Powiedział mi, że udało mu się zrobić dobry biznes i wykupił ich na pół roku. Dlatego też tak mu się spieszyło, bo w styczniu mieli wrócić.

— Czyli pani Zofia nie zmyślała…

— Co? — bąknęła Kaśka.

— Nic, nic…

— Aleks doskonale zdawał sobie sprawę — ciągnął Jan — że żaden z nas nie będzie chciał się z nim spotkać. Podobno nie spodziewał się, że zastanie Maksa w Polsce. Przyznał, że jakiś czas temu wynajął detektywa, który przekazał mu informację, że jego syn jest żołnierzem i że przebywa za granicą. Ale do rzeczy. Jak wiecie, podczas gdy złodzieje rabowali kościoły, Aleks ściągnął mnie do Krakowa jako Apoloniusz. Nie stawiłem się na spotkaniu, bo niefortunnym zbiegiem okoliczności wylądowałem u Francuza, który zatrzymał nas, też nie bez powodu.

— Tego nie jestem w stanie pojąć — wtrącił Marek.

— Już wam tłumaczę. Zosia dobrze mówiła, że Francuz nie jest złodziejem, a aspirującym wielkiej finansjery krakowskim biznesmenem. Aspiracje miał tak duże, że za pieniądze podnajmował swoich ochroniarzy. Skorzystali z tego ci dwaj rabusie relikwiarzy, którzy byli na tyle nieudolni, że w trakcie jednej z kradzieży wymienili się wieloma cennymi informacjami, w tym informacją o miejscu pobytu Aleksa i tego ich mafiosa. Kiedy zorientowali się, że zostali podsłuchani przez księdza, postanowili go zastraszyć. Nie wiedzieli jak, więc zgłosili się do

Francuza. Ten wysłał do księdza swoich ludzi, którzy nie tylko zastraszyli duchownego, lecz również wyciągnęli od niego kilka istotnych faktów, jak chociażby adres mojego brata. Wówczas my zjawiliśmy się w Koronce i Francuz zwęszył interes. Zatrzymał nas nie po to, abyśmy odszukali relikwiarz, a po to, żeby skonfrontować nas właśnie z Aleksem. Musiał błędnie zrozumieć sytuację i wywnioskował, że to Aleks jest zleceniodawcą kradzieży. Świętej pamięci ksiądz nieźle tutaj namieszał. Francuz wysłał do Aleksa swoich ludzi z informacją, że ma kogoś, kto zna miejsce ukrycia zabytków. Aleks zaciekawił się tą informacją, bo był już w posiadaniu relikwiarza, który odkrył w kościele na Srebrnej Górze i który ukradł rzecz jasna. A nam ta kradzież umknęła z powodu zamieszania po przygodzie na Wawelu. Byliśmy tak zafrasowani tymi wydarzeniami, że nie zwróciliśmy na nią uwagi, a policja przypisała ją złodziejom poprzednich relikwiarzy. Aleks ostatecznie nie dowiedział się nawet, że Francuz w ogóle kogoś więził w tej sprawie. Bo co prawda umówili się na zamku i właśnie dlatego nas tam zabrał, to ostatecznie nie zdążyliśmy się przecież spotkać. Szkoda, bo wówczas wszystko by się wyjaśniło. Aleks przyznał, że jako jeden z gości wymknął się z konferencji. Jego nazwiska nie było na liście, gdyż posługuje się nazwiskiem swojej włoskiej żony.

— Ale dlaczego złodzieje nie wsypali Aleksa? — wyrwała się Kaśka.

— Nie wiem. Może ruszyło ich sumienie.

— Albo zwyczajnie nie chcieli wsypać swojego nowego zleceniodawcy — usłyszeliśmy nieoczekiwanie od Antoniego.

Złapałam tę myśl i pociągnęłam ją na głos.

— Zmierzasz do tego, że jeśli wydaliby Aleksa, musieliby wyjaśnić sprawę, on pewnie wydałby mafiosa, któremu go sprzedali? Wówczas nie dość, że byliby dodatkowo zagrożeni, to jeszcze straciliby możliwość zarobku. Liczyli chyba na dobrą papugę od swojego szefa.

Jan przytaknął.

Zamilkłam i wszyscy patrzyliśmy na niego jak zahipnotyzowani. Oswajałam się z myślą, że stałam się uczestnikiem tak zakręconej historii. Zaczęłam wachlować się serwetką. Ciągle kręciło mi się w głowie. Na dodatek zrobiłam się senna. Chciałam jednak poznać całą prawdę, zanim wrócę do łóżka. Jan spostrzegł moje zniecierpliwienie i przyspieszył wypowiedź.

— Wrócę do mojej poprzedniej myśli — zaproponował, a my wspólnie potakująco pokiwaliśmy głowami.

— Uściślijmy. Francuz wydał złodziei, bo nadal liczył, że coś ugra.

Marek spojrzał na mnie, a później na Jana, jakby próbując go ponaglić.

— Wszystko jest jasne oprócz tego, jak trafił tu Maks — rzucił z lekką uszczypliwością w głosie.

— Z przymusu — stwierdził Jan. — Kiedy Francuz i kilkoro jego ludzi znaleźli się w areszcie, to ostatecznie nie doszło do żadnej konfrontacji z Aleksem. Tylko że ludzie Francuza, którzy pozostali na wolności, nie mieli najmniejszego zamiaru odpuszczać tej sprawy. Spotkali się z moim bratem i zagrozili, że jeśli nie pójdzie z nimi na współpracę, to powiedzą policji, co spowodowało, że się o nim dowiedzieli. Zaproponowali, że odszukają relikwiarz i zabytki, a zyskami podzielą się po połowie.

Kaśka obruszyła się, prychnęła i rzuciła prześmiewczo.

— Taki zbieg okoliczności, że akurat Aleks mieszka w pobliżu eremu, w którym były zabytki?

— Nie, Kasieńko — poprawił ją Jan. — To nie jest zbieg okoliczności. Wynajął ten dom niedawno, kiedy rozpracował relikwiarz.

— Jak to? — zdziwiłam się. — Przecież ten adres podsłuchałeś w Koronce.

Jan spurpurowiał i zasłonił twarz dłońmi.

— Dzieci... Podsłuchałem ten adres, bo właśnie on był tą kartą przetargową, o której dowiedzieli się ci złodzieje.

Wydało mi się to dość podejrzane, ale naprawdę nie miałam siły w to wnikać.

— Trzeba było jeszcze odnaleźć zabytki — kontynuował. — Aleks wyczytał w liście, gdzie są ukryte, dlatego wynajął tutaj dom, by być jak najbliżej eremu. Dogadał się z bandziorami i ściągnął ich tutaj, lecz nie przekonała ich perspektywa pobytu w klasztorze.

Przetarłam oczy i podniosłam prawą dłoń, jakbym zgłosiła się do odpowiedzi. Jan przerwał i skinął, żebym mówiła.

— Powiedz mi, wujku, jak on doszedł do tego, gdzie jest relikwiarz? Nam się nie udało...

— Cóż... Też jestem ciekaw. Mnie powiedział, że konsultował się z włoskimi specjalistami w dziedzinie historii sztuki i to oni zwrócili mu uwagę, że relikwiarz przypomina symbol eremu. My szukaliśmy wskazówek w symbolach świętych, natomiast nie pomyśleliśmy o relikwiarzu jako o całości. Inaczej też zinterpretowaliśmy napis na rewersie, choć jak się okazało również trafnie, ale o tym zaraz. Teraz, kiedy relikwiarz został wstępnie przebadany przez specjalistów, wiemy, że nie tylko grawer powstał w okresie wojny, lecz również korona w formie obręczy wokół nogi, która zbliża relikwiarz do symbolu kamedułów. Nasza legenda o tym nie wspomina, więc nie mieliśmy prawa wiedzieć o tym niewielkim, ale jakże istotnym fakcie. To właśnie była ta wskazówka zaklęta w symbolice, której my upatrywaliśmy w świętych, kiedy wcale nie o nich chodziło.

— Jednakże tych eremów jest kilka. Jakim cudem trafił tutaj?

— Wyczytał to z listu.

— Nie chce mi się w to wszystko wierzyć. Coś tu jest nie tak — stwierdziłam cierpko i pokręciłam przecząco głową. — I jakim cudem te zabytki tu trafiły? Ktoś mógłby to wyjaśnić?

— Zosiu, jeśli dobrze pójdzie, będziesz miała jeszcze okazję, aby go o to zapytać.

— Oby. A powiedz mi, czy w tym liście jest wszystko dokładnie napisane? Mam na myśli chór w kościele.

— Niestety nie. W liście jest informacja, że zabytki są w eremie, choć nie jest to sprecyzowane. Ogólnie rzecz biorąc, jest w nim sporo ciekawych informacji, lecz pozwolicie, że przejdę do tego za chwilę. Aleks był świadom, że zakonnicy nigdy nie zgodzą się mu pomóc. Mam na myśli to, że nie oddaliby zabytków w takie ręce. Mój brat bowiem przez lata nie dość, że nie zatracił, to wygląda na to, że jeszcze wypielęgnował cechę zachłanności. Nie zamierzał dzielić się ze światem swoim znaleziskiem. Chciał te zabytki zachować dla siebie i spieniężyć zgodnie z umową. Jedynym więc rozwiązaniem, jakie przyszło mu do głowy, było przekupienie jednego z zakonników lub umieszczenie w klasztorze swojego człowieka. Pierwsza możliwość wydawała się nieprawdopodobna, więc zdecydował się na drugą. Ludzie Francuza go szantażowali, zatem zlecił to im, choć jak nadmieniłem, oni nie mieli zamiaru odcinać się od świata. Wymyślili, że wyręczą się Maksem w ramach zadośćuczynienia. Zaszantażowali go, że jeśli nie podejmie z nimi współpracy, to skrzywdzą Zosię.

Podniosłam wzrok.

— Tak, Zosiu. On dla ciebie siedział tu przez kilka miesięcy. Mocno się wystraszył, kiedy dowiedział się, że szajka Francuza jest powiązana z włoską mafią. Wolał nie ryzykować i dlatego wszedł z nimi w ten układ.

— Głupota — wypsnęło się Markowi.

Profesorowie spojrzeli na niego spod byka. Uniósł ręce przepraszająco i zapytał:

— Dlaczego trwało to tak długo?

— Widzisz! Maks myślał jak mężczyzna! — zakrzyczała go Kaśka. — W sposób liniowy. Skupił się na tym, co najważniejsze, czyli na miłości. Nie pomyślał sieciowo i pominął szereg czynników, na których skupiłaby się każda kobieta.

Jan zrobił wielkie oczy i zaczerpnął powietrza.

— Trwało to tak długo, ponieważ Maks musiał najpierw zlokalizować kryjówkę. Nie chcę wam namieszać, zatem zacznę po kolei. Otóż Maks przyjechał tutaj i spotkał się z Aleksem, który prędko zorientował się, z kim ma do czynienia. Wyznał synowi prawdę i w ramach rekompensaty za wszelkie krzywdy, jakie mu zgotował, zaproponował realizowane później wyjście z tej sytuacji. Umówili się, że Maks będzie kontynuował współpracę z tymi przestępcami. Najpierw przez kilka miesięcy szukał miejsca ukrycia zabytków, a gdy je odnalazł, poinformował o wszystkim Carla, a ten swoich braci. Aleks dogadał się z nimi i zobowiązał się wystawić siebie i ludzi Francuza zgodnie z konkretnym planem. Maks miał rozgrzebać miejsce ukrycia zabytków, a Aleks zwabić Watę i Sachę do kościoła, a potem wezwać policję. Przed jej przyjazdem Maks miał się ulotnić, a zakonnicy mieli uwięzić złodziei. W oczach policji to miał być ich włam. Umówili się, że zeznają, iż przyłapali ich na kradzieży, a Aleks przyzna się, że zlecił im tę robotę. Maks miał wyjść z tego czysty jako zwyczajny zakonnik nowicjusz…

Dalszych słów już nie dosłyszałam, bo moja przyjaciółka zakrzyczała Jana.

— Matko kochana, a myśmy im to wszystko zepsuli!

— Nie da się ukryć — potwierdził. — Dzięki nam prawda ujrzała światło dzienne.

— A co wy robiliście, kiedy my walczyliśmy o zabytki w tej kościelnej piwnicy? — zapytałam.

— Najpierw przeżyłem szok — stwierdził Jan — a kiedy się z niego otrząsnąłem, próbowaliśmy ustalić z Aleksem, o co w tym wszystkim chodzi. No i wezwaliśmy policję. Nie chcieliśmy tam wchodzić, żeby nie pogorszyć sytuacji. Już raz w tej sprawie namieszaliśmy.

— A gdzie obecnie jest Aleks? — zaciekawiłam się.

— W areszcie. — odpowiedział mi Kazimierz. — Odpokutuje swoje.

— Czyli stąd ta kamera w kościele? — odezwał się Marek.

— Jaka kamera? — dopytałam.

— Tak — potwierdził Kazimierz. — Carlo zamontował ją przy ołtarzu, aby mieć dowód, że tych dwóch tam weszło i zniknęło w chórze. Nie mógł zamontować jej tam, bo po pierwsze byłoby to zbyt podejrzane dla policji, po drugie nagrałby Maksa. Jak się okazało po zatrzymaniu przez policję, na wszelki wypadek zamontował też podsłuch, który stał się naszym wybawieniem.

Kaśka złapała się za głowę i zaczęła gibać się w przód i tył. Chyba nie mogła uwierzyć w to, co słyszy.

— Jakiego mamy nosa, do cholery, że poleźliśmy tam akurat w ten dzień, na który to wszystko zaplanowali — wyrzuciła z siebie z niedowierzaniem.

— Taka ironia losu — stwierdził Kazimierz.

— Cała ta historia to ironia losu! — ryknął Jan.

— Czyli to wszystko wina ojca Maksa! — powiedziałam podniesionym tonem.

— Dokładnie tak, Zosiu — potwierdził Jan.

— A co z tym człowiekiem, który szantażował Aleksa?

— Jest poszukiwany, ale póki co nie mamy żadnych wieści.

— Pięknie… Czyli nie jesteśmy bezpieczni — stwierdziłam.

Towarzystwo sposępniało.

— Spokojnie — wyrwał się nieoczekiwanie Antoni. — Bądźmy dobrej myśli. Póki co mamy tutaj obstawę, a zanim wrócimy do kraju, zapewne sytuacja jakoś się wykrystalizuje.

Wcale mnie to nie uspokoiło, lecz ucięłam temat, by bardziej nie uświadamiać i nie denerwować przyjaciół.

— Wujku, proszę zdradź nam w takim razie, co jest w tym liście.

Wszystkie oczy ponownie skierowały się na Jana.

— Moi drodzy — zaczął z przejęciem. — Zacznijmy od tego, że z listu wynika, że został napisany i ukryty na początku wojny tak jak relikwiarz i zabytki. Czyli przekazana nam legenda trochę odbiega od historii. Ojciec pisze w liście, że ukrył relikwiarz najpierw na Wawelu, a nim zdążył wywieźć zabytki, wybuchła wojna i przeniósł go do klasztoru na Srebrnej Górze. Zabytki wywiózł do Werony, a stamtąd do tutejszego eremu. Jak już wiemy, nowa kryjówka opiera się na tym samym grawerze, ojciec dołożył jedynie koronę, o której nie wiedzieliśmy. Tym sposobem skomplikował zagadkę, bo do graweru pasują dwa miejsca, zatem Zosia prawidłowo odczytała rymowankę. W końcu nie mieliśmy prawa wiedzieć, że ta zagadka ma drugie rozwiązanie. Mój brat miał tę przewagę, że pracował nad tym od dawna. A, zapomniałbym o jakże istotnym fakcie, że do listu dołączony jest spis dzieł, z którego wynika, że zaginęła cenna biżuteria. Ponadto list naszpikowany jest wyznaniami i pozwólcie, że daruję sobie przytaczanie słów mojego ojca. To zbyt emocjonalne i obawiam się, że moje serce mogłoby tego nie wytrzymać.

Wujek zdjął okulary i rozmasował skronie.

— I to naprawdę koniec? Nie ma już nikogo, kto by na nas polował, szantażował? — dopytałam.

Wszyscy spojrzeliśmy po sobie. Jan wykrzywił usta i wzruszył ramionami.

— Na to wygląda, że nie ma.

— Posadziłaś całą szajkę Francuza — dodał Antoni.

— A napastników z Gdańska zatrzymano niedawno na granicy z Niemcami — dorzucił Kazimierz.

— Świetnie. — Kaśka aż przyklasnęła. — A czego ty jeszcze chcesz?

— Świętego spokoju — powiedziałam z uśmiechem i odsunęłam swoje krzesło. Wstałam, okrążyłam stół, zatrzymałam się za plecami wujka, położyłam mu dłonie na ramionach i zwróciłam się do towarzystwa:

— Ta historia zmieniła moje życie i dojrzałam do tego, aby stwierdzić, że na lepsze. Jesteście moim największym darem. Do tej pory moje życie było przeciętne i puste. Nigdy nie przypuszczałam, że spotkam na swojej drodze tylu dobrych, honorowych, bezinteresownych ludzi. Poświęciliście dla mnie naprawdę wiele i bardzo wam za to dziękuję. Będę wam dozgonnie wdzięczna, staliście się moją rodziną, a to, co razem przeżyliśmy, nadaje się na książkę. Niech ktoś to spisze, ja nie chcę do tego wracać — dokończyłam i zniknęłam w cieniu schodów.

BLUES

Rześkie, przedpołudniowe powietrze wdzierało się uchylonym oknem, delikatnie poruszając koronkową firanką. Zaciągnęłam się nim, przetarłam oczy, przewróciłam się na drugi bok i zawyłam z bólu. Kompletnie zapomniałam o potłuczonych biodrach, które od kilku dni utrudniały mi życie.

— Wstawaj, bo za niedługo zjawi się lekarz — usłyszałam od Kaśki z drugiego końca pokoju. — Coś mi się wydaje, że ratownicy zbadali cię byle jak. Powinni zrobić dodatkowe prześwietlenie, przepisać sensowne leki, w ogóle to powinni położyć cię do szpitala — oburzała się. — Marek bez odpowiedniego sprzętu też za wiele nie powie.

Powoli podciągnęłam się na łóżku do pozycji półleżącej.

— Ja się Stasi do końca życia nie wypłacę — stwierdziłam. — Straciłam wszystkie oszczędności, jestem bezrobotna, goła i wesoła.

Kaśka usiadła na moim łóżku, spojrzała mi w oczy i przejechała delikatnie kciukiem wzdłuż sińca pod okiem.

— O to się nie martw. Ojciec Maksa zabezpieczył nas, zanim trafił do aresztu.

— Jak to zabezpieczył?

— Upoważnił swoją włoską żonę do dysponowania całym jego majątkiem. Widziałaś jego dom, to pomyśl, ile on ma hajsu.

— Zwariowałaś? — zirytowałam się. — Żadne z nas nie weźmie od niego ani grosza. Przecież to brudny szmal!

— A czy ktoś tu mówi o groszach? Niejaka Kamila przelała pani Stasi na konto taką sumkę, że będziemy tu mogli nocować w luksusach przez następny rok.

— Nawet tak nie żartuj!

Przyjaciółka odwróciła się do mnie plecami, aby przymknąć okno.

— Nie żartuję — oznajmiła. — Pani Stasia dostała przelew, więc nie masz tu nic do gadania. — Usiadła obok mnie. — Nie chcę siać fermentu — zaczęła cicho — ale nadal wiele kwestii w tej całej sprawie mi nie pasuje. Zastanawiałaś się nad tym?

— Hm… Tak i też mam sporo wątpliwości.

— A jakich? — dopytała, pochylając się w moją stronę.

— Dla mnie to dziwne, że Aleksowi udało się odnaleźć te przedmioty. Dziwne jest też i to, że Jan zaciągnął doktorów akurat do Koronki.

Pokiwałam głową.

— Mam podobne wątpliwości — potwierdziłam. — Wiesz, że mój pragmatyczny umysł zabrania mi wierzyć w takie zbiegi okoliczności.

— Podejrzewasz, że Jan kłamie? — dopytała z niedowierzaniem w głosie.

— Sama nie wiem… Po co miałby to robić?

— Może chce coś ukryć?

Wymieniłyśmy się spojrzeniami, jakbyśmy próbowały wyczytać sobie z oczu sens tych słów. Nastąpiła chwila ciszy.

— Wiesz co? — odezwałam się po jakimś czasie. — Nawet jeśli, to na razie wolę tego nie wiedzieć. Jeżeli w całej tej historii jest drugie dno, to prędzej czy później się o tym dowiemy. Wiesz, że jestem zdania, że kłamstwo ma krótkie nogi, a prawda wychodzi na jaw w najmniej oczekiwanych okolicznościach.

— Nie będziesz dociekać? — zdziwiła się. — To nie w twoim stylu.

— W istocie… Więc nie chcę się zarzekać. Czas pokaże.

Kaśka pokiwała głową, podwinęła rękaw i spojrzała na zegarek.

— My tu gadu-gadu, a za chwilę będzie lekarz. Ogarnij się, bo wyglądasz koszmarnie. — Zaśmiała się bezgłośnie. — Choć i tak dużo lepiej niż wczoraj — dodała.

— Jaki lekarz? — zdziwiłam się.

— Nie mam zamiaru patrzeć, jak się wykańczasz. Wezwaliśmy zaufanego specjalistę pani Stasi. Masz jakieś dwadzieścia minut. Idę na dół — obwieściła i zniknęła za drzwiami.

Powoli rozprostowałam obolałe nogi i podeszłam do niewielkiego lustra zawieszonego na ścianie. Moja twarz wyglądała już znacznie lepiej, nie była tak opuchnięta i opadnięta jak dwa dni wcześniej. Przez chwilę przyglądałam się zagniecionej od snu fioletowej śliwce pod okiem, kombinując, jak włożyć do oka soczewkę. W końcu wślizgnęłam ją pod górną powiekę i naciągnęłam na środek oka. Jeszcze przez chwilę patrzyłam na siebie z naprawdę wielkim zdumieniem. Ogarniało mnie za każdym razem, gdy spoglądałam w lustro. Nie mogłam wyjść z podziwu, że przeżyłam to wszystko i wyszłam z tego cało. A co najważniejsze, ze wszystkimi zębami. Chwilę później wzięłam prysznic, przebrałam się w sylwestrową małą czarną, czyli jedyną czystą rzecz jaka mi została, zadbałam o włosy, a nawet zrobiłam delikatny makijaż. Ciągle myślałam o Maksie. Bez przerwy. Zastanawiałam się, co mi powie, czy nadal mnie kocha i czy w okularach i z krótszymi włosami nadal będę mu się podobać.

Schodziłam powolutku po schodach, kiedy dosłownie wbiegła na mnie pani Stasia.

— Jesteś, dziecko. Chodź na dół, kochana. — Złapała mnie pod rękę, narzuciła mi kurtkę na ramiona i wypchnęła na taras.

W pierwszej chwili zgłupiałam, ale zaraz przez głowę przewinęła mi się myśl, że idę przywitać lekarza. Stanęłam przed domem, a pani Stasia zatrzasnęła za mną drzwi.

Z nieba siąpił delikatny deszcz, więc naciągnęłam kaptur i rozejrzałam się. Na skraju tarasu, przy skarpie, pod rozłożystym beżowym parasolem stał on. Tak, ten on, na którego tyle czekałam. Serce zabiło mi jak szalone, żołądek ścisnął się w pięść, a w głowie zawirowało.

Odwrócił się i zatopił we mnie wzrok. Zdębiałam. Stałam w deszczu sparaliżowana z emocji.

— Rusz się, kurka wodna! Deszcz pada! — usłyszałam głos Kaśki z okna nade mną.

Odchyliłam głowę, a kilka par oczu mignęło na mój widok i zniknęło w pomieszczeniu. Wiatr romantycznie przeciągnął po deszczu firankę w rytm pierwszych nut pianina w piosence Eltona Johna *I guess that's why they call it the blues*[17]. Ach, Kaśka. Przebiegł po mnie dreszcz. Uśmiechnęłam się do siebie. Elton zaczął powoli.

Don't wish it away. Don't look at it like it's forever. Between you and me I could honestly say, that things can only get better[18]. Gorące łzy wezbrały mi w oczach. Na

---

17 I myślę, że dlatego nazywają to bluesem.
18 Nie życz sobie, żeby tego nie było. Nie patrz na to tak, jakby to było wieczne. Tak między nami mogę powiedzieć szczerze, że teraz może być już tylko lepiej.

miękkich nogach ruszyłam w jego stronę, a Elton jak zawsze celnie wyśpiewał za nas wszystko, co tak trudno było nam powiedzieć.

And while I'm away, dust out the demons inside. And it won't be long before you and me run to the place in our hearts, where we hide[19].

Stanęłam naprzeciw Maksa i spojrzałam na niego wymownie. Prawą rękę miał na temblaku, a w lewej trzymał ogromny bukiet pastelowych piwonii — moich ulubionych kwiatów. Patrzyliśmy na siebie w milczeniu, a Elton nieprzerwanie wyrywał słowa z naszych serc i niósł je echem wokół wzgórza i nad jezioro.

And I guess that's why they call it the blues. Time on my hands could be time spent with you. Laughing like children, living like lovers, rolling like thunder under the covers. And I guess that's why they call it the blues[20].

Wzięłam kwiaty i przylgnęłam do niego. Ujął mnie w pasie, przycisnął do siebie, zatopił się w moich włosach.

Just stare into space. Picture my face in your hands. Live for each second without hesitation and never forget I'm your man.[21]

---

19 I gdy jestem daleko, odkurz wewnętrzne demony. I nie potrwa to długo, a ty i ja pobiegniemy do miejsca w naszych sercach, gdzie możemy się ukryć.

20 I myślę, że dlatego nazywają to bluesem. Czas, jaki mam, może być czasem spędzonym z tobą. Śmiejąc się jak dzieci, żyjąc jak kochankowie, przetaczając się jak burza pod kołdrą. Myślę, że dlatego nazywają to bluesem.

21 Po prostu wpatrz się w przestrzeń. Wyobraź sobie moją twarz w twoich dłoniach. Żyj każdą sekundą, bez wahania i nigdy nie zapomnij, że jestem twoim mężczyzną.

Zamknęłam oczy. Chłonęłam go wszystkimi zmysłami. Zaczęliśmy delikatnie kołysać się w rytm muzyki.

Wait on me girl. Cry in the night if it helps. But more than ever I simply love you. More than I love life itself[22].

— Kocham cię ponad życie — wyszeptał.

— Wiem — odpowiedziałam i wspięłam się na palce, aby móc ustami dosięgnąć jego ust.

And I guess that's why they call it the blues. Time on my hands could be time spent with you. Laughing like children, living like lovers, rolling like thunder under the covers. And I guess that's why they call it the blues.

Wait on me girl. Cry in the night if it helps. But more than ever I simply love you. More than I love life itself.

And I guess that's why they call it the blues. Time on my hands could be time spent with you. Laughing like children, living like lovers, rolling like thunder under the covers. And I guess that's why they call it the blues.

Wiatr niósł wokół brawa i radosne krzyki naszych przyjaciół.

Cała siła świata zamyka się w dwóch słowach: KOCHAM CIĘ.

Zośka Sokolnicka

---

22 Czekaj na mnie, mała. Płacz nocą, jeżeli to pomaga. Ale bardziej niż kiedykolwiek po prostu kocham cię. Bardziej, niż kocham samo życie.

POSŁOWIE

Dziękuję wszystkim, którzy przyczynili się do powstania tej książki.

Najmocniej dziękuję moim bliskim – wasza miłość i troska pomogły mi uwierzyć, że warto walczyć o swoje marzenia. Wiem, że zawsze mogę na was liczyć, a to daje mi ogromną siłę.

Dziękuję mojemu mężowi, który wytrwale wspierał mnie w tworzeniu historii Zośki i Maksa. To twoja ciekawość sprawiła, że w gdańskim muzeum odnalazłam inspirację do napisania tej powieści. Kochany, wiedz że jesteś moim źródłem energii, moim wszystkim.

Dziękuję rodzicom za wpojone mi wartości, które dziś stanowią fundament mojego szczęścia. Dziękuję za doping oraz wszystkie nasze przegadane noce i dni – wiem, że jeszcze niejedne przed nami.

Dziękuję całej redakcji wydawnictwa Lira za wiarę w mój debiut.

Dziękuję również Tobie, Szanowna Czytelniczko, Szanowny Czytelniku, za towarzyszenie Zośce w jej przygodzie.

Bohaterowie tej powieści są fikcyjni, a wszystkie wydarzenia są zmyślone. Pragnę podkreślić, że doceniam i szanuję pracę policjantów. Miałam okazję poznać specyfikę tego zawodu, co tylko utwierdziło mnie w przekonaniu, jak jest ważny, trudny i wciąż niedoceniany.

Wyobraźnia często mnie zaskakuje, w związku z czym na kartach tej książki nieraz mocno popłynęła. Akcja powieści rozgrywa się w rzeczywistych miejscach, niemniej jednak na potrzeby fabuły pozwoliłam sobie trochę je pozmieniać. Zapewne niektóre z opisanych wydarzeń, nie miałyby możliwości zaistnieć w realnym życiu. Przepraszam czytelników za te świadome przeinaczenia, jak również za nieświadome błędy.

Zachęcam wszystkich do odwiedzenia opisywanych miejsc. Kraków i Gdańsk to miasta wyjątkowe, z niesłychanie bogatą ofertą kulturalną. Warto do nich wracać, bo za każdym razem można poznawać je na nowo. I kto wie, czy nie staną się kolejną inspiracją?

Elżbieta Bielawska

Projekt okładki: Magdalena Wójcik
Zdjęcie na okładce: © Evgeniya Porechenskaya/ 123rf.com
Zdjęcie Elżbiety Bielawskiej: © archiwum prywatne autorki
Retusz zdjęcia okładkowego: Katarzyna Stachacz
Redakcja techniczna: Kaja Mikoszewska

Redaktor inicjujący: Paweł Pokora
Redakcja: Mirosław Jarosz
Korekta: Marta Kozłowska
Skład: Klara Perepłyś-Pająk

Producenci wydawniczy: Marek Jannasz, Anna Laskowska

L i R A
WYDAWNICTWO

www.wydawnictwolira.pl

Wydawnictwa Lira szukaj też na:

Druk: Pozkal

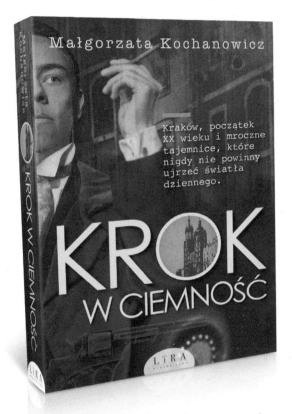

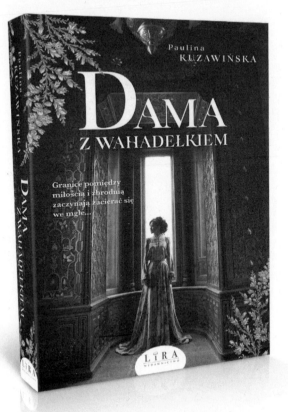

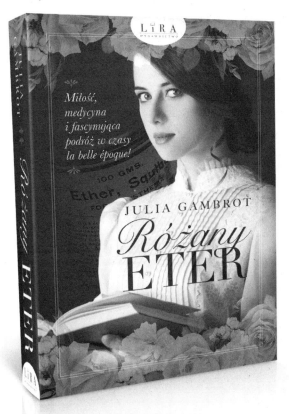

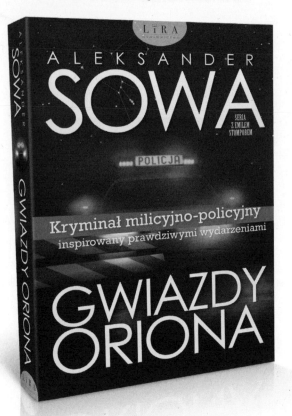